ÉTUDES DE PHILOSOPHIE MÉDIÉVALE

Directeur : Étienne GILSON

IV

LA PHILOSOPHIE

DE

SAINT BONAVENTURE

PAR

ÉTIENNE GILSON

CHARGÉ DE COURS A LA SORBONNE

DIRECTEUR D'ÉTUDES

A L'ÉCOLE PRATIQUE DES HAUTES ÉTUDES RELIGIEUSES

PARIS

LIBRAIRIE PHILOSOPHIQUE J. VRIN

6, PLACE DE LA SORBONNE (Vᵉ)

1924

ÉTUDES DE PHILOSOPHIE MÉDIÉVALE

Directeur : Étienne GILSON

———————— IV ————————

LA PHILOSOPHIE

DE

SAINT BONAVENTURE

PAR

ÉTIENNE GILSON

CHARGÉ DE COURS A LA SORBONNE

DIRECTEUR D'ÉTUDES

A L'ÉCOLE PRATIQUE DES HAUTES ÉTUDES RELIGIEUSES

PARIS

LIBRAIRIE PHILOSOPHIQUE J. VRIN

6, PLACE DE LA SORBONNE (V^e)

1924

PRÉFACE

Jamais l'étude des philosophies médiévales ne s'est développée avec une vitalité comparable à celle qui l'anime de nos jours. L'élargissement toujours plus vaste de notre curiosité historique en est sans doute l'une des principales causes ; mais il se pourrait aussi que notre époque éprouvât le besoin plus ou moins confus de se remettre à l'école d'un temps qui, sachant certainement beaucoup moins de choses que nous n'en savons, n'ignorait pas du moins l'unique nécessaire : la supériorité absolue du spirituel sur le temporel. C'est peut-être au fond pourquoi le moyen âge demeure notre meilleur professeur de métaphysique. Et cependant, malgré toutes les contributions historiques, synthèses doctrinales ou publications de textes qui vont se multipliant de jour en jour, il semble que la perspective générale sous laquelle nous apparaît cette époque demeure faussée par un préjugé fondamental. Un apologue nous aidera peut-être à saisir en quoi il consiste et à en faire apparaître la gravité.

Supposons, ce qui n'a rien d'ailleurs que de vraisemblable, que l'immortelle *Divine Comédie* représente pour nous la synthèse poétique de la chrétienté médiévale. Nous l'ouvrons et voici que l'univers entier vu du XIIIe siècle s'ordonne et se hiérarchise sous nos yeux. Depuis les cercles les plus profonds de l'enfer jusqu'à Dieu, l'âme chrétienne parcourt en pensée tous les étages de la création, guidée et soutenue par des secours divins proportionnés à l'altitude des lieux qu'il lui faut successivement explorer. Virgile, prince du beau style et plénitude de l'ordre naturel, lui fait traverser l'empire des morts, l'élève au purgatoire, lui fait dépasser les cercles de ceux qui attendent encore la gloire éternelle et, progressivement, approche du paradis. Mais Virgile n'a pas la foi ; il ne peut pas guider l'âme plus avant et, comme le très doux père s'efface pour laisser la place à Béatrice, la première des vertus théologales, inaugurant le règne de la grâce, surnaturalise l'âme du poète et l'habilité pour l'exploration du paradis. L'ascension peut alors reprendre ; la lente montée de cercle en cercle atteint successivement les degrés de la perfection chrétienne ; l'âme dépasse le ciel des savants, celui des sages, des docteurs en théologie, des fondateurs d'ordres, des martyrs, des contemplatifs, des esprits triomphants des Apôtres ; elle est au neuvième ciel où résident les hiérarchies angéliques, elle approche de son terme, elle va toucher Dieu. Mais voici qu'au moment de saisir la fin vers laquelle elle n'a cessé de tendre depuis son départ, Béatrice l'abandonne à son tour pour laisser la place à saint Bernard. Le vieillard, dont le visage rayonne cette vivace charité qui conduit seule ici-bas jusqu'à l'extase, devenu l'intercesseur de l'âme chrétienne auprès de la Vierge, achèvera la tâche commencée ; c'est lui qui conduira le poète au point où l'amour touche enfin ce que l'intellect ne peut pas contempler :

> *l'amor che move il sole et l'altre stelle.*

Supposons maintenant que nous demandions à quelque historien, lecteur averti de ce poème dont les détails sont d'une infinie complexité, comme la nature, mais dont le plan général est si clair, quels en sont les principaux personnages? Si l'on nous répondait par exemple : « Il y en a trois : Dante, Virgile et Béatrice », nous resterions sans doute stupéfaits. Comment serait-il possible d'oublier saint Bernard, la charité sans laquelle la vie chrétienne se trouve découronnée, la mystique sans laquelle l'édifice des illuminations surnaturelles demeure inachevé, le guide suprême enfin sans lequel Dante n'arriverait pas jusqu'à Dieu ni la *Divine Comédie* jusqu'à sa conclusion? Notre interlocuteur tenterait peut-être alors de justifier une aussi étrange assertion. « Béatrice », dirait-il, « représente la vie surnaturelle ; personne, et par conséquent saint Bernard lui-même, ne saurait donc plus rien conférer à l'âme qu'elle ne le lui ait déjà donné. » — Mais comment supposer que Béatrice représente la vie surnaturelle, puisqu'elle ne peut pas conduire l'âme chrétienne jusqu'au terme propre de la vie surnaturelle qui est Dieu? Béatrice peut représenter un ou plusieurs dons de la grâce, elle ne saurait représenter la grâce tout entière sans nous mettre en présence de cette contradiction théologique : le principe même de la vie surnaturelle incapable de la conduire à son achèvement. Objecterait-on enfin que saint Bernard ne représente pas un degré nouveau dans l'ordre de la vie chrétienne, mais qu'il est, révérence parler, l'analogue de Stace dans le purgatoire, et marque par l'acte d'intuition le passage de la science théologique à la vision finale de Dieu? Nous répondrions évidemment que, d'abord, il n'y a peut-être pas de vision finale de Dieu dans la *Divine Comédie*, mais seulement cette atteinte de Dieu par l'amour que donne l'extase au point où la vision fait défaut :

All' alta fantasia qui mancò possa.

Mais nous répondrions surtout qu'il n'y a nul rapport entre un personnage comme Stace, qui accompagne Virgile et Dante jusqu'au seuil du paradis, et un personnage comme saint Bernard, qui remplace Béatrice au moment où Dante va parvenir jusqu'à Dieu. L'hypothèse initiale d'une *Divine Comédie* qui ne marquerait pas une véritable élévation d'ordre au point décisif où l'âme chrétienne demande à l'amour de la porter au delà de l'intelligence apparaîtrait donc comme ruineuse de toutes parts et l'on se demanderait même comment un lecteur averti du poème de Dante aurait pu en venir à l'imaginer.

Et cependant notre moyen âge tout entier n'est pas moins défiguré ni mutilé par notre faute que ne le serait une *Divine Comédie* sans la mystique de l'amour qui la couronne. Attentifs surtout au grand mouvement intellectuel qui prépare la merveilleuse réussite du thomisme, curieux d'en parcourir inlassablement du regard les admirables perspectives et de jouir en connaisseurs d'un ajustage d'idées comme il n'en a jamais été réussi ni avant ni depuis, nous oublions peut-être trop qu'il se couronne lui-même par une mystique et qu'autour de toutes les intelligences que séduisait le génie des spéculatifs, d'innombrables amours veillaient, en quête d'un ordre des idées et des choses qui fut capable de les satisfaire. Comment croire que l'on se représente sans erreur grave le XIIIe siècle chrétien, si l'on n'équilibre par des milliers de vies intérieures tendues vers l'amour dans le silence des cloîtres l'innombrable effort des intelligences qui s'employaient dans les écoles au service de la science et de la foi? Cisterciens autour de saint Bernard ; Victorins autour d'Hugues et de Richard ; Franciscains autour de saint Bonaventure, représentent à nos yeux la vie affective du moyen âge occidental dans ce qu'elle eut de plus intense et de plus beau. C'est avec l'espoir d'en convaincre quelques amis des études médiévales que nous avons entrepris cet ouvrage et nous aimerions être sûrs que la beauté de Béatrice ne fera plus oublier désormais celui qui, comme saint Bernard, chercha dans une ardente charité l'avant-goût de la paix céleste pour laquelle il vécut tout entier.

Tel qu'il est, ce travail repose sur l'édition monumentale des œuvres

de saint Bonaventure publiée de 1882 à 1902 par les PP. Fransciscains
de Quaracchi. Cette édition n'est pas seulement un modèle du genre
par la beauté de sa typographie, l'excellence de son texte et la sûreté
dont elle fait preuve dans le discernement des œuvres authentiques,
elle est encore d'une incroyable richesse pour tout ce qui concerne les
sources philosophiques ou patristiques de la doctrine; le chercheur y
trouvera des masses de matériaux auxquels nous n'avons pour ainsi dire
pas touché et qui attendent encore d'être exploités. Il nous a semblé
par contre que les Scolies dont elle est accompagnée contenaient parfois, à côté des renseignements historiques les plus précieux, des commentaires philosophiques de nature à masquer le sens de la doctrine
qu'ils expliquaient. Nous devons à cette admirable édition le texte de
saint Bonaventure, nous n'en acceptons qu'assez rarement l'interprétation. C'est pour nous un devoir que de le déclarer expressément au
début de cet ouvrage, non pour revendiquer la propriété de ses conclusions, mais pour ne pas en rendre solidaires ceux dont le patient
labeur nous a permis de les formuler et qui ne sont plus là maintenant
pour les discuter.

On voudra bien se souvenir aussi, en jugeant ce livre, que l'historien
n'est pas moins impuissant devant une grande philosophie que le philosophe lui-même ne l'est devant la nature. Qu'il se trouve par surcroît
en présence d'une âme aussi totalement religieuse que celle de saint
Bonaventure, son incertitude tourne au découragement. Nombreuse,
infiniment ondoyante et diverse, cette pensée n'est qu'une charité toujours active dont le mouvement incessant tend vers des objets qui nous
échappent ou vers les aspects inconnus de ceux que nous percevions
déjà. Comment suivre une telle pensée sans être cette pensée même, et
n'est-ce pas pour l'instruction de ses futurs interprètes qu'elle s'adresse
à elle-même cet avertissement : *non enim potes noscere verba Pauli, nisi
habeas spiritum Pauli?* Nous espérons du moins qu'on ne nous accusera
pas d'avoir failli par manque de bon vouloir et de sympathie; toutes les
erreurs de l'intelligence sont excusables, sauf celles qui naissent d'un
manque de générosité.

Melun, 25 avril 1923.

LA PHILOSOPHIE
DE SAINT BONAVENTURE

CHAPITRE I.

L'homme et le milieu.

I. — LA VIE DE SAINT BONAVENTURE.

Pour saint Bonaventure, plus encore peut-être que pour saint Thomas d'Aquin, on peut dire que l'homme disparaît derrière l'œuvre. Pas une seule biographie contemporaine ne nous est parvenue et, si l'on n'a pas encore perdu tout espoir de retrouver l'écrit de Gilles de Zamorra, l'histoire de sa vie n'en doit pas moins être reconstituée par des comparaisons de dates et des interprétations de témoignages dont les origines sont très diverses. Encore cette reconstitution ne nous met-elle sous les yeux qu'une sorte de schéma chronologique dont bien des traits sont incertains et qui présente de nombreuses lacunes ; c'est de là cependant qu'il faut partir si l'on veut s'assurer une base pour interpréter l'œuvre du grand docteur franciscain.

Saint Bonaventure est né à Bagnorea, ainsi qu'en témoignent plusieurs textes où il est désigné comme originaire de Balneoregio ou Bagnoreto[1]. C'était une petite ville située non loin d'Orvieto et de Viterbe, dans un beau site qui attire aujourd'hui les voyageurs et qui faisait alors partie du territoire de l'Église. Le jour de sa naissance se place au cours de l'année 1221 ; son père se nommait Jean, surnommé Fidanza, et sa mère Ritella. D'après certains témoignages anciens le

---

1. Salimbene, *Catalogus generalium*, éd. Holder-Egger, Mon. Germ. Histor., t. XXXII, p. 664, et *Chronica*, p. 310.

père de saint Bonaventure aurait exercé la médecine et appartenu à la famille noble des Fidanza di Castello. Toujours est-il que l'enfant reçut de son père le nom de Jean, auquel on ajoute souvent celui de Fidanza, mais qu'il fut le plus souvent désigné par le nom de Bonaventura. Et s'il est vrai que son père ait exercé la profession de médecin, nous savons que ce n'est pas à son art que saint Bonaventure estimait devoir d'être demeuré en vie. Dès son enfance il fut atteint d'une grave maladie qui mit ses jours en danger; sa mère pensa le remettre entre les mains d'un plus puissant médecin en invoquant saint François d'Assise et l'enfant recouvra la santé; il entra donc dans son adolescence sous le signe de saint François et ne devait jamais lui reprendre une vie qu'il avait conscience de lui devoir[1].

On ignore à quelle date exacte saint Bonaventure prit l'habit franciscain; les témoignages s'accordent pour attester qu'il était alors encore jeune[2], et la tradition la plus ancienne, qui vient d'être reprise par un récent historien, fixait en 1243 la date de cet événement; d'autres critiques préfèrent cependant, pour des raisons dont certaines ne manquent pas de force, admettre la date de 1238; en l'absence de tout témoignage direct nous ne pouvons prétendre à mieux qu'à des vraisemblances plus ou moins fondées, et cette incertitude initiale retentit fâcheusement sur les dates importantes qui suivent immédiatement celle de son entrée dans l'Ordre[3]. Il semble cependant que l'acceptation de l'une ou l'autre date ne puisse rien changer à l'interprétation de son évolution intellectuelle. Si, comme il est possible, Bonaventure n'entra dans l'Ordre qu'en 1243, il put y recevoir l'enseignement théologique d'Alexandre de Halès jusqu'à la mort de ce maître, en 1245; or, on peut dire que ce fut là l'événement décisif pour l'avenir de sa pensée. Il est permis de supposer qu'un tel élève avait fait naître bien des espoirs dans la pen-

---

1. *Legenda major S. Franc.*, Prol., n. 3, t. VIII, p. 505. *Legenda minor S. Franc.*, t. VIII, p. 579.

2. Salimbene, *Catalogus*, p. 664, et *Chronica XXIV generalium*, Analecta Franciscana, t. III, p. 324.

3. On consultera sur ce point : R.-A. Callebaut, O. M., *L'entrée de saint Bonaventure dans l'Ordre des Frères Mineurs en 1243*, La France franciscaine, janvier-juin 1921, qui défend l'opinion ancienne, ainsi que le P. Lemmens, O. M., *Der hl. Bonaventura*, Kempten, 1909, p. 19 et suiv., ou, dans la traduction italienne que nous citerons désormais (*S. Bonaventura*, Milano, 1921), p. 35 et suiv. Pour l'opinion contraire (1238), *Vita Seraphici Doctoris*, Op. omnia, t. X, p. 40-44. Cf. également F. Ehrle, *Der heilige Bonaventura, seine Eigenart und seine drei Lebensaufgaben*, dans Franziskanische Studien, Festnummer, juillet 1921, p. 114, note 1. Nous adopterons comme celle qui fait le moins violence aux témoignages les plus anciens la chronologie du P. Callebaut.

sée d'un tel maître et l'on sait du moins quelle admiration Alexandre de Halès éprouvait pour la qualité d'âme de son disciple : *tanta bonae indolis honestate pollebat, ut magnus ille magister, frater Alexander diceret aliquando de ipso, quod in eo videbatur Adam non peccasse*[1]; de son côté, saint Bonaventure avait trouvé rassemblée et ordonnée dans l'enseignement de son maître la somme des doctrines philosophiques et théologiques dont il allait à son tour devenir le défenseur; il se donne expressément comme le continuateur d'Alexandre[2] et par là même il se réclame d'une autre tradition que celle dont allait s'inspirer saint Thomas.

Cette antériorité dans le temps qui appartient à la direction philosophique suivie par saint Bonaventure est un fait bien connu, mais on ne l'a peut-être pas aussi bien interprété. L'habitude d'envisager le développement des doctrines médiévales en fonction de l'aristotélisme est si profondément enracinée que les plus zélés partisans de saint Bonaventure en sont arrivés à le plaindre d'être venu trop tôt pour profiter de la réforme théologique d'Albert le Grand et des traductions d'Aristote faites par Guillaume de Moerbeke; on cherche pour lui des excuses, on plaide les circonstances atténuantes, comme si sa doctrine privée des ressources de l'aristotélisme et sa carrière de professeur sacrifiée à ses fonctions de général de l'Ordre ne lui avaient permis d'élaborer qu'une ébauche de système et d'aboutir qu'à une sorte de thomisme manqué[3]. Si saint Bonaventure ne diffère de saint Thomas que parce qu'il a construit sa doctrine sur des bases plus restreintes et n'a pas disposé du temps nécessaire pour l'élaborer complètement, on conçoit aisément pourquoi l'étude de sa pensée a été jusqu'à présent relativement négligée; étudier un saint Thomas virtuel et incomplet serait un

1. Salimbene, *op. cit.*, p. 664, et *Anal. franc.*, t. III, p. 324.
2. *II Sent.*, 23, 2, 3, ad finem, t. II, p. 347, et *II Sent.*, Praelocutio, t. II, p. 1, init.
3. On trouvera des traces fort nettes de cet état d'esprit jusque chez les Scoliastes de Quaracchi. Saint Bonaventure, disent-ils, a écrit son *Commentaire sur les Sentences* : « Antequam illa nova ratio studiorum incepit. » Nommé général de l'Ordre à trente-cinq ans : « Plenum mirabilis sui ingenii et doctrinae incrementum assequi non potuit, ut S. Thomas », *De scriptis Seraphici Doctoris*, Opera omnia, t. X, p. 31. Dans le même esprit, Ehrle, *Die päpstliche Enzyklika vom August 1879 und die Restauration der christlichen Philosophie*, Stimmen aus Maria Laach, t. 18, 1880, p. 295, et L. Lemmens, O. M., *S. Bonaventura*, p. 68-70 : « Mercè l'oculatezza del suo ingegno Tommaso seppe approfittare di questa circostanza (les traductions latines d'Aristote), aprendo così la via al nuovo periodo della filosofia cristiana. Bonaventura invece non fu in grado di trarre profitto da questo grande progresso, ed in ciò sta la ragione principale della differenza, che in alcuni punti corre tra la sua dottrina e quella del suo amico Tommaso. »

travail évidemment fastidieux et inutile. Or, nous aurons à nous demander si le fait d'avoir exercé le gouvernement de son Ordre a vraiment
empêché saint Bonaventure d'atteindre son plein développement intellectuel et d'achever sa doctrine, mais il importe de marquer dès à présent que, bien loin de s'être engagé, pour s'arrêter bientôt en route,
sur la voie qui conduisait à l'aristotélisme chrétien, saint Bonaventure
s'était immédiatement fixé dans une doctrine qui en constituait la négation radicale; ce n'est ni par ignorance ni par suite d'un hasard chronologique qu'il n'est pas devenu aristotélicien.

Si l'on méconnaît la vérité de ce fait capital c'est sans doute parce
que le *Commentaire sur les Sentences*, où règne d'un bout à l'autre le
ton d'une exposition exempte de polémique, ne s'attarde généralement
pas à la critique de l'aristotélisme. Mais on peut observer d'abord que
saint Bonaventure n'ignore pas la doctrine d'Aristote et qu'il fait même
fréquemment appel à son autorité. Comment d'ailleurs l'eût-il ignorée?
Lorsque le jeune novice entra au couvent des Franciscains de Paris
pour y commencer ses études théologiques, il avait terminé, et sans
doute à Paris même, ces études philosophiques sans lesquelles l'accès
aux disciplines supérieures était interdit. Or, à cette époque, les maîtres
de la Faculté des Arts n'enseignaient pas seulement l'*Organon*, mais
encore la *Physique* et la *Métaphysique* d'Aristote. Depuis Abélard on
connaissait fort bien la doctrine aristotélicienne de l'abstraction et, dès
le xiie siècle, Jean de Salisbury marquait de la façon la plus nette
qu'Aristote enseignait un déterminisme astrologique exclusif de toute
liberté. A mesure que de nouveaux traités d'Aristote se trouvaient tra-
duits et mis en circulation, la doctrine qu'ils contenaient était étudiée,
exposée, discutée; les interdictions de 1215 et de 1231 elles-mêmes
montrent que l'aristotélisme était une doctrine dont on n'ignorait ni le
contenu, ni l'importance, ni le caractère peu chrétien. Et c'est là précisément pourquoi saint Bonaventure n'avait pas encore à prendre ouvertement parti contre Aristote. En 1250 rien n'annonce les agitations du
mouvement averroïste; les maîtres de la Faculté des Arts ne se sont pas
encore avisés de déclarer que la philosophie d'Aristote se confond avec
la Philosophie elle-même, que sa doctrine, en tant précisément qu'elle
est une philosophie, aboutit à des conclusions qui peuvent être accep-
tées ou rejetées, mais non pas réformées par la théologie. L'Aristote de
la Faculté des Arts avant l'averroïsme devait donc suggérer à saint
Bonaventure l'idée qu'une philosophie purement humaine est surtout à
son aise lorsqu'elle se meut dans le domaine des choses naturelles, mais

qu'elle a nécessairement la vue courte, qu'elle est condamnée à l'erreur, qu'elle constitue tout au plus un lieu de passage entre deux termes situés en deçà ou au delà de ses limites, de telle sorte que le philosophe pur expérimenterait sur lui-même que l'homme est incapable, par les seules forces de sa raison, de s'emparer de la vérité. Saint Bonaventure n'oubliera jamais cette leçon ; il connaît fort bien Aristote, il le cite constamment, il lui emprunte une large part de son vocabulaire technique, il l'admire sincèrement et le considère comme le savant par excellence : *et ideo videtur quod inter philosophos datus sit Platoni sermo sapientiae, Aristoteli vero sermo scientiae;* mais il ne l'estime pas, il ne suppose pas un instant que la vraie philosophie coïncide avec sa doctrine ni que la théologie, gardienne de la foi, doive se modifier en rien pour lui faire place ; dès son premier contact avec la pensée païenne d'Aristote, saint Bonaventure pense l'avoir comprise, jugée et dépassée.

Or, en s'élevant de l'étude des arts libéraux à celle de la théologie, il ne pouvait que se sentir confirmé dans cette première impression. Entre les années 1243 et 1248, il se trouve initié par Alexandre de Halès, puis par Jean de la Rochelle, à une théologie essentiellement augustinienne, dont les thèses fondamentales étaient liées avec une extrême rigueur et dont les développements engendraient un édifice de proportions déjà fort imposantes. Nous savons qu'outre les maîtres franciscains qu'il entendit au couvent de Paris : Odon Rigaud, Jean de Parme et Richard de Cornouailles, il entendit très probablement le dominicain Hugues de Saint-Cher, dont l'enseignement a laissé des traces sur son commentaire de l'*Ecclésiaste*[1]; mais il y avait en même temps à Paris un autre maître dominicain, dont l'enseignement ne pouvait guère demeurer inaperçu : Albert de Cologne, dit plus tard Albert le Grand. Que saint Bonaventure ait ou non assisté personnellement à certaines de ses leçons, il est peu vraisemblable que, dans le monde fermé de l'Université de Paris, il ait ignoré l'audacieuse entreprise d'un maître qui séparait la philosophie de la théologie, fondait sur des bases résolument sensibles les preuves de l'existence de Dieu et refusait de considérer comme rationnellement démontrable la création du monde dans le temps. Or, l'enseignement d'Albert le Grand à Paris se place exactement entre 1245 et 1248, date de son départ pour le nouveau *studium generale* de Cologne ; c'est au cours de ces années qu'il commenta

1. P. Crescentius v. d. Borne, *De fontibus Commentarii S. Bonaventurae in Ecclesiastem,* Archivum franciscanum historicum (Quaracchi), t. X, p. 257-270.

publiquement les *Sentences* de Pierre Lombard en qualité de maître en théologie et ce sont aussi les années qui séparent la mort d'Alexandre de Halès de l'autorisation accordée par Jean de Parme à saint Bonaventure d'enseigner publiquement à son tour. Ce n'est donc pas par ignorance de la réforme aristotélicienne d'Albert le Grand que le jeune maître franciscain refusait de s'engager dans cette voie ; si l'exemple d'un savant illustre, et qui allait s'emparer immédiatement de l'esprit du jeune Thomas d'Aquin, ne l'a pas converti aux idées nouvelles, c'est que son orientation philosophique définitive était déjà trouvée et sa pensée déjà formée. C'est en pleine connaissance de cause qu'après avoir expliqué l'évangile de Luc il expose, dès les années 1250-1251, dans son *Commentaire sur les Sentences*, l'ensemble des conceptions philosophiques et théologiques d'esprit augustinien dont il restera toujours le défenseur[1]. Œuvre vraiment magistrale, fruit d'un jeune et puissant génie qui consigne et ordonne en une longue série de questions la tradition dont il vient d'hériter.

Or, il est impossible d'étudier attentivement cette somme philosophique de la pensée bonaventurienne sans constater qu'en effet l'aristotélisme est pour le docteur séraphique une doctrine condamnée. Les textes qui justifient cette assertion sont si nombreux et si explicites que la question de savoir à quelle date exacte il est venu étudier à l'Université de Paris se trouve reléguée au second plan. Peu importe en effet que saint Bonaventure soit entré dans l'Ordre franciscain en 1238 ou en 1243 et qu'il lui ait été possible ou non d'entendre Albert le Grand avant de composer son œuvre, il suffit de l'entendre lui-même pour se convaincre que l'aristotélisme n'est pas un progrès qu'il ignore, mais une erreur qu'il juge. On aurait pu le soupçonner déjà si l'on avait donné son sens exact au passage célèbre dans lequel il se présente à nous comme le simple continuateur d'Alexandre de Halès, car cette déclaration, que l'on interprète ordinairement comme une preuve de sa profonde modestie, prouve non moins évidemment que, si le jeune maître franciscain ne veut pas entrer en guerre contre les opinions nouvelles,

---

1. P. de Loë, O. P., *De vita et scriptis B. Alberti Magni*, Analecta Bollandiana, 1901, t. XX, p. 278, et en ce qui concerne saint Bonaventure : « Item frater Johannes de Parma dedit licentiam fratri Bonaventurae de Balneo regis, ut Parisius legeret, quod nunquam alicubi fecerat, quia bacallarius erat nec adhuc cathedratus, et tunc fecit lecturam super totum Evangelium Lucae, quae pulchra et optima est ; et super Sententias quatuor libros fecit, qui usque in hodiernum diem utiles et solemnes habentur. Currebat tunc annus 1248, nunc autem agitur annus 1284 », Salimbene, *Chronica*, éd. Holder-Egger, p. 229.

il ne les ignore cependant pas. C'est en connaissance de cause qu'il opte résolument pour la tradition : *Non enim intendo novas opiniones adversare, sed communes et approbatas retexere.* Si l'on hésitait encore sur le sens exact de cette formule, il suffirait de recourir au texte même du *Commentaire*, car saint Bonaventure n'a pas complètement tenu parole et lui-même s'est chargé de nous détromper.

Sans doute, comme nous venons de le rappeler, en 1245 ou 1250 le problème de l'averroïsme chrétien ne se pose même pas; personne encore n'enseigne à l'Université de Paris la possibilité d'une philosophie dont les conclusions, quoique nécessaires, seraient en désaccord avec les vérités de la foi. Mais si l'averroïsme chrétien n'apparaît pas encore, la doctrine d'Averroès est déjà fort bien connue et les deux grandes écoles théologiques auxquelles elle va se heurter ont déjà pris position pour la juger. Bien que l'état actuel des recherches ne permette pas encore d'en décider avec une pleine certitude, il semble de plus en plus certain que l'entreprise hardie d'Albert le Grand fut motivée par le souci de ruiner jusque dans leur fondement certaines doctrines juives ou arabes qui semblaient entachées de panthéisme, et spécialement de réfuter la doctrine averroïste de l'unité de l'intellect. S'il appelle Aristote à son aide, c'est parce que la doctrine du composé de la matière et de la forme, en posant solidement dans un être à part les individus créés, coupe définitivement toute communication d'être entre eux et Dieu et leur confère une individualité qui les distingue au sein de l'espèce. Mais si nous envisageons cette tentative de réforme du point de vue de la philosophie traditionnelle, elle nous apparaît aussi comme comportant certains risques. Assurer la distinction de Dieu et de la créature en conférant aux composés physiques des essences fermées et définies, n'était-ce pas aussi conférer à la créature une excessive indépendance par rapport au créateur et clore les communications intérieures qui légitiment les preuves traditionnelles de l'existence de Dieu? Accepter les principes de la physique d'Aristote, n'était-ce pas se condamner à enseigner l'éternité du monde et peut-être cette même unité de l'intellect agent contre laquelle on l'invoquait? Problèmes infiniment graves et troublants pour les consciences religieuses de ce temps, et dont il est trop simple de supposer que la solution put dépendre de la connaissance ou de l'ignorance des traductions de Guillaume de Moerbeke. Ces traductions pouvaient être nécessaires pour que l'œuvre si parfaitement achevée de saint Thomas fût possible, mais Albert le

Grand n'avait eu besoin que d'Avicenne et de Maïmonide pour concevoir le principe de sa réforme et la réaliser[1].

Ce sont donc bien des doctrines métaphysiques différentes qui s'affrontent, et non pas une doctrine incertaine qui hésite timidement en présence de ce qu'elle ignore, lorsque saint Bonaventure rappelle avec une discrète fermeté dans son *Commentaire* qu'Aristote est un philosophe païen et que l'on ne doit pas introduire son autorité à côté de celle des Pères dans les problèmes de la théologie. C'est bien longtemps avant la bataille de l'*Hexaëmeron* qu'il condamne la possibilité de l'éternité du monde[2]; c'est dès lors aussi qu'il insiste sur l'incapacité d'Aristote, ainsi que de toute philosophie païenne, à rendre raison des phénomènes physiques les plus immédiatement évidents, tels que le mouvement des sphères célestes[3] et qu'il disqualifie complètement son autorité dans un problème tel que celui de la durée des substances incorruptibles[4]. Lorsque saint Bonaventure contestera que la lumière soit une forme accidentelle pour en faire une forme substantielle, ce n'est pas d'une ignorance, mais d'une réfutation d'Aristote qu'il s'agira[5], et par là le jeune maître parisien se rangera du côté des perspectivistes d'Oxford dont la physique mathématique et expérimentale ne saurait être considérée comme une simple absence de progrès. Quel que soit le point de doctrine que l'on considère, on aboutit à cette conclusion que si le *Commentaire* de saint Bonaventure donne l'impression d'un thomisme hésitant qui s'arrêterait le plus souvent après s'être mis en

1. C'est d'ailleurs à l'augustinien Grosseteste qu'Albert le Grand dut sa première initiation au grec. Voir A. Pelzer, *Un cours inédit d'Albert le Grand*, Rev. de phil., néo-scol., 1922, p. 352.

2. *II Sent.*, 1, 1, 1, 2, Concl., t II, p. 23. *Ibid.*, ad 1-3 : « Et ita patet quod rationes Philosophi nihil valent omnino ad hanc conclusionem. » Il s'agit des preuves aristotéliciennes de l'éternité du monde par l'éternité du mouvement et du temps.

3. « Ad illud quod objicitur quod substantiae spiritualis officium est movere corpus, dicendum quod illud argumentum dupliciter deficit. Primum quidem quia propter hoc non est substantia spiritualis principaliter facta. Cessabit enim omnis motus (à savoir quand le nombre des élus sera accompli) quod ignoravit Philosophus; unde vana est ratio sua quando assumpsit numerum motorum secundum numerum mobilium et motuum; multo enim plures sunt Angeli quam sint orbes qui moventur; non enim facti sunt ad hoc, sed ad fruendum Deo. — Deficit etiam in hoc, quod etsi anima separetur a corpore, resumet tamen aliquando corpus suum per resurrectionem; quod etiam Philosophus ignoravit; et ideo non est mirun si in hujusmodi deficit. Necesse est enim philosophantem in aliquem errorem labi nisi adjuvetur per radium fidei », *II Sent.*, 18, 2, 1, ad 6m, t. II, p. 447. Au point de vue de la différence de ton, on comparera utilement avec saint Thomas, *Cont. Gentes*, IV, 97. Voir sur ce point un autre texte, ch. VIII, dont la netteté ne laisse rien à désirer.

4. *II Sent.*, 1, 1, 1, ad 6m, t. II, p. 57; cf. ch. VIII, *ibid.*

5. *II Sent.*, 13, 2, 2, Concl., t. II, p. 320-321.

bonne voie, c'est parce qu'on le juge continuellement du point de vue d'une philosophie qui n'est pas la sienne. Rien de surprenant, dans ces conditions, à ce que l'on explique sa doctrine par un simple manque et par une négation ; ne sachant pas à quels problèmes précis elle apporte une réponse ou voulant la faire répondre à des problèmes qu'elle n'avait pas à se poser, on ne discerne pas la pensée directrice du *Commentaire*, pensée cohérente, orientée vers des fins définies et qui condamne les routes comme mauvaises ou les choisit comme bonnes, selon qu'elles l'en détournent ou l'y conduisent. Pour une telle pensée le problème de la possibilité d'une philosophie séparée ne se pose même pas et tout ce que saint Bonaventure enseignera jamais de philosophie se trouve dès ce moment intégré à sa synthèse théologique. Il ne lui restera plus qu'à enrichir sa vie intérieure des expériences de la spiritualité franciscaine, à vivre de la vie de l'Ordre, après avoir vécu de la vie plus scolaire du couvent de Paris, et à prendre une conscience plus profonde de l'originalité de sa position devant les déviations de l'aristotélisme parisien : d'avoir puisé à la première de ces deux sources, ses idées gagneront une systématisation profondément originale, elles devront à la deuxième une plus rigoureuse précision.

Les biographes ne s'accordent pas plus sur la date à laquelle saint Bonaventure reçut la licence d'enseigner que sur celle de son entrée dans l'Ordre. Le témoignage de Salimbene qui place ce fait en 1248 peut être sujet à quelques critiques d'ordre général tirées de ce que nous savons des règlements et usages de l'Université[1] ; il est cependant si formel que l'on ne saurait sans imprudence grave le révoquer en doute, d'autant plus que Salimbene est en général un témoin assez exact et que l'expérience quotidienne nous permet de juger dans quelle faible mesure la réalité se conforme aux règlements[2].

Une fois licencié, saint Bonaventure ne pouvait plus attendre que d'un acte des maîtres son admission au nombre des Docteurs de l'Université de Paris. Il s'agissait là beaucoup moins d'un nouveau grade universitaire à conquérir que d'un acte de caractère surtout corporatif ; or, à ce moment, l'Université de Paris était fort peu disposée à s'agréger de nouveaux membres originaires de l'un quelconque des deux

1. P. L. Lemmens, *S. Bonaventura*, p. 50-52.
2. Cette date, critiquée par le P. Lemmens, est acceptée par les biographes de Quaracchi, *Op. omnia*, t. X, p. 43, et par le P. Callebaut, *art. cité*, p. 5. Elle ne s'applique, bien entendu, qu'à la licence de saint Bonaventure et au commentaire sur Luc. Pour le *Com-*

Ordres Mendiants. On en a donné de nombreuses raisons, et qui ne sont pas toujours à l'honneur de l'Université; saint Bonaventure lui-même accuse les maîtres parisiens d'avoir cédé à un mouvement d'envie[1], et rien n'est plus vraisemblable que l'existence d'un tel sentiment; Franciscains et Dominicains s'en étaient assez souvent accusés pour pouvoir en accuser à leur tour l'Université. Mais ce sentiment lui-même ne peut pas être l'explication dernière des événements qui se déroulèrent à Paris au cours de ces années; il n'est en effet qu'un symptôme. Pour que l'envie pût naître entre les Ordres Mendiants et l'Université, il fallait que deux corps distincts fussent en présence; or, en droit, l'admission des réguliers au nombre des Docteurs aurait dû précisément avoir pour conséquence de faire cesser cet antagonisme en les agrégeant à l'Université. Mais c'est là ce qui rendait au contraire la situation inextricable. L'Université de Paris s'était constituée selon le type des corporations médiévales; elle comprenait, comme les autres corps de métier, des apprentis qui s'entraînaient sous la direction des maîtres en vue de conquérir la maîtrise à leur tour; comme les autres corps de métier, elle avait donc ses statuts, ses règlements, ses privilèges, sa discipline et même ses « secrets ». Or, il y avait au même moment une autre Université de Paris qui, à certains égards, coïncidait, mais, à d'autres égards, interférait avec la première. Vu du centre de perspective de la papauté, ce qui n'était en soi qu'une corporation parmi d'autres corporations devenait le cerveau de la chrétienté, le lieu d'élection où se recrutaient les maîtres de vérité qui devaient instruire l'humanité tout entière, l'arbre de vie, la fontaine jaillissante au milieu de l'Église. De là, précisément, l'effort immense des papes pour transformer en un organe d'Église une institution que sa célébrité rendait déjà universelle et, en particulier, leur insistance à y établir les Ordres Mendiants. Or, dans ce cas particulier, le fait pour un maître d'appartenir à deux corps constitués, également fermés et exclusifs l'un de l'autre, ne pouvait manquer de susciter les plus graves embarras; un Docteur de l'Université de Paris appartenant à un Ordre Mendiant, c'était un être social hybride qui devait respecter à la fois les règlements de sa corporation et la règle de son Ordre, subir la discipline de l'Uni-

---

mentaire sur les Sentences, la date de 1250, parfaitement vraisemblable, est donnée par la *Chronique* de Salimbene que nous avons citée, Mon. Germ. Histor., t. XXXII, p. 664, et Anal. francisc., t. III, p. 699. Le P. Callebaut a pleinement raison d'observer que ce dernier témoignage et celui de Salimbene ne se contredisent pas.

1. *Determinationes quaestionum*, I, 27; t. VIII, p. 355.

versité et celle de ses supérieurs, les concilier lorsqu'elles étaient en
désaccord, à moins de sacrifier purement et simplement l'une d'entre
elles. C'est ce que ne manquèrent pas de faire Franciscains et Dominicains, et, à la première occasion, ils déclarèrent que l'autorité de leur
Ordre passait avant celle de l'Université. C'était leur droit strict, mais
alors on ne comprend plus aussi bien pourquoi ils s'obstinaient à vouloir en faire partie, ou plutôt on ne le comprendrait pas si l'on ne voyait
clairement derrière eux la politique universitaire papale qui les avait
installés dans la place et qui voulait les y maintenir.

En fait, les Franciscains firent beaucoup pour aplanir la situation
difficile dans laquelle ils étaient placés. Lorsque l'Université réduisit
l'enseignement théologique concédé aux frères à un seul maître et une
seule école, ils cédèrent au lieu de résister comme firent les Dominicains ;
mais lorsque l'Université décida de cesser ses cours tant que la police
parisienne n'aurait pas été punie des sévices qu'elle avait exercés sur
certains étudiants, les Mendiants n'obéirent qu'à la consigne de leurs
supérieurs et continuèrent leurs leçons. C'est alors que les maîtres
décidèrent de ne jamais accepter comme membres de l'Université ceux
qui ne jureraient pas d'en observer les statuts et règlements. A prendre
les choses en toute rigueur, la situation était inextricable ; tandis que les
Dominicains organisaient la résistance et la suscitaient du même coup
contre eux, le général des Franciscains, Jean de Parme, apaisa le conflit par un discours dont on ne sait s'il faut en admirer davantage la
douceur ou l'habileté[1].

Cet antagonisme entre des organismes qui tendaient à s'exclure
atteignit son point culminant lorsque, comme il ne pouvait guère manquer d'arriver dans ce milieu de théoriciens, l'un d'entre eux voulut
l'ériger en doctrine et le fonder en raison. Désireux de supprimer le
mal dans sa racine, l'un des maîtres de l'Université, Guillaume de
Saint-Amour, entreprit de démontrer dans son *De periculis novissimo-
rum temporum*, écrit en 1255, que le genre d'existence des moines
Mendiants était en lui-même contraire à la morale et à la religion. Cette
fois, ce n'étaient plus seulement les intérêts ou l'amour-propre de
l'Ordre qui se trouvaient menacés, c'était son existence même. C'est
pourquoi, devant l'hostilité que cet opuscule avait déchaînée contre eux,
Dominicains et Franciscains s'accordèrent pour entreprendre de justifier les principes sur lesquels leur « vie » reposait. Saint Bonaventure

1. Salimbene, *op. cit.*, p. 299. Lemmens, *op. cit.*, p. 80-81.

écrivit à cette occasion les *Quaestiones disputatae de perfectione evangelica*, par lesquelles il établissait le droit strict qu'a tout chrétien de renoncer absolument à toute propriété, la légitimité de la mendicité et le droit qu'avaient les Mendiants de se soustraire au travail manuel. Dans ces écrits comme dans tous ceux qu'il devait consacrer plus tard aux mêmes problèmes ou à l'interprétation de la règle franciscaine, saint Bonaventure témoignait d'une extraordinaire virtuosité dialectique et même d'une maîtrise des arguments juridiques qui faisaient de ce théologien parisien un digne élève des juristes bolonais.

De pareilles controverses, où la lutte entre théologiens de l'Université et théologiens Mendiants s'élargissait jusqu'à mettre aux prises le clergé séculier et le clergé régulier, n'étaient assurément pas faites pour faciliter la réception de saint Bonaventure au nombre des Docteurs. Cependant, le 5 octobre 1256, Alexandre IV condamnait le libelle de Guillaume de Saint-Amour, le déclarant inique, exécrable et scélérat; le 17 du même mois, il recommandait au roi de France les Frères Prêcheurs et les Frères Mineurs comme de parfaits serviteurs du Christ, et le 23 octobre il promulguait enfin les conditions auxquelles les coupables s'étaient engagés à se soumettre sous la foi du serment. La deuxième de ces conditions était que l'Université de Paris accueillerait immédiatement parmi ses membres et recevrait expressément comme Docteurs et Maîtres en théologie frère Thomas d'Aquin, de l'Ordre des Prêcheurs, et frère Bonaventure, de l'Ordre des Mineurs[1]. Les professeurs de l'Université, qui étaient les vaincus dans cette affaire, apportèrent la plus mauvaise grâce possible à s'exécuter; maintenant jusqu'au bout le principe corporatif sur lequel ils avaient réglé leur conduite, ils prétendaient d'abord obtenir des maîtres appartenant aux Ordres Mendiants le serment écrit d'observer fidèlement les privilèges, statuts et ordonnances de l'Université. Comme on peut le supposer, les Prêcheurs et les Mineurs refusèrent de jurer obéissance à d'autres qu'à leurs supérieurs; mais tout porte à croire qu'après une bulle pontificale du 2 octobre 1257, qui ne laissait place à aucune échappatoire, l'Université s'exécuta et reçut les deux maîtres au nombre des Docteurs, le 23 octobre de la même année.

---

1. « Secundo, quod fratres Praedicatores et Minores Parisius degentes, magistros et auditores eorum et specialiter ac nominatim fratres Thomam de Aquino de Ordine Praedicatorum et Bonaventuram de Ordine Minorum doctores Theologiae ex tunc quantum in eis esset in societatem scolasticam et ad Universitatem Parisiensem reciperent, et expresse doctores ipsos reciperent ut magistros », *Chartular. Univ. Paris.*, t. I, p. 339.

Sur ces entrefaites, et pour des raisons sur lesquelles on n'est pas complètement d'accord, Jean de Parme, général de l'Ordre, décida de se démettre de sa charge. Sans doute était-il las de lutter contre les frères qui lui reprochaient d'interpréter la règle d'une manière trop stricte ; peut-être aussi les accusations de joachimisme dont il allait être obligé de se justifier commençaient-elles à se faire jour. Il est probable qu'en fait les deux prétextes ont dû se combiner, car les Spirituels, ou partisans de la stricte observance, qui voulaient ramener l'Ordre à la vie primitivement voulue par saint François, étaient aussi bien souvent des partisans résolus de Joachim de Flore. Tel était précisément le cas de Jean de Parme. Avec les défenseurs de l'idéal primitif, il considérait la Règle et le Testament de saint François comme substantiellement identiques ; salué avec enthousiasme par frère Égide, le compagnon illuminé de saint François, il protestait contre l'abus et la curiosité de la vaine science qui menaçait de ruiner complètement l'Ordre franciscain[1] ; comme le seront enfin Jean Olivi, Hubertin de Casale et tant d'autres spirituels, il était un adepte fervent de l'apocalypse nouvelle annoncée par le moine calabrais. Jean de Parme eut donc vraisemblablement contre lui et ceux qu'inquiétaient déjà ses convictions joachites et ceux qui jugeaient inapplicable dans son sens absolu et littéral la règle de saint François.

Il convient cependant d'observer à quel point sa sainteté reconnue lui avait attiré le respect et l'affection des membres de l'Ordre. La confiance générale dont il était encore entouré se marque en effet de la manière la plus claire à la procédure extraordinaire dont on usa pour désigner son successeur. « Ceux à qui l'élection incombait, voyant les angoisses dont son âme était accablée, lui dirent enfin à contre-cœur : Père, vous qui avez visité l'Ordre, vous savez comment vivent et ce que sont les Frères ; désignez-nous celui auquel il convient de confier cette charge et qui pourra vous succéder. Jean de Parme désigna immédiatement frère Bonaventure de Bagnorea en disant qu'il ne connaissait personne dans l'Ordre qui valût mieux que lui. Tout le monde se mit immédiatement d'accord sur son nom, et il fut élu. » Ceci se passait au chapitre général, à Rome, le 2 février 1257, en présence du pape

1. « Frater vero Egidius cum impetu spiritus, ut futurorum prescius, dicebat : Bene et opportune venisti, sed tarde venisti! Hoc autem dicebat frater Egidius quia impossibilem intelligebat esse reductionem fratrum ad primae et sanctae conversationis solida et secura per sanctum initiata primordia, ad quae fratres revocare frater Johannes totis viribus aspirabat », A. Clareno, *Historia*, dans Archiv. f. Lit. u. Kircheng., p. 263-264 ; cf. également p. 258.

Alexandre IV[1], saint Bonaventure étant alors âgé seulement de trente-six ans. Le jeune maître de l'Université de Paris n'eut donc pas occasion d'exercer l'autorité que lui conférait son titre; il était déjà depuis plusieurs mois général de l'Ordre franciscain lorsqu'il fut reçu au nombre des Docteurs. La cérémonie clôturait la carrière universitaire de saint Bonaventure qui devait se dévouer désormais à l'administration de l'Ordre confié à ses soins.

C'était une lourde responsabilité et une tâche bien délicate que de diriger l'Ordre franciscain au point de son développement où il se trouvait alors parvenu. La petite troupe des compagnons de saint François s'était multipliée avec une incroyable célérité et ce corps immense se trouvait inévitablement soumis à toutes les influences venues du dehors. Celle qu'exerçaient alors les doctrines du moine calabrais Joachim, abbé du monastère de San Giovanni in Fiore, fut une des premières contre lesquelles saint Bonaventure ait eu à lutter[2].

On a jugé sans indulgence et, comme il arrive souvent, on n'a pas toujours très bien compris la pensée de ce mystique et de ce prophète[3]. Nous n'avons aucunement l'intention de contester que sa pensée ne se meuve continuellement dans l'irréel, mais il y a dans son œuvre une logique très cohérente et l'historien des idées ne peut pas ne pas s'y intéresser comme à une expérience instructive touchant les tendances profondes du symbolisme médiéval. Dans sa *Concordia novi et veteris Testamenti*, Joachim s'était employé d'abord à établir point par point la stricte et minutieuse correspondance de l'Ancien Testament avec le Nouveau. Ce qu'il avait entrepris était donc une sorte de démonstration scientifique du caractère intégralement figuratif de l'Ancien Testament. Mais le plus intéressant de sa tentative ne réside pas dans cette exploitation systématique d'une idée traditionnelle, il réside bien plutôt dans l'hypothèse que cette recherche lui suggéra. Si l'Ancien Testament fut la préfiguration rigoureuse du Nouveau, c'est donc qu'au moment où se déroulaient les événements racontés par la Bible l'avenir était déjà pré-

---

1. Salimbene, *op. cit.*, p. 309-310. Le même récit est donné par Angelo Clareno, *Historia de septem tribulationibus*, III; publiée par Ehrle, Archiv f. Lit. u. Kirchengeschichte, t. II, p. 270-271 et 270, note *a*.

2. Joachim de Flore, né en 1145 à Celico, près Cosenza, mort en 1202. Consulter sur ce sujet : P. Fournier, *Études sur Joachim de Flore et ses doctrines*, Paris, 1909.

3. L. Lemmens, *op. cit.*, p. 187 : « Queste interpretazioni fantastiche e sciocche... » M. Baumgartner, *Grundriss der Gesch. d. Philos. d. patristischen und scholast. Zeit*, Berlin, 1915, ne voit dans cette doctrine que de l'imagination : « Die Mystik Joachims... beschäftigt sich in erster Linie mit der phantasievollen Ausdeutung der Geschichte der Menscheit und der Kirche », p. 348.

figuré dans le présent. Or, s'il en était autrefois ainsi, il doit en être ainsi aujourd'hui encore, et de même que l'allégorie symbolique nous permet de montrer actuellement qu'un esprit suffisamment informé aurait pu jadis deviner l'avenir, de même pouvons-nous aujourd'hui légitimement essayer de déchiffrer le futur sous les symboles qui le dissimulent; il est certainement préformé dans le passé, à nous de l'en tirer. La clef du chiffre secret, c'est, bien entendu, la Trinité. Reconstruisant l'histoire du monde selon la distinction des trois personnes divines, Joachim distingue à son tour l'âge du Père, qui, allant de la Création à l'Incarnation, correspond au règne des gens mariés et au sens littéral de la Bible; l'âge du Fils, qui va de l'Incarnation à 1260[1], correspond au règne du clergé séculier et à l'interprétation littérale de l'Évangile; l'âge du Saint-Esprit, qui commence en 1260 pour durer jusqu'à la fin du monde, correspond au règne des moines et à l'interprétation spirituelle des Écritures.

Si extraordinaire qu'elle paraisse de nos jours, cette construction historique devait présenter aux yeux de bien des hommes du moyen âge un caractère de haute vraisemblance, et même une sorte d'évidence immédiate assez frappante. Le principe sur lequel elle se fondait n'était sérieusement discuté par personne, et saint Bonaventure lui-même l'affirmera de nouveau de la manière la plus formelle. Le futur est en germe dans le passé et les germes dans lesquels il se trouve contenu sont les faits caractéristiques dont l'interprétation nous permettra de prédire la marche des événements à venir[2]. Mais d'autres allaient plus loin encore et, non contents d'accepter ce principe en tant que tel, estimaient que Joachim de Flore avait reçu du Saint-Esprit une assistance spéciale pour élaborer les prophéties qu'il en déduisait. C'est ce qu'affirmait notamment un ami de saint Bonaventure, Adam de Marisco, dans une lettre à Robert Grosseteste : *non immerito creditur divinitus spiritum intellectus in mysteriis propheticis assecutus;* et Dante, chez qui le thomisme doctrinal ne conditionnait certainement pas les jugements sur

---

1. Parce que Judith est restée veuve trois ans et six mois, soit quarante-deux mois ou douze cent soixante jours.

2. « Haec autem germinatio seminum dat intelligere secundum diversas temporum coaptationes diversas theorias; et qui tempora ignorat istas scire non potest. Nam scire non potest futura qui praeterita ignorat. Si enim non cognosco cujus arboris semen est, non possum cognoscere quae arbor inde debet esse. Unde cognitio futurorum dependet ex cognitione praeteritorum », *In Hexaëm.*, XV, 11; t. V, p. 400. La théorie bonaventurienne des raisons séminales sert manifestement ici de support à cette conception de la prédiction historique.

les personnes, le place dans le ciel à côté de saint Bonaventure et de saint Anselme :

> ... *e lucemi da lato*
> *il calavrese abate Gioacchino*
> *di spirito profetico dotato.*
>
> (*Parad.*, XII, 139-141.)

La nouvelle apocalypse avait d'ailleurs des raisons particulières de réussir dans l'Ordre franciscain. Joachim prédisait en effet l'avènement d'un ordre nouveau, contemplatif et spirituel, qui serait chargé d'annoncer la vérité au monde entier et de convertir Grecs, Juifs et païens. Beaucoup de Franciscains saisirent avidement cette idée et soutinrent que la prédiction les désignait expressément pour cette mission[1]. Rien d'étonnant, dès lors, à ce que cette doctrine ait recueilli l'adhésion d'hommes saints, universellement respectés, et celle du ministre général de l'Ordre lui-même, Jean de Parme, auquel saint Bonaventure venait de succéder. C'est un fait incontestable qu'il fut le partisan décidé de Joachim de Flore; le témoignage formel de Salimbene, grand admirateur de Jean de Parme, et joachite lui-même, interdit d'admettre qu'il le soit devenu seulement après sa démission[2]. Or, il est clair que l'adhésion ouverte du ministre général à des doctrines apocalyptiques de ce genre constituait un péril grave pour l'Ordre tout entier; les Franciscains devaient nécessairement ou bien se solidariser avec Jean de Parme et prendre la responsabilité de son hérésie, ou bien renier les nouvelles doctrines et le manifester à l'Église en condamnant celui qui les avait protégées[3]. C'est à ce dernier parti que l'Ordre se résolut. Jean de Parme fut cité devant un tribunal, que dut naturellement présider le nouveau ministre général et devant lequel il eut à répondre du crime d'hérésie.

La situation de saint Bonaventure était manifestement fort délicate et

---

1. Cf. Denifle, *Das Evangelium aeternum und die Commission zu Anagni*, Archiv. f. Lit. u. Kircheng., I, 146.

2. Le témoignage de Bernard de Besse, *Analecta franciscana*, t. III, p. 698-699, n'est pas net sur ce point, mais celui de Salimbene est décisif : « ... et scripsi cum socio meo illam expositionem abbatis Joachim pro generali ministro Johanne de Parma, qui similiter maximus erat Joachita », *op. cit.*, p. 294.

3. Voir, dans L. Lemmens, *op. cit.*, p. 190, le témoignage de Salimbene qui affirme que Jean de Parme avait mis l'Ordre sens dessus dessous et l'avait exposé a mille dangers. Rappelons que Salimbene est très favorable à Jean de Parme. L'*Introductorius* de Borgo san Domnino aux œuvres de Joachim fut condamné en 1255; les œuvres de Joachim lui-même en 1263.

l'on peut se demander si même un futur saint pouvait s'acquitter à
son honneur de la tâche de juger un futur bienheureux. Il lui fallait
nécessairement ou bien condamner un homme d'une vertu éminente et
d'une sainteté universellement reconnue, ou bien absoudre des erreurs
capables de jeter le discrédit sur l'Ordre tout entier. Nous n'avons
malheureusement aucun témoignage direct sur les circonstances au
milieu desquelles le procès se déroula. Seul Angelo Clareno, témoin
passionné, puisqu'il était lui-même spirituel et joachite, nous en a laissé
une description. On ne s'étonnera pas d'apprendre qu'il ait vu dans ce
procès une persécution conduite par saint Bonaventure contre la vertu
chrétienne et l'idéal franciscain que représentait à ses yeux Jean de
Parme ; il y voit, en effet, la *quarta persecutio*, ou quatrième des sept
grandes tribulations de l'Ordre des Frères Mineurs[1], allant même jusqu'à prétendre que saint Bonaventure aurait joué double jeu au cours
de ce procès et qu'oubliant sa mansuétude coutumière il se serait
emporté contre Jean de Parme au point de s'écrier : « Si je ne tenais
compte de l'honneur de l'Ordre, je le ferais publiquement châtier
comme hérétique ! » Bref, après un long interrogatoire, et d'accord avec
le cardinal Gaëtani, alors protecteur de l'Ordre, saint Bonaventure
aurait condamné à la prison perpétuelle Jean de Parme, qui n'en aurait
été délivré que sur les instances du cardinal Ottoboni, le futur pape
Adrien V[2]. Aucun autre chroniqueur de l'Ordre, pas même Salimbene,
si bien informé pourtant de tout ce qui touche à Jean de Parme, ne
nous a décrit la marche du procès ; il nous est donc absolument impossible de contrôler le récit de Clareno et fort difficile de dire dans quelle
mesure il peut avoir exagéré. Le fait qu'il soit en l'occurrence un témoin
suspect de partialité ne nous autorise pas à récuser complètement son
témoignage. Les *Fioretti*, intéressés, eux aussi, à un moindre degré,
témoignent, par le célèbre récit de la vision de Jacques de Massa, de la
rancune gardée par les Spirituels contre saint Bonaventure et de leur
confiance dans l'apparition d'un ordre nouveau[3].

En fait, nous ne pouvons douter que saint Bonaventure n'ait été résolument hostile aux doctrines de Joachim, et rien n'interdit de supposer

1. Angelo Clareno, *Historia septem tribulationum*, éd. Ehrle, Archiv f. Lit. und Kirchengesch.; l'histoire de la *quarta persecutio* se trouve au tome II, p. 271-285.
2. Angelo Clareno, *op. cit.*, t. II, p. 284-286.
3. Ce récit n'est en effet qu'une allégorie transparente du procès de Jean de Parme;
P. Sabatier, *Actus B. Francisci*, p. 216-220. Même version chez A. Clareno, *op. cit.*, t. II,
p. 280-281.

qu'il ait exprimé son indignation de la façon la plus vive au cours du procès. Dès le *Commentaire sur les Sentences*, il avait eu de dures paroles contre l'auteur de l'apocalypse nouvelle et Joachim n'est manifestement à ses yeux qu'un ignorant qui se mêle de juger plus savant que lui[1]. Plus tard, lorsqu'il reprendra à son tour les problèmes de philosophie de l'histoire posés par l'abbé de Flore, il les résoudra dans un sens tout différent et en revenant aux périodes historiques distinguées par saint Augustin; l'ère des révélations lui semble close, il n'admet pas d'évangile nouveau, l'humanité est entrée déjà dans la dernière période de son histoire, et, s'il admet qu'un nouvel ordre spirituel doive se constituer, ce n'est pas d'un ordre religieux en tant que corps organisé qu'il nous parle, mais d'un ordre idéal d'âmes parfaites à quelque ordre religieux qu'elles puissent d'ailleurs appartenir[2]. Nous sommes donc tout à fait convaincus que saint Bonaventure ne dut pas ménager les convictions de Jean de Parme, et si l'accusé s'obstina d'abord dans son erreur, il est vraisemblable que saint Bonaventure s'en soit indigné. Ce qui nous paraît au contraire moins vraisemblable, c'est que Jean de Parme ait été condamné à la prison perpétuelle. Nous savons, en effet, de source certaine, que le cardinal Ottoboni intervint de la manière la plus pressante auprès des juges et s'étonna de ce que l'on eût osé inculper d'hérésie un homme d'une sainteté universellement reconnue[3]. Nous savons également par Clareno lui-même que Jean de Parme professa ne croire et n'avoir jamais cru que ce que l'Église enseigne ou, comme le dit à sa manière Bernard de Besse, qu'il se rétracta. S'il en est ainsi, la version d'après laquelle Jean de Parme aurait été laissé libre de se retirer dans un monastère de son choix, sans doute celui de Greccio, devient de beaucoup la plus vraisemblable.

Il ne semble pas qu'à part cet épisode saint Bonaventure se soit heurté à de très graves difficultés. Non pas que l'Ordre n'ait été agité vers cette époque par mainte controverse concernant l'interprétation de la règle, mais le ministre général sut concilier les tendances divergentes entre lesquelles l'Ordre était partagé et, à la différence de ceux d'Élie de Cortone et de Jean de Parme, son long généralat ne prit fin que par son cardinalat.

1. « Et ideo ignorante Joachim reprehendit Magistrum (*sc.* Pierre Lombard) et quia, cum esset simplex, non est reveritus Magistrum, ideo justo Dei judicio damnatus fuit libellus ejus in Lateranensi concilio et positio Magistri approbata », *I Sent.*. 5, dub. 4; t. I, p. 121.

2. Voir, sur ce point, l'excellent *Scholion* de l'*In Hexaëmeron*, art. 3 et 4, t. V, p. 453.

3. Voir, sur ce point, Angelo Clareno, *Historia sept. tribul.*, Archiv, t. II, p. 106-107.

En 1259, saint Bonaventure était en Italie, et c'est au commencement du mois d'octobre de la même année, sur le mont Alverne, dans cette solitude pleine du souvenir de saint François, qu'il composa l'*Itinerarium mentis in Deum*[1]. En 1260, de retour en France, il célèbre son premier Chapitre général, le 23 mai, à Narbonne. C'est à cette occasion que furent établies les *Constitutiones Narbonnenses* auxquelles nous aurons plusieurs fois recours, et qu'on lui demandera d'écrire une *Vita beati Francisci* qui mit fin à la controverse qu'entretenait dans l'Ordre l'existence de plusieurs vies différentes et sur certains points contradictoires. Il devait écrire la *Legenda major S. Francisci* et la *Legenda minor* en 1261, mais, afin de préparer ce travail, il se rendit d'abord en Italie, à Assise, puis de nouveau au mont Alverne, consultant les premiers compagnons du saint qui survivaient encore à cette époque. Il semble que la rédaction complète de ces deux vies ait duré jusqu'en 1263.

Au cours de cette année, saint Bonaventure se rendit à Rome, puis à Padoue, où il devait assister, le 8 avril 1263, à l'exhumation des ossements de saint Antoine. Le 20 mai de la même année, à Pise, il présida le deuxième Chapitre général, qui fut l'occasion d'un intense mouvement de dévotion à la Vierge[2]; plusieurs décisions prises par saint Bonaventure à cette occasion portent la marque de cette préoccupation. C'est dans ce même Chapitre qu'il présenta aux frères de l'Ordre les deux *Légendes* de saint François et qu'elles furent approuvées. De 1263 à 1265, les documents relatifs à saint Bonaventure font complètement défaut; par contre, un événement important prend place au cours de cette dernière année. Par une bulle datée de Pérouse, le 24 novembre 1265, le pape Clément IV le nommait archevêque d'York en Angleterre. Cette nomination à une charge aussi importante et que le pape accompagnait des éloges les plus flatteurs ne séduisit pas saint Bonaventure; il ne voulut pas se laisser « délier de ses devoirs de ministre général » et se rendit immédiatement auprès du pape, dont il obtint, après de vives instances, la grâce de vieillir dans la tâche qui lui avait été confiée[3].

1. *Itinerarium*, Prol. 2, ed. min., p. 290. *Chron. XXIV general.*, Anal. franc., t. III, p. 325.

2. P. Doncœur, *L'Immaculée-Conception aux XIIe-XIVe siècles,* Revue d'hist. ecclésiast., 1906, p. 280. Lemmens. *op. cit.*, p. 201.

3. « Sed ipse ad praesentiam Papae de Parisius, ubi tunc erat, se conferens, tam constanter et humiliter cessit, ut ipse dominus cessionem pie admittens, eidem intulerit illud verbum : Sta in testamento tuo et in illo colloquere et in opere mandatorum tuorum vete-

De retour à Paris, saint Bonaventure y célébra l'année suivante son troisième Chapitre général. C'est à cette occasion que furent instituées les disputes publiques tenues par les étudiants de l'Ordre et qui devaient, pendant plusieurs siècles, accompagner chacun des Chapitres généraux. C'est également à cette assemblée de 1266 qu'il fut décidé que toutes les vies de saint François autres que celles écrites par saint Bonaventure devaient être détruites partout où on les trouverait. Cette résolution fut certainement prise, sinon sur l'ordre de saint Bonaventure, comme l'affirme Clareno, du moins avec son assentiment. Il est aisé de comprendre qu'une telle décision ait été jugée impitoyablement par les Spirituels du XIIIᵉ siècle et très sévèrement par les historiens du XXᵉ. Nous ne croyons cependant pas qu'il faille en reporter la responsabilité sur le Chapitre pour en décharger saint Bonaventure. Une telle attitude, incompréhensible pour nos habitudes modernes d'historiens, se comprend beaucoup plus aisément à cette époque et dans les circonstances spéciales où saint Bonaventure se trouvait placé. Il n'avait pas écrit sa vie de saint François comme une œuvre de parti ; il ne se considérait donc pas comme décidant par cette œuvre en faveur d'une des tendances qui se faisaient jour dans l'Ordre et contre les autres ; mais il croyait au contraire, après avoir pris toutes les précautions possibles et s'être renseigné lui-même auprès des témoins les plus dignes de foi, apporter une image fidèle de saint François, capable de rétablir l'accord entre des âmes divisées et d'empêcher que la personne du saint, vivant symbole d'amour, ne devînt une cause de désunion dans sa propre famille. Il estimait donc que ce que contenaient les vies de saint François autres que la sienne était inutile ou faux ; dès lors pourquoi les laisser subsister ? Et de quelle utilité son travail aurait-il pu être si les récits qu'il était destiné à remplacer avaient continué de circuler librement et d'entretenir la discorde au sein de l'Ordre ? Saint Bonaventure était si étranger à la mentalité d'un historien moderne qu'il n'a même pas raconté la vie de saint François par ordre chronologique ; c'est un portrait spirituel qu'il trace et un modèle de sainteté qu'il nous donne ; il a voulu supprimer des erreurs d'ordre moral et religieux là où nous l'accusons d'avoir voulu supprimer des documents historiques ; ce sont deux perspectives différentes sur un même acte et ici comme

rasce », *Catal. XV general.*, Analecta francisc., t. III, p. 700. Saint Bonaventure considérait d'ailleurs comme un mal les trop fréquents changements des supérieurs. La *frequens mutatio praelatorum* rend vain tout espoir de réforme des ordres religieux ; *Determinationes quaestionum circa Regulam fratr. min.*, I, qu. 19, t. VIII, p. 350.

lorsqu'il s'agissait de la mise en accusation de Jean de Parme l'attitude adoptée par saint Bonaventure ne peut être équitablement interprétée que du point de vue d'un ministre général de l'Ordre franciscain[1].

Les années suivantes se passèrent vraisemblablement à Paris, qui était la résidence habituelle de saint Bonaventure; en 1267 ou 1268, il y prononça pendant le carême les *Collationes de decem praeceptis*. Vers la fin de 1268, il quitte la France pour aller préparer le Chapitre général qui devait se tenir en 1269 à Assise. Dès le 6 décembre 1268, il se trouvait dans cette ville; le Chapitre eut lieu, selon la coutume, à la Pentecôte, et les décisions que l'on y prit marquent un nouveau développement du culte voué à la Vierge dans l'Ordre franciscain. Il semble que saint Bonaventure soit rentré à Paris dans le cours de l'année 1269 et qu'il y ait écrit son *Apologia pauperum* contre Gérard d'Abbeville, ou l'auteur, quel qu'il ait été, du *Contra adversarium perfectionis christianae et praelatorum et facultatum ecclesiae*[2]; c'était la querelle de Guillaume de Saint-Amour qui ressuscitait, mais d'autres questions, beaucoup plus graves encore, allaient bientôt venir s'y ajouter.

Dans les récits que l'on nous a donnés jusqu'à présent de ces années si troublées, saint Bonaventure n'apparaît pour ainsi dire aucunement[3]; deux noms dominent les événements qui se déroulent à cette époque : Siger de Brabant pour les averroïstes et Thomas d'Aquin pour leurs adversaires. Or, il est assez remarquable que la lutte n'ait pas commencé par une rencontre entre ces deux champions et, si vraiment leur querelle fut la querelle centrale, on ne s'explique pas bien que les hostilités aient débuté sur un autre terrain et par l'attaque d'un tiers contre l'un d'entre eux. C'est pourtant ce qui arriva. Les luttes doctrinales de l'année 1270 furent précédées par la violente discussion qui mit aux prises l'augustinien Jean Peckham, le maître franciscain le plus illustre de l'Université de Paris, et Thomas d'Aquin, représentant de l'aristotélisme théologique inauguré par Albert le Grand. Il importe de choisir avec circonspection parmi les motifs habituellement invoqués pour expliquer la discussion doctrinale qui devait mettre aux prises les deux Ordres. On a parlé d'une jalousie franciscaine à l'égard des Dominicains,

---

1. Angelo Clareno, *Hist. sept. tribulat.*, Ehrle, Archiv fur Liter. und Kircheng., II, p. 56. Rinaldi, *Seraphici viri sancti Francisci Assisiensis vitae duae*, Rome, 1806, t. XI, d'après un document aujourd'hui disparu. Le texte en est reproduit par les biographes de Quaracchi, t. X, p. 58.

2. *Chron. XXIV general.*, Anal. francisc., t. III, p. 326.

3. C'est le cas, notamment, du récit devenu classique du P. Mandonnet, *Siger de Brabant. Étude critique* (Les philosophes belges, t. VI), Louvain, 1911, ch. IV, p. 80 et suiv.

et il est incontestable que de très nombreux témoignages, même franciscains, attestent l'existence de ce sentiment. Le plaisant récit de
Salimbene, qui nous présente un franciscain domptant par voie d'argumentation un dominicain plein d'orgueil, en est l'expression la plus
vive[1] et nous montre les Franciscains soucieux d'établir qu'ils en savent
aussi long que ceux dont la profession même est d'être savants. Toutefois, personne n'a soutenu qu'un tel sentiment put être la cause principale du conflit qui allait éclater, et cela d'autant moins qu'il n'avait
aucune raison d'être lorsqu'on mettait en comparaison, non plus la
masse des deux ordres, mais leurs représentants les plus éminents.
Alexandre de Halès et saint Bonaventure ne faisaient pas figures d'ignorants même en présence d'Albert le Grand et de saint Thomas d'Aquin.

Il faut donc se tourner vers la divergence doctrinale qui séparait les
deux maîtres pour découvrir une cause vraiment sérieuse du conflit qui
allait éclater. Or, ici encore, on a noté avec raison que l'on n'aperçoit
entre eux ni animosité ni esprit de contention personnelle; d'où il
paraîtrait résulter que saint Bonaventure serait demeuré à l'écart des
luttes doctrinales qui mirent aux prises thomistes et augustiniens. Sur
ce point, il convient de distinguer. Rien, absolument, n'autorise à
croire qu'une animosité personnelle ait séparé saint Bonaventure de
saint Thomas et le supposer serait faire une hypothèse purement gratuite; mais la tradition de leur amitié ne nous semble pas beaucoup
mieux fondée et, s'il est possible que, cette fois encore, la légende
exprime une vérité plus profonde que celle de l'histoire, il importe
cependant qu'un simple historien ne confonde pas les deux ordres de
vérité[2]. Mais on peut aller plus loin. Si rien n'a prouvé jusqu'ici qu'une

1. La dispute s'était engagée, bien entendu, sur Joachim de Flore, et le dominicain avait
déclaré : « Je me soucie de Joachim comme de la cinquième roue d'un carrosse »; après la
discussion, le frère franciscain Hugues conclut en ces termes : « Isti boni homines semper
de scientia gloriantur et dicunt quod in ordine eorum fons sapientiae invenitur... Dicunt
etiam quod transierunt per homines idiotas quando transeunt per loca fratrum Minorum,
in quibus eis caritative et sedule ministratur. Sed per Dei gratiam modo non poterunt
dicere quod per homines idiotas transierint... Finitis his verbis recesserunt seculares auditores valde aedificati et consolati, dicentes : « Audivimus mirabilia hodie... », Salimbene,
op. cit., p. 244-253. Quand le dominicain revint au couvent : « Jam non disputando nec
contradicendo, sed humiliter auscultando audiebat melliflua verba quae dicebantur a
Fratre Hugone. »

2. « La légende et peut-être même l'histoire ont parlé de leur amitié », P. Mandonnet,
op. cit., p. 98. La référence à Dante, Paradiso, XI-XII, ne permet pas de décider si le
P. Mandonnet penche pour l'histoire ou pour la légende, car la construction de Dante est
évidemment dominée par l'intention d'unir toute la chrétienté dans le paradis.

amitié personnelle ait uni saint Bonaventure et saint Thomas, on peut soutenir avec une extrême vraisemblance que, s'ils estimèrent réciproquement leurs personnes, cette estime ne s'étendit pas jusqu'à leurs idées.

Ce n'est pas que saint Bonaventure ait jamais nié l'idéal dominicain au nom de l'idéal franciscain ; il les situe au contraire sur la même ligne et formule dans un texte célèbre la raison fondamentale qui les distingue en les égalant[1]. Il est non moins certain que le caractère de saint Bonaventure répugnait profondément à la violence et au tumulte des luttes personnelles ; l'eût-il voulu que sa charge même l'eût vraisemblablement détourné d'engager une controverse publique contre un maître appartenant à un ordre autre que le sien. Mais on ne peut réfléchir à la situation de fait dans laquelle il se trouvait sans comprendre que, derrière Jean Peckham, il y avait nécessairement saint Bonaventure, et qu'aucun des maîtres parisiens ne pouvait feindre de l'ignorer. Nous ne discuterons pas ici le récit que Jean Peckham nous a laissé de sa controverse, ni la vraisemblance de l'attitude qu'il s'attribue ou qu'il attribue à saint Thomas d'Aquin ; son témoignage est manifestement intéressé, mais surtout la question nous paraît être d'importance secondaire. Ce qu'il nous importe de connaître beaucoup plus que le détail de la controverse, ce sont les partisans que Jean Peckham pouvait avoir derrière lui : Étienne Tempier, l'évêque de Paris ; les maîtres séculiers en théologie, et peut-être quelques Dominicains, « partisans attardés de l'ancienne forme de l'augustinisme[2] » ? Assurément ; mais il faut ajouter saint Bonaventure à cette liste, et même lui attribuer un rôle tel dans cette controverse que, de son nom comme de celui de saint Thomas, on puisse dire qu'il domine les événements et les idées de ce temps.

Observons d'abord sous quel aspect se présentait alors la situation. Jean Peckham, maître à l'Université de Paris et régent de l'école des Frères Mineurs, parle, dispute et attaque saint Thomas d'Aquin sur des

---

1. « Secundus (ordo) est qui intendit per modum speculatorium vel speculativum, ut illi qui vacant speculationi scripturae, quae non intelligitur nisi ab animis mundis. Non enim potes noscere verba Pauli, nisi habeas spiritum Pauli... Huic respondent Cherubim. Hi sunt Praedicatores et Minores. Alii principaliter intendunt speculationi, a quo etiam nomen acceperunt, et postea unctioni. Alii principaliter unctioni et postea speculationi. Et utinam iste amor vel unctio non recedat a Cherubim. — Et addebat quod beatus Franciscus dixerat, quod volebat quod fratres sui studerent, dummodo facèrent prius quam docerent. Multa enim scire et nihil gustare quid valet? », *In Hexaëm.*, XXII, 21 ; t. V, p. 440.

2. P. Mandonnet, *op. cit.*, p. 100.

matières qui intéressent également la philosophie et la foi, sous les yeux
de saint Bonaventure, ministre général de son Ordre et dont la résidence habituelle est à Paris. Le moins que l'on puisse dire est que le
ministre général était responsable de la controverse. Un mot de lui suffisait pour l'arrêter; un blâme, même discret, eût été suffisant pour la
désavouer; et s'il ne la désavoue pas ni ne l'arrête, comment ne pas
admettre qu'elle se soit poursuivie avec sa complicité? Quel est d'ailleurs le sujet du débat? Jean Peckham reproche à saint Thomas de soutenir l'unité de la forme substantielle dans l'homme; or, sur ce point,
saint Bonaventure est l'une des autorités les plus hautes dont puisse se
réclamer Jean Peckham; non seulement, en effet, il a soutenu la pluralité des formes en même temps que les raisons séminales dès son *Commentaire sur les Sentences*, mais encore il se solidarisera ouvertement
avec le maître franciscain en 1273, le jour où nous l'entendrons déclarer
publiquement : *insanum est dicere, quod ultima forma addatur materiae primae sine aliquo quod sit dispositio vel in potentia ad illam, vel
nulla forma interjecta*[1]. L'insanité, si insanité il y a, est celle même
que soutient alors saint Thomas d'Aquin. Or, en face de cette condamnation portée par saint Bonaventure contre l'unité de la forme dans le
composé, nous pouvons mettre les réflexions ironiques de Thomas
d'Aquin sur les preuves augustiniennes de la création dans le temps,
telles que le *De aeternitati mundi* nous les a transmises[2], car par son
Commentaire sur les Sentences, et personne ne l'ignorait à l'Université
de Paris, saint Bonaventure s'était rangé d'avance au nombre de ces
hommes subtils qui percevaient les premiers la contradiction d'un
monde créé, quoique éternel, et avec qui la sagesse se levait sur l'univers : *ponere mundum aeternum sive aeternaliter productum, ponendo
res omnes ex nihilo productas, omnino est contra veritatem et rationem*[3].
Sur ce point comme sur le précédent, saint Thomas nous apparaît donc
bien comme l'un des premiers personnages de la pièce qui se joue,
mais ce n'est pas entre Siger et lui qu'elle se joue et il n'est pas encore
le conducteur du jeu; il riposte avec une admirable vigueur à ceux qui
l'attaquent, et son calme est remarquable en un moment où il maintient
contre l'augustinisme celle de ses doctrines qui semble concéder le plus

---

1. *In Hexaëm.*, IV, 10; t. V, p. 351.

2. « Et hoc etiam patet diligenter consideranti dictum eorum qui posuerunt mundum
semper fuisse : quia nihilominus ponunt eum a Deo factum, nihil de hac repugnantia intel-
lectuum sentientes. Ergo illi qui tam subtiliter eam percipiunt, soli sunt homines, et cum
eis oritur sapientia », *De aet. mundi*, sub. fin.

3. *II Sent.*, 1, 1, 1, 2, Concl., t. II, p. 22.

aux principes de l'averroïsme latin, mais enfin son attitude est celle d'un brillant jouteur qu'on attaque et qui se défend.

Peut-être même est-ce en partie pour se mieux défendre qu'il prendra l'offensive à son tour et deviendra en 1270 le critique de Siger de Brabant. Il est en effet certain que, possédant en commun avec les averroïstes les principes philosophiques de l'aristotélisme, saint Thomas devait éprouver vivement la nécessité de s'en distinguer, et si vraiment la doctrine de l'unité de l'intellect représentait une déviation de la pensée aristotélicienne, c'était aux aristotéliciens comme lui ou comme son maître Albert le Grand qu'il appartenait de l'établir[1]. D'une manière générale, une discussion utile sur le détail des doctrines averroïstes ne pouvait s'engager qu'entre philosophes argumentant au nom des mêmes principes et situés sur le même terrain. Que le *De unitate intellectus* de saint Thomas soit ou non dirigé principalement contre Siger et qu'il date ou non de 1270 même, il reste donc certain que la controverse averroïste ainsi entendue s'est développée entre Siger et saint Thomas. Mais la réfutation d'Averroès au nom des principes mêmes d'Aristote ne constituait qu'un des éléments du problème. Du point de vue de saint Thomas ou, aujourd'hui encore, d'un point de vue thomiste, c'était le problème total ; mais du point de vue d'un spectateur qui ne serait pas encore instruit par l'histoire et ne considérerait pas le triomphe du thomisme comme un fait virtuellement accompli, le débat prend une ampleur beaucoup plus considérable. Ce n'est plus de telle ou telle doctrine philosophique qu'il s'agit alors, c'est la notion même de la philosophie qui se trouve mise en jeu, et la lutte engagée est d'une importance telle que son issue sera décisive pour l'avenir de la pensée moderne[2]. Tandis que les aristotéliciens voient le mal dont souffre la vérité chrétienne dans une erreur métaphysique définie et acceptent la lutte sur le terrain de la philosophie pure, les augustiniens entendent rester sur le terrain de la sagesse chrétienne et enrayer les progrès de l'averroïsme en niant le principe même d'une philosophie séparée. Dès lors, on comprend que les tenants de l'augustinisme n'entreprennent pas la réfutation philosophique des doctrines averroïstes, ou qu'ils ne les réfutent qu'en montrant leurs attaches avec les principes les plus géné-

1. En ce qui concerne la réfutation composée par Albert le Grand, voir P. Mandonnet, *op. cit.*, p. 61 et suiv. La date en est de 1256.

2. Voir, sur ce point, E. Gilson, Études de philosophie médiévale, Strasbourg, 1921, p. 76 et suiv., *La signification historique du thomisme*.

3

raux de l'aristotélisme lui-même. Albert le Grand avait posé la question
décisive : *utrum theologia sit scientia ab aliis scientiis separata?* Et sa
réponse avait été formelle : *quod concedendum est, et dicendum quod
haec scientia separatur ab aliis, subjecto, passione et principiis confir-
mantibus ratiocinationem*[1]. Aux yeux de saint Bonaventure, tout le mal
vient de là. Ce n'est pas d'Averroès seulement qu'il s'agit, ni même
d'Aristote, car Platon et tout autre philosophe reste sujet à des erreurs
différentes, mais extrêmement graves, s'il « sépare » la philosophie.
Envisagée de ce point de vue, la controverse averroïste de 1270 et des
années suivantes rentre tout entière sous cette controverse fondamentale : la philosophie a-t-elle droit à l'existence comme doctrine séparée,
selon l'expression d'Albert, ou, selon l'expression atténuée de saint
Thomas, comme doctrine formellement distincte de la théologie? Et
cette controverse-là, c'est bien saint Bonaventure qui la conduit; pour
nous en convaincre, il nous suffira de l'écouter.

On remarquera tout d'abord que le *Commentaire sur les Sentences* a
déjà clairement résolu le problème des rapports entre la foi et la raison, et que la philosophie n'y revendique aucun contenu sur lequel la
théologie n'exerce sa juridiction. C'est qu'à cette époque déjà saint
Bonaventure pressent le danger; mais plus nous nous rapprochons de
l'année 1270, plus nous le voyons préoccupé de définir explicitement sa
pensée sur ce point en assignant à la philosophie la place exacte qu'elle
a le droit d'occuper. Ce n'est pas saint Bonaventure qui change, c'est le
milieu qui change autour de lui. Tout se passe comme s'il prenait acte
de l'écart toujours plus large qui le sépare des nouveaux philosophes et
théologiens. Nous ignorons la date du sermon de saint Bonaventure :
Christus omnium magister, mais son contenu ne permet pas de douter
qu'il n'ait été adressé à l'Université et dirigé contre l'envahissement de
la théologie par les philosophies païennes. Si le Christ est notre seul
maître, c'est donc que ni Aristote, ni même Platon ne représentent la
vraie sagesse; Augustin seul la possédait, et il ne la possédait que parce
qu'il était éclairé des lumières de la révélation. Leçon dont le sens ni la
portée ne pouvaient échapper à personne[2] et que saint Bonaventure fait
suivre d'une conclusion précise : le Christ est notre seul maître, il est
donc aussi le seul remède contre les trois maux qui déchirent alors le
milieu scolaire parisien : *praesumptio sensuum, et dissensio sententia-*

---

1. *Sum. theol.*, I, 1, 4, ad *solut.* E. Gilson, *op. cit.*, p. 98-99.
2. *Serm. IV de rebus theologicis*, 18-19; t. V, p. 572.

rum et desperatio inveniendi verum; l'orgueil qui fait abonder dans son sens propre et inventer de nouvelles doctrines, les dissensions doctrinales qui en résultent et dressent les écoles contre les écoles au sein de la chrétienté, le désespoir de trouver le vrai qui conduit les averroïstes à juxtaposer, sans les unir, la vérité de la foi et les conclusions opposées de la philosophie. *Ne desperemus, maxime cum ipse velit et sciat et possit nos docere*[1]. Paroles d'affectueuse et d'intelligente pitié comme nous en avons rarement rencontrées, dans toute cette controverse averroïste, pour des âmes tourmentées, dont beaucoup sans doute étaient sincères, et qui souffraient de ne pouvoir accorder leur raison avec leur foi. D'autres chercheront à contraindre ces âmes en les acculant au dilemme de la double vérité; mieux inspiré peut-être, saint Bonaventure sent qu'elles croient, mais qu'elles ne savent pas et qu'elles s'en désespèrent; il n'y a pas de meilleur psychologue que la bonté.

Les conférences de saint Bonaventure *De decem donis spiritus sancti*, qui se placent certainement avant l'*Hexaëmeron* (1273) et probablement après les *Collationes de decem praeceptis* (1267-1268) doivent être à peu près contemporaines de la controverse entre Siger et saint Thomas. Or, les erreurs des averroïstes se trouvent expressément visées dans la huitième conférence, consacrée au don d'intelligence. Saint Bonaventure y oppose chacune de leurs trois erreurs principales au Christ, en tant qu'il est cause de l'être, raison de connaître et ordre de vie[2]. Mais la critique dirigée ici contre les erreurs averroïstes est manifestement solidaire du problème général de la connaissance humaine. La quatrième de ces conférences, consacrée au don de science, contient en effet une critique très dure de toute philosophie qui prétendrait se suffire à elle-même, et nous aurons occasion d'en exposer le contenu[3]; la place de la philosophie chrétienne tend à se fixer définitivement entre la foi brute et la théologie proprement dite, et c'est le plan même de l'*Hexaëmeron* qui commence à se dessiner.

En 1273, l'*Hexaëmeron* reprend le problème dans son ensemble, et c'est toujours l'existence d'une philosophie séparée qui se trouve mise en question. Dès le début de l'œuvre, saint Bonaventure prend position

---

1. *Serm. IV de rebus theologicis*, 28; t. V, p. 574.

2. « Error contra causam essendi est de aeternitate mundi, ut ponere mundum aeternum. Error contra rationem intelligendi est de necessitate fatali, sicut ponere quod omnia eveniunt de necessitate. Tertius est de unitate intellectus humani, sicut ponere quod unus est intellectus in omnibus », *De donis spirit. sancti*, VIII, 16-20; t. V, p. 497-498.

3. Voir ch. II, *La critique de la philosophie naturelle*, et *op. cit.*, IV, 12; t. V, p. 475-476.

contre les théologiens séculiers, qui contestent aux réguliers leur conception de la perfection chrétienne, et contre les maîtres de la Faculté
des arts, qui introduisent les erreurs averroïstes dans l'édifice de la théologie : *praecessit enim impugnatio vitae Christi in moribus per theolo-
gos, et impugnatio doctrinae Christi per falsas positiones per artistas*[1].
Et, cependant, il ne veut pas descendre dans l'arène pour prendre part
personnellement à la dispute, car il met au-dessus de tout l'union des
âmes dans la paix : *cohaerentiam pacis ;* il sait que dans une telle lutte
sa parole s'adresserait souvent à des esprits gonflés de science, mais
vides de fruits : *unde multi sunt tales, qui vacui sunt laude et devotione,
etsi habeant splendores scientiarum ;* ce sont des guêpes qui construisent
des cellules comme les abeilles, mais ne les remplissent pas de miel.
C'est donc aux hommes spirituels qu'il s'adresse, à eux seuls, et pour
leur rappeler quelle leçon? *Ut a sapientia mundana trahantur ad sapientiam christianam.* Selon la devise adoptée par saint Bonaventure, il faut
toujours commencer par le milieu, et le milieu n'est autre que le Christ :
ipse est medium omnium scientiarum. Quoi d'étonnant dès lors à ce qu'il
critique telle ou telle thèse thomiste, comme celle de l'unité de la forme
dans l'homme ou celle de la simplicité des substances angéliques[2]?
L'albertino-thomisme se trompe nécessairement, parce que, s'il situe le
Christ au milieu de la théologie, il ne le situe pas au milieu de la philosophie, et l'on peut montrer par bien des exemples à quel point ce
problème apparaît aux yeux de saint Bonaventure comme dominant
tout le débat.

C'est ainsi que nous l'entendons dans l'*Hexaëmeron* exercer contre
la curiosité naturelle une ironie assez amère qui ne lui est pas habituelle. La science de l'Écriture, dit-il notamment, est la seule délec-
table : *philosophus dicit quod magna delectatio est scire quod diameter
est asymeter costae ; haec delectatio sit sua ; modo comedat illam*[3]. C'est
donc dans l'Écriture et là seulement qu'il faut chercher la source du
savoir. Il existe, en effet, quatre genres de livres, dont l'ordre est fixé
d'une manière rigoureuse et ne doit jamais être interverti : les livres
de l'Ancien et du Nouveau Testament, les écrits originaux des Pères,
les *Commentaires sur les Sentences* ou les *Sommes théologiques*, les
auteurs séculiers ou les livres des philosophes. Celui qui cherche son
salut ne doit évidemment pas s'adresser aux livres des philosophes ; ni

---

1. *In Hexaëm.*, I, 9 ; t. V, p. 330.
2. *Op. cit.*, IV, 12 ; t. V, p. 351.
3. *In Hexaëm.*, XVII, 7 ; t. V, p. 410.

même aux Sommes des théologiens, car tout ce qu'elles contiennent leur vient des Écritures; il suffit donc de s'adresser aux originaux. Qui connaît bien la Bible se passera facilement de la science, car il la possédera et possédera même l'art de bien dire sans jamais l'avoir appris[1]. Malheureusement, l'interprétation des livres sacrés est difficile, il faut donc recourir aux écrits des Pères; et l'interprétation des écrits des Pères est difficile, il faut donc recourir aux Sommes des théologiens qui en élucident les difficultés. Mais ces livres font nécessairement usage du langage des philosophes et nous invitent par là même à lire les ouvrages dont ces expressions philosophiques sont tirées. Et c'est en quoi précisément consiste le péril.

Il y a déjà, en effet, quelque danger à descendre de l'Écriture aux écrits des Pères, car le langage des Pères est plus beau que celui de l'Écriture et nous pourrions, en les lisant, perdre le goût de la fréquenter. Mais il est plus dangereux encore de descendre des Pères aux *Sommes théologiques* parce qu'elles contiennent parfois des erreurs et croient comprendre les originaux alors qu'elles ne les comprennent pas ou même les contredisent. S'en tenir à ces écrits, c'est imiter ce sot qui ne lisait jamais le texte mais seulement les commentaires; il vaut mieux remonter au texte même et l'interpréter comme le commun des docteurs. Mais descendre jusqu'aux livres de philosophie, c'est là le plus grave de tous les dangers. Les maîtres doivent bien se garder de trop vanter et d'apprécier trop hautement les paroles des philosophes de peur d'attirer leurs disciples vers ces sources d'erreur[2]. Saint Bonaventure compare ceux qui font trop largement usage de la philosophie aux soldats de Gédéon qui ont courbé le genou pour boire : *et illi curvantur ad errores infinitos et inde fovetur fermentum erroris;* il rappelle encore l'exemple de saint François qui refusa de discuter avec les prêtres du sultan parce qu'il ne pouvait ni leur prouver la foi par la raison, puisqu'elle est au-dessus de la raison, ni par les Écritures, puisqu'ils ne croyaient pas aux Écritures; il conseille en outre de ne pas mêler tant d'eau philosophique au vin de l'Écriture de peur que ce

---

1. Cf. chap. i, 2, p. 47, note 3.

2. « Descendere autem ad philosophiam est maximum periculum... Unde magistri cavere debent, ne nimis commendent et appretientur dicta philosophorum, ne hac occasione populus revertatur in Aegyptum, vel exemplo eorum dimittat aquas Siloe, in quibus est summa perfectio, et vadant ad aquas philosophorum, in quibus est aeterna deceptio » (*In Hexaëm.*, XIX, 12; t. V, p. 422). C'est de cette époque que date l'expression la plus violente dont ait usé saint Bonaventure contre la philosophie naturelle : « Volumus copulari ancillae turpissimae et meretricari », *In Hexaëm.*, II, 7; t. V, p. 337.

vin ne se change en eau et rappelle enfin que : *in Ecclesia primitiva libros philosophiae comburebant*[1].

Comment s'étonner dès lors qu'il stigmatise les erreurs de l'astrologie et de l'alchimie[2]? Et quoi de plus naturel enfin que de le voir s'installer au cœur même du problème pour déduire, avec une force et une rigueur qui n'ont jamais été dépassées, les erreurs averroïstes, à partir du rejet de l'exemplarisme par la philosophie d'Aristote[3]? C'est là, dans ces conférences tenues devant les Franciscains de Paris, qu'il faut chercher les considérants motivés de la condamnation de 1277, et si les graves restrictions de saint Bonaventure concernant la légitimité de certaines thèses thomistes ont trouvé leur écho dans la condamnation portée par Étienne Tempier, c'est qu'aux yeux de l'évêque de Paris comme à ceux du docteur séraphique une erreur fondamentale vicie la doctrine : l'illusion de la philosophie séparée[4].

Mais d'autres soins vont bientôt réclamer saint Bonaventure. Laissant à Paris ses meilleurs disciples pour continuer la lutte à sa place, il vient à Viterbe en 1271, où les cardinaux, incapables de se mettre d'accord pour donner un successeur à Clément IV, lui demandent de désigner le candidat sur lequel ils doivent porter leurs suffrages. Sur sa proposition ils élevèrent à la dignité pontificale Téobald de Plaisance, alors en Syrie, et qui devait régner sous le nom de Grégoire X[5]. En 1272 il présidait pour la deuxième fois un Chapitre général dans la ville de Lyon et revenait aussitôt à Paris, puisqu'une de ses lettres s'en trouve datée dès le mois de mai[6]. Enfin, le 3 juin 1273, Grégoire X, que saint Bonaventure avait fait pape, le faisait à son tour cardinal et évêque d'Albano. Les termes de la bulle pontificale étaient cette fois si impérieux et si précis qu'ils imposaient irrévocablement à saint Bonaventure une charge incompatible avec la direction de l'ordre dans laquelle il avait cependant désiré de vieillir[7]. De fait, il se mit immédiatement en route pour rejoindre Grégoire X, reçut le chapeau

---

1. *In Hexaëm.*, XIX, 14, p. 422.

2. *Op. cit.*, V, 21; t. V, p. 357.

3. *Op. cit.*, VI, 2-5; t. V, p. 360-361.

4. *In Hexaëm.*, XIX, 15; t. V, p. 422. XIX, 18; p. 433, et tout le chapitre II : *La critique de la philosophie naturelle.*

5. *De vita Seraphici Doctoris*, t. X, p. 61.

6. *Epistola III, Ad fratres Custodem et Guardianum Pisarum*, t. VIII, p. 461. Pour la correction de l'erreur qui situait ce chapitre à Pise, voir P.-A. Callebaut, O. M., *Le chapitre général de 1272 célébré à Lyon*, Arch. franc. histor., t. XIII, p. 385-387.

7. Voir le texte de la Bulle, *De vita Seraphici Doctoris*, t. X, p. 64.

de cardinal au couvent de Mugello, près de Florence, et repartit avec le Pape afin de se rendre au Concile général qui devait se réunir à Lyon. Ils y arrivèrent à la fin du mois de novembre. Saint Bonaventure conserva la direction de l'Ordre jusqu'au commencement du Concile, mais entre la première (7 mai 1274) et la deuxième session un Chapitre général se réunit, présidé pour la dernière fois par saint Bonaventure, et frère Jérôme d'Asculum lui fut donné pour successeur. Le nouveau Cardinal prit une part très active aux affaires du Concile et y joua un rôle important. Au cours de la deuxième session saint Bonaventure prononça un sermon sur la réunion des Églises d'Orient, objet principal de ce Concile. Surmené sans doute par l'effort excessif qu'il venait d'accomplir, il tomba malade et mourut le 15 juillet 1274, après la clôture des travaux conciliaires. Il fut inhumé le jour même dans la chapelle des Frères Mineurs du couvent de Lyon, en présence du Pape et de nombreux dignitaires de l'Église. Saint Bonaventure devait être canonisé le 14 avril 1482 et élevé par Sixte V, en 1587, au rang des Docteurs.

Il apparaît clairement qu'une telle vie n'est pas celle d'un pur spéculatif ni vouée tout entière à la contemplation de vérités abstraites. Saint Bonaventure n'est pas seulement un chef d'école influent, un écrivain extrêmement fécond, un théologien et un mystique, c'est encore un homme d'action, et cet administrateur d'un grand ordre religieux appartient à la race des conducteurs d'hommes. La philosophie occupe dans sa vie la même place que dans sa doctrine; elle est un fondement, en ce sens que le reste repose sur elle, mais en ce sens aussi qu'elle n'est là que pour le soutenir. Fixée dès le début quant à son orientation générale et ses thèses essentielles, sa pensée n'a cependant jamais cessé de s'enrichir et de progresser. Le *Commentaire sur les Sentences* contient déjà, virtuellement ou actuellement, toutes les directions ultérieures selon lesquelles se développera la pensée bonaventurienne; la continuité de son évolution sera donc incontestable, mais la réalité de cette évolution ne le sera pas moins. A mesure que saint Bonaventure voyait se développer sous ses yeux la doctrine nouvelle de l'albertino-thomisme, il prenait une conscience de plus en plus profonde de ce qu'il y avait de spécifique dans la tradition dont il était le représentant; son augustinisme s'approfondissait et se consolidait dans la mesure même où il se sentait menacé. D'autre part, et peut-être surtout, le *Commentaire* avait été l'œuvre d'un esprit puissant et délié, mais travaillant encore dans un milieu scolaire, selon des procédés d'école et sur un texte imposé. Or, on peut bien dire que si nous n'avions de saint Bonaventure que ce commentaire nous ne soupçonnerions même pas ce qu'il y eut de plus profondément original et même d'unique dans sa pensée. Pour le discerner, c'est aux œuvres postérieures à sa vie universitaire qu'il convient de s'adresser. En devenant général de l'Ordre, il demeurait en contact avec un intense foyer de vie philosophique : l'Université de Paris, tout en s'affranchissant des servitudes scolaires qui l'auraient assujetti au cycle obligatoire des commentaires philosophiques et théologiques. Et, en même temps que cette charge le tirait de l'école, elle le replongeait au cœur même de l'Ordre franciscain, mettant sous ses yeux et offrant à sa méditation quotidienne une matière autrement vivante et riche que la lettre de Pierre Lombard ou les textes d'Aristote. C'était un commentaire encore qui s'imposait à lui, mais d'une vie et non plus d'un livre, le commentaire de la vie franciscaine telle qu'elle fleurissait alors autour de lui et dont le devoir de diriger l'Ordre au milieu d'ardentes controverses lui imposa pendant de longues années la tâche d'approfondir l'esprit. A partir de ce moment la pensée de saint Bonaventure nous apparaît comme tendue tout entière vers la réalisation d'une synthèse nouvelle, où devaient trouver place toutes les valeurs philosophiques et religieuses qu'il avait expérimentées, depuis la forme de foi la plus humble, en passant par la philosophie puis par la théologie, et en s'élevant de degrés en degrés, sans en mépriser injustement un seul, mais sans permettre à un seul d'usurper une place qui n'eût pas été la sienne, jusqu'aux sommets de la vie mystique où saint François l'avait convié. A cet effort immense et sans cesse repris nous devons ses œuvres les plus personnelles, où les vertus humaines et les secours qu'elles reçoivent d'en haut s'ordonnent selon une architecture toujours plus compréhensive et mieux équilibrée jusqu'à la réussite parfaite de l'*Hexaëmeron*, chef-d'œuvre interrompu par la mort. C'est ce progrès incessant de sa pensée vers l'expression intégrale d'une forme de vie personnellement éprouvée qui confère à la doctrine de saint Bonaventure son accent le plus personnel. Il ne sera donc pas superflu, avant d'en exposer les articulations essentielles, d'esquisser la conception de la vie dont cette philosophie tout entière allait s'inspirer.

Les œuvres de saint Bonaventure ont été l'objet d'un nombre extrêmement élevé d'éditions successives, mais le travail de bibliographie est heureusement simplifié par la dernière qui les remplace toutes. Nous citerons les textes d'après l'admirable édition des Franciscains du Collège Saint-Bonaventure : *Doctoris Seraphici S. Bonaventurae* S. R. E. Episcopi Cardinalis *Opera omnia...*, 10 vol. in-fol., Ad Claras Aquas (Quaracchi) prope Florentiam, ex Typographia Collegii S. Bonaventurae, 1882-1902. Cette édition n'est pas seulement unique par la qualité du texte, mais encore par l'abondance de ses tables analytiques et par les notes et scolies dont elle est accompagnée.

Nous donnons ici la liste des œuvres authentiques avec la référence aux tomes et pages de l'édition de Quaracchi :

I. — TRAITÉS PHILOSOPHIQUES ET THÉOLOGIQUES.

1-4. *Commentarii in quatuor libros Sententiarum Petri Lombardi*, t. I-IV (1248-1255).
5. *Quaestiones disputatae de scientia Christi, de mysterio SS. Trinitatis, de perfectione evangelica*, t. V, p. 1-198.
6. *Breviloquium*, ibid., p. 199-291 (avant 1257).
7. *Itinerarium mentis in Deum*, ibid., p. 293-316 (octobre 1259).
8. *Opusculum de reductione artium ad theologiam*, ibid., p. 317-325.
9. *Collationes in Hexaëmeron*, ibid., p. 327-454 (hiver 1273).
10. *Collationes de decem donis Spiritus Sancti*, ibid., p. 455-503.
11. *Collationes de decem praeceptis*, ibid., p. 505-532 (1267 ou 1268).
12. *Sermones selecti de rebus theologicis*, ibid., p. 532-559.

II. — COMMENTAIRES.

13. *Commentarius in librum Ecclesiastes*, t. VI, p. 1-103.
14. *Commentarius in librum Sapientiae*, ibid, p. 105-235.
15. *Commentarius in Evangelium Joannis*, ibid., p. 237-532.
16. *Collationes in Evangelium Joannis*, ibid., p. 533-634.
17. *Commentarius in Evangelium Lucae*, t. VII, p. 1-604 (1248).
18-19. Authenticité douteuse.

III. — OPUSCULES MYSTIQUES.

20. *De triplici via* (alias *Incendium amoris*), t. VIII, p. 3-27.
21. *Soliloquium de quatuor mentalibus exercitiis*, ibid., p. 28-67.
22. *Lignum vitae*, ibid., p. 68-87.
23. *De quinque festivitatibus pueri Jesu*, ibid. p. 88-98.
24. *Tractatus de praeparatione ad Missam*, ibid., p. 99-106.
25. *De perfectione vitae ad Sorores*, ibid., p. 107-127.
26. *De regimine animae*, ibid., p. 128-130.
27. *De sex alis Seraphim*, ibid., p. 131-151.
28. *Officium de Passione Domini*, ibid., p. 152-158.

29. *Vitis mystica*, ibid., p. 159-229.

IV. — Écrits relatifs a l'Ordre franciscain.

30. *Apologia pauperum*, ibid , p. 230-330 (vers 1269).
31. *Epistola de tribus quaestionibus*, ibid., p. 331-336.
32. *Determinationes quaestionum*, pars I et II, ibid., p. 337-374.
33. *Quare Fratres Minores praedicent et confessiones audiant*, ibid., p. 375-385.
34. *Epistola de sandaliis Apostolorum*, ibid., p. 386-390.
35. *Expositio super Regulam Fratrum Minorum*, ibid., p. 391-437.
36. *Sermo super Regulam Fratrum Minorum*, ibid., p. 438-448.
37. *Constitutiones Generales Narbonenses*, ibid., p. 449-467 (1260).
38. *Epistolae officiales*, ibid., p. 468-474.
39. *Regula Novitiorum*, ibid., p. 475-490.
40. *Epistola continens 25 memorialia*, ibid., p. 491-498.
41. *Epistola de imitatione Christi*, ibid., p. 499-503.
42. *Legenda major S. Francisci*, ibid., p. 504-564 (1261).
43. *Legenda minor S. Francisci*, ibid., p. 565-579.

V. — Prédication.

44-50. Opuscules d'authenticité douteuse.
51. *Introductio cum opusculo de arte praedicandi*, t. IX, p. 1-21.
52. *Sermones de Tempore*, ibid., p. 23-461.
53. *Sermones de Sanctis*, ibid., p. 463-631.
54. *Sermones de B. Virgine Maria*, ibid., p. 633-721.
55. *Sermones de Diversis*, ibid., p. 722-731.

Au point de vue pratique, nous signalerons en outre deux éditions partielles du Collège Saint-Bonaventure qui peuvent rendre des services lorsque l'on n'a pas la grande édition à sa disposition :

1° *Decem opuscula ad theologiam mysticam spectantia*. Editio altera, 1900, in-16, p. xi-514, Quaracchi. Les dix opuscules imprimés dans ce volume sont : *De triplici via*, *Soliloquium*, *Lignum vitae*, *De quinque festivitatibus pueri Jesu*, *Tractatus de praeparatione ad Missam*, *De perfectione vitae ad sorores*, *De regimine animae*, *De sex alis Seraphim*, *Officium de Passione Domini*, *Vitis mystica*.

2° *Tria opuscula* (*Breviloquium. Itinerarium mentis in Deum. De reductione artium ad theologiam*), éd. 3ᵃ, Quaracchi, 1911, in-16, p. 391.

Nous citerons d'après ces deux éditions partielles, plus aisément accessibles, les textes qu'elles contiennent.

II. — LE FRANCISCAIN.

L'existence de saint Bonaventure s'est passée tout entière dans les devoirs de la vie monastique. Comment les entendait-il? C'est ce qu'il importe de savoir si l'on veut se représenter ce que fut sa vie et même si l'on veut comprendre sa pensée. Le philosophe ne peut pas être séparé de l'homme et nous ne connaîtrons l'homme que si nous savons comment il se représenta la forme de vie la plus haute à ses yeux, celle du moine franciscain.

Du vivant même de saint François d'Assise et presque avec son consentement résigné, deux conceptions différentes de la vie franciscaine s'étaient trouvées en présence. L'une s'exprimait dans la *Regula prima*, approuvée par Innocent III, mais non confirmée officiellement par une bulle pontificale; elle trouvait dans le *Testamentum* le seul commentaire de sa propre règle que saint François nous ait laissé[1]. Il avait spécifié lui-même que rien ne devait être ajouté à ses paroles et que rien ne devait en être retranché, que le Testament devait toujours être lu dans les Chapitres en même temps que la Règle et que le tout enfin devait être observé sans être commenté : *simpliciter et sine glosa*[2]. Ces paroles sont le point de départ de la tradition des Spirituels et de tous ceux qui conçurent qu'une évolution quelconque de l'Ordre franciscain équivaudrait par définition à une décadence. Frère Léon, frère Égide, Jean de Parme, n'admettaient pas d'autres règlements de l'Ordre que la *Regula* et le *Testamentum*, et le mot d'ordre des partisans de l'idéal primitif devait toujours demeurer : *sine glosa, sine glosa*[3]! D'autre part, il est incontestable que, du point de vue de l'Église elle-même, à laquelle seule les moines franciscains étaient tenus d'obéir, la véritable règle n'était ni la première ni le Testament, mais la deuxième règle, ou *Regula bullata*, rédigée en 1223 sous l'inspiration prudente du cardinal Hugolin, alors évêque d'Ostie, plus tard pape sous le nom de Grégoire IX, et qui avait été confirmée par Honorius III le 29 novembre de

---

1. Les textes de saint François sont édités dans la Bibliotheca Franciscana ascetica Medii Aevi, tome I : *Opuscula Sancti Patris Francisci Assisiensis*, Quaracchi, 1904. Nous citons d'après l'édition de H. Boehmer, *Analekten zur Geschichte des Franciscus von Assisi*, Tübingen, 1904, ed. minor.

2. Saint François, *Testamentum*, 11-12, p. 39.

3. « Dicebat etiam ipse frater Johannes (sc. de Parma) quod testamentum et regula substantialiter idem sunt », Ang. Clareno, *op. cit.*, Archiv, II, p. 274; P. Sabatier, *Speculum perfectionis seu S. Francisci Assisiensis legenda antiquissima*, Paris, Fischbacher, 1898, I, 1, p. 1-4.

la même année. Entre la *Regula bullata*, charte officielle et définitive de l'Ordre, et la rédaction primitive de saint François, les différences semblent infimes au premier abord, mais elles atténuaient les prescriptions les plus impératives et les plus strictes de la première règle, de manière à préparer l'évolution ultérieure de l'Ordre franciscain. Saint François eut-il conscience de ce qui se préparait? En acceptant la rédaction de la *Regula bullata* de 1223, vit-il clairement que le nouveau texte allait inévitablement susciter des interprétations et des gloses, mais fit-il le sacrifice de sa conception personnelle de l'Ordre à celle du cardinal Hugolin? On pourrait le croire, si le *Testamentum* n'était venu précisément rappeler le sens précis et authentique de la Règle. Saint François, immédiatement débordé par le développement de son œuvre, est toujours demeuré fidèle à son premier idéal.

Il n'en est pas moins vrai que, si nous considérons la situation dans laquelle se trouvait un moine franciscain à l'époque où saint Bonaventure reçut la direction de l'Ordre, deux interprétations différentes s'offraient à son choix. Nous ne prenons pas en considération l'attitude des mauvais religieux qui se comportaient comme si ne pas observer la Règle eût été une manière de l'interpréter. Que des désordres se soient introduits dans certaines communautés, que des moines franciscains aient mené une vie indigne de l'habit qu'ils portaient, rien de plus certain; mais ceux-là faisaient contre eux l'unanimité au sein de l'Ordre, et les questions véritablement difficiles ne se posaient pas à leur sujet. Les déchirements intérieurs dont souffrait l'Ordre à cette époque provenaient d'une cause plus profonde que le relâchement de certains individus ou de certaines communautés. Ils tenaient précisément à ce qu'un religieux même excellent, animé du plus vif désir d'accomplir intégralement les devoirs d'un bon franciscain, se trouvait en présence de deux interprétations différentes, mais également légitimes, de la Règle de saint François. S'il voulait s'en tenir strictement à la *Regula bullata*, il lui devenait loisible d'adoucir sur certains points l'idéal primitif du fondateur de l'Ordre, et cependant il pouvait à bon droit se considérer comme à l'abri de tout reproche, puisqu'il suivait en conscience une Règle approuvée par saint François et seule obligatoire du point de vue de l'Église. Que s'il voulait retrouver et maintenir sous la lettre de la *Regula bullata* l'esprit qui avait inspiré à saint François la *Regula prima* et le *Testamentum*, non seulement rien ne lui interdisait de le faire, mais encore il ne pouvait pas ne pas se rendre à lui-même ce témoignage qu'il agissait en vrai fils de saint François. Sans doute, en droit, ces deux interprétations de la vie franciscaine n'avaient rien de contradictoire; mais si elles ne l'étaient pas logiquement, elles l'étaient psychologiquement. L'idéal d'un ordre franciscain assez large pour unir et concilier ces deux tendances n'avait en soi rien d'inconcevable; la Règle pouvait être obligatoire, et la sainteté facultative à l'intérieur de la Règle. Mais, s'il pouvait y avoir place pour des Spirituels dans un ordre de large observance, il ne pouvait pas y avoir de large observance légitime aux yeux des Spirituels. Ceux qui se considéraient comme les représentants de l'idéal franciscain primitif n'avaient pas seulement le devoir de vivre comme saint François lui-même, ils se sentaient encore moralement tenus de ramener l'Ordre dans la voie dont, à leurs yeux, il n'aurait jamais dû sortir. Ils ne pouvaient pas admettre qu'un idéal différent de celui de saint François fût présenté comme l'idéal franciscain; l'Ordre, tel qu'il était devenu, pouvait les accepter; ils ne pouvaient pas accepter l'Ordre. A l'époque où saint Bonaventure devint Ministre général, la lutte n'avait pas encore le caractère d'acuité qu'elle devait avoir plus tard et qui devait déterminer la scission de l'Ordre franciscain. Elle était déjà très vive cependant. Son prédécesseur immédiat, Jean de Parme, avait dû se démettre de ses fonctions parce qu'il désespérait de ramener l'Ordre à l'idéal primitif de saint François. En présence des résistances de toutes sortes auxquelles se heurtaient ses efforts, il s'était découragé et, plutôt que d'assurer la responsabilité morale d'un Ordre engagé dans une direction qui lui semblait mauvaise, nous l'avons vu reprendre place parmi les plus humbles des Frères Mineurs. Désigné par Jean de Parme pour lui succéder, saint Bonaventure savait donc quelle lourde tâche l'attendait. Rien ne le caractérise mieux que sa conception du développement de l'Ordre et la solution qu'il apporta aux deux problèmes essentiels des études et de la pauvreté.

Saint Bonaventure n'appartient pas aux premières générations franciscaines et nous savons qu'il n'a jamais connu personnellement saint François. Entré dans l'Ordre sous le généralat de frère Élie, à une époque où les études y prenaient un puissant essor et où les premiers couvents succédaient aux humbles *loci* des premiers frères, il n'a jamais pu nourrir l'illusion que la destinée de l'Ordre fut de multiplier à travers le monde le plus grand nombre possible d'imitateurs exacts de la vie de saint François. Ce qui l'attira vers l'Ordre franciscain ce fut au contraire, avec la reconnaissance et l'amour qu'il avait voués à son fondateur, le spectacle de sa vitalité et de ses facultés de développement.

Il conçut donc immédiatement la vie des Frères Mineurs moins comme une Règle que comme un esprit ; cette communauté nouvelle, ou, comme l'on disait alors, cette religion, suivait une évolution pareille à celle de la primitive Église. Bien loin de voir dans l'envahissement progressif de l'Ordre par les savants et les lettrés la marque d'une déviation de l'idéal primitif, il y avait vu immédiatement la preuve de la sainteté et du caractère providentiel de l'œuvre fondée par saint François. Semblable en cela à l'Église de Jésus-Christ, l'Ordre des Frères Mineurs n'avait pas été fondé par des puissants et des savants, mais par des humbles et des simples ; et, comme elle aussi, il avait vu venir à soi dans la suite des docteurs habiles et illustres ; c'est à quoi précisément on distingue les œuvres de Dieu, qui ne peuvent que progresser, de celles des hommes, qui ne peuvent que se corrompre. Le fait même du développement de l'Ordre constituait donc à ses yeux la marque irrécusable à laquelle se reconnaissent les œuvres du Christ[1].

C'est pourquoi, bien loin d'éprouver des scrupules sur la légitimité des études, saint Bonaventure considérait qu'il était entré dans l'Ordre franciscain à l'âge providentiel des Docteurs, et l'on peut ajouter que sur ce point il ne devait jamais se heurter à de sérieuses difficultés. En fait, le problème était déjà résolu ; l'Ordre entier reconnaissait la nécessité de développer les études théologiques. Il est très difficile, ici comme ailleurs, d'isoler la personnalité de saint François du mouvement franciscain pris dans son ensemble, et personne ne peut se flatter de décrire exactement l'état d'esprit du fondateur de l'Ordre concernant l'utilité de la science théologique. On ne saurait trouver dans aucun des textes qu'il nous a laissés ni une condamnation des études ni un encouragement formel à les développer[2]. Il est absolument certain

1. « Nec te moveat quod Fratres fuerunt in principio simplices et illiterati, immo magis debet hoc in te fidem ordinis confirmare. *Fateor coram Deo, quod hoc est, quod me fecit vitam* (au sens d'Ordre) *beati Francisci maxime diligere,* quia similis est initio et perfectioni Ecclesiae, quae primo incepit a piscatoribus simplicibus et postmodum profecit ad doctores clarissimos et peritissimos ; sic videbis in Religione beati Francisci, ut ostendat Deus, quod non fuit per hominum prudentiam inventa, sed per Christum ; et quia opera Christi non deficiunt, sed proficiunt, ostenditur hoc opus fuisse divinum, dum ad consortium virorum simplicium etiam sapientes non sunt dedignati descendere », *Epistola de tribus quaestionibus,* n. 13 ; t. VIII, p. 336.

2. Voir sur ce point H. Felder, O. C., *Geschichte der wissenschaftlichen Studien im Franziskanerorden bis um die Mitte des 13 Jahrhunderts,* Freiburg-i-Breisg, Herder, 1904. Traduction française par Eusèbe de Bar-le-Duc, *Histoire des études dans l'Ordre de saint François depuis sa fondation jusque vers la moitié du XIII° siècle,* Paris, 1908. Nous citons d'après le texte allemand. Cet ouvrage très précieux à tant d'égards est fortement tendancieux en ce qui concerne l'attitude de saint François. Le P. Felder se place au

que lui-même n'y songeait aucunement, ni pour lui ni pour ses premiers compagnons, à l'époque où il conçut l'esprit de la « vie » qu'il allait mener et prêcher. Il se donne pour un homme simple et ignorant[1] et, de fait, il savait lire, parlait incorrectement le provençal et comprenait, plutôt en devinant qu'en traduisant, le latin des Écritures. Alléguer qu'il finit par posséder d'abondantes connaissances théologiques parce qu'on rapporte qu'il surprenait les théologiens par ses profondes interprétations de l'Écriture, c'est invoquer en faveur de cette thèse l'argument qui lui porte le coup mortel[2]. Tous les compagnons des premières années de saint François ont, en effet, insisté sur la profondeur admirable avec laquelle il interprétait les Écritures pour établir précisément, non pas quelle était l'étendue de sa science, mais qu'un saint n'a pas besoin de science. C'était d'ailleurs une doctrine reçue, et que saint Pierre Damiani avait rappelée, que l'acte d'humilité par lequel une âme sainte renonce à la science mérite à celui qui l'accomplit un don des Écritures, une pénétration extraordinaire du sens profond des livres saints, qui compense, et bien au delà, le sacrifice consenti[3].

point de vue de l'Ordre et il attribue à saint François les opinions qu'il a dû avoir pour que le développement de l'Ordre fût possible. Il va sans dire que c'est là raisonner à partir de ce qu'il s'agit de prouver. Voir d'ailleurs sur ce point P. Mandonnet, *Siger de Brabant et l'averroïsme latin*, Louvain, 1911 (*Les philosophes belges*, t, **VI**), p. 96, note 1, et *Wissenschaft und Franziskanerorden, ihr Verhältnis im ersten Jahrzent des letzteren*, dans les Kirchengeschichtliche Abhandlungen, Breslau, IV, p. 149-179.

1. « Et eramus ydiotae et subditi omnibus » : *Testamentum*, 4 (Analekten, p. 37). « Ignorans sum et ydiota » : *Epist. ad capitul. generale*, 5 (Analekten, p. 61). En interprétant *idiota* par *laïcus* et par opposition à *clericus* le P. Felder (*op. cit.*, p. 62) oublie que *idiota* ne signifie *laïcus* qu'en tant que *laïcus* signifie *ignorans* On pourrait traduire par *ignare*. Lorsque les Dominicains diront plus tard : « Quod transierunt per homines ydiotas, quando transeunt per loca fratrum Minorum » (Salimbene, *Chronica*, p. 252-253), ce ne sera pas dans l'intention de leur faire plaisir.

2. H. Felder attribue à saint François « ein reiches theologisches Wissen » (*op. cit.*, p. 59).

3. Saint Pierre Damiani, *De sancta simplicitate scientiae inflanti anteponenda*, c. IV-V ; Migne, *P. L.*, t. 145, col. 698-699. C'est exactement l'interprétation que donnent les *Actus* de la profondeur extraordinaire à laquelle atteignait l'enseignement de saint François : « Quum vero ad seipsos redirent, dicebat sanctus pater : « Fratres mei dilectissimi, « gratias agite Domino Jesu Christo, quia placuit ei per ora simplicium thesauros dissemi-« nare coelestes, et ipse qui aperit os infantium et mutorum, linguas simplicium, quando « vult, facit sapientissimas et dissertas » (*Actus B. Francisci*, XIV, 8, éd. P. Sabatier, p. 51). Cf. également XXX, 8, p. 106, et aussi : « Quum ipse frater Johannes (de Alvernia) esset homo quasi sine litteris, tamen quaestiones subtilissimas et altissimas de Trinitate et aliis Scripturae mysteriis mirabiliter declarabat » (*Actus*, LIV, 45, p. 69). Saint Bonaventure acceptera expressément cette conception et l'intégrera à sa mystique. Le don de Sagesse, supérieur au don d'Intelligence, et duquel dépend l'extase mystique, est source de connaissance spéculative, *secreta enim Dei amicis et familiaribus consueverunt revelari*

Alléguer que saint François prêchait, qu'il voulait que les frères allassent par les villes exhortant à la pénitence, et en conclure qu'il ne pouvait pas ne pas vouloir les études indispensables à un prédicateur, c'est oublier encore qu'un ignorant inspiré de Dieu pouvait prêcher mieux qu'un Docteur illustre, que la manière dont saint François concevait l'exhortation était à la portée de toute âme pieuse : *annuntiando vitia et virtutes, poenam et gloriam, cum brevitate sermonis, quia verbum abbreviatum fecit Dominus super terram*[1], et qu'enfin, s'il a prévu des prédications proprement dites réservées à un certain nombre de frères spécialement choisis, celle qu'il préférait et à laquelle il invitait tous les membres de l'Ordre était la prédication par l'exemple, précisément parce qu'elle est la plus efficace, bien qu'elle ne requière aucune science[2].

En fait, si l'on rapproche les quelques déclarations de saint François relatives aux études, on constate qu'il n'a jamais condamné la science pour elle-même[3], mais qu'il ne désirait aucunement la voir se développer dans son Ordre. Elle n'était pas à ses yeux un mal en soi, mais la poursuite de la science lui apparaissait inutile et dangereuse. Inutile, puisqu'on peut faire son salut et entraîner les autres à faire le leur sans la posséder ; dangereuse, parce qu'elle est une source inépuisable d'orgueil[4]. Que l'on considère comme authentique ou non la fameuse autori-

---

(*III Sent.*, 34, 1, 2, 2, ad 2[m] ; t. III, p. 748). Voir aussi l'exemple de saint Benoît : « Anima beati Benedicti bene fuit contemplativa, quae totum mundum vidit in uno radio solis. Non multum studuerat ipse nec libros habebat... » (*In Hexaëm.*, XX, 7 ; t. V, p. 426). Saint Bonaventure, qui ignore que saint Bernard avait fait des études littéraires très poussées, au point qu'il avait hésité entre la carrière d'écrivain et la vie religieuse (*Vita S. Bernardi, Alano scripta*, III, 8 ; en tête des éditions de saint Bernard), le prend pour un ignorant qui doit son talent littéraire à la science des écritures : « Unde beatus Bernardus parum sciebat, sed quia in Scriptura multum studuit, ideo locutus est elegantissime », *In Hexaëm.*, XIX, 8 ; t. V, p. 421.

1. *Regula bullata* (Analekten, p. 83-34) et *Regula prima* (*ibid.*, p. 18-19), « De laude et exhortatione quam possunt facere omnes fratres », 21.

2. « Omnes tamen fratres operibus predicent » : *Regula prima* (Analekten, p. 16). C'était déjà un thème favori de saint Pierre Damiani : « De sancta simplicitate », c. III ; Migne, *P. L.*, t. 145, col. 697. Cf. les témoignages du *Speculum*, IV, 53, p. 90-91 ; IV, 72, p. 142-143, et p. 145 : ce sont les mérites de ceux qui ne prêchent pas, qui confèrent à la prédication des autres son efficacité, et saint François le répétait « saepissime coram ministris et aliis fratribus, maxime in capitulo generali ».

3. C'est d'ailleurs ce que spécifie le *Speculum*, IV, 69, p. 133 et suiv.

4. Avec des nuances différentes, et si l'on en excepte le P. Felder, dont la position est intenable, les historiens de saint François se sont mis d'accord sur cette conclusion : P. Sabatier, *Vie de saint François d'Assise*, Paris, 1894, ch. XVI (François n'a pas envisagé le problème d'ensemble, mais il considère la science comme le pire ennemi de son

sation qu'il aurait donnée à saint Antoine de Padoue d'enseigner la théologie[1], cette décision, exceptionnelle en elle-même et par la sainteté de celui qui en était l'occasion, ne saurait prévaloir contre les déclarations certainement authentiques et maintes fois réitérées de saint François. Il avait recommandé à tous ses frères d'excercer une profession honnête et de travailler comme lui de leurs mains[2]; il interdisait aux laïcs qui ne savaient ni lire ni écrire de se mettre en peine de l'apprendre[3]; l'office des clercs eux-mêmes lui paraissait aisément conciliable avec les obligations de la pauvreté entendue au sens le plus strict, puisqu'ils n'avaient pas autre chose à faire que de célébrer la messe et de prier pour les vivants et les morts, selon le rite de la sainte Église romaine; il leur concédait donc le droit de posséder les livres nécessaires à l'exercice de cette fonction, mais il leur refusait absolument les autres, et l'on ne voit pas bien comment les frères auraient étudié la théologie doctrinale avec les ressources d'un bréviaire et d'un psautier[4]; enfin, la

Ordre). J. Joergensen, *op. cit.*, p. 344-353 (Méfiance de saint François sans condamnation formelle des études); Zöckler, art. *Franz von Assisi*, dans Haucks Realenzyklopädie für protestantische Theologie und Kirche, VI, 3, p. 208; K. Müller, *Die Anfänge des Minoritenordens und der Bussbruderschaften*, Freib.-i-Breisg., 1885 (François résolument hostile aux études).

1. Nous considérons comme évident que la rédaction n'est pas de saint François; il peut cependant avoir donné cette autorisation sans l'avoir écrite lui-même, mais les témoignages en faveur de l'authenticité sont tardifs et l'accord entre les Franciscains de Quaracchi et Boehmer pour y voir un apocryphe est assez remarquable (Analekten, p. 72). P. Sabatier la considère comme une pieuse supercherie. Par contre, Joergensen (*op. cit.*, p. 352) demeure incertain et H. Felder s'indigne contre la décision des Franciscains de Quaracchi (*op. cit.*, p. 137, note 2).

2. *Regula prima*, 7 (Analekten, p. 7-8); *Testamentum*, 5 (ibid., p. 37). La rédaction de la *Regula bullata*, seule obligatoire pour les frères, est beaucoup moins précise; cf. 5, Analekten, p. 32. Alors que le *Testamentum* déclare : « Et ego manibus meis laborabam et volo laborare. Et *omnes alii fratres* volo quod laborent de laboritio quod pertinet ad honestatem. Qui nesciunt discant... », la *Regula bullata* déclare : « Fratres illi, quibus gratiam dedit Dominus laborandi, laborent fideliter et devote... » Saint Bonaventure n'aurait donc pas eu le droit d'imposer à tous le travail manuel au nom de la Règle. Le texte de la *Regula prima*, qui autorise les frères à posséder les *ferramenta* nécessaires à leur profession, montre qu'il s'agit bien de travail manuel; la leçon : *et officio*, p. 7, ligne 20, admise par Boehmer et que ne donne pas le manuscrit d'Assise, semble avoir été introduite pour justifier les théologiens. D'ailleurs, saint François avait prévu un ordre à base de laïcs comme lui-même; il ne légiférait pas en vue d'un ordre de clercs et de théologiens.

3. « Et non curent nescientes litteras litteras discere, sed attendant, quod super omnia desiderare debent habere spiritum Domini et sanctam ejus operationem » : *Regula bullata*, 10 (Analekten, p. 34). C'est donc l'esprit de Dieu qui tient lieu de science; cf. plus haut, p. 47. Voir également *Epistola ad fideles*, 12 (Analekten, p. 56-57).

4. « Propter hoc omnes fratres sive clerici sive laïci faciant divinum officium, laudes et

4

recherche de la science a toujours été considérée par saint François comme pratiquement indiscernable de l'orgueil. Dans la *Regula bullata*, l'interdiction signifiée aux laïcs d'apprendre à lire suit immédiatement l'exhortation à se méfier de tout orgueil et de tout souci terrestre, et les paroles les plus dures que saint François ait prononcées contre la science l'ont été pour convaincre les frères *ut nemo superbiat, sed glorietur in cruce Domini*[1]. Il n'est donc même pas besoin de faire appel au témoignage des premiers disciples du saint pour établir qu'il a toujours considéré la science comme plus dangereuse qu'utile et qu'il n'en a souhaité l'acquisition ni pour lui-même ni pour les frères qui entreraient dans son ordre[2].

On accordera cependant qu'entre une règle rédigée par saint François à une époque où l'Ordre ne comptait que onze frères, presque tous laïcs[3], et l'application de cette même règle à plusieurs milliers de clercs, il y avait bien de la différence. C'est le drame intérieur de la vie de saint François que lui-même ne l'ait pas senti. Celano nous rapporte

orationes, secundum quod debent facere. Clerici faciant officium et dicant pro vivis et pro mortuis secundum consuetudinem clericorum Romanae Ecclesiae... Et libros tantum necessarios ad implendum eorum officium possint habere; et laïcis scientibus legere psalterium liceat habere illud. Aliis vero nescientibus litteras librum habere non liceat », *Regula prima*, 3 (Analekten, p. 3-4). Le texte de la *Regula bullata*, qui seule sera obligatoire, reste au contraire dans le vague et elle autorise les clercs à posséder des bréviaires sans leur interdire de posséder d'autres livres (*op. cit.*, 3, p. 31).

1. *Regula bullata*, 10 (Analekten, p. 34, ligne 21 et suiv.); *Verba admonitionis*, 5 (Analekten, p. 43); ce dernier texte fait observer qu'un démon sait plus de choses que nous n'en pouvons savoir; rien ne démontre mieux l'inutilité de la science. Saint Pierre Damiani en avait fait également la remarque.

2. Nous évitons systématiquement d'interpréter les paroles de saint François au moyen du témoignage du *Speculum* et des *Actus*, qui sont en réaction voulue contre le développement des études à l'intérieur de l'Ordre; mais on peut au contraire interpréter ces témoignages au moyen des déclarations de saint François; or, il y a accord évident entre ces deux sources de renseignements et les écrits du saint. Le *Speculum* insiste surtout sur l'incompatibilité entre les études et la pauvreté; cf. II, 3-11, éd. P. Sabatier, p. 7-29; IV, 41, p. 73-74; IV, 71, p. 138; on y trouvera l'épisode significatif du chapitre des nattes où saint François s'emporta contre Hugolin lui-même, porte-parole des *fratres sapientes et scientiati* (cap. 68, p. 131-132. Cf. également IV, 69, p. 133-134). Les *Actus B. Francisci* insistent plus volontiers sur l'inutilité de la science; ils semblent d'ailleurs apporter à la discussion plus d'âpreté; consulter néanmoins, outre les passages cités plus haut, le récit relatif à Pierre de Stacia, qui avait ouvert un *Studium* à Bologne, d'ailleurs sous le patronage d'Hugolin, (cap. 61, p. 183-184). La légende de la malédiction non retirée a quelque chose d'excessif, qui s'accorde mal avec ce que nous savons de saint François (*Epistola ad quemdam ministrum*, Analekten, p. 28) et trahit l'influence de Spirituels intransigeants qui, d'ailleurs, est sensible dès les premiers chapitres (XXV, 12-13, p. 85).

3. « Quomodo primo regulam scripsit undecim habens fratres », Th. de Celano, *Legenda prima*, éd. P. Eduardus Alenconnensis, Romae, 1906, cap. XIII, p. 33 et suiv.

que ce fut précisément en voyant que ses disciples atteignaient un nombre aussi élevé qu'il écrivit pour lui, pour ses onze frères et pour tous ceux à venir, la première règle confirmée par Innocent III. Que l'expérience des années suivantes n'ait pas suffi à le détromper, c'est ce que prouve le *Testamentum;* il s'est résigné, il n'a jamais accepté; lorsqu'il abandonna la direction d'un Ordre qui lui échappait, le problème des études y était déjà résolu dans un sens qu'il n'avait pas prévu; son influence personnelle, si profonde fut-elle, n'avait pas prévalu sur la pression des faits et l'influence du cardinal Hugolin. Sous l'impulsion d'Élie de Cortone, qui n'était en l'occurrence que l'instrument de la curie pontificale et surtout du futur Grégoire IX, les études théologiques se développèrent rapidement[1], et Hugolin lui-même ne faisait en cela que continuer la politique universitaire inaugurée par Innocent III et continuée par Honorius III. Mais bien d'autres causes agissaient alors dans le même sens. La prédominance croissante de l'élément clérical sur l'élément laïc à l'intérieur de l'Ordre[2] finit par déterminer une coalition de tous les clercs et lettrés contre les laïcs, dont Élie de Cortone fut la première victime; cet homme énigmatique avait voulu promouvoir simultanément les clercs aux études et les laïcs aux dignités de l'Ordre. Il fit sur ce point l'unanimité des clercs contre lui, si bien que depuis le temps de sa déposition il n'y eut plus jamais de religieux, Spirituel ou non, pour considérer les études comme mauvaises en elles-mêmes[3]; on en condamnait volontiers l'abus, mais tous les clercs, étant théologiens comme par définition, refusaient d'abandonner une science qui justifiait leur prééminence sur l'élément laïc de l'Ordre. On invoquait donc tantôt la nécessité de s'instruire pour prêcher autrement que ne prêchaient les membres des sectes hérétiques; tantôt la nécessité pour les Franciscains de ne pas se montrer inférieurs aux Dominicains qui se glorifiaient de leur science; tantôt, au contraire, la nécessité de faire

---

1. Élie était un laïc, mais instruit : « Vir adeo in sapientia humana famosus » (*Catal. XV general.*, Salimbene, *op. cit.*, p. 659). C'est lui, déclare Salimbene, qui a developpé les études : « Nam hoc solum habuit bonum frater Helyas, quia ordinem fratrum Minorum ad studium theologiae promovit » (*Chronica*, p. 104). Son successeur, Crescenzio da Jesi, l'imita par son « insatiabilis cupiditas sciendi... », Ang. Clareno, dans Ehrle, Archiv, II, p. 256-257.

2. Voir sur ce point et pour l'influence de la curie romaine H. Felder, *op. cit.*, p. 106 et suiv. Peut-être y aurait-il lieu seulement de souligner plus fortement le rôle personnel de Grégoire IX, qui fut considérable.

3. Hubertin de Casale, dans Ehrle, *Zur Vorgeschichte des Concils von Vienne*, Archiv f. Literat. und Kircheng., III, p. 157.

front ensemble, les deux ordres réunis, contre les sectes d'ignorants qui mendiaient les aumônes dues aux vrais religieux sans pouvoir prêcher ni célébrer la messe en récompense[1]. De toutes ces influences combinées était enfin sorti l'Ordre savant que n'avait pas désiré saint François d'Assise, mais dont l'admirable développement avait déterminé saint Bonaventure à revêtir l'habit franciscain.

Dès la lettre si ferme et si pleine d'autorité qu'il adressait aux ministres provinciaux après son élection au généralat, saint Bonaventure montrait qu'il ne voulait rien rabattre du haut idéal de son prédécesseur. La règle de conduite qu'il se fixa immédiatement fut d'exiger l'observation stricte de la *Regula bullata* et d'elle seule ; n'y rien ajouter, mais ne rien en retrancher, tel devait être le programme de toute sa vie[2]. C'était là une attitude légalement irréprochable, puisque seule la Règle officiellement approuvée obligeait en conscience les frères de l'Ordre, et ce n'était pas seulement la plus sage, c'était encore la seule qu'il fut possible d'adopter. Elle n'en devait pas moins susciter un très grand nombre de difficultés. Rien de plus légitime que de partir toujours, comme le fera saint Bonaventure, du texte de la *Regula bullata ;* rien de plus naturel même que de l'interpréter, car si la *Regula*

---

1. Salimbene, *Chronica,* p. 279-280, 285, 287-288. Il reproche à ses adversaires d'être « illitterati et ydiotae, et ideo nec predicare nec missas celebrare possunt... », p. 285. L'épithète dont saint François se faisait honneur est donc devenue injurieuse dans la bouche de ce franciscain. Pour la rivalité entre les deux ordres, voir plus haut, p. 30. Cf. aussi : « Illud etiam multum notavit abbas Joachim, ubi loquitur de Esaü et Jacob, quod ordo qui prefiguratus fuit in Esaü ibit ad filias Eth, id est ad scientias saeculares, ut Aristotilis et aliorum philosophorum. Hic est ordo fratrum Praedicatorum, prefiguratus in corvo, non quantum ad peccati nigredinem, sed quantum ad habitum. *Jacob autem, vir simplex, habitabat in tabernaculis* (Gen. 25, 27). Hic fuit ordo fratrum Minorum, qui in principio suae apparitionis in mundo dedit se orationi et devotioni contemplationis » (Salimbene, *Chronica,* p. 20-21). Enfin, Salimbene accuse les Dominicains d'avoir fait canoniser saint Dominique par jalousie à l'égard des Franciscains dont le fondateur l'avait été déjà : « Et invenitur quod sanctus Dominicus XII annis latuit sub terra, nec erat suae sanctitatis aliqua mentio... Iste ergo (episcopus Mutinensis), quia amicus Praedicatorum erat, sollicitavit eos dicens : « Ex quo fratres Minores habent unum sanctum, faciatis et vos, ut alium habeatis, etiam si deberetis ipsum de paleis fabricare » (*Chronica,* p. 72). Le champion populaire de l'Ordre franciscain, c'est le frère Detesalve, de Florence, dont les exploits contre les Dominicains ne dépareraient pas Gargantua (*ibid.,* p. 79). Ces petites jalousies ne doivent pas faire oublier la fraternité profonde des deux Ordres, nés pour une œuvre commune, et dont on pourrait apporter tant de témoignages.

2. « Licet enim non sit mei propositi novis vos vinculis innodare, opportet me tamen, conscientia compellente, totis viribus exstirpationi intendere praedictorum, quatenus... Regulae quam vovimus, sine cujus observatione salvari non possumus, et veritatem perspicaciter videamus et impleamus professionem et totis viribus puritatem custodiamus », *Epistola I,* t. VIII, p. 469.

prima et le *Testamentum* pouvaient être observés *sine glosa*, la *Regula bullata*, en raison de son imprécision voulue, appelait au contraire le commentaire; rien de plus raisonnable enfin que de gloser cette Règle rédigée par le cardinal Hugolin en faisant appel aux interprétations que lui-même, une fois devenu pape, en avait déjà données. Il faut reconnaître que saint Bonaventure occupe une position singulièrement forte lorsqu'il demande quel meilleur interprète de la Règle on pourra découvrir que le chef suprême de l'Église, qui se trouve avoir été en outre le collaborateur direct de saint François. Et, cependant, trop de souvenirs étaient encore vivants dans la mémoire des frères pour que la distance qui séparait cette Règle officielle et son interprétation des intentions primitives de saint François n'apparût pas bien souvent au grand jour. De là tant de « questions » posées à saint Bonaventure et tant de « déterminations » au cours desquelles, chargée de résoudre un problème insoluble, sa jurisprudence atteint les limites extrêmes de la subtilité.

Considérons par exemple le problème de l'instruction des laïcs. En principe, l'interdiction de s'instruire signifiée par saint François aux laïcs ignorants était maintenue; mais saint Bonaventure faisait immédiatement en sorte d'interpréter l'« esprit » de cette interdiction de manière à la rendre vaine. Quelle pouvait bien, en effet, avoir été l'intention de saint François en défendant aux laïcs d'apprendre à lire et à écrire? Certainement de leur défendre la vaine curiosité. Si donc, au lieu de désirer eux-mêmes s'instruire, ils venaient à en recevoir l'ordre de leurs supérieurs, non seulement ils ne contreviendraient pas à la Règle en s'instruisant, mais encore ils seraient strictement tenus de le faire, sous peine de n'en observer la lettre que pour en méconnaître l'esprit[1].

La question très débattue du travail manuel avait été résolue dans un sens favorable aux clercs avant que la précédente ne l'eût été dans un sens favorable aux laïcs. Il est d'ailleurs tout à fait certain que saint François n'avait jamais eu l'intention de faire du travail manuel une obligation pour les prêtres et, moins encore, d'en faire leur occupation habituelle. Thomas de Celano affirme expressément qu'il les en exemptait. Il est en tout cas certain que la *Regula bullata* n'avait conservé

---

1. « In quo verbo curiositatem cohibet, non tamen inhibet, quin et ipsi (layci) teneantur litteras discere si eis fuerit imperatum » (*Expositio sup. Reg. fr. min.*, cap. X, t. VII, p. 433). Il y a là un élargissement sensible, même par rapport aux dispositions des *Constitutiones Narbonenses*, rubr. VI, t. VIII, p. 456.

sur ce point de la rédaction primitive que juste ce qu'il fallait pour
engendrer une équivoque. En prescrivant le travail aux frères qui avaient
reçu de Dieu la grâce de travailler, mais sans spécifier qu'il s'agissait
du travail manuel, les rédacteurs de la deuxième Règle avaient mis
tous les travaux sur le même plan. Le terme même de *laborare* évoquait
bien encore l'idée d'un travail surtout manuel, et c'est pourquoi saint
Bonaventure l'entendra en ce sens dans son commentaire; mais à
prendre les choses en toute rigueur on pouvait ne retenir de la Règle
que l'obligation imposée à tous de travailler fidèlement et dévotement.
C'est en ce sens que les Chapitres généraux l'avaient interprétée[1] et
saint Bonaventure, consulté personnellement sur ce point, ne confirma
pas seulement cette interprétation, il l'élargit. A son avis, l'expression
même dont usait la Règle, « ceux à qui le Seigneur a donné la grâce de
travailler », montrait bien que le travail manuel ne pouvait être ni un
précepte ni même un conseil. Tout est subordonné d'abord à la présence ou à l'absence de cette grâce si particulière qui suppose l'aptitude
physique au travail manuel, la connaissance pratique d'un métier et enfin
le goût du travail manuel. En outre, puisque la Règle prescrit de travailler
avec fidélité et dévotion, elle insiste bien plutôt sur la manière dont il
faut travailler que sur la nécessité du travail lui-même. Elle dit : tra-
vaillez de manière à ne pas en perdre la dévotion si vous avez la grâce
du travail manuel, comme elle dirait : pleurez de manière à ne pas en
perdre la vue si vous avez le don des larmes; dans l'un comme dans
l'autre cas, elle n'obligerait pas plus à travailler qu'à pleurer[2].

Dès lors que le choix du travail reste libre et que la Règle insiste
même sur la nécessité de sauvegarder avant tout les droits de la dévotion, rien ne retient plus saint Bonaventure d'élargir encore l'interprétation de la lettre. Conformément à ses tendances personnelles les plus
profondes, il ne va plus seulement faire passer le travail manuel pour

1. *Constitutiones Narbonenses*, rubr. VI, t. VIII, p. 455. Voir le témoignage de Celano,
*Legenda II*ᵃ, ch. CXXII, *éd. cit.*, p. 291. C'est sur ce texte que Joergensen s'appuie (*op.
cit.*, p. 344, confirmé par *Testamentum*, 3, Analekten, p. 36) pour établir que saint François n'était pas foncièrement malveillant à l'égard des études; mais si le texte dit qu'il
révérait les théologiens il ne dit pas qu'il désirait fonder un ordre de théologiens. Quand il
s'agit de les recevoir parmi les siens il s'exprime autrement : « Dixit aliquando magnum
clericum etiam scientiae quodammodo resignare debere, cum veniret in ordinem, ut tali
expropriatus possessione nudum se offerret brachiis Crucifixi », Celano, IIᵃ, cap. 146,
art. 194, p. 315; cf. cap. 147, art. 195, p. 315-316.

2. Cf. *Quaest. disp. de perf. evangel.*, II, 3, concl.; t. V, p. 160 et suiv. Cf. également
loc. cit., ad 16, p. 165.

une sorte de cas exceptionnel, il va encore le situer à sa vraie place dans l'ordre des valeurs spirituelles, c'est-à-dire tout à fait à l'arrière-plan. Sans aucune hésitation, il affirme à plusieurs reprises la supériorité de la vie contemplative sur la vie active : *activa debet deservire contemplativae.* D'ailleurs, saint François lui-même ne lui semblait pas avoir fait grand cas du travail manuel, sauf pour éviter l'oisiveté, puisque lui, qui avait été le parfait observateur de la Règle, n'avait jamais travaillé de ses mains de quoi gagner douze deniers ou leur valeur ; son intention était donc bien plutôt d'inviter les Frères à prier et à ne pas s'en laisser distraire par l'appât du gain[1]. Ce n'était pas qu'il hésitât sur la nécessité absolue du travail. En prenant la direction de l'Ordre, il avait immédiatement flétri, comme une des principales causes de la décadence, l'oisiveté, sentine de tous les vices, et signalé ce qu'il y a de littéralement monstrueux dans la paresse, état bâtard qui se tient entre la vie contemplative et la vie active : *monstruosum quemdam statum inter contemplativam et activam.* Mais il n'hésitait pas davantage sur l'éminente dignité de la vie contemplative. En prescrivant le travail, saint François lui paraissait avoir poursuivi une triple fin : exclure l'oisiveté, nourrir la dévotion, assurer l'existence matérielle du travailleur. Dès lors, il pouvait déduire de la Règle elle-même la supériorité absolue de la contemplation sur l'action. Le travail manuel exclut bien l'oisiveté corporelle, mais non pas le vide de l'âme, comme il n'est que trop évident par l'habitude qu'ont les ouvriers de proférer continuellement des paroles honteuses en travaillant ; l'étude de la Sagesse, elle, occupe le cœur autant que le corps, elle l'emporte donc sur le travail manuel. En outre, il est clair que l'œuvre de sagesse nourrit la dévotion plus que ne fait l'œuvre des mains ; il est même certain que nul travail ne mérite mieux d'être payé que la prédication, et même qu'il ne peut pas l'être à son juste prix, car si l'on peut payer à son prix un travail mécanique on ne peut s'acquitter envers quelqu'un en biens matériels des services qu'il a rendus en dispensant des biens spirituels. D'un mot, le travail de la pensée vaut mieux que celui du corps, et c'est pourquoi le Seigneur lui-

---

1. « Ipse autem (B. Franciscus) de labore manuum parvam vim faciebat nisi propter otium declinandum, quia, cum ipse fuerit Regulae observator perfectissimus, non credo quod unquam lucratus fuerit de labore manuum duodecim denarios vel eorum valorem » (*Epist. de tribus quaest.*, 9, t. VIII, p. 334). Il ajoute d'ailleurs que les amateurs de travaux manuels peuvent toujours trouver dans l'Ordre de quoi s'occuper : faire la cuisine, soigner les malades, laver les écuelles « et in omnibus humilitatis exercitiis laborare, quae dulciora sunt Fratribus quam multa officia dignitatis ».

même, mettant d'avance les docteurs à l'abri de tout reproche sur ce point, s'est attaché à ce qu'il y avait de meilleur pour un prédicateur et n'a pas travaillé de ses mains[1].

Enfin, saint Bonaventure estimait que le devoir d'étudier la théologie se trouve même prescrit, au moins d'une manière implicite, par la règle des Frères Mineurs[2], et qu'il était par conséquent de l'intention de saint François de l'imposer impérativement aux prêtres de son Ordre. Il est clair, en effet, que saint François considérait la prédication comme un office essentiel du Frère Mineur; or, posant une interprétation qui devait bientôt être confirmée par la papauté, saint Bonaventure déclarait que saint François n'avait pu vouloir la prédication sans vouloir les études qui la préparent[3]. Avec une inquiétante subtilité, il mettait à profit jusqu'aux fautes de latin de la Règle franciscaine pour y découvrir des intentions favorables au développement des études. S'il y est question de la prédication *quam Fratres faciunt*, c'est que la Règle exige des prédicateurs qu'ils sachent *sermonem facere et sufficienter disponere*[4]. On comprend qu'avec de pareilles méthodes exégétiques saint Bonaventure n'ait pas eu de peine à démontrer que la prescription de proférer seulement des discours *casta et examinata, ad utilitatem et aedificationem populi*, contenait en raccourci une véritable somme de l'art du prédicateur; d'où il concluait enfin que l'intention de saint François avait été de voir les Frères s'adonner aux études et que les Dominicains eux-mêmes n'avaient pas plus droit au titre de prêcheurs que les Franciscains[5]. Il va d'ailleurs sans dire que le raisonnement de saint Bonaventure contenait un élément de vérité. Saint François ne pouvait prétendre que les prêtres dussent demeurer illettrés; ils ne pouvaient pas

---

1. « Labor sapientiae simpliciter melior est corporeo labore, quamvis in casu possit labor stipendiarius esse necessarius praedicanti. Dominus igitur quod simpliciter est praedicanti melius eligens, non laboravit stipendiarie, ne doctores non laborantes arguerentur, vel labore tali impedirentur a studio verbi Dei », *Expos. sup. reg. fratr. minor.*, cap. V, t. VIII, p. 420; *Apologia pauperum*, c. XII, 17, t. VIII, p. 321-322; *De perfect. evangel.*, II, 3, t. V, p. 160.

2. Il le présente même comme ayant été explicitement imposé aux Frères par saint François (*In Hexaëm.*, XXII, 21, t. V, p. 440; *Legenda S. Francisci*, c. 11). La note 7 (t. V, p. 440) renvoie, parmi les opuscules de saint François, au *Colloquium*, 15.

3. « ... sanctus Franciscus, ex quo volebat Fratres suos in praedicatione et studio per consequens exerceri... », *Expos sup. reg.*, cap. III, 2, t. VIII, p. 406.

4. *Op. cit.*, cap. IX, 11, t. VIII, p. 430.

5. « Ex isto autem capitulo patet, quod Fratribus ex intentione beati Francisci incumbit studere, quia sine studio non possunt verba modo debito examinare » (*op. cit.*, cap. IX, 13, t. VIII, p. 430). « Clamat Regula expresse imponens Fratribus auctoritatem et officium praedicandi, quod non credo in aliqua Regula alia reperiri Si igitur praedicare non debent

prêcher sans être capables de lire les saintes Écritures et sans être instruits de l'interprétation qu'en apporte l'Église. Mais il ne semble pas
avoir conçu la nécessité d'écrire quatre gros volumes de *Commentaires
sur les Sentences* pour être un bon prédicateur franciscain. En indiquant
lui-même le thème fort simple de ces prédications : *annuntiando eis
vitia et virtutes, poenam et gloriam cum brevitate sermonis*, indications
que le commentaire de saint Bonaventure passe sous silence, saint
François semble bien marquer, au contraire, que des prêtres instruits
sans être savants lui suffisaient. Entre ce qu'il fallait savoir pour prêcher brièvement la vertu et les fins dernières et la science d'un docteur
en théologie de l'Université de Paris, il y avait une distance assez considérable et saint Bonaventure ne nous démontre pas que l'intention de
saint François ait jamais été de voir son Ordre la franchir[1]. La question
est avant tout une question de mesure. Rappeler que saint François
aimait l'étude de la sainte Écriture et qu'ayant trouvé un Nouveau Testament il en distribua les feuillets à un groupe de Frères pour que tous
pussent l'avoir simultanément en entier, qu'il avait grande révérence
pour les clercs qu'il recevait dans son Ordre, et qu'il recommanda aux
Frères, au moment de mourir, d'avoir toujours la plus profonde vénéra-
tion pour les Docteurs qui enseignent les saintes Écritures[2], c'est établir
que saint François comprenait quelle place éminente les Docteurs
occupent dans l'Église, ce n'est pas prouver qu'il eût désiré en voir
entrer dans son Ordre, et beaucoup moins encore qu'il eût considéré
son Ordre comme destiné à en former.

Non seulement saint Bonaventure a pris définitivement son parti de
laisser les études se développer, mais encore il semble considérer
comme assez difficile d'assigner des limites précises à leur développement. Les constitutions de l'Ordre connaissent une censure de la production philosophique et de l'enseignement ; elles exigent que les intel-
lectuels franciscains soient pacifiques, ennemis de la dispute, dépourvus
de tout esprit agressif ; elles interdisent de répandre aucun écrit nouveau hors de l'Ordre sans qu'il n'ait été examiné par le Ministre Général

fabulas, sed verba divina ; et haec scire non possunt, nisi legant ; nec legere, nisi habeant
scripta : planissimum est, quod de perfectione Regulae est libros habere sicut et praedicare », *Epist. de trib. quaest.*, 6, t. VIII, p. 332 ; *Determinat. quaest. circa Reg. fratr.
minor.*, I, Prolog., t. VIII, p. 337.

1. Saint Bonaventure ne commente de ce passage que les mots *cum brevitate sermonis*,
et ce lui est une occasion d'introduire quelques distinctions pour établir que, dans certains
cas, et malgré la Règle, on peut parler longtemps.

2. *Epist. de trib. quaest.*, 10, t. VIII, p. 334.

ou provincial et les définiteurs; elles prohibent l'enseignement d'opinions particulières contraires à la foi et aux mœurs ou simplement contraires à la doctrine commune des maîtres de l'Ordre[1]; mais aucune disposition précise ne réglait l'objet, l'ordre ni l'étendue des études. Les diverses maisons franciscaines se conformaient aux usages des Universités auprès desquelles elles s'étaient fondées, spécialement de celles de Paris et d'Oxford. Saint Bonaventure lui-même se reconnaissait incapable de prescrire ou d'interdire à priori telles ou telles recherches philosophiques. Sans doute, si l'on s'en tient aux décisions de la Règle, les études franciscaines doivent être nécessaires et suffisantes pour fonder solidement la doctrine des vérités salutaires, la défendre contre les calomnies des infidèles et former de bon prédicateurs[2]; mais où fixer les bornes du nécessaire? La vaine curiosité est condamnable; elle déplaît aussi à saint Bonaventure, aux bons Frères, à Dieu et à ses anges. Il ne s'agit pas non plus de défendre ceux qui perdent leur temps à étudier des écrits inutiles, c'est là une habitude détestable et qu'il serait souhaitable de déraciner. Mais qu'est-ce qui est inutile? Est-on jamais sûr qu'un livre soit inutile? Et celui qui cherche en toute bonne foi à n'étudier que des livres utiles peut-il le faire sans se tromper? Il est bien difficile de recueillir le grain sans ramasser un peu de paille et les paroles divines sans y mêler des paroles humaines. Laissons donc les Frères ramasser le tout; le souffle de la dévotion saura bien séparer la paille des mots du grain de la vérité. Nous allons blâmer tel ou tel comme coupable de vaine curiosité; mais sa curiosité s'appellerait peut-être mieux : amour de l'étude. Si quelqu'un étudiait les doctrines des hérétiques afin de mieux comprendre la vérité, il n'agirait ni en curieux ni en hérétique, mais en catholique.

Celui qui demande à la philosophie les moyens de mieux fonder sa foi n'est d'ailleurs pas sans avoir des prédécesseurs illustres; bien des questions de foi ne peuvent pas être épuisées si l'on n'a pas recours aux doctrines des philosophes : *multae sunt quaestiones fidei, quae sine his non possunt terminari.* Si l'on voulait porter des jugements trop stricts en pareille matière, on aboutirait peut-être à cette impiété d'accuser les Saints eux-mêmes de vaine curiosité. Personne n'a mieux décrit la nature du temps et de la matière, le développement des formes, la multiplication des êtres et la nature de la création que saint Augustin. Il n'y a presque rien de ce qui a été dit par les philosophes qui ne se

1. *Constitutiones Narbonenses*, rubr. VI, t. VIII, p. 456.
2. *Determinationes quaestionum*, I, 3, t. VIII, p. 339.

retrouve dans ses livres; pourquoi donc ne pas imiter un tel modèle et pourquoi s'étonner de voir des Frères Mineurs continuer à acquérir de la science après leur entrée dans l'Ordre[1]? Ainsi, de proche en proche, saint Bonaventure en arrive à donner droit de cité à la théologie et à la philosophie tout entières dans les maisons de l'Ordre; l'âge des Docteurs a succédé à l'âge des *ydiotae* pour les fils de saint François.

Un autre problème sur lequel il importe de connaître l'opinion de saint Bonaventure si l'on veut déterminer exactement l'orientation de sa pensée est le problème de la pauvreté. Sur ce point encore, saint François lui-même avait pu voir son idéal se déformer sous ses yeux et nous savons que nul sacrifice ne lui avait été aussi douloureux[2]. La *Regula prima* formulait dans toute sa rigueur le principe de la pauvreté absolue et saint François y avait inséré en particulier une parole de l'Évangile (Luc, IX, 3) qui avait exercé sur sa propre vie une influence décisive; vous n'emporterez rien avec vous sur votre route : *neque sacculum, neque peram, neque panem, neque pecuniam, neque virgam.* Or, à la stupeur profonde de saint François, jamais le cardinal Hugolin n'admit que cette parole de l'Évangile fût introduite dans la Règle définitive. La *Regula bullata* se contentait de recommandations beaucoup plus générales et d'alléguer la parole beaucoup plus vague de la première Épître de Pierre : soyez comme des étrangers et des voyageurs, *tanquam peregrini et advenae*[3]. Son intention première ne semble cependant pas s'être jamais modifiée, car, s'il a dû céder sur le texte même de la Règle, saint François n'a jamais varié sur le principe de la pauvreté absolue ni sur son corollaire naturel, le principe de la mendicité. Ne possédant absolument rien, les Frères devaient travailler pour gagner leur nourriture, ou s'en aller demander l'aumône, avec bonne confiance et sans en éprouver la moindre honte, puisque le Seigneur lui-même s'est fait pauvre en ce monde pour l'amour de Dieu. Dans le texte même des deux Règles apparaissent déjà deux idées différentes dont les combinaisons ultérieures vont engendrer une théorie de la mendicité assez complexe. En principe, il n'y a lieu de mendier que lorsqu'on n'a pu

---

1. *Epist. de trib. quaest.*, 12, t. VIII, p. 335-336. Remarquons à cette occasion combien il est invraisemblable que Roger Bacon soit le destinataire de cette lettre comme on a voulu le supposer; ce n'est pas lui qui eût éprouvé des scrupules sur l'utilité des études.

2. J. Joergensen, *op. cit.*, p. 377-378.

3. *Reg. prima*, 14 (Analekten, p. 13); *Regula bullata.*, 6 (Analekten, p. 32); *Petri Epist.*, I, 2, 11. Sur la part prise par Hugolin et Élie de Cortone dans la rédaction de la Règle, voir Joergensen, *op. cit.*, p. 371-374. On remarquera cependant sur ce point que le *Testamentum*, 7 (Analekten, p. 38), revient simplement à la *Regula bullata*.

subvenir à ses besoins par son travail : *et cum necesse fuerit vadant pro elemosinis;* mais, d'autre part, le pauvre a droit à l'aumône par droit d'héritage; c'est la richesse que lui a léguée le pauvre idéal, Jésus-Christ, et, si quelqu'un refuse de faire l'aumône, la honte est pour celui qui refuse, non pour celui à qui elle est refusée. Bien mieux encore, celui qui mendie rend service à celui qui donne, car il lui fournit l'occasion d'échanger des biens périssables pour des mérites immortels[1].

Sur ce point essentiel, comme en ce qui concerne les études, saint Bonaventure se trouvait placé entre le respect dû à l'idéal primitif de saint François et les conditions de fait que lui imposait le développement extraordinaire de l'Ordre franciscain. Nous ne pouvons douter qu'il n'ait été animé du plus sincère désir de sauver tout ce que l'on pouvait sauver de l'esprit de pauvreté pour lequel saint François avait si passionnément et si obstinément combattu. Pierre-Jean Olivi lui-même nous déclare que ses intentions au moins furent pures et il nous laisse entendre que si saint Bonaventure ne pratiqua pas la parfaite pauvreté il la prêcha du moins et en maintint expressément le principe : *fuit enim interius optimi et piissimi affectus et in doctrinae verbo praedicans ea quae sunt perfectae paupertatis[2].* En fait, nous savons que saint Bonaventure eut à soutenir le droit à la pauvreté volontaire contre les attaques des séculiers et qu'il le fit avec une extrême énergie. L'idéal de perfection chrétienne que représente la vie complètement dépouillée des moines mendiants lui paraît conserver une valeur absolue devant la morale du juste milieu que défendent les sectateurs d'Aristote et de sa philosophie païenne. Si le monde et ses biens sont en soi du superflu et de la vanité, en posséder si peu que ce soit est déjà en posséder trop; jamais sa pensée n'a hésité sur ce point central de la controverse[3]. Et pas plus qu'il n'accorde de concessions sur le principe de la pauvreté, saint Bonaventure ne transige sur la légitimité de la mendicité : c'est,

---

1. *Reg. prima*, 9 (Analekten, p. 10); *Reg. bullata*, 6 (Analekten, p. 32). *Testamentum*, 5, confirme la Règle : « Et quando non daretur nobis pretium laboris, recurrebamus ad mensam Domini, petendo elemosynam ostiatim » (Analekten, p. 37-38). On remarquera que le *Testamentum* fait appel à la première *Vie* de saint François comme à un idéal déjà relégué dans le passé.

2. Ehrle, *op. cit.*, Archiv f. Lit. u. Kirchengesch., t. III, p. 516, et *Opera omnia*, t. X, p. 50.

3. Parmi les arguments que saint Bonaventure met en avant, on goûtera sans doute le sourire dont s'accompagne celui-ci : « Quod autem dicunt quod nimis pauperes non tenent medium, simile est illi quod dicebat quidam medicus Frederici, qui dicebat quod ille qui abstinebat ab omni muliere non erat virtuosus nec tenebat medium. Et ad hoc sequitur,

à ses yeux, la ressource normale des Frères Mineurs ; mais il insiste particulièrement sur le droit du mendiant à l'aumône, surtout lorsqu'en réalité cette aumône apparente n'est que la légitime récompense d'un travail méconnu. Non pas qu'il oublie le moins du monde que le Christ seul suffit à légitimer la mendicité : *ipse enim Dominus mendicus fuit*, ni qu'il renonce à la part d'héritage à laquelle tous les pauvres ont droit : *omnia bona Ecclesiae Christi et omnes superfluitates divitum sunt una res publica pauperum*[1] ; mais il aime surtout rappeler que le moine à qui l'on donne sa nourriture est plutôt un travailleur à qui l'on paye un salaire qu'un malheureux à qui l'on vient gracieusement en aide. Nous savons qu'à ses yeux le travailleur intellectuel l'emporte, et de beaucoup, sur le travailleur manuel ; c'est même une faute grave, selon lui, que de détourner quelqu'un de l'étude de la Sagesse pour le faire travailler de ses mains ; or, il aime également à répéter que les travaux de l'esprit sont d'une difficulté telle qu'ils ne souffrent aucun partage ; il leur faut l'homme tout entier[2]. Dès lors, comment voudrait-on que celui qui s'adonne aux sept œuvres de Sagesse puisse encore trouver le temps de travailler manuellement pour gagner son pain ? Il lit, médite, prie, contemple, écoute, confère, prêche ; on admettra bien que de telles œuvres équivaillent pleinement au travail manuel[3]. Or, s'il en est ainsi, les riches n'ont pas seulement à l'égard des Frères le devoir de miséricorde, les Frères ont encore droit de justice à l'égard des riches. Des pauvres qui le sont volontairement, qui se sont parfois dépouillés de grandes richesses pour mieux imiter Jésus-Christ, qui travaillent aux œuvres les plus hautes, qui prêchent la vérité de Dieu et s'astreignent encore à demander leur nourriture par amour du Christ, ne sont évidemment pas des pauvres ordinaires. Ce sont des hommes qui auraient un droit, mais qui, par amour pour Dieu, ne l'exercent pas. S'astreignant à mendier ce qu'ils gagnent, ils mangent pour évangéliser, ils

---

quod si omnem mulierem cognoscere et nullam mulierem cognoscere extrema sunt, ergo medietatem omnium mulierum cognoscere medium est » (*In Hexaëm.*, V, 5, t. V, p. 355). Ce médecin n'était pas indigne de son impérial client : « Quod imperator Fredericus fuit Epycurus », Salimbene, *op. cit.*, p. 351, et Mathieu d'Aquasparta, *Quaest. disp. de fide et de cognitione*, III, ad Resp., éd. Quaracchi, 1903, p. 82-83.

1. *Exposit. sup. Reg. fratr. min.*, VI, 22 et 23, t. VIII, p. 423-424.

2. « ... propter difficultatem studii spiritualis, quod requirit hominem totum... », *Apologia pauperum*, c. XII, 17, t. VIII, p. 321 ; *In Hexaëm.*, XX, 30, t. V, p. 430.

3. « Et quia difficultas hujus studii totum hominem requirit... Ex quibus lucide constat, quod studium sapientiae cum vigilantia praedicationis manualem laborem plene recompensat », *Apologia pauperum*, c. XII, 13, t. VIII, p. 320.

n'évangélisent pas pour manger; rien n'est donc plus saint que leur état[1].

Il reste cependant qu'en s'étendant d'un petit groupe d'individus, dont les besoins se limitaient à de modestes vêtements et un peu de nourriture, à de puissantes communautés organisées en vue de la haute prédication et de l'étude, la pratique de la mendicité avait dû nécessairement changer d'aspect. Saint François et ses premiers compagnons n'étaient assurément pas sans courir le risque de dormir parfois à jeun et les amusantes anecdotes de Jourdain de Giano montrent que les petits pauvres du Christ s'étaient exposés en Allemagne et en Hongrie à bien des mésaventures[2]. Mais les incidents de ce genre, lorsqu'ils se produisaient aux premiers temps de l'Ordre, n'intéressaient qu'un petit nombre d'individus et ne pouvaient entraîner aucun désordre général. Il n'en était plus de même à l'époque de saint Bonaventure; nourrir au moyen de l'aumône plusieurs centaines de moines réunis dans un même couvent était un problème dont la solution n'était pas des plus faciles. Il fallait d'abord demander davantage, car plus on est plus on a de besoins; il fallait encore savoir demander les choses au bon moment, c'est-à-dire quand il y en avait, et mettre des provisions de côté pour les jours où il ne serait plus possible de s'en procurer : aucun mendiant n'ignore que le meilleur moment pour demander de la nourriture est celui où les gens sont à table, ni que l'on obtient aisément ce dont les

1. Saint Bonaventure distingue par là les mendiants du Christ, d'une part, des prélats qui ont droit à être payés, « in quibus acceptio stipendiorum non est mendicitas, sed potestas »; d'autre part, des innombrables mendiants qui ne mendient que par paresse. Les mendiants du Christ demandent « ut alii mereantur dando et ipsi humilientur accipiendo, et sic sustententur ut evanglizent, non evangelizent ut sustententur » (Apologia pauperum, c. XII, 39 et 41, t. VIII, p. 329-330). Cf. De perfect. evang., II, 2, t. V, p. 140, où sont distinguées les trois sortes de mendicité : « Ex necessitate naturae, ex vitiositate culpae, ex supererogatione justitiae. » Nous trouvons ici la théorie d'un état d'esprit très répandu dans l'Ordre. Fra Salimbene ne cesse de protester avec mauvaise humeur contre une multitude de sectes dont les membres mendient sans pouvoir rendre messes ou prédications en échange de ce qu'ils reçoivent. Les Franciscains et les Dominicains s'accordaient pour revendiquer le monopole de la mendicité : « Undecima istorum Apostolorum stultitia est quia volunt de elemosynis vivere nec habent quid rependant his qui elemosynas sibi faciunt... Sed isti illitterati sunt et ydiotae, et ideo nec praedicare nec missas celebrare possunt, et defraudant illos, a quibus accipiunt elemosynas, et illos qui eas habere debent, scilicet fratres Minores et Praedicatores », Salimbene, Chronica, éd. Holder-Egger, p. 285. Cf. également p. 287-288. Sur la secte des Apôtres, consulter le livre si riche de P. Alphandéry, Les idées morales chez les hétérodoxes latins au début du XIIIᵉ siècle, Paris, 1903, p. 106-118.

2. Jourdain de Giano, Chronica (1207-1238), Analecta franciscana, t. I, p. 11; Quaracchi, 1885.

gens ont en abondance et très difficilement ce dont il leur reste à peine assez pour eux-mêmes; il fallait encore penser à s'installer dans les villes au lieu de résider dans des lieux solitaires comme les premiers Frères, car il ne suffit pas de demander les choses au moment où il y en a si l'on n'est à l'endroit où il y en a : auprès de qui mendier dans les solitudes? Il fallait enfin non seulement demander davantage, mais encore aller demander plus loin; la multiplication des Ordres mendiants, l'augmentation considérable du nombre des Frères, le pullulement des faux moines ou des sectes irrégulières qui prétendaient également vivre d'aumônes, avaient fini par transformer cette nouvelle institution en une véritable charge pour le public. Les Ordres mendiants eurent vite fait d'apercevoir qu'il fallait un très grand nombre d'hommes imparfaits pour nourrir quelques hommes parfaits. Leur mauvaise humeur tomba d'abord sur les sectes qui usurpaient le droit à la mendicité; mais il leur fallut bien reconnaître qu'ils couraient à eux seuls grand risque de se rendre fastidieux au peuple chrétien : *et oportet nos petere, quia non petentibus parum datur, dum ex multitudine petentium homines sunt lassati.* Il avait donc fallu développer toute une tactique de la mendicité pour lui faire rendre de quoi satisfaire à des besoins que le fondateur de l'Ordre n'avait pas prévus[1].

En même temps que le problème de l'aumône se posait celui du droit de propriété. Saint François avait été formel sur ce point : les Frères Mineurs ne devaient absolument rien posséder, mais vivre comme avait vécu le Christ : *sine proprio.* Non seulement il éprouvait une horreur profonde de l'argent et avait interdit une fois pour toutes que son Ordre en reçût soit directement, soit par personnes interposées, mais encore il n'avait pas permis que les Frères eussent des livres et encore moins d'autres objets inutiles. Le développement des grands couvents de l'Ordre et la construction de riches églises s'étaient faits contre sa volonté; sa vie tout entière n'avait été qu'une lutte continuelle pour l'esprit de pauvreté[2]. Mais tous les éléments de l'idéal franciscain pri-

---

1. Voir surtout *Determinationes quaestionum circ. Reg. fratr. min.*, I, 7 (t. VIII, p. 342); I, 8 (ibid., p. 342-343), II, 14 (p. 367). Cf. Salimbene, *Chronica*, p. 255 et 288 : « Si sic faceret Gerardinus Segalellus... rediret ad ligonem cum rusticis suis et custodiret porcos et vaccas, et melius faceret quam eundo stultizando per mundum et pauperes homines defraudando de elemosynis suis et fastidium Christiano populo inferendo, qui de tanta multitudine religiosorum mendicantium nimie pregravatur. » Sur Segarelli, voir P. Alphandéry, *op. cit.*, p. 12 et note 2.

2. *Regula prima*, 1 et 8 (Analekten, p. 1 et 8); *Regula bullata*, 4 et 6 (Analekten, p. 31 et 32); Joergensen, *op. cit.*, p. 341-355.

mitif s'entretenaient : quelques ignorants qui chantaient et prêchaient Dieu au long des routes n'avaient besoin de rien posséder ; des communautés de savants et d'étudiants avaient besoin de vastes demeures, situées dans de grandes villes et pourvues de tous les livres nécessaires à l'acquisition de la science. Saint Bonaventure se trouve au point d'aboutissement de cette évolution. Il ne place rien au-dessus de la contemplation et de l'étude de la Sagesse ; il maintiendra donc ce qu'il y avait de compatible dans l'idéal primitif de saint François avec les impérieuses exigences de la forme de vie qu'il considère comme la plus haute. Personne ne doit accepter ni conserver d'argent, soit en voyage, soit au monastère, mais, si la propriété de l'argent et des biens se trouve refusée aux Frères, l'usage leur en demeure concédé. Le bienfaiteur qui leur donne de l'argent, même s'il a l'intention de se dépouiller, en le donnant, de son droit de propriété, en reste aux yeux des Frères le légitime propriétaire. En principe donc, l'Ordre n'accepte pas d'argent, mais il accepte que certaines personnes se fassent les dépositaires de certaines sommes dont le donateur reste propriétaire et dont sa volonté concède l'usage aux diverses communautés. Il résulte de là que même si, ce qu'à Dieu ne plaise, on mettait de l'argent directement dans la main des Frères, ils ne le *recevraient* pas, au sens où l'interdit la Règle, aussi longtemps que leur volonté demeurerait ferme dans le refus de s'en attribuer la propriété[1].

Ce qui est vrai de l'argent est encore beaucoup plus vrai des choses. Les Frères Mineurs usent de ce dont ils ont besoin, ils ne possèdent rien ; tous les biens mobiliers ou autres qui sont donnés à l'Ordre appartiennent de droit soit à celui qui les donne s'il s'en réserve la nue propriété, soit au Pape, proviseur général de tous les pauvres de l'Église, si le donateur abandonne tous ses droits. L'Ordre est donc continuellement prêt à résigner la totalité de ses biens entre les mains du Pape aussitôt qu'il en exprimera le désir[2] et, par conséquent, il peut user des biens qui lui sont nécessaires avec bonne conscience d'observer la

---

1. « Ergo quamdiu manet Fratribus voluntas immobilis nullum jus possessorium sibi acquirendi, etiamsi, quod absit, eorum manibus, pro ipsorum necessitatibus pecunia inferatur, non tamen eam recipiunt, secundum quod receptio in eorum Regula inhibetur » (*Exposit. sup. Reg. fratr. min.*, IV, 17, t. VIII, p. 418). « Fratres non recipiunt pecuniam, sed illi per se pro illis qui sibi commiserunt pecuniam, convertunt eam in utilitatem Fratrum..., quae adhuc illorum est, qui dederunt... », *Determinat. quaest.*, I, 25, t. VIII, p. 354. C'est précisément légitimer *l'interpositam personam* qu'avait exclue formellement saint François.

2. *Determinat. quaest. circa Reg. fratr. min.*, I, 24, t. VIII, p. 353-354.

Règle. Or, s'il est vrai que l'étude de la Sagesse et la contemplation soient au rang des premiers devoirs qui incombent à des religieux, il faudra nécessairement concéder aux Frères l'usage de vastes couvents, placés auprès de grands centres d'études, abondamment pourvus des livres nécessaires et dans lesquels ces hommes d'étude puissent recevoir une nourriture assez abondante. Des religieux qui vivent continuellement dans leur couvent dépériraient bientôt s'ils n'avaient à leur disposition des espaces assez vastes et bien aérés pour y respirer librement ; ils languiraient et deviendraient inhabiles aux études spirituelles comme aux progrès dans la Sagesse[1]. Mais les Frères ont également besoin d'une nourriture suffisante, car l'étude assidue de l'Écriture, le désir de la dévotion, la lutte contre les tentations, l'intensité de la vie intérieure dessèchent et consument si rapidement les forces du corps que si l'on ne prenait la précaution de les reconstituer de temps en temps elles ne résisteraient pas longtemps[2]. A des maisons d'études, il fallait enfin nécessairement des livres et, à la manière dont ce savant en parle, on sent que s'il n'en possédait pas, au sens franciscain du terme, il en avait, et que surtout il les aimait. Non seulement les couvents de l'Ordre ont maintenant beaucoup de livres, mais encore ils les gardent jalousement et ne veulent pas même les prêter. On leur en avait fait reproche et saint Bonaventure a cru devoir écrire pour justifier cette attitude une « détermination » qui constitue aujourd'hui encore la somme parfaite des raisons pour lesquelles on ne devrait jamais prêter de livres : ceux qui ont été les plus importuns à vous les demander sont les plus lents à vous les rendre ; livres et cahiers reviennent salis et déchirés ; celui à qui on les prête les prête à un autre sans vous en demander l'autorisation, et cet autre les prête parfois à un troisième qui, ne sachant plus à qui le livre appartient, est hors d'état de vous le rendre ; parfois encore celui à qui on prête un livre quitte le lieu où l'on est, il est

---

1. *Determ. quaest. circ. Reg. fratr. min.*, I, 6, t. VIII, p. 340-341. Cf. I, 5, t. VIII, p. 340.

2. *Ibid.*, I, 9, t. VIII, p. 344. De là résulte d'ailleurs l'obligation pour l'Ordre de trier sévèrement les novices et d'éliminer « multos pauperes, qui non pro Deo, sed pro sustentatione vitae vivere desiderarent... Nimis etiam foret onerosum fidelibus tot mendicos unius Ordinis pascere, a quibus nullum vel modicum haberent aedificationis praesidium » (*Ibid.*, I, 10, t. VIII, p. 344). L'idéal de saint Bonaventure est donc celui d'une jouissance des biens sans droit de propriété, car les conditions matérielles de l'étude sont sauvegardées et la liberté d'esprit assurée : « Nullus autem spiritus magis est idoneus ad hoc (vitam contemplativam) quam ille qui penitus est exoneratus ab onere temporalium », *De perfect. evang.*, II, 1, t. V, p. 129 ; *Ibid.*, II, 2, ad 9, t. V, p. 145.

donc trop loin pour le rapporter et s'il finit par trouver un commission-
naire pour le renvoyer, celui-ci veut le lire avant de le remettre, ou le
prête, l'oublie et finit par nier qu'on le lui ait jamais confié; ajoutons
enfin que si l'on prête un livre à quelqu'un, les autres se fâchent si l'on
ne veut pas le leur prêter aussi, si bien qu'on est obligé de s'en passer
soi-même en attendant qu'il vous revienne sali ou qu'il se perde[1]. Tout
ceci est fort bien vu et très exactement noté. Pouvons-nous cependant
oublier que le *Poverello* avait une autre manière d'aimer les livres et
qu'ayant eu la joie de trouver un Évangile il en avait distribué les feuillets entre ses compagnons pour qu'ils pussent en jouir tous à la fois?

Saint Bonaventure lui-même n'en aurait pas disconvenu. Il savait que
si l'état actuel de l'Ordre marquait à certains égards un progrès, il constituait sous bien d'autres rapports une véritable décadence. Non seulement il l'avait affirmé avec la plus ferme sévérité dans la lettre aux
ministres provinciaux écrite à l'occasion de son élection au généralat,
mais encore il croyait pouvoir établir que tout Ordre tend nécessairement à déchoir de son premier état de perfection. L'accroissement des
communautés religieuses est une première cause de décadence; un
grand navire est plus difficile à gouverner qu'un petit, et là où il y a
beaucoup de têtes il y a beaucoup de cerveaux qu'on ne peut pas facilement ranger au même avis. Mais le Ministre Général ne s'en tient pas
à cette explication abstraite, il a réfléchi sur ce qu'il voyait et il s'est
fait une véritable psychologie de l'évolution d'un ordre religieux. Au
moment où les Frères qui ont participé à la fondation d'une « religion »
commencent à vieillir, ils ne peuvent plus donner aux jeunes les durs
exemples de la rigueur primitive; les novices, qui n'ont pas été témoins
des austérités auxquelles se livraient ces Frères lorsqu'ils en avaient la
force, n'imitent de leur manière de vivre que ce qu'ils en voient et atté-
nuent par là même la sévérité de la Règle primitive. Bien plus, ils ne
discernent pas non plus les vertus purement intérieures des premiers
Frères parce qu'elles ne se traduisent pas en actes et, de même qu'ils
se relâchent extérieurement, les novices se négligent intérieurement.
Sans doute, leurs anciens pourraient et devraient les corriger, mais ils
y renoncent, car, étant devenus incapables de prêcher d'exemple, ils
n'osent pas ne prêcher qu'en paroles; lorsqu'ils font des remontrances
aux jeunes, ceux-ci répondent : « Ils parlent bien, mais ils ne font rien

---

1. « Cur fratres scripta sua tam difficulter aliis communicent », *Determ. quaest.*, II, 21,
t. VIII, p. 371-372.

de ce qu'ils disent », et de telles corrections sont plutôt une occasion
de scandale. Mais la descente de l'idéal primitif ne s'en tient pas là. La
direction de l'Ordre finit par échoir à ces jeunes eux-mêmes et, une
fois Supérieurs, ils ne cherchent pas à rendre les novices semblables
aux premiers Frères dont ils ne soupçonnent plus la perfection, ils
se contentent de les vouloir semblables à eux. Pourvu que les moines
conservent une sorte de discipline extérieure, sachent se tenir convenablement au chœur et autres détails semblables, les supérieurs
déclarent que jamais l'Ordre n'a été aussi parfait. Cependant, des habitudes nouvelles se glissent sans qu'on les aperçoive; quand on en
découvre les effets elles sont déjà trop profondément enracinées pour
qu'on puisse y porter remède, et chacune de ces habitudes en appelle
une autre, si bien que la vie primitive change de plus en plus complètement d'aspect[1]. Ces raisons n'autorisent évidemment pas un Ministre
Général à abandonner la lutte, mais elles suffisent à lui interdire toute
prétention de maintenir un Ordre dans son état primitif. La lutte doit
être poursuivie inlassablement, mais elle doit se proposer un autre
objet : rétablir continuellement l'harmonie, qui tend d'elle-même à se
détruire, entre l'état actuel de l'Ordre, pris au point de développement
où il est parvenu, et l'esprit qui a présidé à sa fondation.

Pourquoi donc saint François a-t-il voulu fonder un Ordre nouveau?
Cette âme profondément sainte a toujours été consumée par la flamme
d'un triple désir : pouvoir adhérer à Dieu tout entière en savourant sa
contemplation, imiter totalement le Christ par la pratique des vertus,
gagner des âmes à Dieu pour les sauver comme le Christ lui-même a
voulu le faire. Non content de se proposer à lui-même ce triple idéal, il
a résolu de fonder un Ordre dont les membres se proposeraient à leur
tour d'y conformer leur vie. Parmi les Ordres déjà existants, il y en
avait bien qui s'étaient proposé de réaliser l'une des trois parties de cet
idéal ; les cénobites suivaient les traces du Christ et imitaient ses vertus
à l'intérieur de leurs couvents; les ermites s'adonnaient à la contemplation dans la solitude; les clercs travaillaient dans le siècle à gagner
des âmes ; mais aucun ordre existant n'avait conçu la possibilité de
faire tenir cette triple tâche à l'intérieur d'un même idéal. C'est donc
l'Esprit-Saint qui inspira cette haute pensée au bienheureux Père saint
François; il lui fit comprendre qu'une vie fondée sur l'obéissance, la
chasteté et la pauvreté serait assez solidement établie pour porter le

1. *Determinat. quaest.*, I, 19, t. VIII, p. 350.

double fruit de la prédication et de la contemplation ; car, s'il est vrai
que les œuvres extérieures du ministère viennent nécessairement interrompre le travail de la pensée, il est également vrai que la pauvreté
absolue, qui assure la complète liberté du cœur et exclut les soucis
temporels, est la condition la plus favorable de l'étude et facilite gran-
dement à ceux qui s'y efforcent la prière, la lecture, la méditation et la
contemplation[1].

Voilà donc ce qu'il faut sauver à tout prix, mais aussi ce qu'il suffit
de sauver, pour maintenir l'Ordre en accord avec son idéal primitif. Il
y a quelque puérilité à s'attacher à des coutumes ou à la lettre des prescriptions de la Règle, alors que les intentions mêmes du fondateur et
l'esprit de son institution peuvent être plus complètement sauvegardés
par d'intelligentes interprétations. De ce que les premiers Frères possédaient des vertus morales éminentes qui compensaient leur défaut de
science et assuraient l'efficacité de leur action, il n'en résulte pas que
l'imitation des vertus du Christ, le goût de la contemplation et la conquête des âmes soient nécessairement exclusifs de toute science. Bien
au contraire, c'est en nous instruisant dans les Écritures, en purifiant
sans cesse l'interprétation que nous en donnons, en approfondissant
par une étude continuelle des vérités de la foi notre connaissance de la
doctrine du salut que nous rendrons notre propre vie plus parfaitement
conforme à celle du Christ, que nous nous élèverons toujours plus haut
dans la contemplation de la vérité salutaire et que nous rendrons plus
efficace notre effort pour la conquête des âmes : *totus esse imitator
Christi in omni perfectione virtutum; totus adhaerere Deo per assiduae
contemplationis ejus gustum; multas lucrari Deo et salvare animas*, tel
avait été, selon saint Bonaventure, le triple idéal de saint François et tel
aussi devait rester éternellement l'immobile idéal de l'Ordre. C'est de
cette conception de l'esprit franciscain qu'il faut nécessairement partir
si l'on veut comprendre comment le petit pauvre de Dieu, l'humble jon-
gleur qui s'en allait — *simplex et ydiota* — chantant le Créateur au long
des routes, a pu laisser la marque profonde de son influence sur la
savante pensée de frère Bonaventure, Docteur de l'Église.

1. *Determinat. quaest.*, I, 1, t. VIII, p. 338. La Règle franciscaine, qui réunit les idéals
partiels des différents Ordres, est donc supérieure aux autres ; et s'il est permis en droit de
passer d'un autre Ordre à l'Ordre franciscain, « cum non inveniatur altior Regula vel
strictior sive aequalis, patet, quod non licet cuiquam per seipsum ad inferiorem Ordinem
transire », *Ibid.*, I, 12, 13, t. VIII, p. 345. Cf. *op. cit.*, I, 18, t. VIII, p. 348-349. Voir
cependant une restriction, *Apologia pauperum*, III, 20, fin., t. VIII, p. 250.

III. — LE PROBLÈME BONAVENTURIEN.

Telle est, en effet, la conclusion à laquelle on ne peut pas ne pas arriver lorsqu'on demande à l'homme la clef de la doctrine. Pour saint Bonaventure comme pour tout grand penseur, le problème philosophique avait été d'abord un problème d'équilibre et d'organisation intérieure à réaliser. Si nous ne considérions que les œuvres et les formules dans lesquelles sa pensée s'exprimait sans ranimer sous nos yeux les besoins profonds de l'âme qui leur ont donné naissance, ces textes ne nous livreraient que les membres disjoints d'un organisme privé de vie. Mais nous pouvons peut-être revivre cette pensée même au lieu de cataloguer les formules par lesquelles elle s'exprima, et elle prend une signification particulièrement émouvante lorsqu'on retrouve le sens du problème initial qu'elle avait entrepris de résoudre. Le petit miraculé de saint François, ce franciscain de naissance, par la vie qu'il reconnaissait devoir au fondateur de l'Ordre et par son âme séraphique, ce cœur si pur dont on pouvait dire qu'en lui Adam semblait n'avoir point péché, était en même temps une intelligence subtile, curieuse de science et qui se trouvait à l'école du maître le plus illustre dans la plus illustre université du monde. Par saint Bonaventure, ce paradoxe extraordinaire, mais infiniment fécond, allait se trouver réalisé, d'une âme authentiquement franciscaine cherchant son équilibre intérieur dans la science et reconstruisant l'univers en fonction de ses besoins. Ce que saint François n'avait fait que sentir et vivre, saint Bonaventure allait le penser; grâce à la puissance organisatrice de son génie, les effusions intérieures du Poverello allaient se développer en pensées; les intuitions personnelles de cette âme si détachée de toute science allaient travailler comme un levain la masse des idées philosophiques accumulées à l'Université de Paris, y agir à la manière d'un principe de sélection, éliminant les unes, assimilant les autres, se nourrissant d'Aristote comme de saint Augustin, mais adaptant l'un et l'autre à son usage chaque fois qu'elle le jugerait nécessaire. Par quelles voies psychologiques cette transmutation des valeurs a-t-elle pu s'opérer? C'est ce que l'on ne peut comprendre qu'en cherchant comment saint Bonaventure interpréta non plus la Règle, mais la vie même de saint François.

Il est tout d'abord hors de doute que saint Bonaventure ne soit mort en laissant une réputation incontestée de sainteté. Les Spirituels eux-

mêmes, qui n'ont pas toujours été timides dans leurs appréciations sur
sa vie et leurs jugements sur ses actes, ont rendu justice à sa science,
à son éloquence, à son humilité désintéressée et à sa sainteté : *Fratre
Bonaventura propter amam scientiae et eloquentiae ac sanctitatis ad
cardinalatum contra suam voluntatem assumpto*[1]... Et ce n'est pas seulement de sainteté qu'il s'agit ici, mais d'une réputation de sainteté si
bien établie que les plus méfiants ne songent pas à la contester. Le
même Angelo Clareno, au moment précis où il prend la défense de Jean
de Parme contre ses juges et porte contre saint Bonaventure les accusations les plus graves, ne peut s'expliquer l'attitude du Ministre Général que par une éclipse momentanée de cette sainteté et de sa mansuétude ordinaire : *tunc enim sapientia et sanctitas fratris Bonaventurae
eclipsata paluit et obscurata est, et ejus mansuetudo ab agitante spiritu
in furorem et iram conversa*[2]. Il semble donc clair que la sainteté du
Docteur Séraphique ne fut mise en doute par personne.

On peut aller plus loin. S'il n'est pas douteux que tel franciscain
rigoriste ait pu trouver dans sa vie matière à quelques reproches,
d'autres y découvraient plus d'un trait par où elle ressemblait à celle
de saint François. C'est le Ministre Général de l'Ordre qui s'écarte de
sa suite sur l'appel d'un humble frère, s'assied à terre auprès de lui,
écoute patiemment ses interminables confidences et ne reprend sa route
qu'après l'avoir miséricordieusement consolé. Comme les Frères qui
l'avaient attendu murmuraient que le chef de l'Ordre ne devait pas
s'abaisser à de tels soins, saint Bonaventure leur répondait : « Je ne
pouvais pas faire autrement. Je suis un Ministre et un serviteur, c'est
lui qui est mon maître. » Et il leur rappelait les prescriptions de la
Règle sur ce point[3]. Une autre fois, le Ministre Général lavait la vais-
selle au couvent de Mugello, et comme on lui annonçait l'arrivée d'en-
voyés du Pape qui lui apportaient le chapeau de Cardinal, il refusait de
les recevoir avant d'avoir terminé sa besogne[4]. On sait enfin avec quelle
patience il accueillit la leçon de frère Égide, qui lui rappelait qu'une
pauvre femme ignorante pouvait aimer le Seigneur son Dieu mieux que
lui et être plus parfaite que frère Bonaventure[5]. Non content d'accepter
de telles leçons lorsqu'on les lui infligeait, il aimait à les provoquer.

1. Angelo Clareno, *Historia sept. tribulat.*, dans Ehrle, Archiv, t. II, p. 287.
2. *Ibid.*, t. II, p. 284-285.
3. *De vita Ser. doct.*, X, p. 51, d'après Wadding, ad ann. 1269, n. 5.
4. *Ibid.*, X, p. 64, d'après Wadding, ad ann. 1273, n. 12.
5. *Chron. XXIV general.*, Anal. francisc., III, 101 ; Joergensen, *Saint François d'Assise*,
20ᵉ éd., Paris, 1911, p. 359-360.

Salimbene rapporte que saint Bonaventure avait pour compagnon habituel un certain frère Marc, grand admirateur de son Ministre Général et qui transcrivait tous ses sermons pour les conserver. Or, chaque fois que son supérieur devait prêcher devant le clergé, Marc allait le trouver et lui déclarait : « Tu travailles comme un mercenaire et l'autre fois, quand tu as prêché, tu ne savais pas ce que tu disais. » Mais frère Bonaventure éprouvait de la joie pendant que frère Marc l'injuriait, et cela pour cinq raisons : premièrement, parce qu'il était doux et patient ; deuxièmement, parce qu'en cela il imitait notre bienheureux Père François ; troisièmement, parce qu'il savait bien que frère Marc l'aimait profondément ; quatrièmement, parce que ce lui était une occasion d'éviter la vaine gloire ; cinquièmement, parce qu'il en profitait pour se mieux préparer[1].

Mais l'influence de saint François sur saint Bonaventure n'avait pas été simplement morale, elle avait encore pénétré jusqu'au plus profond de son intelligence. C'est lui qui avait enseigné au Docteur de l'Université de Paris, tout plein de sa science, cette adhérence complète à Dieu par le goût de sa contemplation dont le Docteur Séraphique allait faire le principe directeur de toute sa doctrine. Saint François tendait à vivre dans une sorte de contact permanent avec la présence divine ; il le cherchait d'abord dans la solitude, et saint Bonaventure avait raison de dire que la vie érémitique était l'un des éléments constitutifs de l'idéal franciscain[2]. Mais on peut dire que cette expérience mystique, d'abord réservée à certains moments extraordinaires vécus dans une solitude exceptionnelle, avait fini par lui devenir comme habituelle ; saint François emportait de plus en plus sa solitude avec soi. Le corps dans lequel son âme était enfermée restait la seule cloison qui le séparât du ciel ; dès cette terre, il était citoyen de la patrie céleste : *angelorum civem jam factum solus carnis paries disjungebat*[3], mais sa cloison de chair lui permettait de s'isoler du monde en même temps qu'elle le séparait de Dieu. Pendant qu'on lui parlait, il mettait fin à l'entretien en cessant de vous entendre ; il était encore là de corps, mais il était rentré en lui-même ; son âme était partie, elle n'était déjà plus de ce monde. Lorsque ces visites divines le surprenaient en public, il se fai-

1. « Gaudebat autem frater Bonaventura quando frater Marcus ei dicebat convitia, propter V : primo, quia homo erat benignus et patiens. Secundo, quia in hoc imitabatur beatum patrem Franciscum... », Salimbene, *Chronica*, éd. citée, p. 308.

2. Saint François avait même réglementé la manière dont les Frères devaient vivre dans les ermitages : *De religiosa habitatione in eremo*, Analekten, p. 67-68.

3. Th. de Celano, II[a], cap. 61, éd. E. d'Alençon, p. 241.

sait une cellule de son manteau ; s'il n'avait pas de manteau, il se cachait le visage avec sa manche ; s'il ne croyait pas pouvoir le faire, il se faisait une solitude de sa poitrine même et son cœur y communiait avec Dieu. Lorsque saint François se nourrissait de cette manne divine, il n'était pas un homme en train de prier, il n'était plus qu'une prière. De quelle nature étaient ces joies célestes ? Nous ne pouvons que répéter avec Celano : *experienti dabitur scire, non conceditur inexpertis ;* il fallait cependant qu'elles fussent d'une incomparable douceur, puisqu'il ne permit jamais à aucune tâche, si urgente fût-elle, de les interrompre et qu'il lui advint de traverser Borgo San Sepolchro sans apercevoir la foule qui se pressait autour de lui. Le point culminant de ces *mentis excessus* fut atteint dans la solitude du mont Alverne, où saint François vit Dieu et se vit lui-même sous l'aspect d'une double lumière, et dont il revint porteur des stigmates que lui avait imprimés le séraphin aux six ailes.

Lorsque la contemplation s'élève à ce degré de perfection, elle se comporte comme une véritable force dont les effets sont immédiatement sensibles : le contemplatif qui revient de ces régions célestes et rentre parmi nous en ramène des vertus plus qu'humaines ; il passe au milieu des choses comme pourrait y passer un ange, rayonnant des forces extraordinaires, voyant au fond des êtres, communiquant par delà leurs enveloppes matérielles avec ce qui se cache de divin au cœur de chacun d'eux. Les forces d'abord : un évêque indiscret perd l'usage de la parole au moment où il vient troubler la prière de saint François ; un abbé pour lequel saint François accepte de prier se sent envahi d'une chaleur et d'une douceur inconnues qui le pénètrent jusqu'à en défaillir[1] ; les oiseaux, les quadrupèdes, les plantes, les éléments eux-mêmes lui obéissent, car il entre en rapports avec eux par des vertus qui ne s'acquièrent pas dans une condition purement humaine[2]. Mais il retire encore de ses extases une profondeur de pensée qui lui permet de lire au fond des textes et des choses bien mieux que ne parvient à le faire celui qui en demande le sens aux ressources de la science des hommes. Nous avons vu comment il pénétrait la signification des Écritures ; mais il pénétrait également la signification des êtres et découvrait entre eux des rapports inconnus aux savants.

L'extase n'est sans doute pas exactement une expérience momentanée de la vision béatifique telle que l'auront les élus dans l'éternité, mais

---

1. Th. de Celano, II[a], cap. 66-67, p. 245-246.
2. *Speculum perfectionis*, éd. Sabatier, cap. XII en entier, p. 224-233.

elle est assurément ce qui s'en rapproche le plus dans notre humaine expérience. Or, elle implique une sorte de suspension de l'âme qui la détache en quelque sorte du corps et lui confère par là même les vertus actives et cognitives, inséparables d'une spiritualité plus pure que la nôtre. C'est parce qu'il vient de libérer presque complètement son âme de son corps et de toucher le modèle premier des choses que celui qui redescend de l'Alverne pénètre l'essence des créatures et déchiffre sans peine leur secret. Même s'il perdait pour un temps le contact immédiat de la présence divine, il n'en demeurerait pas moins un illuminé, devinant Dieu sous les choses alors même qu'il ne le possède plus. De là cette invention sans cesse jaillissante de symboles, ou plutôt cette transfiguration permanente de l'univers qui substituait à des fragments de matière morte ou à des êtres privés de connaissance de précieuses effigies de Dieu. Ayant touché Dieu, saint François pouvait en déceler la présence là même où de simples mortels ne la soupçonnaient pas. Dans ce moyen âge tout pénétré d'esprit symbolique, mais dont le symbolisme n'est souvent qu'une répétition stéréotypée de comparaisons devenues traditionnelles, saint François apparaît comme un inventeur; or, c'est parce qu'il a retrouvé la source féconde d'où jaillissent les symboles qu'il se montre capable d'en créer et surtout de situer dans la signification symbolique des êtres leur sens le plus profond. Ses biographes du XIIIe siècle ont bien vu quelle distance sépare les allégories perçues, vécues et aimées de saint François, du fatras déposé par la tradition dans les formules des lapidaires et des bestiaires de ce temps. Celano ne se contente pas de marquer ce qu'il y avait d'original et de spontané dans l'art avec lequel François lisait le sens des choses, il nous en donne encore la raison : c'est que le Saint n'était déjà plus de ce monde, son esprit jouissait de la liberté que la gloire béatifique réserve aux enfants de Dieu[1].

L'univers à travers lequel passait saint François était donc doué d'une essence toute particulière; de même que son corps n'était pour lui qu'une cloison qui lui cachait Dieu, le monde à travers lequel il se hâtait n'était qu'une sorte de lieu de pèlerinage, un exil dont il apercevait déjà le terme. Ici encore, saint François transformait profondé-

---

1 Th. de Celano, *Legenda prima*, c. 29 : « Omnes denique creaturas fraterno nomine nuncupabat, et modo praecellenti atque caeteris inexperto, creaturarum occulta cordis acie decernebat, utpote qui jam evaserat in libertatem gloriae filiorum Dei », éd. cit., p. 83. Cf. toutes les anecdotes relatives à l'amour de saint François pour les créatures et des créatures pour lui, Celano, I[a], cap. XXI. 58-61; cap. XXVIII, 77-79; cap. XXIX, 80-82; *Legenda II[a]*, cap. CXXV-CXXX.

ment un thème bien connu de son milieu et de son temps, celui du *contemptus saeculi*. Pour être radical, son mépris du siècle n'avait rien de cette sombre haine dont certains ascètes croyaient devoir envelopper l'univers ; on peut dire, au contraire, que plus il méprisait le monde, plus il l'aimait ; en un certain sens il en usait comme d'un champ de bataille contre les princes des ténèbres, mais en un autre sens il y voyait le clair miroir de la bonté de Dieu. Dans chacune des œuvres du Seigneur, il reconnaissait la main de l'ouvrier et son âme en était remplie de joie ; tout ce qui lui semblait bon clamait à ses oreilles la bonté de Dieu, et c'est pourquoi, cherchant partout son bien-aimé dans les vestiges qu'en ont conservés les choses, il se servait de toutes comme de degrés pour s'élever à lui. De là cet amour inouï qu'il portait aux êtres et aux choses, leur parlant, les exhortant à louer Dieu, les traitant avec le respect et la tendresse que leur méritait la dignité si haute d'images du Créateur[1]. Plus que toutes les créatures, il aimait les agneaux parce qu'ils portent immédiatement la signification allégorique de Jésus-Christ[2], mais il aimait encore le soleil pour sa beauté et le feu pour sa pureté. Lorsqu'il se lavait les mains, il faisait en sorte de ne pas laisser tomber de gouttes d'eau dans un endroit où elles fussent exposées à être foulées aux pieds, car l'eau figure la sainte pénitence et c'est par l'eau du baptême que l'âme est lavée de la faute originelle. Il ne marchait sur les pierres qu'avec révérence et tremblement, par amour de Celui qui est la pierre d'angle. Il ne voulait pas que l'on coupât tout le bois d'un arbre pour allumer le feu, par amour pour Celui qui opéra notre salut sur le bois de la croix. Saint François vivait donc en permanence au milieu d'une forêt de symboles, et la réalité substantielle de ce symbolisme était si vivante à ses yeux qu'il réglait sur elle toutes ses démarches ; de même que nous conformons notre attitude à ce que les choses nous semblent être, saint François conformait la sienne à la

---

1. « Mundum quasi peregrinationis exsilium exire festinans, juvabatur felix iste viator hiis quae in mundo sunt non modicum quidem. Nempe ad principes tenebrarum utebatur eo ut campo certaminis, ad Deum vero ut clarissimo speculo bonitatis... Cognoscit in pulchris pulcherrimum ; cuncta sibi bona, qui nos fecit est optimus clamant. Per impressa rebus vestigia insequitur ubique dilectum, facit sibi de omnibus scalam qua perveniatur ad solium. Inauditae devotionis affectu complectitur omnia, alloquens ea de Domino, et in laudem ejus adhortans » (Th. de Celano, *Legenda secunda*, c. CXXIV, 165, p. 293-294). Celano est ici la source directe de saint Bonaventure : « Consideratione quoque primae originis omnium abundantiori plenitudine repletus, creaturas quantumlibet parvas fratris vel sororis appellabat nominibus, pro eo quod sciebat eas unum secum habere principium », *Leg. S. Francisci*, VIII, 6, t. VIII, p. 527.

2. Celano, Iᵃ, c. XXVIII, 77, p. 78 ; saint Bonaventure, *loc. cit.*

nature définie qu'il leur reconnaissait. De là cette joie intérieure et extérieure qu'il puisait constamment en toutes choses ; en les touchant ou en les contemplant, il semblait que son esprit ne fût plus sur la terre, mais au ciel[1].

Saint Bonaventure ne devait pas oublier ces leçons, et l'on peut dire que sa philosophie tout entière est conditionnée par son expérience de la spiritualité franciscaine[2]. C'est ce que lui-même a d'ailleurs affirmé de la manière la plus formelle au début et à la fin de l'œuvre qui contient la somme de ses intuitions les plus profondes, l'*Itinéraire de l'âme vers Dieu*. Si l'on avait consenti à recueillir simplement l'interprétation qu'il nous a donnée de sa propre pensée au lieu de la considérer comme accessoire ou même de la supprimer, bien des incertitudes et des erreurs historiques nous auraient été épargnées. Or, dès les premières lignes de cet opuscule, saint Bonaventure invoque Dieu comme source de toutes les illuminations, et il demande la grâce de la lumière divine pour obtenir le bien le plus haut que Jésus-Christ nous ait promis avant de quitter cette terre, la paix. Si donc nous acceptons ce qu'il nous apprend lui-même de ses intentions, nous devons croire que toute la connaissance humaine doit se trouver ordonnée selon lui en vue d'un terme défini et vers lequel notre pensée tendra consciemment. Mais cette paix, annoncée maintes fois par Jésus dans l'Évangile, ou par ses disciples dans leurs Épîtres, comment la concevoir ? Il suffira de consulter attentivement l'Écriture pour être renseigné sur ce point. L'Évangile de Luc (I, 79) parle de l'illumination divine comme destinée à diriger nos pas sur la route qui conduit à la paix, et l'Épître aux Philippiens nous laisse entendre que cette paix de l'intelligence et du cœur ne peut pas être atteinte par les voies ordinaires de la connaissance ; la paix annoncée par Jésus et laissée par lui aux hommes (Jean, XIV, 27) est donc une paix qui surpasse toute pensée purement humaine : *Et pax Dei, quae exsuperat omnem sensum, custodiat corda vestra et intelli-*

---

1. « Unde nos qui cum eo fuimus in tantum videbamus ipsum interius et exterius laetari quasi in omnibus creaturis quod ipsas tangendo vel videndo, non in terra sed in coelo ejus spiritus videbatur », *Speculum perfectionis*, cap. 118, éd. Sabatier, p. 231-232. Cf. cap. 119, p. 233-234 ; cap. 116, p. 229 ; *Actus B. Francisci*, cap. 24, éd. Sabatier, p. 82.

2. Consulter sur ce point, P. Martigné, *La scolastique et les traditions franciscaines*, p. 183 ; Évangéliste de saint Béat, *Le séraphin de l'école*, p. 95-96 ; Smeets, art. *S. Bonaventure*, Dict. de théol. cath., t. II, col. 977-978 ; Fanny Imle, *Franziskaner Ordensgeist und franziskanische Ordenstheologie*, dans Franziskanische Studien, Münster, 1919. Surtout P. Ephrem Longpré, *La théologie mystique de saint Bonaventure*, Archivum franciscanum historicum, t. XIV, 1921, p. 36-108.

gentias vestras, in Christo Jesu[1]. Or, cette paix promise par l'Évangile, saint François est venu nous en répéter la promesse, et cette fois nous ne pouvons plus conserver le moindre doute sur la nature du bien spirituel dont il s'agit. Des trois éléments de l'idéal franciscain retenus par saint Bonaventure, c'est évidemment la jouissance du bien divin par la contemplation qu'il considère comme le plus important. Imiter Jésus par la pratique des vertus est sans doute quelque chose d'essentiel à la vie chrétienne, mais les vertus ne sont cependant que des purifications qui habilitent l'âme en vue des joies supérieures de la contemplation extatique. Gagner beaucoup d'âmes à Dieu comme Jésus gagna les âmes humaines à son Père est évidemment un idéal indispensable et que tout vrai chrétien doit se proposer de réaliser, mais nous savons que le contemplatif sort de l'extase chargé de vertus qui lui permettent de gagner sans effort les âmes oublieuses de Dieu. Sa parole, son regard, son exemple seul suffisent à faire ce que la science de ce monde et l'orgueil qui l'accompagne sont incapables d'accomplir. C'est donc bien la contemplation divine que saint Bonaventure met au centre même de l'idéal franciscain, et par conséquent la paix vers laquelle toute sa pensée va se diriger et nous conduire s'appellera, de son vrai nom, l'extase. Suivre l'itinéraire de l'âme vers Dieu, c'est tendre de toutes ses forces à vivre une vie humaine aussi proche que possible de celle des bienheureux dans le ciel : *quam pacem evangelizavit et dedit Dominus noster Jesus-Christus; cujus praedicationis repetitor fuit pater noster Franciscus, in omni sua praedicatione pacem in principio et in fine annuntians, in omni salutatione pacem optans, in omni contemplatione ad extaticam pacem suspirans, tanquam civis illius Jerusalem, de qua dicit vir ille pacis... rogate quae ad pacem sunt Jerusalem*[2].

Il est également manifeste que saint Bonaventure, à son tour, ne veut pas avoir d'autre idéal que celui de l'Évangile et de saint François. C'est d'une âme éperdue de désir qu'il poursuit l'extase à l'exemple de son bienheureux Père : *cum igitur exemplo beatissimi patris Francisci hanc pacem anhelo spiritu quaererem.* C'est pour la trouver qu'une inspiration divine le conduit, lui pécheur, septième successeur, quoique indigne, de saint François, vers la date anniversaire de la mort du

---

1. *Philipp.*, IV, 7.
2. *Itinerarium*, Prol., 1; éd. min., p. 289-290. A quel point on a méconnu l'importance capitale de ces déclarations, c'est ce qu'il est aisé de voir dans le livre pourtant si sympathique à la pensée bonaventurienne de G. Palhoriès; la traduction de l'*Itinerarium*, qui le complète, omet simplement ce début (p. 295).

saint, et trente-trois ans après son départ pour le ciel, dans la solitude
du mont Alverne[1]. Ce que saint Bonaventure va chercher sur le sommet
solitaire où saint François avait reçu les stigmates de la Passion, c'est
la même paix de l'extase au sein de laquelle s'était accompli le miracle :
*ad montem Alvernae tanquam ad locum quietum, amore quaerendi
pacem spiritus, declinarem*[2]. Et c'est en cherchant dans son âme les
montées intérieures par lesquelles il pourrait l'obtenir qu'il se souvient
du miracle dont saint François avait été l'objet au même endroit, cette
vision du Séraphin ailé qui ressemblait à un crucifix. Immédiatement,
une lumière envahit sa pensée ; la vision du Séraphin lui indique tout à
la fois l'extase où se trouvait alors saint François et la voie par laquelle
on peut y parvenir ; les six ailes du Séraphin sont les six contemplations mystiques par lesquelles l'âme se rend capable, comme par autant
de degrés ou de chemins, d'entrer dans la paix de l'extase. Voilà quel
est le terme véritable, le terme unique où conduisent les voies de la
Sagesse chrétienne ; saint Bonaventure n'en a jamais connu d'autre que
la vie extatique menée sur terre par son maître saint François[3].

Or, de même que saint Bonaventure érige la contemplation extatique
en terme ultime de la connaissance, de même il emprunte à saint François sa conception des voies qui la préparent, de l'objet qu'elle se propose et des fruits que l'âme en recueille. Pour le maître comme pour le
disciple, l'action est la préparation nécessaire de la contemplation et le
repos de la vie contemplative doit être la récompense des travaux de la
vie active. Non seulement un long exercice de l'amour du prochain et de
la pénitence, mais encore et surtout la pratique constante de la méditation et de la prière deviennent dès lors les conditions normales de toute
vraie connaissance. Nous avons vu, et l'on sait assez de reste, que saint

---

1. La méditation dont est sorti l'*Itinerarium* se place donc vers le début d'octobre 1259 ;
la mort de saint François avait eu lieu le 4 octobre 1226.

2. *Itinerarium*, Prol., 2 ; éd. min., p. 290.

3. « Nam per senas alas illas recte intelligi possunt sex illuminationum suspensiones,
quibus anima quasi quibusdam gradibus vel itineribus disponitur, ut transeat ad pacem,
per extaticos excessus sapientiae christianae » (*Itinerarium*, Prol., 3 ; éd. min., p. 291).
L'ouvrage s'achève sur un rappel de l'extase comme terme de la vie intérieure : « Quod
etiam ostensum est beato Francisco, cum in excessu contemplationis in monte excelso —
ubi haec, quae scripta sunt, mente tractavi — apparuit Seraph sex alarum in cruce con-
fixus, ut ibidem a socio ejus, qui tunc cum eo fuit, ego et plures alii audivimus ; ubi in
Deum transiit per contemplationis excessum ; et positus est in exemplum perfectae contemplationis, sicut prius fuerat actionis, tanquam alter Jacob et Israël, ut omnes viros vere
spirituales Deus per eum invitaret ad hujusmodi transitum et mentis excessum magis
exemplo quam verbo », *Ibid.*, VII, 3 ; éd. min., p. 345-346.

François s'était transformé en une sorte d'oraison permanente; or, il est aisé de découvrir dans les descriptions que nous ont laissées ses biographes de sa manière de prier tous les traits qui vont se trouver ordonnés, développés, organisés, et deviendront la trame même de la méthode suivie par saint Bonaventure. A l'origine de cette prière constante se trouvait en effet le désir du Christ; désir intime, profond et ininterrompu, appel de l'âme vers Dieu et condition nécessaire de sa montée vers lui[1]. Ce désir engendrait souvent une prière ardente, faite de gémissements, de larmes et de colloques poursuivis à haute voix avec son Seigneur, son juge et son ami[2]; mais le plus souvent il effectuait une sorte de rentrée en soi-même, se détournant du sensible, chassant impitoyablement les images qui pouvaient le troubler et considérant leur irruption dans ses longues oraisons comme autant de fautes graves[3] dont il se confessait et faisait pénitence. C'est alors seulement qu'ayant enfin surmonté les dernières résistances du corps et de l'imagination, il entrait dans une sorte de rumination intérieure, se ramenait tout entier au dedans de lui-même, se tendait vers Dieu, érigeait vers lui tout son amour et tout son désir et parvenait enfin à cette dégustation savoureuse des joies spirituelles qui faisait de lui pour quelques heures un citoyen de la cité céleste[4].

Or, il n'est aucune de ces conditions que saint Bonaventure n'ait requise à son tour pour nous introduire à la connaissance vraie et nous conduire vers Dieu. On ne saurait commettre l'erreur de prendre la spiritualité de saint François pour un commencement absolu; lui-même n'aurait pas admis que sa piété ne fût pas profondément traditionnelle et, de fait, il n'est aucun de ses éléments constitutifs qui, pris dans sa matérialité même, ne se retrouve ailleurs. C'est ce qui permettra souvent à saint Bonaventure, dans les moments mêmes où l'inspiration franciscaine de son œuvre sera la plus sensible, de justifier sa doctrine par un recours à l'autorité du pseudo-Denys ou de saint Augustin, alors qu'on s'attendait à voir intervenir celle de saint François. En outre, il est incontestable que, même en matière de mystique et de vie intérieure,

---

1. « Tota in Christum suum anima sitiebat, totum illi non solum cordis sed corporis dedicabat », Celano, II[a], LXI, 94, p. 240.

2. *Ibid.*, 95, p. 241.

3. « Qualiter orans abigebat phantasmata cordis », *Ibid.*, LXIII, 97, p. 243.

4. « Immotis saepe labiis ruminabat interius, et introrsum extrinseca trahens spiritum subtrahebat in superos. Omnem sic intuitum et affectum in unam rem quam petebat a Domino dirigebat, totus non tam orans quam oratio factus. Quanta vero credis suavitate perfundi talibus assuetus? », Celano, II[a], LXI, 95, p. 241.

saint François n'est pas le seul maître de saint Bonaventure. L'Aréopagite, Hugues de Saint-Victor, saint Bernard mettaient à sa disposition des
interprétations si riches et si profondes de la haute spiritualité qu'il ne
pouvait guère éviter de s'en inspirer et de puiser largement à leur doctrine. Mais ce que saint Bonaventure doit à saint François, c'est un
exemple concret, la preuve par le fait que, comme la perfection de la pauvreté n'est pas une grâce d'exception réservée à de rares privilégiés[1], la
voie de la contemplation mystique est ouverte à tous ceux qui savent en
trouver l'accès. Or, la première condition dont l'exemple de saint François manifeste la nécessité, c'est le désir.

Pour atteindre l'intelligence et la sagesse, il faut d'abord en avoir
soif. Le don d'intelligence, par exemple, est une nourriture solide,
comme le pain, dont saint François disait qu'il faut bien des travaux
pour l'acquérir. On sème le grain, il croît, on le moissonne, on le porte
au moulin, on le cuit, et nous passons bien des opérations intermédiaires : tel ce don de l'intelligence, qui ne s'acquiert qu'au prix de
multiples travaux et par celui qui l'a ardemment désiré[2]. Or, il ne
suffit pas d'une émotion superficielle de l'âme pour être cet *homme de
désirs* à qui la grâce ne sera pas refusée. Celui qu'anime le désir véhément des grâces supérieures a d'abord recours à la prière; l'oraison
permanente de saint François vient donc de prendre place à la base
même de l'édifice entier de la connaissance humaine telle que saint
Bonaventure la conçoit. Sans doute, beaucoup d'hommes ne prient pas,
qui cependant connaissent; mais nous sommes assurés d'avance que
leur connaissance est, soit erronée, soit incomplète, et qu'elle reste condamnée à ne jamais atteindre sa pleine perfection.

Non seulement saint Bonaventure élève l'oraison franciscaine au rang
d'une propédeutique philosophique, mais encore il conserve de son
maître la conviction bien arrêtée que la pratique de l'ascèse morale est
une condition non moins nécessaire de toute vraie connaissance. La
science ne s'acquiert pas par la seule discipline des écoles, il y faut
encore celle du cloître. La porte de la sagesse est le désir véhément que
nous en avons; or, le désir de la sagesse engendre le désir de la discipline, et cette discipline n'acquiert à son tour une efficacité réelle que

---

1. *Quaest. disp. de perf. evang.*, II, 2, replic. 4, t. V, p. 152.
2. « Donum intellectus est solidus cibus, ut panis, qui ut dicebat beatus Franciscus,
multis laboribus habetur. Primo semen seminatur, deinde crescit, deinde colligitur, deinde
ad molendinum portatur, deinde coquitur, et multa talia. Et sic de dono intellectus; intellectum comparare difficile est per se. Sapientia similiter non habetur nisi a sitiente », *In
Hexaëm.*, III, 1, t. V, p. 343.

lorsqu'elle est observée, pratiquée et non simplement écoutée. Celui qui croit acquérir la discipline en l'écoutant prêcher ressemble au malade qui croirait guérir de sa maladie en écoutant les prescriptions du médecin ; la remarque est d'Aristote, et Socrate, avant lui, n'avait borné son enseignement à celui des vertus que parce qu'il voyait en elles les conditions nécessaires de toute connaissance supérieure[1]. Or, cette nécessité d'acquérir par la pratique de la vertu une âme purifiée avant de prétendre acquérir la sagesse, nul ne l'a incarnée sous ses yeux d'une manière plus complète et plus frappante que ne l'a fait saint François. Purification des sentiments d'abord, qui se libèrent successivement du péché et des occasions mêmes de le commettre ; purification de l'intellect ensuite, qui se retire en soi-même et, comme nous l'avons vu pratiquer par le Saint, s'abstrait des perceptions sensibles, puis des images matérielles et enfin des raisonnements eux-mêmes pour atteindre le rayon de la lumière divine[2]. Tous ces traits essentiels qui confèrent à la théorie de la connaissance son caractère propre chez saint Bonaventure sont autant d'expériences franciscaines traduites en doctrines et amenées à leur place dans un ensemble systématiquement ordonné.

Ce qui est vrai de la préparation et de la nature de la contemplation ne l'est pas moins de ses fruits. Descendant à son tour du mont Alverne, saint Bonaventure en rapportait aussi ce que saint François y était allé chercher : la paix de l'âme que confère la dégustation amoureuse de la lumière divine, l'illumination intérieure qui permet de la savourer dans chacune des créatures comme on savoure la fraîcheur d'une source dans les ruisselets où elle s'écoule, ou de percevoir dans l'harmonie de leurs facultés et de leurs opérations quelque résonance du concert céleste. Saint Bonaventure médite par exemple sur la Trinité ; il se la représente comme l'autorité suprême qui gouverne toutes choses ; or, tout gouvernement ou toute législation doit être inspirée par la piété à l'égard des gouvernés, par la vérité et par la sainteté. S'il en est ainsi, le Père doit être piété, le Fils doit être vérité et l'Esprit doit être sainteté ; or,

---

1. *In Hexaëm.*, II, 2-3, t. V, p. 336-337, et V, 33, t. V, p. 359.
2. *I Sent.*, 2, expos. text. dub. 1ᵐ, t. I, p. 59 ; *Itinerar.*, Prol., 3 et 4 ; éd. minor., p. 291-292. On remarquera dans ce dernier texte le rôle éminent que joue le Crucifix dans la prière : « Via autem non est nisi per ardentissimum amorem Crucifixi... qui etiam adeo mentem Francisci absorbuit, quod mens in carne patuit... » C'est que le Crucifix doit être au centre de la dévotion comme le Christ est au centre de tout. Sur la nécessité de ne chercher la science qu'en vue de la vertu, voir saint Bonaventure, *Legenda S. Francisci*, IX, 1, t. VIII, p. 535. La source de saint Bonaventure est ici Celano, IIᵃ, LXVIII, 102, p. 246-247.

c'est au Père que se rattache la loi de nature, au Fils que se rattache la loi de l'Écriture, au Saint-Esprit que se rattache la loi de la grâce : nous devons donc retrouver cette loi de piété partout inscrite dans la nature. Et, en effet, saint Bonaventure n'a plus qu'à tourner ses regards illuminés vers le monde des corps, même insensibles, pour découvrir sans peine la loi qui les régit. La piété remplit les corps et les objets inanimés à tel point qu'elle semble déborder de la nature entière : c'est la racine qui transmet tout ce qu'elle reçoit à ses rameaux, c'est la source qui distribue dans ses ruisselets toute l'eau qu'elle recueille ; à bien plus forte raison en est-il de même chez les êtres animés : dans toutes les espèces animales les parents donnent à leurs petits tout le superflu de la nourriture qu'ils trouvent, et souvent même ils prélèvent sur leur nécessaire, telle la mère qui convertit en lait sa propre nourriture pour en alimenter ses petits[1]. Exemple entre tant d'autres de l'aspect immédiatement analogique que prend l'univers aux yeux de saint Bonaventure. Or, on peut dire que si le monde apparaît à ses regards comme un système de symboles transparents qui insinuent à l'âme pieuse la pensée du créateur, c'est parce que, comme son maître saint François, il regardait les êtres et les choses avec des yeux transformés par la prière et éclairés par un rayon venu d'en haut. L'accent si particulier et la richesse merveilleusement abondante de son symbolisme ont quelque chose de spécifiquement franciscain[2].

Et cependant il reste un trait de la pensée bonaventurienne qui n'appartient qu'à elle seule. Cette vie presque continuellement extatique de saint François, saint Bonaventure sait qu'elle ne dépend pas de la nature, mais de la grâce. Or, l'esprit souffle où il veut. La grâce divine peut accorder à qui bon lui plaît d'y accéder en quelque mesure ; saint Bonaventure sait même, pour l'avoir vu de ses yeux, que l'extase et les

---

1. *In Hexaëm.*, XXI, 6, t. V, p. 432.

2. Lui-même nous indique d'ailleurs sa source : « Inauditae namque devotionis affectu, fontalem illam bonitatem in creaturis singulis tanquam in rivulis degustabat, et quasi coelestem concentum perciperet in consonantia virtutum et actuum eis datorum a Deo, ipsas ad laudem Domini more prophetae David dulciter hortabatur » (saint Bonaventure, *Legenda S. Francisci*, IX, 1, t. VIII, p. 53). Cf. saint Bonaventure : « Omnes enim creaturae effantur Deum. Quid ego faciam ? Cantabo cum omnibus. Grossa chorda in cithara per se non bene sonat, sed cum aliis est consonantia » (*In Hexaëm.*, XVIII, 25, t. V, p. 418). « Alia ratio est manuductio intellectus nostri. Quia enim per creaturas ad cognoscendum Creatorem venimus, et, ut plurimum, fere omnes creaturae habent proprietates nobiles, quae sunt ratio intelligendi Deum, ut leo fortitudinem, agnus mansuetudinem, petra soliditatem, serpens prudentiam et consimilia », *I Sent.*, 34, un. 4, Concl., t. I, p. 594.

6

dons qui l'accompagnent ne sont pas le privilège des savants, mais que les ignorants et les simples, tels que le frère illuminé Égide d'Assise, ou saint François lui-même, en ont été libéralement gratifiés. Profonde leçon qu'il médite et nous invite nous-mêmes à méditer : pourvu qu'on ait le désir, on peut avoir l'espoir ; en présence d'une telle grâce, les différences purement naturelles entre les hommes s'abolissent et les humbles se trouvent au même degré que les savants ou les grands : *modo non debetis desperare, vos simplices, quando audistis ista, quia simplex non potest ista habere, sed poteritis postea habere*[1]. Mais, quelques efforts qu'il fasse, saint Bonaventure ne peut s'astreindre à suivre jusqu'au bout la voie des humbles. Il peut écouter patiemment la leçon de frère Égide[2] et répéter avec lui qu'une pauvre vieille, ignorante et simple, peut aimer Dieu mieux que frère Bonaventure, lui-même ne peut aimer Dieu qu'à sa façon, et cette façon est celle des savants. Tout se passe comme si l'extase, gratuitement concédée par Dieu à la perfection de certaines âmes simples, était demeurée pour le Docteur illustre un idéal qu'il lui fallait rejoindre par les voies lentes et détournées de la science ; c'est là du moins une hypothèse sur laquelle il vaut la peine de s'arrêter et de réfléchir.

Remarquons d'abord que les contemporains de saint Bonaventure l'ont aperçu sous cet aspect : une intelligence au service d'une dévotion. Et sans doute, ce qui nous frappe surtout aujourd'hui dans cette définition, c'est la prédominance de la dévotion ; mais les Franciscains du XIIIe siècle n'étaient pas moins frappés par le rôle extraordinaire que jouait l'intelligence dans la vie intérieure de saint Bonaventure. Jamais encore, depuis la fondation de l'Ordre, on n'avait vu une piété aussi ardente éprouver ce besoin impérieux de s'alimenter des sciences les plus diverses, de s'emparer de toutes les connaissances humaines, quelles qu'elles fussent, pour s'en nourrir et les assimiler. Dès le XIIIe siècle aussi, son œuvre entière apparaît comme témoignant en faveur de cette interprétation. Dans tous ses écrits, la science du temps

---

1. *De sabbato sancto*, sermo I, t. IX, p. 269. Le *quia simplex* signifie : « comme si » ou « de ce que », car vous pourrez, etc. Cf. *De SS. apost. Petro et Paulo*, I, t. IX, p. 547. Voir P. Ephrem Longpré, *op. cit.*, p. 78.

2. *Chronica XXIV General.*, Anal. franc., t. III, p. 101. Il l'a si bien acceptée qu'il la rappelait encore aux autres dans les dernières années de sa vie : « Sic ecce quod una vetula, quae modicum habet hortum, quia solam caritatem, meliorem fructum habet quam unus magnus magister, qui habet maximum hortum et scit mysteria et naturas rerum », *In Hexaëm.*, XVIII, 26, t. V, p. 418. On trouvera un autre souvenir familier des leçons de frère Égide, *Ibid.*, XXIII, 26, t. V, p. 448-449.

est largement et continuellement exploitée, mais tout se passe précisément comme si la science y jouait le rôle d'une méthode requise pour
atteindre une fin plus profonde que la science même[1]. Il est donc légitime de se demander si l'originalité propre de saint Bonaventure, et ce
qui devait l'élever au rang de prince de la mystique, n'aurait pas consisté dans l'union indissoluble et la collaboration intime d'une intelligence non moins exigeante que sa piété.

Cette hypothèse ne s'accorderait pas seulement avec les témoignages
contemporains sur la pensée de saint Bonaventure, elle nous permettrait peut-être aussi d'éclaircir un point qui demeure obscur dans la
psychologie du saint. S'il semble en effet incontestable que saint Bonaventure soit demeuré fidèle à l'idéal extatique et à l'esprit le plus profond de saint François, il est non moins universellement reconnu qu'à
la différence de saint François et de ses premiers compagnons il ne fut
jamais un ascète. On pense bien que les Spirituels ne se sont pas fait faute
de le lui reprocher, et jamais l'histoire ni la légende ne se sont inscrites
en faux contre cette constatation. Adversaires, partisans, lui-même
ont invoqué des excuses pour expliquer l'absence des macérations
extraordinaires que beaucoup considéraient comme obliga oires chez
un véritable saint, mais personne n'a jamais sérieusement soutenu que
saint Bonaventure ait suivi dans cette voie, même de loin, les traces
d'un saint Bernard ou d'un saint François. Il avouait simplement que
sa faiblesse de constitution et sa santé chancelante ne lui permettaient
pas de s'imposer des mortifications aussi rigoureuses qu'il l'eût désiré[2],
et le vibrant, mais quelque peu farouche Pierre Jean Olivi, nous atteste
le fait en ajoutant qu'il y avait quelque chose de fondé dans cette
excuse[3]. C'est exactement dans le même esprit que la vision du frère

---

1. « Siquidem omnem veritatem quam perspiciebat intellectu, ad formam orationis et
laudationis divinae reducens continuo ruminabat affectu... Intellectus ipsius perspicaciam
et affectionis fervorem omnia sua opuscula redolent hiis qui in ipsis divinam scientiam
exquirentes hanc libentius quam vanitatem Aristotelicam venerantur », B. de Besse, *Chronica XXIV Gener.*, Anal. francisc., t. III, p. 324-325 ; ou dans Salimbene, éd. cit., Mon.
Germ. Hist., t. XXXII, p. 664.
2. *Epistola*, I, t. VIII, p. 468 : « Propter debilitatem corporis... »
3. « Quinto, quia Bonaventura et alii, qui de hoc scripserunt, secundum dicta istorum
valde laxe viverunt ; ergo videtur quod non intellexerunt usum strictum suae laxationi contrarium cadere sub voto. — Ad quintum dicendum, quod hactenus solebant adducere viros
solemnes in exemplum perfectionis. Sed, heu! Domine Deus! hodie ab istis inducuntur in
exemplum laxationis, uno ictu illos vituperando confodientes et ex deducto exemplo se
ipsos excaecantes et aliis nobis doctrinam venenatam infundentes. Dico igitur quid de
praedicto Patre sentio. Fuit enim interius optimi et piissimi affectus et in doctrinae verbo

Jacques de Massa opposait à Jean de Parme, le franciscain intégral qui boit jusqu'à la dernière goutte le calice offert par saint François, le demi-franciscain Bonaventure qui ne boit que la moitié du calice et répand le reste sur le sol[1]. Or, un tel fait ne pouvait manquer d'exercer une influence décisive sur l'orientation de la mystique bonaventurienne. L'imitation de saint François ne pouvait plus être une imitation littérale dès lors qu'elle faisait abstraction de l'ascèse extraordinaire et des macérations extrêmes pratiquées par saint François; elle ne pouvait plus être qu'une transposition. Et cette transposition elle-même n'était possible que si quelque autre discipline venait prendre la place laissée vide et jouer le rôle tenu jusque-là par celle du corps. Et pourquoi, si extraordinaire que la chose pût alors sembler, cette discipline nouvelle n'eût-elle pas été une discipline de l'esprit? La prière sans doute, la méditation, déjà si bien pratiquées par saint François, mais peut-être aussi une transmutation nouvelle de la science en piété, inconnue, celle-là, du fondateur de l'Ordre, parce que les voies de la science n'avaient pas été les siennes?

Et en effet, saint Bonaventure ne devint le Docteur Séraphique que parce qu'il était d'abord un Docteur. Son manque d'ascétisme, quoi qu'on en ait, ne s'expliquerait pas suffisamment par sa faiblesse corporelle. Saint Bernard et saint François, émaciés et quasi détruits par les macérations, trouvaient encore les moyens de s'en imposer de nouvelles, montrant ainsi par l'exemple qu'il reste toujours assez de forces pour devenir un ascète lorsqu'on a vraiment envie de le devenir. Mais on ne peut pas avoir envie de devenir un ascète lorsqu'on désire en même temps jouir du repos et des loisirs de la connaissance, et le manque d'ascétisme de saint Bonaventure s'explique fort bien s'il n'est que la contre-partie négative de ses besoins spéculatifs les plus impé-

---

praedicans ea quae sunt perfectae paupertatis sicut ex supra dictis ab eo satis liquere potest. *Fragilis tamen fuit secundum corpus et forte in hoc aliquid humanum sapiens, quod et ipse humiliter sicut ego ab eo saepius audivi, confitebatur;* nec enim major fuit Apostolo dicente : « In multis offendimus omnes. » Tamen in tantum dolebat de communibus laxationibus hujus temporis, quod Parisius, in pleno Capitulo, me adstante, dixit quod, ex quo fuit Generalis, nunquam fuit, quin vellet esse pulverisatus, ut Ordo ad puritatem beati Francisci et sociorum ejus et ad illud quod ipse de Ordine suo intenderat, perveniret. Ex his igitur vir sanctus excusari potuit a tanto, etsi non a toto », P. Jean Olivi, dans Ehrle, Archiv f. Literatur und Kirchengesch., t. III, p. 516-517. Texte amélioré dans l'édition de Quaracchi, t. X, p. 50.

1. P. Sabatier, *Actus beati Francisci*, Paris, Fischbacher, 1902, p. 216-220; Angelo Clareno, *Hist. sept. tribulat.*, Archiv, t. II, p. 280-281. L'histoire est passée dans les Fioretti.

rieux. Du Docteur, et nous avons pu le constater en étudiant son interprétation de la Règle franciscaine, il a le goût de la science, le respect absolu du travail intellectuel et de toutes les conditions matérielles qui seules le rendent possible, il en a même l'amour des livres :
saint Bonaventure n'est pas un intellectualiste, mais c'est un intellectuel. Or, l'intellectuel peut être un homme austère, dépouillé, pauvre
en esprit, et il lui est même salutaire de vivre d'une vie retirée pour
laisser à l'esprit son libre jeu, mais il ne peut pas être un ascète ni vivre
dans les mortifications corporelles qu'un saint François ou un saint
Bernard s'infligeaient. L'âme peut prier et passer directement de la
prière à l'extase dans un corps épuisé par les macérations et par les
veilles ; l'intelligence ne pourrait que difficilement y suivre à la trace le
contour subtil des idées ou dénouer les problèmes que forment leurs
nœuds souvent serrés. Saint Bonaventure le savait et c'est parce qu'il
ne voulait pas renoncer aux joies que procure à l'âme l'intelligence des
mystères de la foi qu'il devait nécessairement renoncer à suivre dans
ses étonnantes austérités le dépouillement total de saint François.

Aussi bien n'en sommes-nous pas réduits sur ce point à de simples
hypothèses, car, si l'on y prend garde, c'est lui-même qui nous l'a dit.
Dans un texte capital où saint Bonaventure entrelace avec sa virtuosité
coutumière les trois thèmes de la perfection des Ordres angéliques, de
la perfection des Ordres religieux et de la perfection des âmes, il se
place, lui et tous les membres de l'Ordre, sur un autre plan que celui
de saint François, et rien n'est plus instructif que la manière dont il
s'en distingue. L'Ordre des contemplatifs, qui occupe à ses yeux le sommet de la hiérarchie ecclésiastique, se subdivise selon lui en trois sous-
ordres : celui des suppliants, celui des spéculatifs et celui des extatiques. Les membres du premier vivent dans la prière, la dévotion et la
célébration des louanges divines ; ils y ajoutent juste ce qu'il faut de
travail manuel pour subvenir à leurs besoins ; tels sont, entre autres,
les Cisterciens, Prémontrés, Chartreux et les Chanoines réguliers de
Saint-Augustin ; ceux-là peuvent posséder, afin de pouvoir prier pour
ceux qui leur ont donné. Les membres de l'Ordre des spéculatifs sont
ceux qui s'adonnent à l'étude des Écritures ; ils ne peuvent d'ailleurs
s'y adonner que s'ils commencent par purifier leurs âmes, car on ne
peut comprendre les paroles de Paul que si l'on possède l'âme de Paul.
Tels sont les Dominicains et les Franciscains. Les Frères Prêcheurs
ont pour objet principal la spéculation, d'où leur nom de prêcheurs,

qui suppose avant tout la science de ce qu'ils enseignent, et ils se donnent comme objet secondaire l'onction ou jouissance du bien divin par l'amour. Les Frères Mineurs, au contraire, se donnent comme objet principal l'onction et comme objet secondaire la spéculation ; ils restent cependant des spéculatifs, et saint Bonaventure tient à rappeler que saint François voulait voir les Frères étudier, sous la seule condition qu'ils commenceraient par mettre leurs enseignements en pratique. *Multa enim scire et nil gustare quid valet?* Si les suppliants correspondent à l'Ordre des Thrones, les spéculatifs, même mystiques, correspondent à l'Ordre évangélique des Chérubins, et c'est là que saint Bonaventure prend place avec les autres Franciscains.

Or, chose extrêmement remarquable, ce n'est pas là qu'il assigne une place à saint François. Au-dessus des suppliants et des spéculatifs se trouvent les extatiques : *tertius ordo est vacantium Deo secundum modum sursumactivum, scilicet ecstaticum seu excessivum.* Leur Ordre correspondrait naturellement à celui des Séraphins, mais quel est-il et qui en fait partie? Ceux qui le constituent, si du moins il existe, sont des hommes pour qui l'extase est comme une sorte de grâce habituelle et naturelle, et il semble bien que saint François ait appartenu à cet Ordre-là. La preuve que ses dons séraphiques ne provenaient pas des grâces attachées à l'Ordre des Frères Mineurs, c'est qu'on l'avait déjà trouvé en extase et sans connaissance auprès d'une haie avant même qu'il ne prît l'habit. Les hommes de ce genre sont jusqu'à présent des êtres exceptionnels, car l'extase n'est possible que si l'âme se dégage pour un temps de son corps, le laissant littéralement inanimé, et elle ne s'en dégage que si elle l'a d'abord réduit et exténué au point de ne plus être retenue par les liens qui l'y attachent. La vie de l'extatique, et nous entendons par là celui dont la vie habituelle consiste à être en extase comme celle du spéculatif consiste à penser, suppose donc un tel épuisement du corps tout entier que celui qui la mène ne se soutiendrait pas sans quelque grâce spéciale du Saint-Esprit. Tout permet de croire que cet Ordre n'existe pas encore, mais que saint François a été désigné pour donner au monde le premier modèle de ce qu'il sera. Le Séraphin qui lui était apparu sur le mont Alverne n'était peut-être là que pour lui signifier la perfection séraphique de l'Ordre qui lui correspondrait plus tard. Et comme l'ange ailé lui imprima les stigmates de la Passion, il a sans doute voulu lui dire que cet Ordre ne se développerait qu'au milieu des souffrances et des tribulations, donc à la fin des temps et au moment où le Christ souffrira dans son corps mystique, l'Église. Il y a là un grand mystère, mais on conçoit aisément que l'Église ait besoin d'un secours extraordinaire dans les secousses qui l'ébranleront avant son triomphe définitif et que Dieu le lui envoie en multipliant ces hommes qui tiennent à peine à leurs corps et semblent toujours sur le point de s'envoler vers la Jérusalem céleste[1].

Ainsi l'état de perfection de saint Bonaventure est celui du spéculatif; l'état de l'extatique est celui de saint François. Il ne saurait donc être question, pour ceux à qui Dieu n'en a pas fait la grâce, de prétendre s'établir d'emblée dans une vie que leur corps ne supporterait pas et que d'ailleurs ils ne sauraient mener sans renoncer à la spéculation qui leur est échue en partage. Et d'autre part l'extase reste là, devant eux, comme un idéal incontestablement supérieur à celui de la pure spéculation, auquel par conséquent ils ont le droit et même le devoir de ne pas renoncer. Comment des spéculatifs peuvent-ils parvenir aux ravissements des extatiques, alors que l'ascétisme des extatiques leur est interdit par leur situation même de spéculatifs? Pour résoudre ce problème, il faut que la science vienne suppléer à l'ascèse; or, elle ne pourra s'adapter à ce nouveau rôle qu'à la condition de se réorganiser intérieurement en vue de cette fin. Tel nous semble avoir été la tâche définie que s'est consciemment imposée saint Bonaventure et qui

1. « Tertius ordo est vacantium Deo secundum modum sursumactivum, scilicet ecstaticum seu excessivum. — Et dicebat : Quis enim est? Iste est ordo seraphicus. De isto videtur fuisse Franciscus. Et dicebat, quod etiam antequam haberet habitum, raptus fuit et inventus juxta quamdam sepem. — Hic enim est maxima difficultas, scilicet in sursumactione, quia totum corpus enervatur, et nisi esset aliqua consolatio Spiritus Sancti, non sustineret. Et in his consummabitur Ecclesia. Quis autem ordo iste futurus sit, vel jam sit, non est facile scire. — Primus ordo respondet Thronis; secundus Cherubim; tertius Seraphim, et isti sunt propinqui Jerusalem et non habent nisi evolare. Iste ordo non florebit, nisi Christus appareat et patiatur in corpore suo mystico. — Et dicebat quod illa apparitio Seraph beato Francisco, quae fuit expressiva et impressa, ostendebat quod iste ordo illi respondere debeat, sed tamen habiturus ad hoc per tribulationes. Et in illa apparitione magna mysteria erant. — Sic ergo distinguuntur isti ordines secundum majorem et minorem perfectionem; comparatio autem est secundum status, non secundum personas; quia una persona laïca aliquando perfectior est quam religiosa » (In Hexaëm., XXII, 22-23, t. V, p. 440-441). Les scoliastes de Quaracchi semblent avoir été quelque peu inquiets de cette eschatologie et rappellent que dans l'Hexaëmeron, surtout quand il est question de ces matières, nous n'avons que le sens général des paroles prononcées par saint Bonaventure, t. V, p. 453. Nous observerons simplement que les vues de saint Bonaventure n'ont rien de commun avec celles de Joachim de Flore et se tiennent dans le cadre fixé par la tradition. Elles n'enseignent ni un évangile nouveau ni une révélation nouvelle, mais supposent comme vraisemblable la multiplication finale des extatiques, c'est-à-dire d'hommes appartenant à un degré de perfection plus élevé dans l'ordre de la spiritualité et dont le catholicisme n'est pas douteux, puisque leur modèle est saint François. Cf. In Hexaëm., XIII, 7, t. V, p. 389.

confère son caractère propre à la doctrine si complexe que nous allons examiner. Assimilant tout ce qui lui est assimilable, étroitement apparentée à la pensée augustinienne, elle évoque sans cesse à la mémoire le souvenir d'autres doctrines, et cependant elle ne répète jamais exactement ce que l'on a déjà entendu. C'est qu'en effet aucune autre, et pas même la philosophie de saint Augustin dont elle s'inspire, ne s'était proposé d'accomplir avec la même rigueur systématique la même tâche : reconstruire la connaissance humaine et l'univers entier en vue de la seule paix de l'amour[1]. Une métaphysique de la mystique chrétienne, tel est le terme ultime vers lequel a toujours tendu cette pensée. Nul titre doctoral ne pouvait donc définir plus plénièrement saint Bonaventure que celui de Docteur Séraphique; marquant tout ensemble la nécessité de la science et sa subordination aux ravissements mystiques, il rappelle avec une égale force ce que sa doctrine doit à l'enseignement de saint François et ce dont elle l'enrichit; l'histoire la plus exigeante ne fera jamais mieux sur ce point que de commenter et confirmer ce qu'a déjà fixé l'expérience de la tradition.

1. Cet idéal de la connaissance est affirmé de la façon la plus nette par saint Bonaventure lui-même : « Et hic est fructus omnium scientiarum, ut in omnibus aedificetur fides, honorificetur Deus, componantur mores, hauriantur consolationes quae sunt in unione sponsi et sponsae (*scil.* dans l'extase), quae quidem fit per caritatem, ad quam terminatur tota intentio sacrae Scripturae, et per consequens omnis illuminatio desursum descendens, et sine qua omnis cognitio vana est », *De reductione artium ad theologiam,* 26; éd min., p. 385.

CHAPITRE II.

La critique de la philosophie naturelle.

Pour comprendre comment une intuition de cet ordre a pu se développer en système, il faut la considérer d'abord, ainsi que l'a fait saint Bonaventure lui-même, comme une expérience. Le désir de Dieu n'est pas un sentiment artificiel que la philosophie doive introduire dans notre âme du dehors, c'est un sentiment naturel, une donnée de fait dont nous avons d'abord à prendre acte, et dont la justification complète constituera précisément la matière même de toute la vraie philosophie. En procédant ainsi par une sorte d'expérimentalisme intérieur, et en demandant à la connaissance de l'âme le fondement de sa doctrine, saint Bonaventure demeure fidèle à la tradition augustinienne, mais surtout il cherche son point d'appui sur un terrain que sa vie intérieure lui a rendu familier.

C'est un fait que l'âme humaine est travaillée par des désirs qui sont les ressorts cachés de son activité et dont la satisfaction détermine la suite de ses diverses opérations. L'homme désire naturellement la connaissance, le bonheur et la paix ; la connaissance, puisque nous voyons sa pensée scruter curieusement les essences des choses ; le bonheur, puisque tout homme et même tout animal agit toujours en vue de se procurer un bien ou d'éviter un mal ; la paix, puisque la recherche de la connaissance ou celle du bonheur ne sont pas voulues pour la recherche même, mais pour l'apaisement du désir qui l'engendre par le calme et le repos qui suivent le mouvement arrivé à sa fin. Cet amour de la paix est donc comme la perfection et l'achèvement des deux autres ; il est si profondément inné dans notre âme que c'est encore la paix que nous cherchons à travers les troubles de la guerre et que les démons ou les damnés y aspirent encore dans le désespoir où ils sont plongés[1]. C'est cette même paix que le Christ est venu apporter à un

---

1. *De myst. Trinit.*, I, 1, 6-8, t. V, p. 46.

monde qu'il savait en être assoiffé lorsqu'il disait aux hommes : « Je vous laisse ma paix, je vous donne ma paix »; prédication renouvelée par saint François, qui annonçait la paix au début et à la fin de tous ses discours, souhaitait la paix à chacun de ceux qu'il saluait, aspirait à la paix de l'extase dans chacune de ses oraisons mystiques. C'est cette paix enfin qu'à l'exemple de saint François, saint Bonaventure avait poursuivie de toute l'ardeur de son âme sur le mont Alverne en accomplissant son pèlerinage vers Dieu[1].

Or, on ne peut observer avec attention ce triple désir sans apercevoir qu'il ne possède pas en soi de quoi se satisfaire et même qu'il ne saurait trouver satisfaction dans aucun objet fini. C'est un fait noté par Aristote lui-même que la connaissance de l'âme humaine est naturellement dépourvue de limites; nous ne sommes pas doués d'une faculté de connaître déterminée à tel ou tel objet, nous sommes au contraire capables de connaître tout ce qui est connaissable, et c'est le sentiment de notre aptitude universelle qui engendre en nous le désir que nous avons expérimenté. Capables de tout connaître, nous ne sommes jamais satisfaits par la connaissance d'un objet déterminé; confusément, mais intensément, nous aspirons donc à la possession de tout le connaissable et de ce dont la connaissance permet de connaître tout le reste. De même en ce qui concerne le bien; nous aimons tout ce qui est bon comme nous cherchons à connaître tout ce qui est intelligible, et c'est pourquoi aucun bien particulier ne nous suffit. A peine l'avons-nous aimé que l'infinité de notre désir nous entraîne vers un autre comme si, à travers la suite indéfinie des biens particuliers, nous cherchions un bien absolu qui soit la fin de tous les autres. Il est donc évident par là même que nous ne saurions trouver dans aucun objet fini la paix qui suit la satisfaction complète de tous les désirs. Pour jouir de la paix, il faut être parfaitement heureux et nul n'est heureux s'il ne s'estime tel. Or, puisque notre connaissance tend toujours vers un autre objet par delà tout objet fini, et puisque notre désir tend toujours vers un autre bien par delà tout bien fini, nous ne trouverons jamais dans rien qui soit fini notre complément, notre achèvement et notre paix. Pour qui sait voir, toute la philosophie est inclue dans cette expérience initiale : *nata est anima ad percipiendum bonum infinitum, quod Deus est, ideo in eo solo debet quiescere et eo frui*[2]; mais il nous reste à l'en faire sortir.

Avant d'entreprendre cette tâche, une question s'impose à notre

1. *Itinerarium*, Prol., 1-2; éd. min., p. 289-290.
2. *I Sent*, 1, 3, 2, Concl., t. I, p. 40; *Sermo II de reb. theol.*, 9, t. V, p. 541-542.

attention : cette philosophie n'existe-t-elle pas déjà? Depuis si longtemps que le monde dure et que des cités ordonnées se sont constituées, il s'est rencontré des classes sociales jouissant d'un loisir suffisant et des penseurs doués d'un génie assez profond pour qu'une
explication rationnelle de l'univers ait déjà pu se constituer. Si nous
considérons en particulier la période de l'histoire humaine qui s'est
écoulée avant la venue du Christ, nous constaterons qu'elle s'est mon-
trée extrêmement riche en systèmes de toutes sortes. Ne pourrions-
nous pas trouver là de quoi nous satisfaire? Ou bien, si nous arrivons à
cette conclusion que la pensée humaine livrée à ses seules ressources
n'a jamais été capable de saisir la vérité, ne pourrions-nous pas assigner une raison permanente et profonde de cet échec?

Remarquons d'abord que saint Bonaventure conçoit clairement la
distinction formelle de la raison et de la foi et rappelons, puisque le
fait a été mis en doute, qu'il lui eût été absolument impossible de ne
pas les distinguer. C'était une expérience historique concluante en la
matière que l'existence des philosophies païennes comme celles de Platon et d'Aristote. Puisqu'il avait existé des générations entières
d'hommes qui n'avaient pas joui de la grâce de la révélation, il avait
nécessairement fallu que ces hommes fissent usage de leur raison indépendamment de la foi; la distinction des principes spécificateurs de la
philosophie et de la théologie ne pouvait donc être ignorée de personne
au moyen âge et, en fait, saint Bonaventure a prouvé qu'il les discernait
fort bien. La philosophie proprement dite est pour lui comme pour tout
le monde la connaissance des choses que l'homme peut acquérir au
moyen de la seule raison. Son caractère distinctif est une certitude
absolue : *veritatis ut scrutabilis notitia certa*[1], et ce caractère s'explique
par le fait qu'à la différence de la certitude qu'inspire la foi, celle de la
philosophie est fondée sur la claire vue de la vérité par la raison. La
certitude d'adhésion de la foi est assurément la plus forte de toutes,
car elle est fondée sur un attachement indéfectible de la volonté. Le
croyant tient à la vérité qu'il croit par un attachement plus intime et
plus profond que celui qui sait ne tient à sa connaissance. C'est l'amour
qui est ici en jeu, et il ne se laisse pas détourner. Aussi voyons-nous
les vrais croyants ne jamais se laisser entraîner à renier, même de
bouche, la vérité pour laquelle ils souffrent mille tourments, ce que
jamais un homme de bon sens ne ferait pour une certitude purement

1. *De donis S. S.*, IV, 5, t. V, p. 474; *De reduct. artium ad theologiam*, 4; éd. min ,
p. 369.

spéculative. Un géomètre qui accepterait de subir la mort pour maintenir la vérité d'une proposition géométrique, si certaine fût-elle, ne joui-
rait évidemment pas de toute sa santé d'esprit, alors qu'un vrai croyant,
s'il possédait en son entier la science de la philosophie, aimerait mieux
la perdre tout entière que d'ignorer un seul article de foi. Mais si nous
considérons, au contraire, la certitude de connaissance, celle qui naît
par conséquent de l'intelligence et non de la volonté, la certitude
rationnelle l'emporte de bien loin sur celle de la foi. Ce que l'on sait de
science certaine, comme c'est le cas par exemple pour les premiers
principes, on n'a aucun moyen d'en douter, on ne peut ni le contredire
ni l'ébranler dans l'opinion des autres non plus que dans la sienne ; on
ne conçoit pas même en imagination la possibilité de le nier[1].

Pour ajouter à la connaissance innée et certaine qu'elle possède des
principes la connaissance des choses qui lui sont extérieures, la raison
humaine doit s'employer à l'acquérir[2]. Or, cette acquisition n'est possible que si la lumière naturelle suit la voie régulière par laquelle nous
parviennent les idées des êtres ou des objets sensibles : le sens d'abord,
qui nous permet d'entrer en contact avec leurs natures propres ; la
mémoire ensuite, qui conserve le souvenir des sensations multiples que
nous avons éprouvées d'un même objet ; l'expérience enfin, qui résume
en une impression commune les images laissées en nous par cet objet.
La philosophie n'a pas d'autre fin que de recueillir et d'ordonner toutes
les connaissances innées ou acquises par cette méthode purement naturelle, et saint Bonaventure répète volontiers avec saint Augustin : *quod
credimus debemus auctoritati, quod intelligimus rationi*[3]. Il ne confond
donc aucunement les deux méthodes de la raison et de la foi.

En opposition avec les principes et les méthodes de la philosophie se

---

1. *III Sent.*, 23, 1, 4, Concl., t. III, p. 481 ; *Itinerarium*, III, 2 ; éd. min., p. 315 ; *In
Joann.*, prooem. 10, ad 1ᵐ. t. VI, p. 243.

2. « Philosophia quidem agit de rebus ut sunt in natura seu in anima secundum notitiam
naturaliter insitam vel etiam acquisitam » (*Breviloquium*, Prol., 3, 2 ; éd. min., p. 18).
« Ratio superior... etiam habet judicare secundum lumen proprium et secundum lumen
sibi ab inferiori acquisitum » (*II Sent.*, 24, 2, 1, 1, Concl., t. II, p. 575, et 17, 1, 1, ad 6ᵐ,
t. II, p. 413 ; *De reduct. art. ad theolog.*, 4 ; éd. min., p. 369). Cf. *In Hexaëmeron*, III,
25, t. V, p. 347 ; *III Sent.*, 35, un. 2, Concl., t. III, p. 776. — Pour ce qui suit : « Adden-
dum est tamen quod ratio in inquirendo dupliciter potest procedere : aut prout est adjuta
radio fidei, aut prout judicio proprio relicta est, et sic procedit inspiciendo ad naturas et
causas inferiores ; acquirit enim scientiam per viam sensus et experientiae », *II Sent.*, 30,
1, 1, Concl., t. II, p. 716.

3. Saint Augustin, *De utilitate credendi*, XI, 25 ; P. L., t. 42, col. 83 ; saint Bonaventure, *Breviloquium*, 1, 1, 4 ; éd. min., p. 35.

dresse en effet l'édifice de la théologie. Ici le point de départ de la recherche n'est plus la lumière naturelle de la raison et l'évidence qu'elle découvre, mais le contenu de l'Écriture accepté comme vrai par un acte volontaire de la foi. Non pas que la foi, prise en elle-même, appartienne déjà au système de la théologie. La foi pure n'est que l'adhésion du croyant à ce que l'Écriture nous enseigne ; or, l'Écriture n'explique pas et ne justifie pas rationnellement son contenu ; elle n'est là que pour assurer notre salut en nous disant ce qu'il faut faire ou ce qu'il faut éviter ; elle procède donc par mode de préceptes impératifs ou prohibitifs, d'exemples persuasifs racontés sous forme d'histoires, de promesses séduisantes ou de menaces terrifiantes ; sachant que nous devenons meilleurs plutôt par une inclination de la volonté que par une réflexion de la pensée, elle cherche plutôt à varier indéfiniment ses procédés pour s'accommoder aux différentes inclinations qui meuvent en sens divers les âmes qu'à s'astreindre aux lois d'une dialectique immuable comme celle qui régit les démarches de la raison[1].

Cependant, si la foi prise à l'état pur ne comporte aucun appareil de preuves logiques, elle tend d'elle-même à se donner les raisons de ce qu'elle croit, et cette tendance, inhérente à la foi même, est l'origine première de la théologie. Il apparaît donc immédiatement que l'ordre suivi par la théologie est inverse de celui que suit la philosophie ; celle-ci se termine en effet au point où celle-là commence. Puisque la philosophie part de la raison et de l'expérience sensible, le point d'aboutissement le plus élevé auquel elle puisse prétendre ne saurait être autre que Dieu ; puisque au contraire la théologie part de la révélation divine, elle débute par la cause première comme si l'ordre de la connaissance était l'ordre des choses, et elle redescend du premier principe à ses effets[2]. Il apparaît en outre que la méthode démonstrative est tout autre dans le domaine de la théologie que dans celui de la philosophie. L'une et l'autre science argumentent, et elles argumentent par les mêmes procédés syllogistiques chaque fois que le théologien peut le juger nécessaire, mais elles n'argumentent jamais au nom des mêmes principes ni en vue d'une même fin. La théologie cherche toujours la majeure de ses syllogismes dans une assertion de l'Écriture garantie par l'autorité divine et toutes ses démonstrations se mettent au service de la foi : *ad promotionem fidei*. Tantôt elle confond par des raisons catholiques et

---

1. *Breviloquium*, Prol., 5, 2 ; éd. min., p. 24.
2. *Breviloquium*, I, 1, 3 ; éd. min., p. 34.

des analogies bien choisies les raisonneurs bavards qui l'attaquent ; tantôt elle réchauffe les fois tièdes par des arguments qui les confirment, car si les tièdes n'apercevaient aucune probabilité en faveur de la foi et beaucoup de raisons contre, ils cesseraient bientôt de croire ; tantôt enfin la théologie argumente pour la plus grande joie des parfaits, car c'est un état délicieux que celui d'une âme croyante qui se délecte dans l'intelligence de ce qu'elle croit d'une foi parfaite[1]. Dans tous les cas, la théologie procède par la même voie, qui est celle de l'autorité[2], et vers la même fin, qui est de rendre le croyable intelligible en y introduisant de la raison : *credibile prout transit in rationem intelligibilis et hoc per additationem rationis*[3].

Le problème de la distinction entre la foi et la théologie d'une part, la raison et la philosophie d'autre part, se résout donc aussi simplement dans la doctrine de saint Bonaventure que dans celle d'Albert le Grand et de saint Thomas d'Aquin ; mais sur ce problème vient s'en greffer un autre que l'on a tendance à confondre avec lui, et de cette confusion naissent d'inextricables difficultés dans l'interprétation de la doctrine. La raison nous donne des connaissances certaines et qui, en tant que connaissances, n'ont rien de commun avec les certitudes de la foi ; on peut donc imaginer sans peine une philosophie idéale qui ne serait qu'un tissu de telles certitudes, l'évidence initiale des premiers principes se transmettant au réseau tout entier de leurs conséquences indéfiniment ramifiées ; ceci est la vérité de droit, et elle est incontestable ; mais cette vérité de droit laisse intacte la question de fait : sommes-nous capables, par les seules ressources de notre raison et dans notre situation actuelle, de tisser ce tissu de principes et de conséquences sans l'entremêler des plus grossières erreurs, et, si nous n'en sommes pas capables, où trouverons-nous la lumière qui viendra nous éclairer ?

Ici encore il convient de procéder avec prudence et de distinguer. En elles-mêmes, ni la philosophie pure ni la lumière naturelle de la raison

---

1. « Miro enim modo anima delectatur in intelligendo quod perfecta fide credit », *I Sent.*, prooem., II, Concl., t. I, p. 11. Cf. saint Bernard, *De consideratione*, V, 3, fin.

2. « Quoniam igitur hi modi narrativi non possunt fieri per viam certitudinis rationum, quia particularia gesta probari non possunt, ideo, ne Scriptura ista tanquam dubia vacillaret, ac per hoc minus moveret, loco certitudinis rationis providit Deus huic Scripturae certitudinem auctoritatis, quae adeo magna est, quod omnem perspicacitatem humani ingenii superexcellit », *Breviloquium*, Prol., 5, 3 ; éd. min., p. 25. La théologie, fondée sur la foi en la révélation, repose nécessairement sur le même fondement.

3. *I Sent.*, prooem., I, Concl., t. I, p. 7.

sur laquelle elle se fonde ne sauraient être considérées comme radicalement mauvaises, et nous pouvons même être assurés du contraire; la raison doit être radicalement bonne, puisque nous la tenons de Dieu. Il est exact que la théologie l'emporte sur la philosophie pure en ce qu'elle suppose l'intervention d'une lumière infuse et surajoutée qui nous élève de la raison naturelle à l'intelligence de la foi; mais la raison naturelle elle-même est déjà une lumière d'origine divine et par conséquent il n'y a rien que de légitime et de sûr à la suivre. Réfléchissons d'ailleurs aux caractères distinctifs que nous lui avons attribués : elle est absolument évidente et confère à la pensée une certitude infaillible; ce sont là des qualités qui ne s'expliqueraient jamais du point de vue de la nature humaine considérée en elle-même, et cette immutabilité de nos connaissances rationnelles suppose précisément qu'elle est surnaturelle dans son principe comme le seront plus tard la lumière de la foi ou les dons du Saint-Esprit qui la compléteront. Et, en effet, elle n'est en nous rien d'autre que le reflet de la lumière créatrice sur notre visage : *prima visio animae est intelligentiae per naturam inditae; unde dicit Psalmus : Signatum est super nos lumen vultus tui Domine*[1]. Il est donc clair que si la raison est une lumière d'origine divine elle ne saurait par elle-même nous conduire à l'erreur; mais cette conclusion pose à son tour un nouveau problème : cette lumière infaillible en elle-même, sommes-nous capables de nous en servir sans nous tromper?

Pour des raisons que nous aurons à étudier plus tard, et qui d'ailleurs échappent aux prises de la raison naturelle comme telle, saint Bonaventure estime que nous ne le sommes pas. Sans doute, il n'est pas sans distinguer de vraies et de fausses philosophies, mais toutes les vraies philosophies ne sont telles à ses yeux que parce que la raison qui les a élaborées s'est trouvée confortée par un secours surnaturel quelconque, et si nous voulons assigner la nature de ce secours nous devons distinguer entre deux périodes de l'histoire humaine, avant et après Jésus-Christ.

Avant Jésus-Christ les hommes n'avaient pas à leur service les lumières de la foi, mais ils pouvaient cependant user de leur raison de deux manières bien différentes. Ou bien, en effet, ils s'en servaient

---

1. *In Hexaëm.*, IV, 1, t. V, p. 349. Cf. : « Donum scientiae duo antecedunt, unum est sicut lumen innatum, et aliud est sicut lumen infusum. Lumen innatum est lumen naturalis judicatorii sive rationis; lumen superinfusum est lumen fidei » (*De donis S. S.*, IV, 2, t. V, p. 474). « Illud intelligitur de lumine naturae, non gratiae, et quilibet habet signatum lumen vultus Dei », *Comm. in Joann.*, I, 30, t. VI, p. 253.

comme d'un instrument pour satisfaire leur curiosité personnelle, amassant des connaissances relatives aux choses comme si les choses avaient été la véritable fin de la connaissance et comme si la raison avait le droit de satisfaire son égoïste cupidité, et alors ils tombaient dans les plus grossières erreurs ; l'idolâtrie des Égyptiens, par exemple, fut la conséquence normale d'une activité rationnelle qui se prenait elle-même et ses objets comme fin ; c'est la divinisation de la matière. Ou bien, au contraire, la raison naturelle, consciente de son origine divine et soucieuse de remonter à sa propre source, tendait son désir vers Dieu, implorant de lui plus de lumière, et ce désir, pourvu qu'il fût ardent, ne pouvait pas ne pas être exaucé. Ainsi firent ceux des anciens qui reçurent de Dieu une illumination de la raison bien avant celle que devait nous apporter la foi et qui se rendirent maîtres, grâce à son secours, des grandes vérités de la philosophie. Patriarches, prophètes, philosophes, tous ces hommes furent des fils de lumière même sous la loi de nature, et ils l'étaient parce qu'ils avaient voulu recueillir la science à sa source même, en Dieu[1].

Le type le plus parfait de ces illuminés sans la foi fut incontestablement Salomon. Toute sa science lui venait de Dieu comme l'exaucement d'un désir ; ayant beaucoup désiré, il avait enfin reçu : *sic fecit Salomon et factus est clericus magnus*[2]. Or, lorsqu'elle est ainsi obtenue, la philosophie se présente manifestement comme un don de Dieu, encore qu'il puisse exister des dons plus parfaits, tels que les dons du Saint-Esprit[3], et c'est d'elle qu'il est écrit dans les Proverbes : *ecce, descripsi eam tripliciter in cogitationibus et scientia, ut ostenderem tibi firmitatem et eloquia vanitatis* (*Prov.*, 22, 20 et 21). Par cette parole, Salomon n'affirme pas seulement la solidité de la connaissance philosophique, il en pose encore la triple distinction. Et, en effet, cette science se divise en trois parties, selon qu'elle étudie la vérité des choses, la vérité des discours ou la vérité des mœurs. La première considère l'être

---

1. « Apud Aegyptios densissimae tenebrae erant, sed Sanctis tuis maxima erat lux. Omnes qui fuerunt in lege naturae, ut Patriarchae, Prophetae, Philosophi, filii lucis fuerunt », *In Hexaëm.*, IV, 1, t. V, p. 348.

2. Le thème familier au moyen âge de la science de Salomon vient du texte de la *Sagesse*, qui fonde en effet la connaissance sur le désir : *Propter hoc optavi et datus est mihi sensus*, *Sap.*, VII, 7-23. Cf. *Comm. in Sap.*, VII, t. VI, p. 152 et 155. C'est de là que sort la description de toutes les connaissances de Salomon. Saint Bonaventure adopte d'ailleurs une autre classification des sciences inspirée par Hugues de Saint-Victor, *De reduct. artium ad theologiam*, éd. min., p. 365 et suiv.; *In Hexaëm.*, IV, t. V, p. 349-353.

3. *In Hexaëm.*, IV, 1 et 4, t. V, p. 473-474.

dans son rapport et son accord intime avec la source de tout être ; la deuxième étudie le rapport de l'être affirmé par le discours à l'être réel ; la troisième définit le rapport qui unit l'être à sa fin. De là découle la triple vérité décrite par Salomon : la vérité des mœurs, règle d'une vie qui s'accorde à la règle du droit posée par la raison ; la vérité des discours, qui réside dans l'accord de la parole avec la pensée : *adaequatio vocis et intellectus;* la vérité des choses enfin, qui réside dans l'accord de la pensée avec l'être : *adaequatio intellectus et rei.*

Or, on ne peut douter que Salomon n'ait pleinement possédé cette triple science. Il fut maître de celle du discours, car il est écrit dans la Sagesse : *mihi autem dedit Deus dicere de sententia (Sap.,* 7, 15 et 16) ; et cette maîtrise suppose nécessairement qu'il ait su s'exprimer correctement au moyen de la grammaire, discuter rationnellement au moyen de la science logique, persuader efficacement au moyen de la rhétorique. Mais Salomon nous dit encore qu'il se rendit maître de la science des choses : *mihi dedit Deus eorum quae sunt scientiam veram.* Il posséda par conséquent la triple science des êtres selon le triple mode de subsistance des formes concrètes, abstraites et séparées, et par là il fut à la fois physicien, métaphysicien, mathématicien. Métaphysicien, puisqu'il reçut de Dieu *scientiam eorum quae sunt,* c'est-à-dire des êtres en tant qu'ils sont vraiment êtres, et par conséquent de leurs formes abstraites de la matière ; mathématicien, puisqu'il connut la disposition du globe terrestre et sut considérer les formes comme séparées et pures de toute matière[1] ; physicien enfin, puisqu'il connut les propriétés des éléments et par conséquent les formes concrètes dans leur union avec la matière. Salomon a tout su et tout enseigné. Ajoutons enfin qu'il en est exactement de même en ce qui concerne la troisième partie de la philosophie, la morale,. puisqu'il a parcouru l'univers par la pensée pour connaître les sages et les insensés, juger de la bonne et de la mauvaise discipline des mœurs, connaître par conséquent les règles de la vie droite dans l'ordre monastique, ou gouvernement de soi ; dans l'ordre économique, ou gouvernement de la famille ; dans l'ordre poli-

---

1. On peut mesurer, en comparant sur ce point les deux textes, le progrès de la pensée bonaventurienne entre le *Comment. in Sapient.,* c. VII, t. VI, p. 155, et l'*In Hexaëm.,* *loc. cit.* Il est également remarquable que saint Bonaventure ne donne pas aussi immédiatement au terme sagesse une signification extatique dans ses premières œuvres que dans les dernières. On trouvera une autre description de la science de Salomon dans le *De donis S. S.,* IV, 8, t. V, p. 475 : « Non creditis quod Salomon istam triplicem notitiam acquisierit...? », etc.

tique, ou gouvernement de la cité. Salomon a donc possédé les trois
parties de la science philosophique et les trois subdivisions de chacune
d'elles; admirable miroir pour contempler Dieu, que ces neuf disciplines[1], et s'il est vrai que Salomon n'a pu y lire tout ce que la révélation nous permet d'y découvrir, il n'est pas moins vrai qu'ayant voulu
puiser sa connaissance à la source même, et non dans les ruisselets qui
en dérivent, il l'a recueillie dans un état de parfaite limpidité[2].

Plus près de nous dans l'histoire, l'opposition que nous avons constatée entre les patriarches et les Égyptiens idolâtres se renouvelle entre
les disciples de Platon et ceux d'Aristote. Saint Bonaventure a pleine
conscience de se trouver ici encore en présence de deux attitudes mentales irréductibles qui engendrent deux interprétations de l'univers
absolument inconciliables : l'univers d'Aristote, né d'une pensée qui
cherche la raison suffisante des choses dans les choses mêmes, détache
et sépare le monde de Dieu; l'univers de Platon, si du moins l'interprétation qu'en donne saint Augustin est exacte, qui insère entre Dieu et
les choses le moyen terme des idées : c'est l'univers des images, le
monde dont les choses sont à la fois des copies et des signes, sans
nature autonome qui leur soit propre, essentiellement dépendantes,
relatives, et qui invite la pensée à chercher au delà des choses et au-dessus d'elle-même la raison de ce qu'elles sont. Si donc on pénètre jusqu'au fond des doctrines pour mettre à nu l'esprit qui les anime, on
constate que l'esprit humain a déjà choisi depuis longtemps entre deux
perspectives sur l'univers, dont l'une s'orientait vers le christianisme
et dont l'autre lui tournait le dos. Essentiellement païenne parce qu'elle
adopte sur les choses le point de vue des choses mêmes, ce n'est pas
merveille si la philosophie d'Aristote a si bien réussi dans l'interprétation des choses naturelles; elle était tournée vers la terre dès sa
démarche originelle et organisée en vue de s'en emparer. La philoso-

---

1. « Ostendit igitur Salomon se pervenisse ad triformem descriptionem scientiae philosophicae... Qui haberet descriptionem istarum scientiarum secundum veritatem, maximum
speculum haberet ad cognoscendum, quia nihil est in aliqua istarum scientiarum, quod non
importet vestigium Trinitatis. Illud esset facile ostendere, sed longum esset », *De donis
S. S.*, IV, 11, t. V, p. 475. C'est le thème qu'a développé le *De reductione artium ad theologiam*.

2. « Psalmus David dicit quod magnus doctor scientiarum Deus est. Scitis, si aliquis
habet haurire aquam, libentius haurit eam ab originali suo principio quam a rivulo. Ideo,
si Dominus est doctor magnus et donator doni de quo intendimus loqui, oportet quod
recurramus ad fontem illum ad illuminationem consequendam », *De donis S. S.*, IV, 1,
t. V, p. 473. En termes théologiques, Salomon et les patriarches illuminés l'ont été en vertu
du don de science que leur a conféré le Saint-Esprit.

phie de Platon, au contraire, était, d'intention première, une philosophie de l'au-delà[1], situant les raisons des choses hors des choses mêmes,
au point de leur dénier parfois avec excès toute subsistance propre ;
c'était donc une pensée orientée dès sa naissance vers la surnature, une
philosophie de l'insuffisance des choses et de la science que nous en
avons. Ainsi tous les philosophes ont vu qu'il existe une première
cause, principe et fin de toutes choses, mais les maîtres de vérité se distinguent des maîtres d'erreur comme la lumière se distingue des
ténèbres sur le problème du moyen qui relie les êtres à leur principe.
Il y a une vraie philosophie, c'est celle des causes exemplaires, et elle
est vraie précisément parce qu'elle attribue aux choses une nature telle
que leur explication intégrale soit impossible de leur propre point de
vue ; et il y a une fausse philosophie, c'est celle qui nie les causes exemplaires ; or, elle n'est fausse que parce qu'elle arrête la raison sur des
images comme si elles étaient des choses autonomes, au lieu de l'inviter
à se dépasser et à les dépasser pour remonter jusqu'à Dieu.

Aristote, chef de ceux qui nient les idées et critique acharné de cette
doctrine, supprima en effet tout intermédiaire entre les choses et Dieu.
Son Dieu ne connaît que lui-même et n'a besoin de la connaissance
d'aucune autre chose ; il n'en a même pas besoin pour les mouvoir, car
il n'agit pas sur elles comme cause efficiente ; il ne les meut qu'en tant
que cause finale, comme désiré et comme objet aimé. Dieu ne connaît
donc pas le particulier. De cette suppression des idées découle, comme
d'une erreur primitive, toute une série d'autres erreurs. Dieu ne peut
pas avoir de prescience ni de providence des choses, puisqu'il ne possède pas en soi les idées par lesquelles il les connaîtrait. Ces philosophes disent encore que toute vérité sur le futur est une vérité nécessaire et que la vérité des propositions sur les futurs contingents n'en
est pas une ; d'où il résulte que tout arrive par hasard ou par la nécessité du destin, et, comme il est impossible de soutenir que l'ordre des
choses résulte du hasard, ils introduisent la nécessité fatale des Arabes
et soutiennent que les Intelligences motrices des sphères sont les causes
nécessaires de toutes choses. C'est ce qui leur cache la vérité relativement aux fins dernières ; si tout ce qui se fait résulte de la marche inerrante des astres, ce qui arrive ne peut pas ne pas arriver, il n'y a plus
ni liberté ni responsabilité, donc ni démon, ni enfer, ni ciel ; et, de fait,

1. A moins, bien entendu, que Platon n'ait réellement posé les idées comme indépendantes de Dieu, *II Sent.*, 1, 1, 1, 1, ad 3^m, t. II, p. 17. Encore aurait-elle eu le mérite de
mettre Augustin sur le chemin de la vérité.

nous ne voyons pas que jamais Aristote ait parlé du démon ni de la béatitude des élus.

Voici donc une triple erreur à porter au compte de ce philosophe : ignorance de l'exemplarisme, de la providence divine et des fins du monde ; il en résulte un triple aveuglement. Le premier est celui de l'éternité du monde, doctrine qu'on s'accorde à lui attribuer et qu'il paraît bien avoir enseignée, puisqu'il ne dit jamais que le monde ait eu un commencement, et qu'il incrimine, au contraire, Platon de l'avoir soutenue. De cet aveuglement en résulte un autre, celui de l'unité de l'intellect agent ; car si le monde est éternel on aboutit nécessairement à l'une des conséquences suivantes : ou bien qu'il y a une infinité d'âmes puisqu'il y a eu une infinité d'hommes ; ou que l'âme est mortelle ; ou que les mêmes âmes passent de corps en corps par voie de métempsycose ; ou qu'il n'y a qu'un intellect unique pour tous les hommes, erreur attribuée à Aristote lorsqu'on l'interprète comme Averroès. D'où revient par voie de conséquence naturelle la négation des récompenses et des peines après la mort. Voilà dans quelles erreurs sont tombés les philosophes qui n'ont pas relié le monde à Dieu. Et ce sont les pires de toutes les erreurs. Or, elles ne sont pas encore mortes ; la clef du puits de l'abîme ne s'est pas refermée sur elles ; comme les ténèbres de l'Égypte, elles obscurcissent bien des intelligences, et, quoiqu'une grande lumière ait semblé luire dans les œuvres des philosophes par les sciences qu'ils ont constituées, elle s'est trouvée éteinte sous leurs erreurs, à tel point que certains, voyant Aristote si grand et si véridique dans les autres sciences, n'ont pu croire que sur ces questions si hautes il n'ait pas dit également la vérité[1].

Or, il n'était pas inévitable que la raison méconnût les fondements de la métaphysique ; elle pouvait les déterminer avec rigueur sans le secours de la foi, mais elle ne le pouvait qu'en s'engageant dès son point de départ sur la route qui lui permettrait de la rejoindre. Comme Salomon, bien qu'à un moindre degré sans doute, les philosophes qui ont découvert l'exemplarisme et affirmé la réalité des idées étaient des illuminés ; Platon, Plotin, Cicéron n'avaient pas d'autre ressource que

---

1. « Hi ergo ceciderunt in errores nec fuerunt divisi a tenebris : et isti sunt pessimi errores. Nec adhuc clausi sunt clave putei abyssalis. Hae sunt tenebrae Aegypti ; licet enim magna lux videretur in eis ex praecedentibus scientiis, tamen omnis exstinguitur per errores praedictos. Et alii videntes quod tantus fuit Aristoteles in aliis et ita dixit veritatem, credere non possunt quin in istis dixerit verum », *In Hexaëm.*, VI, 1-5, t. V, p. 360-361. Cf., sur les excuses possibles en faveur d'Aristote, *Ibid.*, VII, 2, t. V, p. 365.

leur raison, mais cette raison ne se prenait pas pour règle ultime des choses et elle pressentait sous les choses elles-mêmes une présence divine. Remarquons, en effet, que tous ces philosophes furent les adorateurs d'un seul Dieu ; c'était donc bien une conversion initiale de leur pensée vers la source vraie des êtres qui leur permettait d'éviter les erreurs dans lesquelles Aristote s'était abîmé[1]. Mais si la course de leur raison était droite, elle demeurait nécessairement bornée, de telle sorte que ceux-là même qui ne s'étaient pas trompés en chemin se trompaient à la fin, faute de connaître le terme vers lequel ils tendaient. Illuminés, mais sans la foi, ces penseurs ne pouvaient donc aboutir qu'à une vérité défigurée et tronquée, et, bien qu'ils ne fussent pas dans l'aveuglement d'Aristote, ils étaient cependant plongés dans des ténèbres[2] que seule pouvait dissiper la lumière supérieure de la foi. C'est qu'en effet une raison qui va jusqu'au bout d'elle-même s'arrête ; or, l'arrêt et le repos de la raison sur elle-même, c'est l'erreur. Supposons qu'un homme possède la physique et la métaphysique ; le voilà donc parvenu jusqu'aux substances supérieures, et même jusqu'à l'affirmation d'un seul Dieu principe, fin et cause exemplaire des choses. Parvenu à ce point, il cesse nécessairement d'avancer, et le voilà du même coup dans l'erreur, à moins qu'illuminé par le rayon de la foi il ne croie en un Dieu un et triple, infiniment puissant et infiniment bon ; or, croire autre chose c'est déraisonner sur Dieu ; celui qui ne possède pas ces connaissances attribue à des créatures ce qui est le propre de Dieu, il blasphème ou tombe dans l'idolâtrie en attribuant aux choses une simplicité, une bonté, une efficace qui n'appartiennent qu'au créateur. C'est pourquoi la métaphysique a précipité dans l'erreur tous les philosophes, même les plus sages, lorsqu'ils n'ont pas eu la lumière de la foi. Éternelle conséquence d'une erreur qui est toujours la même : la philosophie n'est

1. « Alii philosophi illuminati posuerunt ideas ; qui fuerunt cultores unius Dei, qui omnia bona posuerunt in optimo Deo... sicut posuit nobilissimus Plotinus de secta Platonis et Tullius sectae academicae. Et isti videbantur illuminati et per se posse habere felicitatem », *In Hexaëm.*, VII, 3, t. V, p. 365 ; *Ibid.*, VI, 6, p. 361. Dès ses premiers commentaires, saint Bonaventure a opposé la doctrine platonicienne de la providence (d'après le Timée, dans la traduction de Chalcidius : « Nihil est cujus ortum non praecesserit legitima causa ») à l'erreur aristotélicienne ; cf. *In Joann.*, I, 13, t. VI, p. 249 ; *In Sap.*, XIV, vers. 3, t. VI, p. 196 ; *In Eccles.*, IX, vers. 12, t. VI, p. 77.

2. « Sed adhuc isti in tenebris fuerunt, quia non habuerunt lumen fidei, nos autem habemus lumen fidei... Illi autem praecipui philosophi posuerunt sic illuminati, tamen sine fide per defluxum in nostram cognitionem virtutes cardinales », *In Hexaëm.*, VII, 3-4, t. V, p. 366.

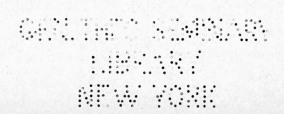

qu'un acheminement à dès sciences plus hautes, celui qui veut s'y arrêter tombe dans les ténèbres[1].

Ce qui est vrai de la métaphysique ne l'est pas moins de la logique et de la morale. La logique trouve son couronnement dans la rhétorique où l'on dispute sur l'utile et le nuisible, les actions sûres et celles qui sont dangereuses, les méritoires et les coupables. Or, l'homme ne peut savoir ce qui lui est utile et ce qui lui est préjudiciable si rien ne s'ajoute à la connaissance qu'il en a par la seule raison[2]. De même pour la science des vertus telle que la morale humaine la plus parfaite nous permet de l'acquérir. Les philosophes illuminés qui ont placé dans les idées divines les exemplaires éternels des choses y ont placé aussi les exemplaires de nos vertus; ils ont enseigné, et à juste titre, une illumination morale qui reproduit l'illumination intellectuelle et la complète. Ces philosophes ont donc distingué entre les vertus sociales, qui nous enseignent à nous comporter dans le monde des hommes, les vertus purgatives qui enseignent la contemplation solitaire, et les vertus de l'âme purifiée qui donnent à l'âme le repos dans la contemplation de son modèle divin; de là les trois offices qu'ils assignaient à ces vertus : modifier l'âme, la purifier, la transformer.

Ces philosophes avaient raison, et cependant ils étaient encore plongés dans les ténèbres, car, s'ils apercevaient et fixaient exactement le but, ils ignoraient les voies hors desquelles nul ne saurait y parvenir[3]. Avant d'acquérir ces trois ordres de vertus, trois opérations sont nécessaires : ordonner l'âme vers sa fin, rectifier les affections de l'âme, la guérir si elle est malade; or, les philosophes n'étaient pas en état d'accomplir ces trois opérations. D'abord, ils étaient incapables d'ordonner

---

1. « Esto quod homo habeat scientiam naturalem et metaphysicam, quae se extendit ad substantias summas, et ibi deveniat homo, ut ibi quiescat; hoc est impossibile quin cadat in errorem, nisi sit adjutus lumine fidei, scilicet ut credat homo Deum trinum et unum, potentissimum et optimum secundum ultimam influentiam bonitatis. Si aliter credas, insanis circa Deum; quod proprium est Dei attribuis alteri, blasphemas et idolatra es, sicut si homo simplicitatem Dei vel hujusmodi attribuat alteri. Igitur ista scientia praecipitavit et obscuravit philosophos, quia non habuerunt lumen fidei... Philosophica scientia via est ad alias scientias, sed qui ibi vult stare cadit in tenebras », De donis S. S., IV, 12, t. V, p. 476.

2. De donis S. S., IV, 12, t. V, p. 475-476.

3. « Philosophi dederunt novem scientias et polliciti sunt dare decimam, scilicet contemplationem », In Hexaëm., IV, 1, t. V, p. 349. « Has novem scientias dederunt philosophi et illustrati sunt. Deus enim illis revelavit (Rom., 1, 19). Postmodum voluerunt ad sapientiam pervenire, et veritas trahebat eos; et promiserunt dare sapientiam, hoc est beatitudinem, hoc est intellectum adeptum; promiserunt, inquam discipulis suis », Ibid., V, 22, t. V, p. 357. « Philosophi multa consideraverunt de sole aeterno, sed nihil eis valuit, quia non fuit luna (scil., l'Église) sub pedibus », Ibid., XXII, 2, p. 438.

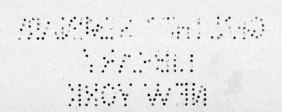

l'âme vers sa fin, car il n'y a pas de vertu véritable qui ne s'assure une
possession éternelle de son objet dans une paix parfaite. Or, la métempsycose des platoniciens nous ouvre la perspective d'éternels voyages
de l'âme qui monte vers son bien par le Capricorne pour en redescendre
par le Cancer, traverser la Voie Lactée, où elle oublie ses connaissances
supérieures, et s'unir à un corps misérable en attendant de recommencer
son voyage. Cette fausse béatitude que nous devons perdre et reconquérir une infinité de fois pèche donc par manque d'éternité. Mais les platoniciens ont encore erré en morale parce qu'ils n'ont pas connu la paix
parfaite. Cette paix ne peut être obtenue que par la réunion de l'âme
au corps qui lui est essentiellement uni et qui satisfait ses inclinations
naturelles ; or, pour savoir qu'une telle satisfaction est concevable, il
fallait savoir que le monde glorifié n'aurait jamais de fin et que les corps
ressusciteraient un jour après être tombés en poussière. Mais comment
ces philosophes l'auraient-ils su, puisqu'ils limitaient leur recherche aux
seuls objets accessibles à notre raison? On peut dire d'eux ce qu'en
disait saint Augustin : ils ont ignoré la foi, sans laquelle les vertus sont
impuissantes. De même encore, ils étaient incapables de rectifier les
affections de l'âme ou de la guérir ; car, pour rectifier ses affections, il
fallait qu'elle eût la foi et qu'elle pût acquérir des mérites, ce qui supposait un libre arbitre soulevé par la grâce ; et pour guérir l'âme il fallait
d'abord ne pas en ignorer la maladie, la cause de la maladie, le médecin
et le remède. La maladie que l'âme a contractée en se soumettant au
corps consiste dans la faiblesse, l'ignorance, la malice et la concupiscence qui contaminent ses facultés de connaître, d'aimer et d'agir. C'est
donc l'âme tout entière qui est infectée. Or, les philosophes ne l'ont ni
complètement su ni complètement ignoré. Ils voyaient bien ces défauts,
mais ils ont cru que la cause en résidait dans un trouble de l'imagination, alors que les puissances intérieures de l'âme étaient atteintes ; ils
n'ont pas su que le médecin d'un tel mal ne pouvait être qu'un Homme-
Dieu, ils n'ont pas vu que le seul remède est la grâce de l'Esprit-Saint.
Ainsi aucune des parties de la philosophie ne peut s'achever d'elle-
même et tout philosophe que n'éclaire pas le rayon de la foi tombe inévitablement dans l'erreur[1].

---

1. *In Hexaëm.*, **VII**, 3-12, t. **V**, p. 365-367. « Haec ergo est medicina, scilicet gratia spiritus sancti. Hunc medicum et hanc gratiam philosophia non potest attingere. Quid ergo
gloriaris qui nescis per scientiam tuam nec infirmitatem tuam, nec ejus causam, nec medicum, nec medicinam? Isti philosophi habuerunt pennas struthionum (c'est-à-dire qui les
aident à courir, mais ne leur permettent pas de voler), quia affectus non erant sanati nec

Les déclarations de saint Bonaventure sont donc formelles et aussi catégoriques qu'il est possible de les souhaiter ; or, c'est un fait remarquable que les historiens les mieux intentionnés à son égard n'osent pas suivre ici sa pensée jusqu'au bout. On cherche des explications et des atténuations ; on s'efforce de montrer que de telles assertions ne s'appliquent pas à la raison naturelle en tant que telle et n'en ruinent pas la valeur. En réalité, saint Bonaventure dit exactement ce qu'il veut dire et les atténuations sont inutiles, parce qu'elles ne s'appliquent pas exactement à la doctrine qu'il a soutenue. Ses interprètes paraissent en effet supposer que le problème se réduit au dilemme suivant : la raison est distincte de la foi ou elle ne l'est pas ; si elle est distincte de la foi, elle peut atteindre le vrai sans le secours de la révélation ; or, elle est distincte de la foi, donc elle peut atteindre le vrai sans le secours de la révélation. En réalité, le problème posé par saint Bonaventure est plus complexe. Il a reconnu formellement, et nous avons cité les textes qui l'établissent, l'existence d'une lumière de la raison spécifiquement distincte de celle de la foi ; avec tous les philosophes de son temps ou ses prédécesseurs immédiats, il tire la conséquence logique de cette distinction et nie de la manière la plus expresse que l'esprit humain puisse croire ce qu'il embrasse déjà pleinement par la raison[1]. Mais la spécification de la raison n'entraîne pas nécessairement l'autonomie

ordinati nec rectificati ; quod non fit nisi per fidem. Unde primo posuerunt falsam beatitudinis circulationem ; secundo, falsam praesentium meritorum sufficientiam ; tertio, internarum virium perpetuam incolumitatem. In has tres tenebras ceciderunt », *loc. cit.*, 12, p. 367. Le *Commentaire sur les Sentences* critique déjà sur ces divers points la doctrine de Platon et de Macrobe. Cf. *II Sent.*, 18, 2, 2, Concl., t. II, p. 449. C'est le *Timée* de Platon qui se trouve visé et, de Macrobe, *Somm. Scip.*, I, 14 et 21.

1. Hugues de Saint-Victor, par exemple, dont l'orientation mystique n'est pas douteuse, écrivait déjà : « Quae enim sunt ex ratione omnino nota sunt et credi non possunt quoniam sciuntur », *De sacramentis*, I, 3, 20 ; *Pat. lat*, t. 176, col. 231-232. Pour Albert le Grand, voir E. Gilson, *Études de philos. méd.*, p. 98-99. Pour saint Thomas, *Le Thomisme*, 2e éd., ch. II, p. 26. Pour saint Bonaventure, ce texte formel : « Dicendum quod quadruplex est certitudo, scilicet demonstrationis, auctoritatis, internae illuminationis et exterioris persuasionis. Prima certitudo est cui resisti non potest ; in illa cogitur homo assentire, velit nolit ; et ideo, talis certitudo, ubi dominatur, evacuat fidem. Alia est certitudo auctoritatis ; et haec fidem generat ; unde Augustinus : « Quod credimus debemus auctoritati. » Tertia est certitudo illuminationis interioris, et haec fidem perficit et consummat. Quarta est persuasionis, quando homo fidelis rationes assignat congruentiae et efficaciae, ut quod credit intelligat ; et haec certitudo fidem consequitur. Nam rationes hujusmodi fideli sunt optimae et efficaces, infideli vero prorsus inutiles et infirmae », *Comm. in Joann.*, prooem. 10, ad 1m, t. VI, p. 243. « Libri autem doctorum traduntur per ratiocinationes, quia sunt ad generandam intelligentiam et ad fidem confovendam et nutriendam. Sed rationes illae non habent robur, nisi fundatae super fidem », *Ibid.*

de la science philosophique, et si les philosophes négligent si fréquemment cette distinction fondamentale c'est qu'ils confondent le problème du principe de la science avec celui de son objet.

Déjà, en définissant les doctrines des penseurs qui vivaient sous la loi de nature, nous avons dû faire intervenir une considération qui dépassait le simple point de vue de la distinction formelle entre la raison et la foi. Le platonisme est vrai dans son principe parce qu'il oriente la pensée et les choses vers Dieu; il se pourrait donc par là même que la raison humaine fût compétente pour l'étude et l'explication de tous les êtres, précisément en tant qu'elle ne les considère pas en fonction du véritable objet de la philosophie. C'est le cas d'Aristote; grand savant, mais mauvais philosophe, il élabore en quelque sorte la philosophie de l'inutile, et sa philosophie existe bien à part, mais c'est justement pour cela qu'elle ne vaut rien. Et cette conclusion elle-même ne suffit pas. Supposons, en effet, une philosophie bien orientée, comme celle de Platon; son point de départ est excellent, le chemin qu'elle suit est droit, mais elle manque de forces pour le parcourir jusqu'au bout. Par hypothèse, l'objet de cette philosophie est Dieu; dès lors, la raison qui pouvait suffire à la tâche de construire la philosophie lorsque l'objet en était fini et sensible en devient complètement incapable à partir du moment où son objet est totalement intelligible et infini. Tous les philosophes du moyen âge sont d'accord sur ce point; mais alors que certains considèrent comme possible une science purement rationnelle de Dieu qui soit limitée mais non fausse, saint Bonaventure refuse de la considérer comme légitime à l'intérieur de ses limites mêmes, car l'achèvement qui lui manque interdit au fragment qui demeure de se constituer. La raison n'a donc pas besoin de la foi pour connaître les premiers principes; elle n'en a pas besoin pour connaître le détail des êtres, leur nature prise en elle-même, l'usage que l'on en peut faire et leurs applications possibles aux besoins de la vie; mais si Dieu est bien l'objet propre de la philosophie, notre raison, quoique spécifiquement distincte, se trouvera pratiquement insuffisante à la constituer. L'ignorance de tout ce qui lui en échappe viendra nécessairement introduire l'incertitude et l'erreur même au sein de ce qu'elle en connaît; une métaphysique de la raison pure se place donc de propos délibéré hors des conditions auxquelles son objet est connaissable et elle échouera dans son entreprise, à moins qu'un secours transcendant ne vienne la soutenir et la guider.

Ce secours, les anciens l'ont reçu sous la forme d'une illumination de la raison et nous le recevons depuis Jésus-Christ sous la forme de la foi ; la vraie philosophie deviendrait dès lors une réflexion de la raison guidée par la foi et une interprétation des objets ou des êtres donnés dans l'expérience prise du point de vue de ce que la révélation permet à notre raison d'en dire ; mais nous devons examiner d'abord la possibilité même d'un tel état. S'il est exact, en effet, que la foi et la raison s'excluent mutuellement, et si Dieu ne peut nous être connu que d'une connaissance où la foi et la raison interviennent, nous sommes au rouet et la philosophie ne réussira jamais à se constituer. Saint Bonaventure a fort bien vu l'objection et il ne nous a pas laissé le soin de la résoudre pour lui ; ici encore le malentendu naît de ce que l'on ne tient pas compte de la nature de l'objet connu. Psychologiquement parlant, un état de conscience qui serait simultanément science et croyance d'un même objet intégralement connu serait quelque chose d'impossible, l'expérience est là pour le prouver : on ne croit pas la définition du cercle ni que le tout est plus grand que la partie ; mais un état de conscience qui soit simultanément science et croyance d'un même objet demeure possible lorsqu'il ne s'agit pas d'un objet intégralement connu, et il demeure même le seul mode de connaissance qui soit possible lorsque l'objet dont il s'agit n'est pas intégralement connaissable.

On objectera peut-être que cette distinction ne fait que reculer la difficulté. Soit, dira-t-on, Dieu n'est pas entièrement compréhensible par la pensée, mais il n'en résulte pas que nous puissions le connaître et le croire en même temps et sous le même rapport ; certaines de ses propriétés nous sont connues par la raison, comme son existence ou tel de ses attributs, et nous en possédons une science exclusive de toute croyance ; d'autres propriétés nous en demeurent inconnues, comme son unitrinisme, et nous en possédons une croyance qui ne se transformera jamais en démonstration. Saint Bonaventure ne concéderait pas l'objection parce que, comme nous le verrons, il entend l'idée innée que nous avons de Dieu tout autrement que ses adversaires n'entendent le concept de Dieu. Un concept peut être clair et valable même s'il est incomplet, il vaut pour l'étendue de son contenu ; une idée d'un objet est quelque chose de tout différent, car ce n'en est pas la reconstitution progressive par addition de fragments empruntés à l'expérience, c'en est une représentation globale dont l'origine vient du dedans ; si bien que, lorsque l'objet connu excède en soi les limites du sujet connaissant, le concept peut en représenter exactement une partie, l'idée ne peut être que la représentation confuse qui marque en nous la place de l'intuition dont nous sommes privés. C'est de cette seconde manière que saint Bonaventure entend notre connaissance de Dieu, et c'est aussi pourquoi nous le voyons soutenir que, dans notre situation présente d'esprits finis en face d'un objet infini, il peut et doit exister un très grand nombre d'actes de connaissance dont la substance est faite d'un amalgame de raison et de foi. Richard de Saint-Victor a dit qu'il existe des raisons non seulement probables, mais même nécessaires, des vérités de foi, bien que peut-être nous ne les apercevions pas[1]; or, il est clair que si la vue directe de Dieu nous était concédée, la science que nous en aurions suffirait et la foi n'interviendrait aucunement dans la connaissance que nous en aurions; mais il est également clair que, puisque l'intuition intellectuelle de Dieu nous est refusée, rien de ce que nous en savons ne peut être ce qu'il serait si nous possédions cette intuition. C'est pourquoi nulle connaissance humaine relative à Dieu n'est suffisamment définie et fondée pour que nous ne tendions à compléter par un acte de foi et de volonté l'acte d'intellection par lequel nous la saisissons; nous la connaissons, mais nous la croyons en même temps, et lorsque, inversement, nous croyons en l'un des attributs divins, nous ne cessons pas de le croire à partir du moment où nous le connaissons. Considérons, par exemple, ces deux articles de foi : Dieu est un, Dieu est créateur de toutes choses; si notre raison s'efforce de les démontrer, elle ne travaillera certes pas en vain, car nous découvrirons inévitablement bien des fondements rationnels qui nous autorisent à les affirmer, mais jamais nous ne pourrons acquérir, touchant l'essence divine, une connaissance telle qu'elle exclue la croyance que nous en avons. Or, le signe qu'il en est bien ainsi se trouve dans les erreurs mêmes des philosophes, dont les doctrines sont fausses ou incomplètes par suite de leur manque de foi; il apparait donc que, lorsqu'il s'agit d'un objet transcendant à la pensée humaine, on peut et même l'on doit le savoir et le croire à la fois et sous le même rapport[2].

---

1. Richard de Saint-Victor, *De Trinitate*, lib. I, c. 4; *Pat. lat.*, t. 196, col. 892. Cité par saint Bonaventure, *I Sent.*, prooem. 2, fund. 2, t. I, p. 10, et *III Sent.*, 24, 2, 3, Concl., t. III, p. 523.

2. Nous donnons intégralement le texte capital où saint Bonaventure établit ce point en se fondant sur l'expérience psychologique de ces états mixtes : « Unde aliquis credens Deum esse unum, creatorem omnium, si ex rationibus necessariis incipiat ipsum idem nosse, non propter hoc desinit fidem habere; vel si etiam prius nosset, fides superveniens talem cognitionem non expelleret, sicut per experientiam patet. Ratio autem quare *talis scientia simul potest esse de eodem cum ipsa fide*, ita quod una cognitio alteram non expellat est, quia scientia manuductione ratiocinationis, licet aliquam certitudinem faciat

Nous sommes ici en un point décisif et dont l'intelligence permet seule l'intelligence du système tout entier, car, si l'on y réfléchit, une métaphysique de la mystique ne serait pas possible si l'on n'admettait la légitimité d'un acte de connaissance dans lequel viendraient coïncider, l'une confortant l'autre, la lumière de la foi et la lumière de la raison. Et comme c'est ici que se décide l'avenir du système, c'est ici qu'hésitent les interprètes qui ne sont pas décidés à suivre le système jusqu'au bout. On essaye, par exemple, de sauver au moins un rudiment de théologie naturelle qui serait l'œuvre de la raison pure, comme les preuves de l'existence de Dieu ou même celles de l'unité divine ; on cite même des textes qui paraissent justifier une telle interprétation, mais on entend mal ces textes. Saint Bonaventure dit par exemple : lorsqu'un philosophe sait prouver l'unité de Dieu par une démonstration nécessaire, il ne peut pas la nier ; il la nierait cependant si on lui disait que cette unité est compatible avec une certaine multiplicité, parce qu'il l'ignore et qu'une telle connaissance excède la portée de ses facultés naturelles. Ceci ne veut pas dire qu'il sache parfaitement quelque chose sur Dieu et ignore le reste, car, si l'on y prend garde, c'est précisément l'unité de Dieu que le philosophe ignore au moment même où il la prouve par une démonstration nécessaire, puisqu'il croit raisonner sur une unité pure alors qu'il raisonne en fait sur une trinité. De même encore, saint Bonaventure distinguera entre des connaissances relatives à Dieu dont les unes seraient transcendantes et les autres accessibles à la raison. Et il faut, en effet, les distinguer avec lui, car il y a des degrés dans l'inaccessibilité des vérités divines ; plus elles sont hautes et pénètrent profondément dans l'essence de Dieu, plus elles nous échappent : la Trinité, l'Incarnation, l'immutabilité d'un Dieu agissant ne semblent pas seulement insoupçonnables par la pure raison, elles semblent encore contradictoires avec les principes premiers dont se

---

et evidentiam circa divina, illa tamen certitudo et evidentia non est omnino clara quamdiu sumus in via. *Quamvis enim aliquis possit rationibus necessariis probare Deum esse*, et Deum esse unum ; tamen cernere ipsum divinum esse et ipsam Dei unitatem, et qualiter illa unitas non excludat personarum pluralitatem non potest nisi « per justitiam fidei « emundetur. » Unde illuminatio et certitudo talis scientiae non est tanta, quod habita illa, superfluat illuminatio fidei, immo valde est cum illa pernecessaria. Et hujus signum est quia, licet aliqui philosophi de Deo sciverint multa vera, tamen, quia fide caruerunt, in multis erraverunt vel etiam defecerunt. Unde, sicut in praecedentibus dictum est quod fides potest stare cum visione exteriori, quia illa habet conjunctam latentiam circa personam Christi, sic intelligendum est circa habitum fidei et talem modum sciendi, quod possunt se simul in eodem et respectu ejusdem compati », *III Sent.*, 24, 2, 3, Concl., t. III, p. 523.

réclame la philosophie, et d'abord le principe de contradiction. C'est pourquoi d'ailleurs les philosophes les ont ignorées ou niées[1]. D'autres vérités, au contraire, ne sont pas tellement inaccessibles que la raison humaine ne les ait découvertes sans la révélation ; ce sont les plus extérieures à l'essence divine en quelque sorte, et, parmi celles-là, nous choisirons comme expérience cruciale pour achever de préciser la pensée de saint Bonaventure la connaissance de l'existence de Dieu.

Peut-il exister dans le système de saint Bonaventure des démonstrations rationnelles de l'existence de Dieu? Sans aucun doute, et personne ne pouvait ignorer au moyen âge qu'une démonstration purement rationnelle de l'existence de Dieu ne fût chose possible, puisque Aristote l'avait démontrée. Mais peut-il exister dans le système de saint Bonaventure des preuves de l'existence de Dieu qui nous dispensent d'y croire? Non, et bien loin de s'éliminer devant les preuves, la foi s'y applique pour les soutenir et les diriger. C'est qu'en effet, comme l'indiquait déjà la réponse que nous avons citée, ce n'est pas à conclure Dieu que notre intellect aspire, c'est à le voir : *quamvis enim aliquis possit rationibus necessariis probare Deum esse, tamen cernere ipsum divinum esse non potest.* Le philosophe qui démontre l'existence de Dieu par des raisons nécessaires possède toute la certitude de l'existence de Dieu que l'on peut obtenir par cette voie; mais supposons que ce philosophe se convertisse; il acquiert la foi; avec la foi, il reçoit une illumination nouvelle de la grâce et, par conséquent, il acquiert du même coup une connaissance d'un ordre nouveau. Cette connaissance ne suffira certes pas à lui faire voir l'essence divine ni son existence nécessairement impliquée dans son essence, car il faudrait pour cela la vision béatifique elle-même, mais elle conférera à son intellect une imitation de la certitude que lui donnerait cette vision; elle va même promouvoir de nouvelles preuves : la nécessité de l'existence que nous. ne voyons pas encore dans l'essence, nous commencerons à la voir dans l'idée de Dieu qui est en nous comme la marque et l'image de son essence.

1. « Unde valde parum attingit scientia cognitionem divinorum, nisi fidei innitatur; quia in una et eadem re apertissimum est fidei quod occultissimum est scientiae; sicut patet de altissimis et nobilissimis quaestionibus, quarum veritas latuit philosophos, scilicet de creatione mundi, de potentia et sapientia Dei, quae latuerunt philosophos, et nunc manifestae sunt Christianis simplicibus. Propter quod dicit Apostolus (*I Cor.*, I, 20) stultam fecisse Deum sapientiam hujus mundi; quia omnis sapientia de Deo in via absque fide magis est stultitia quam vera scientia. Deprimit enim perscrutantem in errorem, nisi dirigatur et juvetur per fidei illuminationem; unde per ipsam non expellitur, sed magis perficitur », *III Sent.*, 24, 2, 3, ad 4ᵐ, t. III, p. 524.

Ainsi la croyance en l'existence de Dieu vient s'ajouter aux preuves des philosophes et, bien loin de les exclure ou d'être exclue par elles, inaugure à son tour une connaissance d'un ordre supérieur qui les conduit à leur point de perfection[1].

S'il en est ainsi, nous comprenons beaucoup plus aisément ce qu'il y a de défini dans la conception bonaventurienne de la philosophie : elle peut coexister avec la foi et même elle ne peut être ce qu'elle doit être qu'à la condition de coexister avec la foi. Que la raison accepte cette collaboration de la lumière divine infuse pour la connaissance de son objet, elle y trouvera un tel appui qu'elle lui devra finalement sa perfection rationnelle même. Que l'orgueil, l'amour de soi, la volonté de se suffire viennent, au contraire, s'interposer entre l'esprit de l'homme et le soleil de Dieu, alors cette lumière s'éclipse et l'homme se trouve frappé de folie[2]. Il est donc évident par là même que la certitude et l'aisance apparente de la connaissance philosophique sont des qualités par lesquelles elle se laisse entraîner à sa perte et nous y entraîne avec elle. Celui qui s'en est rendu maître place en elle toute sa confiance ; il s'en estime davantage et se croit devenu meilleur ; en réalité, cet homme a désormais perdu le sens. Commettant en effet l'erreur capitale de prendre pour un tout ce qui ne peut être qu'une partie, il prendra par là même pour une fin ce qui ne peut être qu'un moyen ; au lieu de traverser simplement la philosophie pour aller plus loin, son esprit va s'y

---

1. « Aliquis cognoscens aliquid per demonstrationem quia sive per effectum, si incipiat nosse per causam sive per demonstrationem propter quid, non propter hoc amittit priorem cognitionem, quamvis haec secunda sit nobilior illa : ergo duae cognitiones possunt haberi de eodem, quarum una nobilior est quam alia, et una non expellit aliam nec evacuat. Et si hoc verum est, tunc videtur quod simul possit aliquid cognosci ratiocinatione acquisita et illuminatione infusa : ergo de eodem simul potest haberi fides et scientia », *III Sent.*, 24, 2, 3, fund. 2m, t. III, p. 521. On notera que saint Bonaventure prend expressément à son compte ces *fundamenta* : « Unde concedendae sunt rationes quae sunt ad istam partem. » On voudra bien se souvenir en outre de cette conclusion lorsqu'il s'agira de donner son véritable sens à l'argument de saint Anselme ; ce sera une imitation, engendrée en nous par la foi, d'une intuition de Dieu qui nous manque, et c'est pourquoi, tel que saint Bonaventure l'interprète, il prend place dans l'*inspectio* immédiatement préparatoire à l'extase. Un degré de clarté de plus et ce serait l'intuition de Dieu ; mais elle est contradictoire avec notre situation d'hommes et nous n'aboutissons qu'à une expérience affective de l'essence divine. Voir plus loin, ch. III, p. 128, et ch. XIV. Il serait enfin assez facile de définir le genre et le degré de certitude de ces deux connaissances de l'existence de Dieu : pour chacune d'elles, la certitude de spéculation est inversement proportionnelle à la certitude d'adhésion.

2. « Sed multi philosophi, dum se voluerunt dividere a tenebris erroris magnis erroribus se immiscuerunt...; superbientes de sua scientia, luciferiani facti », *In Hexaëm.*, IV, 1, t. V, p. 349.

arrêter et s'y complaire, et c'est alors aussi que cette connaissance, qui n'a rien que de bon si on la prend pour ce qu'elle doit être, deviendra la source des pires erreurs. Erreurs et ignorances théologiques sans aucun doute, mais aussi et d'abord erreurs et ignorances philosophiques, s'il est vrai du moins qu'il est de l'essence même de la philosophie comme telle qu'elle ne se suffise pas à elle-même et requière l'irradiation d'une lumière plus haute pour mener à bien ses propres opérations[1]. On peut donc affirmer que, du point de vue de saint Bonaventure, la vérité philosophique suppose d'abord un acte d'humilité et de soumission, un aveu arraché à la raison qu'elle est incapable d'achever seule sa propre tâche, l'acceptation enfin de la lumière transcendante qui se suffit à elle-même et dispense l'homme d'allumer une chandelle pour regarder le soleil.

Peut-être serait-il plus aisé de convaincre certains interprètes que telle est bien la véritable pensée de saint Bonaventure en faisant intervenir sa théologie et, puisque aussi bien il semble que ce soient des préoccupations d'ordre théologique qui les retiennent, cette voie d'apparence détournée se trouvera sans doute avoir été finalement la plus directe de toutes. On a récemment insisté, et avec beaucoup de force, sur un trait caractéristique de sa doctrine de la grâce : la distinction réelle des vertus et des dons[2]. La grâce sanctifiante se ramifie dans l'âme selon la triple ligne des vertus cardinales, des dons du Saint-Esprit et des béatitudes. Les vertus cardinales, telles que la foi par exemple, rendent à l'âme déchue la droiture qu'elle avait perdue par suite du péché; elles la rectifient. Par ces vertus, l'âme reçoit donc tout ce qui lui est strictement nécessaire pour se trouver ordonnée vers Dieu, mais rien de plus[3]. Situons cette âme par rapport à notre problème :

1. « Prima claritas, scilicet scientiae philosophicae, magna est secundum opinionem hominum mundialium; sed de facili eclipsatur... Qui confidit in scientia philosophica et appretiatur se propter hoc et credit se esse meliorem, stultus factus est, scilicet quando per istam scientiam sine ulteriori lumine credit se apprehendere Creatorem; sicut si homo per candelas vellet videre coelum vel corpus solare », De donis S. S., IV, 12, t. V, p. 475; I Sent., 2, dub. 2, t. 1, p. 59-60.

2. Voir la très remarquable étude du P. Ephrem Longpré à laquelle nous avons déjà renvoyé : La théologie mystique de saint Bonaventure, p. 48-49.

3. « Ad illud quod objicitur, quod habitus virtutum sufficienter ordinant animam ad Deum secundum omnem ejus comparationem, dicendum quod licet ordinent sufficienter quantum ad ea quae sunt rectitudinis et necessitatis, utpote quantum ad illos actus primos in quibus primaria rectitudo consistit, tamen, ultra hoc liberalitas benignitatis divinae providit homini et contulit habitus, per quos expediretur non solum ad opera necessaria rectitudinis sed etiam perfectionis et supererogationis », III Sent., 34, 1, 1, 1, ad 5ᵐ, t. III, p. 738; et P. E. Longpré, op. cit., p. 49.

elle a la foi, elle croit à la révélation sans la comprendre ; elle dispose de ce qui lui est nécessaire et suffisant pour faire son salut.

Mais la grâce sanctifiante exerce d'autres libéralités ; elle peut se donner avec plus d'abondance et se ramifier en dons. Les dons du Saint-Esprit trouvent l'âme déjà rectifiée, et l'effet qu'ils produisent en propre est de l'habiliter en vue d'un état supérieur. L'expression technique dont use saint Bonaventure est : *expedire*. Ce terme, fort difficile à traduire, signifie à la fois que l'âme *expedita* est dégagée des entraves qui la retenaient et munie des ressources nécessaires pour aller plus loin. Et, en effet, l'âme enrichie des dons se trouve apte à recevoir enfin les béatitudes qui la conduisent à sa perfection. Or, les béatitudes ne peuvent consister qu'en des grâces de vision qui situent l'âme en face de son objet et lui permettent de le saisir autant qu'une nature finie peut appréhender l'infini. Les dons du Saint-Esprit devront donc nécessairement prendre place entre les vertus, ou croyance sans intelligence, et les béatitudes, ou intelligence délivrée de la foi ; c'est pourquoi nous pouvons justement les considérer comme destinés à nous ouvrir l'intelligence de ce que nous croyons. Leur rôle mixte, intermédiaire, qui consiste à assurer le passage entre la foi pure et la vision mystique, correspond exactement à la nature transitoire et intermédiaire que saint Bonaventure assigne à la théologie[1].

S'il en est ainsi, la naissance de la théologie s'explique par une libéralité de la grâce et un don spécial du Saint-Esprit ; le don d'intelligence vient en quelque sorte au-devant de notre pauvreté pour nous en faire sortir ; c'est lui qui meut notre intelligence à explorer le contenu de notre foi ; c'est lui qui parvient à nous faire comprendre l'objet que nous ne voyons pas encore ; il est le fondement surnaturel du *fides quaerens intellectum*. Mais la classification de saint Bonaventure laisse en même temps le philosophe dans une extrême perplexité. Le Saint-Esprit dispose de ses dons en faveur du simple croyant qui ne cherche que son salut, du théologien dont la pensée se met en route vers l'objet final de la vie humaine et du mystique dont l'âme l'a déjà presque atteint ; le philosophe ne reçoit rien. Devrons-nous interpréter cette restriction

---

1. « Quoniam quaedam sunt opera moralia primaria, sicut credere, quaedam media, sicut intelligere credita, quaedam vero postrema, sicut videre intellecta ; et in primis anima rectificatur, in secundis expeditur, in tertiis perficitur : ideo gratia gratum faciens ramificatur in habitibus virtutum, quorum est animam rectificare, in habitibus donorum, quorum est animam expedire ; et in habitibus beatitudinum, quorum est animam perficere », *Breviloquium*, V, 4, 3 ; éd. min., p. 176. Cf. *III Sent.*, 34, 1, 1, 1, t. III, p. 735.

comme si, seul entre tous les hommes voyageurs, le philosophe se suffisait à lui-même? Ou devons-nous supposer qu'il prenne place, avec le
théologien, parmi les bénéficiaires des dons de la grâce? On ne peut
hésiter entre les deux solutions. Tout ce que nous avons rapporté précédemment nous interdit de séparer ici la philosophie de la théologie ;
les textes les plus déconcertants de saint Bonaventure s'expliquent si
nous distinguons avec lui l'être humain de l'état dans lequel il se trouve,
et la raison naturelle prise en elle-même de l'usage que nous sommes
capables d'en faire dans notre état actuel. Un philosophe qui voudrait
se passer de la grâce, c'est un homme qui se croit encore dans l'état de
perfection où se trouvait Adam avant la chute[1]. Cette raison dont il use,
elle peut donc bien être distincte de la foi, et elle l'est, en effet, puisque
la foi croit ce qu'un autre a vu, alors que la raison affirme ce qu'elle
voit elle-même ; mais le fait est qu'elle ne voit presque plus rien. Et c'est
pourquoi, distincte par essence des lumières infuses de la grâce, la
lumière naturelle ne peut pas philosopher avec succès sans le secours
de la grâce. Même lorsqu'il s'agit d'un problème d'apparence aussi
purement philosophique que la considération de Dieu par la contemplation des créatures, la solution que nous en apportons se trouve obscurcie par le péché originel et la révolte de la chair[2]. Ce sont donc bien
les dons d'intelligence et de science qui se trouvent ici requis, non
seulement pour la connaissance de la nature divine en elle-même, mais
encore pour la connaissance de la nature divine en tant qu'elle se reflète
dans les créatures qui la représentent. Ces dons consistent proprement dans la contemplation rationnelle du créateur et ne sont pas
moins requis pour habiliter notre raison à le considérer dans ses effets

1. « Unde in solo statu gloriae videbitur Deus immediate et in sua substantia, ita quod
nulla erit ibi obscuritas. In statu vero innocentiae et naturae lapsae videtur Deus mediante
speculo ; sed differenter, quia in statu innocentiae videbatur Deus per speculum clarum ;
nulla enim erat in anima peccati nebula. In statu vero miseriae videtur per speculum obs-
curatum per peccatum primi hominis ; et ideo nunc videtur per speculum et in aenigmate »,
II Sent., 23, 2, 3, Concl., t. II, p. 545.
2. « Aut igitur cognosco Deum per hoc quod est praesens mihi, aut per hoc quod est praesens alii. Si per hoc quod est praesens alii, sic est cognitio fidei... Si autem cognosco Deum
per hoc quod est praesens mihi, hoc potest esse tripliciter ; aut per hoc quod est mihi praesens in effectu proprio, et tunc est contemplatio, quae tanto est eminentior, quanto effectum
divinae gratiae magis sentit in se homo, vel quanto etiam melius scit considerare Deum in
exterioribus creaturis... Cognitio contemplationis... ibi (scil., in statu innocentiae) potissime
vigebat tum propter animae puritatem, tum etiam propter carnis et inferiorum virium sub-
jectionem ; quibus duobus quia ut plurimum anima caret in statu naturae lapsae, ideo non
potest ad illum gradum contemplationis attingere », Ibid., p. 545.

8

que pour la rendre capable de le considérer en lui-même[1]. Quoi d'étonnant dès lors à ce que saint Bonaventure ait considéré comme condamné
fatalement à l'erreur le philosophe que ne vient pas secourir le rayon
de la foi[2]? Pas plus que la théologie, la philosophie ne s'achève sans le
secours de la grâce, qui recueille et conforte cette opération de la nature
raisonnable, comme toutes les autres, pour la conduire à son heureuse fin.

Il semble que l'on aperçoive dès lors plus clairement comment se
pose, aux yeux de saint Bonaventure, le problème des rapports entre

1. « Ex hoc patet, quis sit actus et objectum proprium ipsius doni intellectus : quoniam
objectum ejus est ipsum verum aeternum, in quantum intelligibile, non secundum proprias
conditiones sed etiam secundum proprietates creaturarum sibi similium secundum quod
dicit Magister in littera. Actus vero ejus est contemplari ipsum verum creditum, ut devo-
tius credatur et ardentius diligatur. Et ita donum intellectus consistit in contemplatione
rationali creatoris et spiritualis creaturae », *III Sent.*, 35, 1, 3, Concl. et ad 1ᵐ, t. III, p. 778.
2. C'est pourquoi nous inclinerions à nous séparer, au moins par une nuance, de l'interprétation que donne de ce texte le P. E. Longpré : « Ce n'est pas que la recherche de Dieu,
à ses débuts, dépasse les forces natives de l'intelligence et du cœur. En soutenant ce sentiment, saint Bonaventure entend maintenir seulement que l'influence surnaturelle des dons
gratuits est très favorable à l'avancement de l'âme dans les trois premiers stades de son
élévation vers Dieu ; ce n'est que dans la contemplation ultérieure et plus parfaite que leur
concours est formellement exigé », *art. cité*, p. 65-66. Nous dirions plus volontiers que la
grâce n'est pas constitutive de la lumière naturelle, mais que dans notre état de nature
déchue elle est formellement requise pour le bon usage de cette même lumière, et cela dès
les débuts. On pourrait être tenté de n'appliquer les textes relatifs aux dons spirituels
qu'à la contemplation mystique seule. Mais il faut observer d'abord que la grâce assiste les
opérations de l'âme dès leur degré le plus humble et les conduit progressivement à leur
état le plus haut. Le don de science introduit donc par sa présence le surnaturel, mais
pas nécessairement le mystique. En outre, le P. Ephrem Longpré a fortement établi que
la contemplation mystique se rattache en propre au don de sagesse (*op. cit.*, p. 72-73), don
qui est au delà du don d'intelligence. Il semble donc bien que l'on doive prendre dans leur
sens le plus obvie les textes que nous avons cités ou que cite le P. Longpré, *op. cit.*, p. 71.
Le don d'intelligence élève de la foi à la théologie : « Per lumen quod non solum facit assentire, sed etiam per congruas rationes credita intelligere. » Rien n'est mieux en accord avec
ce qui précède, et il faut nécessairement que la philosophie à son tour accepte ce secours
surnaturel, à moins de rester en dehors de l'économie générale des illuminations et de se
condamner par conséquent à l'erreur. C'est précisément pourquoi la philosophie ne peut
éviter de tomber dans les ténèbres qu'en se subordonnant à la foi interprétée par la théologie et en bénéficiant ainsi des lumières qu'apporte le don d'intelligence : « Has radices
ignoraverunt philosophi ; fides ergo sola divisit lucem a tenebris », *In Hexaëm.*, VII, 13,
t. V, p. 367. — Le P. Kremer (Bulletin bibliographique et pédagogique du Musée belge,
XXVII, 1923, p. 61) nie que le problème des rapports de la foi et de la raison ait été considéré par les scolastiques comme le point de départ de toute philosophie et estime même
« qu'ils ne paraissent pas s'en être rendu compte d'une manière distincte ». Cette dernière
assertion est évidemment insoutenable ; quant à la première, il nous semble du moins vrai
de dire que le contenu des doctrines varie en fonction de la manière dont ce problème limi-
naire y est résolu.

la foi et la raison. Affirmer que ces deux modes de connaissance sont distincts n'épuise aucunement le problème et ne répond même pas à la question la plus importante qu'il implique. La spécificité de la connaissance rationnelle une fois posée, il reste à déterminer son degré de suffisance, et c'est là le vrai problème qui a préoccupé saint Bonaventure. Le fait que la raison comme telle est distincte de la foi n'empêche pas que la seule démarche légitime et sûre de la connaissance, à moins qu'elle ne fonctionne formellement et comme à vide, ne consiste à partir de la foi pour traverser la lumière de la raison et parvenir à la suavité de la contemplation. De là résulte une conception toute particulière de la philosophie, comme une doctrine essentiellement médiatrice, une voie vers autre chose, un lieu de passage. Prise entre la foi pure et la science théologique, elle est condamnée aux plus graves erreurs si elle se prend comme un absolu, et incapable de s'achever si elle n'accepte pas les secours d'une discipline supérieure. Or, cette situation intermédiaire entre deux connaissances ne lui est pas particulière ; c'est l'essence même de chaque ordre de connaissance que d'être un simple degré pris entre deux autres. Comme la science philosophique est prise entre la foi et la théologie, la science théologique n'est qu'un passage entre la philosophie et le don de Science, le don de Science à son tour n'étant qu'un passage entre la théologie et la clarté de la Gloire. Si l'on en excepte la Gloire finale, chaque étape de la connaissance ne peut s'accomplir intégralement qu'à la condition de se considérer précisément comme une étape et de s'orienter dès le début en vue de rejoindre le point de départ de l'étape suivante. Une théologie qui se prendrait elle-même pour fin, un don de Science qui ne viserait pas à la lumière de la Gloire seraient de fausses sciences et de faux dons, car ces sciences et ces dons ne nous sont accordés qu'en vue de la paix, de l'état, du repos supérieurs vers lesquels ils nous conduisent. Ce n'est donc pas un accident, c'est l'essence même de la philosophie de saint Bonaventure que de n'être elle aussi qu'un simple lieu de passage, une étape dans un long voyage et le premier moment du pèlerinage de l'âme vers Dieu[1].

1. « Ordo enim est ut inchoetur a stabilitate fidei, et procedatur per serenitatem rationis, ut perveniatur ad suavitatem contemplationis... Hunc ordinem tenuerunt Sancti, attendentes illud Isaiae secundum aliam translationem : *Nisi credideritis non intelligetis*. Hunc ordinem ignoraverunt philosophi, qui, negligentes fidem et totaliter se fundantes in ratione, nullo modo pervenire potuerunt ad contemplationem », *Sermo IV de rebus theologicis*, 15, t. V, p. 571 ; *III Sent.*, 24, 2, 3, ad 4ᵐ, t. III, p. 524. Cf. également la hiérarchie qui en

Mais, s'il en est ainsi, la pensée de saint Bonaventure nous apparaît comme orientée vers une tout autre direction que celle de saint Thomas d'Aquin et ce ne peut pas être un simple hasard chronologique qui les a séparées. Conformément à l'idée directrice de son maître Albert le Grand, saint Thomas coordonne et subordonne la philosophie à la théologie, mais dans des conditions telles qu'elle apparaisse comme se suffisant à elle-même aussi longtemps qu'elle demeure sur son propre terrain. Il est difficile à ses yeux, mais non théoriquement impossible, de connaître toutes les vérités philosophiques sans le secours de la foi, et c'est la fonction propre du philosophe de regarder les choses autrement que le théologien : *alia et alia circa creaturas et philosophus et fidelis considerant...; si qua vero circa creaturas communiter a philosopho et fideli considerantur per alia et alia principia traduntur*[1]. Cette conception de la philosophie est grosse d'avenir, car elle restaure pour la première fois dans les temps modernes l'idée d'une discipline de la raison qui ne relève que d'elle-même et dont la méthode est compétente pour explorer le domaine qu'elle s'est assigné.

La pensée de saint Bonaventure est visiblement animée d'une inspiration toute différente. Il est manifeste qu'à ses yeux la raison n'est pas compétente dans son propre domaine si elle ne conserve son regard fixé sur des vérités pour lesquelles elle ne l'est plus. Pratiquement, il n'y a plus pour nous de domaine propre de la raison, et par là saint Bonaventure tourne le dos à la philosophie séparée des temps modernes. Mais toute grande intuition métaphysique est féconde, et celle-là ne l'est pas moins que celle dont est parti saint Thomas d'Aquin. Au moment où saint Bonaventure affirme l'unité parfaite de la Sapience chrétienne, Roger Bacon pose les fondements et définit la méthode d'un système unique du savoir humain ; bientôt Raymond Lulle, dont la pensée franciscaine est profondément imprégnée de celle de saint Bonaventure, va concevoir le projet d'une *Combinatoire* dont l'idée n'a de

---

résulte : « Hic notandum est quod est claritas scientiae philosophicae, scientiae theologicae, scientiae gratuitae, et claritas scientiae gloriosae. Claritas scientiae philosophicae est magna secundum opinionem hominum mundialium, parva tamen est in comparatione ad claritatem scientiae christianae. Claritas vero scientiae theologicae parva videtur secundum opinionem hominum mundialium, sed secundum veritatem magna est. Claritas scientiae gratuitae est major, sed claritas scientiae gloriosae est maxima ; ibi est status », *De donis S. S.*, IV, 3, t. V, p. 474. La preuve qu'il ne s'agit pas ici de personnes, mais de principes, est que saint Augustin lui-même se trouvera blâmé (cf. ch. IX) et Aristote loué selon qu'ils auront préparé ou non le chemin de la foi, *Hexaëm.*, V, 11, t. V, p. 355.

1. *Cont. gent.*, II, 4.

sens que dans un système des connaissances et du monde aussi complètement unifié que celui des augustiniens du xiiie siècle. Cet *Ars combinatoria*, n'est-ce pas à son tour ce qui prépare la *Caractéristique universelle* d'un Leibnitz, et dont le souvenir sera présent à la pensée de René Descartes lorsqu'il confiera à son ami Beeckman le projet d'une méthode nouvelle pour constituer une science universelle? Depuis la Renaissance la pensée moderne nous apparaît comme travaillée continuellement par l'idéal d'un système des connaissances humaines intégralement unifié. Or, cet idéal que la raison moderne s'efforcera d'atteindre, jusqu'à ce qu'un Auguste Comte démontre à nouveau que l'unification des sciences n'est pas possible du point de vue des sciences mêmes, ce n'est pas la raison qui l'a d'abord conçu; elle l'a reçu, hérité de la théologie, et d'une théologie qui savait déjà que l'unification parfaite vers laquelle tend la connaissance rationnelle n'est pas possible du point de vue de la seule raison.

Telle est précisément la grande intuition métaphysique dont les augustiniens du xiiie siècle sont les représentants, et l'on peut ajouter que c'est chez saint Bonaventure qu'elle atteint son maximum de clarté. Toujours tourné vers la doctrine de la foi qui lui fournit un centre de références unique, refusant d'attribuer une valeur indépendante à la connaissance des choses pour elles-mêmes, il aperçoit dans une vive lumière l'opposition entre l'économie générale de la science grecque, où chaque genre de choses, étudié pour lui-même, engendre une science particulière, et la foi chrétienne, où toute connaissance reçoit sa valeur et sa signification du rapport qui l'unit à Dieu. Déjà l'Écriture, en ne faisant appel qu'à la foi toute pure, nous inculque cette conviction que le monde tient tout entier à l'intérieur d'une histoire unique et qu'il se déroule depuis son commencement jusqu'à sa fin comme un poème admirablement ordonné; et comme personne ne peut voir la beauté d'un poème s'il ne l'embrasse à la fois dans sa totalité, personne n'aperçoit la beauté de l'ordre universel s'il ne le découvre dans son ensemble. C'est pourquoi l'Écriture, remédiant à la brièveté de notre vie qui ne nous permet ni d'avoir vu le passé ni de voir l'avenir, nous en met l'image entière sous les yeux et nous en révèle la parfaite unité[1]. Or, ce qui est vrai de la narration des faits historiques ne l'est pas moins de l'intelligence des vérités révélées. Toute science porte sur les choses ou sur les signes des choses; mais si nous considérons nos connaissances

---

1. *Breviloquium*, Prolog., 4; éd. min., p. 17-18.

des choses et des signes absolument et en elles-mêmes, elles se répartissent entre une multiplicité de sciences particulières et diverses, et tel
est le point de vue de la philosophie pure; au lieu que si nous les considérons du point de vue de la foi et de la théologie, toutes ces connaissances reçoivent une unité qu'elles n'avaient pas d'elles-mêmes et
rentrent dans une seule science. De même, en effet, que tous les êtres
viennent alors se ranger sous un seul Être et que nous en avons une
seule science dans le seul livre de l'Écriture, de même nous avons une
science unique de tous les signes et de toutes les choses signifiées en
tant qu'elles se rapportent à Dieu, l'alpha et oméga, et c'est la théologie[1]. Problème infiniment grave que celui de savoir s'il est possible
d'ordonner les choses du point de vue des sciences, qui est celui des
choses mêmes; ou si leur ordre ne suppose pas l'adoption d'un centre
de référence qui rende leur système possible, précisément en ce qu'il ne
s'y trouve pas inclu. Problème plus grave encore que de déterminer ce
centre de référence. La pensée moderne, qui ne l'a trouvé ni dans les
choses ni dans l'Humanité, est-elle sur le point de renoncer à sa
recherche; ou si, comme le veut saint Bonaventure, elle ne peut pas
désespérer de le découvrir, parce qu'elle est ce qui demeure capable de
connaître toujours davantage et de mieux aimer, posera-t-elle de nouveau l'ordre transcendant et divin comme l'exigence la plus profonde de
sa nature? L'historien n'est pas prophète, mais l'histoire peut du moins
constater que le problème posé par la pensée médiévale subsiste et que
la philosophie moderne ne l'a ni oublié ni résolu.

1. « Dupliciter est loqui de rebus et signis, aut absolute aut in relatione ad fruitionem
sive ad illud quo fruendum est. Primo quidem modo spectant ad speciales scientias et
diversas; secundo modo ad unam scientiam sive doctrinam. Unde quemadmodum de omnibus entibus, in quantum reducuntur ad unum primum ens est una scientia et unus liber,
sic de omnibus rebus et signis, in quantum reducuntur ad unum, quod est alpha et omega,
est una scientia », *I Sent.*, prooem., I, ad 3-4, t. I, p. 8.

CHAPITRE III.

L'évidence de l'existence de Dieu.

La raison philosophique vient d'ailleurs et elle va ailleurs; encore doit-elle, en tant que raison, conquérir certaines vérités dont le système formera le contenu même de la philosophie. La première, la plus urgente, est l'existence de Dieu; et c'est peut-être aussi de beaucoup la plus facile à saisir, car elle est de soi très évidente; mais elle ne l'est qu'à la condition de s'offrir à nous sous un aspect tel que rien ne nous empêche de l'apercevoir.

Trois erreurs peuvent en effet se produire qui nous masquent l'évidence de cette vérité : erreur de conception, erreur de raisonnement, erreur de conclusion. Il se peut d'abord que nous ne comprenions pas pleinement et correctement le sens du mot Dieu; c'est ce qui se produisait lorsque les païens, pensant sous ce terme un attribut de Dieu au lieu de Dieu lui-même, désignaient par là tout être supérieur à l'homme et capable de prévoir l'avenir; ils se trouvaient autorisés en effet par leur définition incomplète à adorer les idoles et à les prendre pour des dieux, sous prétexte qu'ils en tiraient parfois des présages exacts concernant le futur. Mais nous pouvons encore commettre des fautes de raisonnement, tels ces esprits insensés qui concluent de ce que les impies ne sont pas immédiatement punis de leurs crimes à l'absence d'un ordre universel et par conséquent à la non-existence de son auteur. Il peut arriver enfin que le doute naisse d'une incapacité de pousser le raisonnement jusqu'à sa conclusion; car ces intellects trop charnels sont souvent incapables de dépasser les données sensibles, ils s'arrêtent donc au monde matériel et pensent, comme l'ont fait un très grand nombre d'hommes païens, que, le seul monde réel étant celui des corps, le roi de ce monde visible est l'être le plus haut qui se puisse concevoir. C'est pourquoi le soleil a trouvé de si nombreux adorateurs. Faute de savoir *résoudre*, c'est-à-dire dépasser les apparences des choses pour découvrir leurs principes premiers, l'erreur et le doute sur l'existence de Dieu sont donc possibles, mais ils ne le sont pas pour un intellect qui définit, raisonne et résout correctement[1].

Il convient cependant d'examiner encore si, même toutes les précautions une fois prises de la part de notre intellect, Dieu ne nous est pas par nature radicalement transcendant et s'il ne nous demeure pas essentiellement inconnaissable; c'est le problème de sa cognoscibilité. Or, avant même que nous posions la question de son existence, Dieu nous apparaît comme étant de soi éminemment connaissable et comme un objet qui s'offre de lui-même aux prises de notre intellect. Connaître peut signifier deux choses : comprendre ou appréhender. Pour comprendre un objet il faut lui être égal, afin de l'embrasser dans sa totalité, et, en ce sens, il est bien évident que nous ne saurions connaître Dieu. Mais pour appréhender une chose par mode de connaissance il suffit que la vérité de cette chose nous devienne manifeste, que sa présence nous soit attestée avec évidence, encore que peut-être elle excède en elle-même les limites de notre entendement. Or, on ne voit aucune raison pour que nous demeurions incapables d'appréhender Dieu. En soi, un tel être serait à la fois le suprême intelligible et le principe premier de toutes nos connaissances; et quant à nous, encore que notre faculté de connaître soit déficiente et doive le demeurer jusqu'à la lumière de la gloire, nous sommes remarquablement adaptés à la connaissance d'un tel objet.

On pourrait objecter, en effet, qu'il y a plus de distance entre notre intellect créé et la vérité incréée qu'entre nos sens et l'intelligible des choses; or, jamais nos sens qui perçoivent le sensible ne s'élèvent à ce que les créatures contiennent d'intelligible, donc à plus forte raison notre intellect ne saurait-il s'élever jusqu'à Dieu. Mais une telle objection confondrait le rapport d'être avec le rapport de connaissance; il y a, en effet, une distance d'être plus grande entre un Dieu infini et un intellect fini qu'entre des sens finis et un intelligible fini; mais il y a moins de distance entre l'intellect et Dieu qu'entre le sens et l'intelligible, si l'on se place au point de vue de la connaissance, car, à la différence de l'intellect et du sens, Dieu et l'âme appartiennent au même ordre de l'intelligible[2]. On objectera encore que le fini ne peut appréhender l'infini. Mais il

---

1. *De myst. Trinit.*, I, 1, Concl., t. V, p. 49.
2. « Ad illud quod objicitur de distantia intelligibilis et sensibilis, dicendum quod est distantia secundum rationem entis et secundum rationem cognoscibilis. Primo modo est

faut distinguer entre l'infini de masse, qui entraine avec soi la grandeur étendue et la multiplicité, et l'infini absolu, qui suppose la parfaite simplicité. Or, Dieu est un infini absolu, parfaitement simple ; il est donc partout présent tout entier, et alors qu'un corps fini ne pourrait appréhender un infini de masse dont l'infinité n'est simultanément présente en aucun de ses points, un esprit fini peut appréhender un infini parfaitement simple, puisque, s'il l'appréhende en un de ses points, il l'appréhendera tout entier. On peut donc connaître tout l'infini, et même, si on le connaît, on ne peut le connaître que tout entier, car il est simple ; mais on ne peut le comprendre, car, s'il est tout entier en chaque point comme simple, il n'est compris en aucun comme infini[1]. Augustin avant saint Bonaventure, et Descartes après lui, ont marqué avec autant de force quelle différence il y a entre comprendre un objet par la pensée et le toucher par la pensée[2] ; mais ni l'un ni l'autre ne semblent avoir marqué avec la même profondeur métaphysique que l'infini ne peut être appréhendé que comme infini, en raison de sa simplicité même et bien qu'il excède la pensée de toutes parts en raison de son infinité.

Resterait enfin l'objection selon laquelle aucun mode de connaissance n'est concevable pour un tel objet. En effet, Dieu doit informer notre intellect pour en être connu ; or, il ne peut pas en devenir la forme au sens propre ; il ne peut pas non plus l'informer par l'entremise d'une image que notre intellect en tirerait par abstraction, car, en bonne doctrine aristotélicienne, l'image abstraite est plus spirituelle que l'objet dont on l'abstrait ; or, rien n'est plus spirituel que Dieu. Mais nous aurons à nous demander plus tard s'il n'existerait pas un autre mode de connaissance de Dieu ; si l'on ne peut pas concevoir notamment que Dieu, qui est présent à notre âme et à tout intellect par la vérité, l'in-

major distantia, secundo modo non, quia utrumque est intelligibile, scilicet Deus et anima. Non sic est de intellectu et sensu ; quia sensus est potentia determinata, sed intellectus non », *I Sent.*, 3, 1, 1, ad 2ᵐ, t. V, p. 69.

1. « Duplex est infinitum : unum, quod se habet per oppositionem ad simplex, et tale non capitur a finito, quale est infinitum molis ; aliud est, quod habet infinitatem cum simplicitate, ut Deus ; et tale infinitum, quia simplex, est ubique totum ; quia infinitum, in nullo sic est quin extra illud sit. Sic intelligendum est in cognitione Dei. Et ideo non sequitur, quod si cognoscitur totus, quod comprehendatur, quia intellectus ejus totalitatem non includit, sicut nec creatura immensitatem », *I Sent.*, 3, 1, 1, ad 3, t. I, p. 69.

2. Saint Augustin, *De videndo Deo*, IX, 21 ; Descartes, *Lettre au P. Mersenne du 27 mai 1630*, éd. Adam-Tannery, t. I, p. 152. On comparera ce dernier texte aux expressions dont use saint Bonaventure dans le texte cité : « Cognitio per apprehensionem consistit in manifestatione rei cognitae ; cognitio vero comprehensionis consistit in inclusione totalitatis », p. 69.

forme d'une connaissance qu'il imprime en elle et qu'elle n'en abstrait pas, connaissance inférieure à Dieu, puisqu'elle est dans l'homme, mais supérieure à l'âme, puisqu'elle l'enrichit[1]. Il n'y a donc à priori aucune impossibilité d'aucune sorte à ce que notre âme atteigne la connaissance d'un objet tel que Dieu.

Nous pouvons désormais aller plus loin. Non seulement Dieu ne nous est pas inconnaissable, mais encore la connaissance que nous en avons est évidente et très aisée à acquérir. Nous disposons en effet de trois voies différentes pour atteindre son existence et chacune d'elles nous conduit en présence d'une certitude aussi complète qu'il est humainement possible de la souhaiter. La première voie se prend de ce que l'existence de Dieu est une vérité naturellement innée à toute âme raisonnable[2]. Cette innéité ne suppose pas que l'homme voie Dieu par son essence ; elle n'implique même pas nécessairement qu'il possède naturellement et sans effort d'aucune sorte une connaissance exacte de ce qu'est la nature divine ; lorsque nous parlons d'une connaissance innée de l'existence de Dieu, c'est bien de son existence seule qu'il s'agit. Hugues de Saint-Victor a donné la formule définitive de cet innéisme en affirmant que Dieu a dosé la connaissance que l'homme a de lui de telle manière que nous ne puissions jamais ni comprendre totalement son essence ni ignorer complètement son existence[3]. Il importe de comprendre exactement la pensée de saint Bonaventure sur ce point délicat.

Pour la saisir avec toute sa complexité, il faut avant tout poser le problème dans les termes mêmes que saint Bonaventure avait hérités de saint Anselme et de saint Augustin, et qu'il avait à son tour adoptés.

1. « Deus est praesens ipsi animae et omni intellectui per veritatem ; ideo non est necesse ab ipso abstrahi similitudinem per quam cognoscatur ; nihilominus tamen, dum cognoscitur ab intellectu, intellectus informatur quadam notitia, quae est velut similitudo quaedam non abstracta, sed impressa, inferior Deo, quia in natura inferiori est, superior tamen anima, quia facit ipsam meliorem », *I Sent.*, 3, 1, 1, ad 5ᵐ. Se réfère à saint Augustin, *De Trinitate*, XI, 16. Le *Scholion* de Quaracchi, t. I, p. 70, note avec raison qu'il n'y a pas là trace d'ontologisme, mais il a tort d'en accuser Malebranche sans apporter le moindre texte à l'appui de son opinion.

2. « Circa igitur primam viam sic proceditur, et ostenditur tam auctoritatibus quam rationibus quod Deum esse sit omnibus mentibus rationalibus impressum », *De myst. Trinit.*, I, 1, fund. 1ᵐ, t. V, p. 45.

3. « Deus enim sic ab initio notitiam sui ab homine temperavit, ut sicut nunquam quid esset totum poterat comprehendi, ita nunquam quia esset prorsus posset ignorari »,-Hugues de Saint-Victor, *De sacramentis*, I, 3, 1. Plusieurs fois cité par saint Bonaventure, qui fait entièrement sienne cette formule, *I Sent.*, 8, 1, 1, 2, Concl., t. I, p. 154 ; *De myst. Trinit.*, I, 1, 2, t. V, p. 45.

La question qui préoccupe surtout les philosophes de cette école est de savoir si Dieu peut ou ne peut pas être ignoré de l'âme humaine. L'affirmation de l'innéité de l'idée de Dieu se heurte, en apparence au moins, à ce fait que les idolâtres adorent des statues de pierre ou de bois ; comment pourrait-il en être ainsi dans l'hypothèse où l'idée de Dieu serait inséparable de notre pensée et née avec elle ?

C'est que, répond saint Bonaventure, il y a bien des degrés possibles entre la connaissance et l'ignorance absolues du vrai Dieu ; il y a surtout bien de la différence entre se tromper sur sa nature et ignorer son existence. On connaît Dieu, au moins d'une certaine manière, alors même qu'on se trompe sur Dieu. Celui qui prétend que Dieu est ce qu'en réalité il n'est pas, comme fait l'idolâtre ; ou ceux qui déclarent que Dieu n'est pas ce qu'il est, comme ceux qui accusent Dieu de n'être pas juste parce qu'il ne punit pas immédiatement l'impie, ceux-là peuvent bien se tromper sur sa nature, mais ils en affirment l'existence. On peut accorder qu'ils nient indirectement l'existence de Dieu, en ce sens que ce qu'ils affirment ou ce qu'ils nient est incompatible avec la vérité de l'essence divine ; mais on ne peut pas dire que l'idolâtre soit dépourvu de toute idée de Dieu, ni qu'il pense, généralement parlant, que Dieu n'existe pas ; tout au contraire, c'est bien de Dieu qu'il affirme l'existence au moment même où il se trompe sur sa nature, et c'est ce qu'il n'est pas impossible de montrer[1].

Saint Bonaventure interprète en effet en son sens fort la célèbre parole de Jean Damascène : *Nemo quippe mortalium est, cui non hoc ab eo naturaliter insitum est, ut Deum esse cognoscat*[2]. Alors que saint Thomas réduit cette autorité à n'affirmer que l'innéité de ce par quoi nous pourrons acquérir la connaissance de Dieu, saint Bonaventure y trouve l'assertion formelle de l'innéité de cette connaissance elle-même ; connaissance incomplète certes, mais qui ne laisse place à aucun doute et que chaque regard jeté sur nous-mêmes nous invite à découvrir. La pensée humaine aspire à la sagesse, or la sagesse la plus désirable est

---

1. « Quia vero deficit in cognitione quid est, ideo frequenter cogitat Deum esse quod non est, sicut idolum, vel non esse quod est, sicut Deum justum. Et quia qui cogitat Deum non esse quod est, ut justum, per consequens cogitat ipsum non esse, ideo ratione defectus intellectus Deus potest cogitari non esse sive summa veritas, non tamen simpliciter sive generaliter, sed ex consequenti, sicut qui negat beatitudinem esse in Deo, negat cum esse », *I Sent.*, 8, 1, 1, 2, Concl., t. I, p. 154. « Ad illud de idolo dicendum quod ideo errat (*scil.*, idolatra) quia ignorat quid sit ; unde non cogitat Deum non esse in universali », *Ibid.*, p. 155. Même thèse dans le *De myst. Trinit.*, 1, 1, ad 1ᵐ, t. V, p. 50.

2. *De fide orthodoxa*, I, cap. 1 et 3.

la sagesse éternelle, c'est donc par-dessus tout l'amour de cette sagesse qui est inné à l'esprit humain. Or, il est impossible d'aimer ce que l'on ne connaîtrait absolument pas; il faut donc qu'une connaissance quelconque de cette suprême sagesse soit innée à l'âme humaine, et c'est là savoir d'abord que Dieu lui-même ou la sagesse existe. Il en va de même en ce qui concerne notre désir du bonheur; puisqu'un tel désir ne peut se concevoir sans une certaine connaissance de son objet, il faut que nous ayons une connaissance innée de l'existence de Dieu qui est notre Souverain Bien. De même encore pour notre soif de paix, car la paix d'un être raisonnable ne peut résider que dans un être immuable et éternel; or, cette soif suppose une notion ou une connaissance de son objet; la connaissance d'un être immuable et éternel est donc naturellement innée dans tout esprit raisonnable[1].

Et comment ne le serait-elle pas? L'âme est présente à elle-même et elle se connaît immédiatement; or, Dieu est éminemment présent à l'âme, et, de même que l'âme est intelligible par elle-même, Dieu est intelligible par soi-même. C'est donc un intelligible présent à un intelligible[2]; et que cet intelligible suprême soit supérieur, disproportionné même à celui dans lequel il réside, c'est ce qui ne prouve absolument rien contre la possibilité d'une telle connaissance. S'il était nécessairement requis, en effet, qu'il y eut proportion entre le sujet connaissant et son objet, jamais l'âme humaine ne parviendrait à la connaissance de Dieu, car elle ne peut se proportionner à lui ni par nature, ni par grâce, ni par gloire. Mais la proportion qui serait requise s'il s'agissait d'une connaissance égale à son objet, et spécialement d'une définition de l'essence, n'est plus requise s'il ne s'agit que de la constatation d'une existence; un simple rapport de convenance, un accord préalable et comme une compatibilité suffisent pour qu'un Dieu infini nous soit naturellement connaissable. Or, ce rapport existe. L'âme, avons-nous dit, est naturellement apte à tout connaître, parce qu'elle peut s'assimiler à tout; ajoutons maintenant qu'elle est tout spécialement apte à connaître Dieu

---

1. « Ergo si talis appetitus sine aliquali notitia esse non potest, necesse est quod notitia qua scitur summum bonum sive Deum esse sit inserta ipsi animae... Si ergo pax mentis rationalis non est nisi in ente immutabili et aeterno, et appetitus praesupponit notionem vel notitiam, notitia entis immutabilis et aeterni inserta est spiritui rationali », *De myst. Trinit.*, I, 1, 6-8; cf. pour l'argument par l'amour du vrai et la haine du faux, *Ibid.*, 9, t. V, p. 46.

2. « Item inserta est animae rationali notitia sui, eo quod anima sibi praesens est et se ipsa cognoscibilis: sed Deus praesentissimus est ipsi animae et se ipso cognoscibilis : ergo inserta est ipsi animae notitia Dei sui », *De myst. Trinit.*, I, 1, 10, t. V, p. 46.

par mode d'assimilation, parce qu'elle est faite à son image et ressemblance[1]. C'est donc dans un accord profond entre ces deux intelligibles, dont l'un est la cause et l'archétype de l'autre, que prend racine notre connaisssance innée de l'existence de Dieu[2].

La deuxième voie qui nous conduit à l'existence de Dieu est celle qui passe par les créatures et que le raisonnement conquiert par une simple application du principe de causalité. Ce principe ne permet pas seulement de conclure de la cause à l'effet, il permet aussi légitimement de remonter de l'effet à la cause ; si donc Dieu est vraiment cause des choses, il doit nous être possible de le reconnaître à partir de ses effets. La chose doit même nous être d'autant plus aisée que le sensible est une route qui conduit naturellement à l'intelligible et que, pour un intellect quasi matériel comme le nôtre, saisir Dieu dans sa spiritualité pure serait chose impossible. Il convient donc également de l'aborder par ses créatures[3].

Or, ceci posé, il importe assez peu que la raison choisisse tel ou tel point de départ pour conclure à l'existence du Créateur. Ce n'est pas accidentellement et selon telle ou telle de leurs propriétés que les choses sont déficientes, c'est essentiellement qu'elles sont caduques et incapables de se suffire à elles-mêmes. Si donc le raisonnement armé du principe de causalité s'applique à développer les multiples relations qui s'établissent entre la cause et l'effet, chaque réflexion de la pensée sur l'une quelconque des propriétés de l'être causé la conduit immédiatement à sa cause. Or, les choses sont évidemment imparfaites et finies, donc causées ; dès lors, nous pouvons conclure que s'il y a un être produit il y a un être premier, car l'effet suppose la cause ; s'il y a un être par autrui, selon autrui et pour autrui, il y a un être par soi, selon soi et pour soi ; s'il y a un être composé, il y a un être simple dont il tient son existence, car la composition est un manque de simplicité ; s'il y a de l'être mélangé, il doit y avoir un être pur, car rien de créé n'est pur ;

1. « Ad primam cognitionem (*scil.*, apprehensionis) requiritur proportio convenientiae ; et talis est in anima respectu Dei, quia quodam modo est anima omnia per assimilationem ad omnia, quia nata est cognoscere omnia, et maxime est capax Dei per assimilationem, quia est imago et similitudo Dei. Quantum ad cognitionem comprehensionis requiritur proportio aequalitatis, et aequiparantiae ; et talis non est anima respectu Dei, quia anima est finita, sed Deus est infinitus », *I Sent.*, 3, 1, 1, ad 1ᵐ, t. I, p. 69.

2. « Est enim certum ipsi comprehendenti, quia cognitio hujus veri innata est menti rationali in quantum tenet rationem imaginis, ratione cujus insertus est sibi naturalis appetitus et notitia et memoria illius ad cujus imaginem facta est, in quem naturaliter tendit, ut in illo possit beatificari », *De myst. Trinit.*, I, 1, Concl., t. V, p. 49.

3. *I Sent.*, 3, 1, 2, Contra 2 et Concl., t. I, p. 71-72.

s'il y a de l'être en mouvement, il doit y avoir un être immobile, car le mouvement se fonde sur l'immobile, comme le mouvement de la main sur l'immobilité du coude, le mouvement du coude sur le point d'appui fixe que lui prête l'épaule, et ainsi de suite ; s'il y a de l'être relatif, il doit y avoir un être absolu, car toute créature se trouve enfermée dans un genre quelconque ; or, ce qui ne représente que l'un des genres de l'être ne peut ni se donner ni donner l'être ; un être absolu est donc nécessaire, dont tous les autres reçoivent le leur[1].

Il apparaît immédiatement que les preuves de saint Bonaventure empruntées au sensible se présentent à nous sous un aspect presque négligé. Le point de départ choisi pour chaque preuve semble lui être à peu près indifférent, et aucune de ces preuves n'est techniquement élaborée avec un soin qui rappelle, même de loin, les argumentations minutieusement ajustées de saint Thomas d'Aquin. Ce serait donc là une excellente occasion de mettre en relief ce que la pensée de saint Bonaventure peut avoir d'inachevé, et beaucoup regretteront une fois de plus qu'il n'ait pas mieux utilisé le texte d'Aristote. Mais c'est aussi une excellente occasion de se tromper sur le sens de sa pensée et de n'en pas discerner la véritable orientation.

Si saint Bonaventure paraît indifférent au choix du point de départ de ses preuves par le monde sensible, c'est qu'en effet ce choix lui est complètement indifférent. Mieux encore, il y a intérêt à ne pas choisir et à accumuler le plus de preuves possible, fondées sur les phénomènes ou les propriétés naturelles les plus divers qui se puissent imaginer. Quel est, en effet, son dessein propre ? Ce n'est aucunement de construire quatre ou cinq preuves convaincantes par leur solidité même, c'est bien plutôt de montrer que Dieu est si universellement attesté par la nature que son existence est une sorte d'évidence et qu'il est à peine besoin de la démontrer. Saint Thomas insiste sur le fait que l'existence de Dieu n'est pas évidente ; il fait donc naturellement porter tout son effort sur le choix d'un ou plusieurs points de départ privilégiés et sur la solidité dialectique de la preuve. Saint Bonaventure insiste au contraire sur le fait que la nature entière proclame l'existence de Dieu comme une vérité indubitable, pourvu seulement qu'on

---

1. *I Sent.*, 3, 1. 2, Concl., t. I, p. 72 ; *II Sent.*, 3, 2, 2, 2, ad 2^m, t. II, p. 123. On remarquera la forme simplifiée de la preuve par le premier moteur dans l'*Hexaëmeron*, V, 28-29, t. V, p. 358-359. Voir également la curieuse rédaction, bien franciscaine par son désir du repos, qu'en donne le *De myst. Trinit.*, I, 1, 20, t. V, p. 47 ; *Itinerar.*, I, 13 ; éd. min., p. 300 ; II, 10, p. 311.

prenne la peine de la regarder ; il obéit donc simplement au sentiment
franciscain de la présence de Dieu dans la nature, lorsqu'il fait passer
sous nos yeux la longue série des créatures dont chacune crie à sa
manière l'existence de Dieu[1].

Or, de même qu'il lui est indifférent de partir de n'importe quelle
créature, de même il est indifférent au dessein du Docteur Séraphique
de construire des édifices dialectiques plus ou moins complètement élaborés. C'est qu'en effet les preuves par le sensible ne sont pas à ses
yeux des preuves parce qu'elles argumentent à partir du sensible, mais
parce qu'elles mettent au contraire en œuvre des notions d'ordre intelligible qui impliquent l'existence de Dieu. Le raisonnement que nous
tenons perd évidemment une grande partie de son importance s'il suppose une expérience préalable qui suffit à elle seule à prouver sa conclusion. Or, tel est précisément le cas ; notre expérience de l'existence
de Dieu est la condition même de l'inférence par laquelle nous prétendons l'établir. Nous croyons partir d'une donnée purement sensible
lorsque nous constatons au début de notre raisonnement qu'il existe
des êtres muables, composés, relatifs, imparfaits, contingents ; mais
toutes ces insuffisances ne nous apparaissent dans les choses que parce
que nous possédons déjà l'idée des perfections qui les mesurent. C'est
donc en apparence seulement que notre raisonnement prend son point
de départ dans la constatation des données sensibles. Toute connaissance vient d'une connaissance antérieure, et la constatation en apparence immédiate et primitive du contingent suppose la connaissance
préalable du nécessaire. Or, le nécessaire n'est autre que Dieu ; l'intelligence humaine expérimente donc qu'elle possède déjà la connaissance du premier être au moment même où elle entreprend de la
démontrer[2].

Lorsqu'on les envisage de ce point de vue, les preuves par le sensible

---

1. « Omne verum quod clamat omnis creatura est verum indubitabile ; sed Deum esse
clamat omnis creatura : ergo, etc. — Quod autem omnis creatura clamet Deum esse, ostenditur ex decem conditionibus et suppositionibus per se notis », *De myst. Trinit.*, I, 1, 10-20,
t. V, p. 46-47.

2. « Et sic fertur intelligentia ratiocinando. Fertur similiter experiendo sic : productum
respectu primi defectivum est ; similiter compositum respectu simplicis ; similiter permix-
tum respectu puri, et sic de aliis. Ergo dicunt privationes. Sed privationes non cognoscun-
tur nisi per habitus suos. Judex enim est rectum sui et obliqui. Et si omnis cognitio fit ex
praeexistenti cognitione, ergo necessario intelligentia experitur in se, quod habeat aliquod
lumen per quod cognoscat primum esse », *In Hexaëm.*, V, 30 et 32, t. V, p. 359. « Quomodo autem sciret intellectus hoc esse ens defectivum et incompletum, si nullam haberet
cognitionem entis absque omni defectu? », *Itinerar.*, III, 3 ; éd. min., p. 317.

ne peuvent plus être comparées entre elles dans le système de saint
Bonaventure et dans celui de saint Thomas. Si l'idée de Dieu est
innée, le monde sensible ne pourra jamais nous servir à la construire,
mais seulement nous offrir une occasion de la retrouver, et c'est elle
qui constituera nécessairement ,notre point de départ. Or, pour qui
considère attentivement le problème, ce point de départ est lui-même
un point d'arrivée. Si nous avons en nous l'idée de Dieu, nous sommes
sûrs qu'il existe, car nous ne pouvons pas ne pas le penser comme existant[1] ; la deuxième voie nous a donc ramenés à la première et c'est la
première encore qui va nous ouvrir la troisième : l'évidence immédiate
de l'existence de Dieu.

Depuis le *Commentaire* jusqu'à la fin de sa carrière, saint Bonaventure est demeuré le fidèle disciple de saint Anselme sur ce point. L'être
divin, pris en soi, est d'une évidence absolue. Lorsque nous connaissons les termes d'un principe premier, nous connaissons du même coup
ce principe, et il est évident à nos yeux parce que, dans une telle proposition, le prédicat est inclu dans le sujet. Il en est exactement de
même en ce qui concerne la proposition : Dieu est; car Dieu, ou la
suprême vérité, est l'être même, et tel qu'on ne peut rien concevoir de
plus parfait; il ne peut donc pas ne pas être, et la nécessité intrinsèque
de son être est telle qu'elle rejaillit en quelque sorte sur notre pensée.
On peut ignorer ce que signifie le mot de Dieu et si l'on se trompe sur
l'essence on ne découvrira certainement pas la nécessité de son existence; mais, si l'on a déjà appris ce que signifie le mot par le raisonnement et l'expérience[2], ou si l'on en connaît le sens grâce aux enseignements de la foi[3], ou si l'on consulte simplement l'idée naturellement
innée que tous les hommes possèdent de Dieu[4], alors la nécessité de
l'être divin deviendra une nécessité pour notre pensée même et nous ne
pourrons pas ne pas le penser comme existant. Peu importe donc la
manière dont les arguments seront construits; quelle que soit la voie,
directe ou détournée, par laquelle ils veuillent nous conduire, c'est tou-

1. *De myst. Trinit.*, I, 1, 20, t. V, p. 47.
2. C'est ainsi que l'argument est introduit dans l'*Hexaëm.*, V, 31, t. V, p. 359 : « Sic
igitur, *his praesuppositis*, intellectus intelligit et dicit, primum esse est, et nulli vere esse
convenit nisi primo esse, et ab ipso omnia habent esse, quia nulli inest hoc praedicatum
nisi primo esse. Similiter simplex esse est simpliciter perfectum esse : ergo est quo nihil
intelligitur melius. Unde Deus non potest cogitari non esse, ut probat Anselmus. »
3. *De myst. Trinit.*, I, 1, 21, t. V, p. 47.
4. *I Sent.*, 8, 1, 1, 2, 1 fund., t. I, p. 153.

jours en présence d'une identité qu'ils finiront par nous amener. Manifestement, saint Bonaventure est entraîné par une tendance très forte à simplifier encore le raisonnement déjà si direct de saint Anselme ; le mouvement dialectique rapide, mais fortement articulé, par lequel le *Proslogion* contraint la pensée à poser Dieu comme l'être tel qu'on n'en peut concevoir de plus grand, s'efface et finit même par disparaître ici complètement. La définition de Dieu impliquait chez saint Anselme un contenu que notre pensée devait développer pour en tirer la conclusion ; chez saint Bonaventure, la même définition se transforme en une évidence immédiate, parce qu'elle participe à la nécessité de son contenu. Le *substratum* métaphysique de la preuve, nettement pressenti par saint Anselme, atteint ici à la pleine conscience de soi ; c'est parce que la nécessité de l'être divin se communique à la pensée qu'une simple définition peut devenir une preuve. On dira donc : *tanta est veritas divini esse, quod cum assensu non potest cogitari non esse*[1] ; ou bien encore que ce qui ne peut pas ne pas être étant plus grand que ce qui peut ne pas être, l'être tel qu'on n'en peut concevoir de plus grand est nécessairement[2] ; mais on peut simplifier encore la formule, et, puisque c'est l'évidence intrinsèque de l'idée de Dieu qui fonde l'assertion de son existence, il doit suffire de la mettre sous nos yeux pour que nous en percevions la nécessité : si Dieu est Dieu, Dieu existe ; or, l'antécédent est évident, donc la conclusion l'est aussi[3].

Si nous réfléchissons aux conditions qui fondent la possibilité d'une connaissance d'un ordre aussi exceptionnel, elles nous apparaîtront doubles. D'abord, la nécessité de l'objet. Une constatation de ce genre est valable pour Dieu et elle ne l'est que pour lui seul ; objecter à saint Anselme, comme on l'a fait, le cas d'une île telle qu'on ne peut en concevoir de plus belle, c'est montrer que l'on n'entend pas le problème dont il s'agit. Lorsque nous disons : l'être tel que l'on n'en peut concevoir de plus grand, aucune contradiction n'apparaît entre le sujet et le prédicat ; c'est donc une idée parfaitement concevable. Mais

---

1. *I Sent.*, 8, 1, 1, 2, Concl. Et encore, *Ibid.* : « Nam Deus sive summa veritas est ipsum esse quo nihil majus cogitari potest : ergo non potest non esse nec cogitari non esse. Praedicatum enim clauditur in subjecto. »

2. *Ibid.*, 1, t. I, p. 153. On remarquera la suppression de l'échelon dialectique *in intellectu* et *in re*. Même formule attribuée à saint Anselme, *De myst. Trinit.*, I, 1, 22, t. V, p. 47.

3. « Si Deus est Deus, Deus est ; sed antecedens est adeo verum quod non potest cogitari non esse ; ergo Deum esse est verum indubitabile », *De myst. Trinit.*, I, 1, 29, t. V, p. 48.

lorsque nous disons : l'île telle que l'on n'en peut concevoir de plus parfaite, nous énonçons une proposition contradictoire, car une île est un être imparfait par définition et il n'est pas étonnant qu'on ne puisse conclure à l'existence d'une chose au nom d'une définition contradictoire et impossible[1]. Mais il ne suffit pas que l'objet de notre connaissance soit nécessaire en lui-même, il faut encore que l'identité d'essence et d'existence qui fonde la nécessité de son être soit percevable dans l'identité du sujet et du prédicat qui fonde la nécessité de notre jugement. Or, un tel transfert de nécessité n'est pas une pure hypothèse ; il s'effectue réellement chaque fois que nous pensons à l'Être, et c'est dans la relation métaphysique profonde, dans la parenté, pourrait-on dire, qui relie l'âme à Dieu, que nous devons chercher la justification dernière de l'argument de saint Anselme et de toutes les autres preuves de l'existence de Dieu.

Ce n'est pas que saint Bonaventure méconnaisse la distance infinie qui sépare la pensée humaine d'un tel objet, mais nous avons déjà noté qu'un être infiniment éloigné d'un autre dans l'ordre de l'être peut lui être immédiatement présent dans l'ordre de la connaissance ; il suffit pour cela que ces deux êtres soient de nature analogue, encore qu'ils ne réalisent pas leur nature au même degré. Or, l'âme et Dieu sont deux intelligibles. Si notre intellect était une intelligence pure comme celle des anges, il pourrait, sans arriver jamais à comprendre Dieu totalement, le voir directement, saisir l'identité de son essence et de son existence ; mais il peut du moins, en vertu de ce qui lui reste d'intelligibilité, saisir l'identité de l'idée de son essence avec l'idée de son existence. Et s'il suffit que l'idée de Dieu soit en nous pour que nous puissions poser l'existence de son objet, c'est qu'il n'y a pas ici d'argument ontologique au sens où Kant l'entendait. Saint Bonaventure ne passe pas de l'idée à l'être, l'idée n'est à ses yeux que le mode de présence de l'être dans sa pensée ; il n'y a donc pas de transition réelle à effectuer entre l'idée d'un Dieu dont l'existence est nécessaire et ce même Dieu nécessairement existant.

On se tromperait d'ailleurs complètement en ne voyant dans cette attitude du Docteur Séraphique rien de plus qu'un dogmatisme qui s'ignore ; jamais dogmatisme ne fut plus conscient de lui-même ni plus fermement appuyé sur ses fondements métaphysiques ; avec saint Bonaventure les présupposés de l'argument de saint Anselme passent au

---

1. *De myst. Trinit.*, I, 1, ad 6, t. V, p. 50.

premier plan et, amenés à la lumière d'une complète évidence, ils
absorbent en quelque sorte la preuve. Si, en effet, l'argumentation du
Proslogion tire sa valeur des attaches profondes que notre idée de Dieu
conserve avec son objet, c'est la constatation de cette action de Dieu
dans notre pensée qui constitue la preuve de son existence et non pas
le déroulement analytique des conséquences incluses dans la notion que
nous en avons. Le problème se réduit donc à savoir si Dieu est ou n'est
pas un objet proportionné à notre pensée. Or, nous pouvons nous assurer qu'il en est bien ainsi et nous n'aurions aucune hésitation sur ce
point si nous ne concevions faussement la connaissance intellectuelle
comme analogue à la connaissance sensible. Toute sensation suppose
un organe, c'est-à-dire un certain ensemble d'éléments organisés et
ordonnés selon une proportion déterminée ; un sensible qui n'atteint
pas cette proportion reste inaperçu, mais un sensible qui l'excède introduit une perturbation dans l'organe et risque de le détruire ; une lumière
trop vive éblouit, un son trop puissant assourdit. Ajoutons à cela que
l'action subie par l'organe sensoriel est une sorte d'intrusion du dehors,
puisque l'excitant est normalement un objet extérieur, et que, par conséquent, elle peut être une cause de trouble. Enfin, le sens ne se
recueille pas en lui-même pour percevoir son objet, il tend au contraire
vers le dehors, il sort de soi et se disperse, par quoi il ne peut éviter
de s'affaiblir. Bien différente est la connaissance intellectuelle ; elle ne
dépend d'aucun organe corporel, et par conséquent aucun objet ne peut
lui être disproportionné ni par défaut ni par excès ; tout au contraire,
on peut dire que plus un objet sera excellent, plus aussi elle l'appréhendera aisément, car un tel objet de connaissance procède en elle du
dedans ; il pénètre donc notre faculté de connaître elle-même et, au lieu
d'être pour elle une cause de trouble, il l'aide, la conforte, lui rend plus
aisé l'exercice de son opération. De même, déclare saint Bonaventure
dans une comparaison saisissante, que si les montagnes nous donnaient
la force de les porter, nous en porterions une grande plus aisément
qu'une petite, de même l'intelligible divin aide notre intellect à le connaître en proportion de son immensité, et il l'aide d'autant plus qu'il
n'est pas pour notre connaissance un objet extérieur qu'elle n'attein-
drait qu'en se dispersant hors d'elle-même, mais un objet intérieur
autour duquel elle se recueille et, en se recueillant, se fortifie[1]. C'est

---

1. « Ad illud quod objicitur quod excellentia sensibilis corrumpit sensum, ergo, etc. Dicendum quod non est simile de intelligere et sentire. Et ad hoc est triplex ratio. Una est ex
parte virtutis apprehensivae. Alia ex parte apprehensi, sive objecti. Tertia est ex parte modi

donc bien l'irradiation de l'objet divin lui-même à l'intérieur de notre âme qui fonde métaphysiquement la connaissance que nous en avons et c'est dans l'ordre de l'être que l'argument de saint Anselme trouve ici son ultime justification.

On conçoit enfin pourquoi l'argument de saint Anselme par l'idée de Dieu se confond pratiquement aux yeux de saint Bonaventure avec l'argument de saint Augustin par l'existence de la vérité. C'est que non seulement la vérité n'est pas autre chose que Dieu lui-même, mais encore que toute vérité particulière suppose l'existence d'un vrai absolu dont elle est l'effet. Il suffit donc d'affirmer une vérité particulière quelconque pour affirmer du même coup l'existence de Dieu[1]. A plus forte raison l'affirme-t-on si, au lieu de poser la vérité d'une proposition particulière, on affirme l'existence de la vérité en général : car si l'on nie cette existence en déclarant que la vérité n'existe pas, il est vrai que la vérité n'existe pas; et si cela est vrai, il y a quelque chose de vrai; et s'il y a quelque chose de vrai, la première Vérité existe; on ne peut donc même pas nier l'existence de la vérité ni l'existence de Dieu sans l'affirmer au moment même où on la nie[2]. Comment ne pas voir sous ces arguments augustiniens repris par saint Bonaventure la même métaphysique de l'être qui fondait l'argument de saint Anselme? Ce n'est pas en vertu d'une analyse purement dialectique de concepts abstraits que nous pouvons inférer immédiatement l'existence de Dieu

apprehendendi. Ex parte virtutis apprehensivae, quia sensus potest corrumpi, intellectus autem non. Cujus ratio est quia sensus dependet ab organo, in quo est quaedam medietas et harmonia, quae non tantum corrumpitur per contrarium, sed per excellens. Sed intellectus non dependet ab organo quia vis est immaterialis, ideo non tristatur in excellenti. Ex parte objecti non est simile, quia objectum intelligentiae excellens juvat et confortat, quia influentia talis cognoscibilis procedit ab intimis, et intrat ipsam potentiam, et ideo ipsam corroborat et confortat. Sicut si magnus mons daret virtutem portandi se, facilius ferretur quam parvus; sic est in intelligibili quod Deus est. Sensibile autem objectum tantum extra excitat; et ideo hoc corrumpit, illud non. Ex parte modi apprehendendi similiter est dissimilitudo, quia sensus in apprehensione sui objecti tendit ad exterius, unde per illud dispergitur exterius, nec fortificatur interius, ideo debilitatur. Sed objectum intellectus cum sit intimum ipsi intellectui, in ejus perceptione virtus non dispergitur, sed colligitur, et quanto virtus est magis unita, tanto fortior », *I Sent.*, 1, 3, 1, ad 2^m, t. I, p. 39.

1. « Probat iterum ipsam (*scil.*, existentiam Dei) et concludit omnis propositio affirmativa; omnis enim talis aliquid ponit; et aliquo posito ponitur verum; et vero posito ponitur veritas quae est causa omnis veri », *I Sent.*, 8, 1, 1, 2, Concl., t. I, p. 155; *De myst. Trinit.*, I, 1, 5, t. V, p. 50. « Deum esse primum, manifestissimum est quia ex omni propositione tam affirmativa quam negativa, sequitur Deum esse, etiam si dicas : Deus non est, sequitur : si Deus non est, Deus est; quia omnis propositio infert se affirmativam et negativam, ut si Socrates non currit, verum est Socratem non currere », *In Hexaëm.*, X, 11, t. V, p. 378.

2. *De myst. Trinit.*, I, 1, 26, t. V, p. 47.

à partir d'un jugement quelconque; ce n'est pas une simple répugnance logique qui nous interdit de nier l'existence de Dieu sans nous contredire; cette répugnance n'est que le signe d'une impossibilité métaphysique à laquelle nous nous heurtons. Si Dieu est présent en notre âme par la vérité que nous y découvrons, comment pourrions-nous le nier au nom de lui-même? Puisque nous ne connaissons rien que par sa lumière, comment pourrions-nous affirmer au nom de cette même lumière que la première lumière n'existe pas[1]? Cette impossibilité radicale de nier Dieu c'est donc encore la marque laissée par la lumière divine sur notre face : *lux animae veritas est; haec lux nescit occasum. Ita enim fortiter irradiat super animam, ut etiam non possit cogitari non esse nec exprimi, quin homo sibi contradicat*[2].

Ainsi, les preuves de l'existence de Dieu telles que saint Bonaventure les expose se confirment mutuellement; plus encore, elles semblent si étroitement apparentées entre elles que nous avons peine et que leur auteur lui-même semble avoir peine à les séparer rigoureusement les unes des autres. C'est que nous ne pouvons remonter à l'origine d'aucune d'elles sans rejoindre le même point de départ : une parenté entre l'âme et Dieu, qui permet que Dieu se manifeste dans l'âme, qu'il y soit présent dans la vérité qu'elle appréhende et qu'il lui soit plus intérieur qu'elle ne l'est à elle-même; d'un mot, une aptitude naturelle de l'âme à percevoir Dieu[3].

C'est d'ailleurs cette orientation définie de la pensée bonaventurienne qui rend vaines toutes tentatives pour la situer dans le même cadre historique que celle de saint Thomas. Ces tentatives peuvent être plus ou moins ingénieuses et certaines même sont d'une excellente qualité philosophique, mais si le propre de la philosophie est de concilier, celui de l'histoire est de distinguer; or, on ne peut situer dans le même plan les preuves bonaventuriennes et les preuves thomistes de l'exis-

---

1. « Intellectus noster nihil intelligit nisi per primam veritatem, ergo omnis actio intellectus, quae est in cogitando aliquid non esse, est per primam lucem; sed per primam lucem non contingit cogitare non esse primam lucem sive veritatem, ergo nullo modo contingit cogitare, primam veritatem non esse », *I Sent.*, 8, 1, 1, 2, fund. 4, t. I, p. 153.

2. *In Hexaëm.*, IV, 1, t. V, p. 349. « Lux est veritas... quae inexstinguibiliter irradiat, quia non potest cogitari non esse », *Ibid.*, V, 1, p. 353.

3. « Solus autem Deus est quo perfectissime conjungitur. Nam conjungitur secundum veritatem et intimitatem. Solus enim Deus propter summam simplicitatem illabitur animae, ita quod secundum veritatem est in anima, et interior animae quam ipsa sibi. Omnes enim hae quatuor rationes ad unam reducuntur, scilicet ad hanc, quia nata est anima ad percipiendum bonum infinitum quod Deus est : ideo in eo solo debet quiescere et eo frui », *I Sent.*, 1, 3, 2, Concl., t. I, p. 41.

tence de Dieu qu'en sortant chacune d'elles du plan qui lui est propre
pour les attirer toutes deux sur un plan imaginaire inventé par l'historien. Tel est le cas, semble-t-il, en ce qui concerne la célèbre connaissance *implicite* de Dieu, que le P. Lepidi et ses disciples attribuent
en commun à saint Bonaventure et à saint Thomas d'Aquin[1].

En ce qui concerne saint Thomas lui-même, on ne peut pas hésiter à
reconnaître que sa doctrine concède en effet à l'homme une connaissance implicite de Dieu. L'expression même est de lui et il l'emploie de
la manière la plus nette : *omnia cognoscentia cognoscunt implicite Deum
in quolibet cognito. Sicut enim nihil habet rationem appetibilis nisi per
similitudinem primae bonitatis, ita nihil est cognoscibile nisi per similitudinem primae veritatis*[2]. Il enseigne même à plusieurs reprises que
nous avons une connaissance confuse innée de l'existence de Dieu, à
savoir en tant que nous désirons naturellement la béatitude et que
nous avons nécessairement une certaine connaissance de ce que nous
désirons[3]. Mais il faut s'entendre sur le sens thomiste du terme implicite ; on peut interpréter cette expression soit comme désignant du virtuellement préformé qui n'a plus qu'à se développer comme un germe,
soit comme désignant du confus qu'une addition ultérieure viendra
déterminer. Or, il semble clair que, dans un système comme celui de
saint Thomas, aucune connaissance de Dieu ne puisse être implicite au
premier sens de l'expression. Il est en effet impossible de supposer
qu'une connaissance quelconque nous soit originairement donnée dans
l'intellect lui-même. Puisque notre intellect est primitivement une table
rase sur laquelle rien n'est encore écrit, l'idée de Dieu n'y est pas plus
inscrite que les autres, et pas un seul texte thomiste ne nous autorise à
supposer qu'elle y soit en aucune manière préformée. Si cette philosophie reconnaît à la pensée un contenu inné, nous devrons une grande
reconnaissance à l'historien qui le démontrera, mais, en attendant que

---

1. « Motus ergo nostri intellectus dum intelligit, dum ratiocinatur, a cognitione implicita
Dei incipit et in cognitionem explicitam Dei terminatur », Lepidi, *De ente generalissimo,
prout est aliquid psychologicum, logicum, ontologicum*, dissertation imprimée dans le
Divus Thomas, 1881, nᵒˢ 11 et suiv. Le texte cité ici se trouve à la page 215. La thèse est
acceptée par l'auteur de la *Dissertatio praevia*, dans *De humanae cognitionis ratione
anecdota quaedam*, Quaracchi, 1883, p. 22. Elle présentait à ses yeux l'avantage d'augus-
tiniser saint Thomas et, par conséquent, de thomistiser saint Bonaventure. Elle a été réaf-
firmée de la manière la plus formelle par B. Landry, *La notion d'analogie chez saint
Bonaventure et saint Thomas d'Aquin*, Louvain, 1922, p. 55-56.

2. *Qu. disp. de Veritate*, XXII, 2, ad 1ᵐ.

3. *Summ. theol.*, I, 2, 1, ad 1ᵐ et 3ᵐ; *Cont. Gent.*, I, 11; *In Boethium de Trinitate*,
qu. 1, art. 3, ad 4ᵐ.

la démonstration nous en soit fournie, l'interprétation qui nous paraît
s'imposer est aussi la seule qu'autorisent les principes fondamentaux du
système : table rase, notre intellect ne contient originellement aucune
idée de Dieu[1].

Si l'idée de Dieu n'existe pas à l'état implicite dans l'intellect lui-
même, existe-t-elle du moins dans la première des idées formées par
cet intellect, l'idée d'être? Remarquons d'abord qu'en conséquence du
principe précédent cette idée elle-même n'est pas développée par l'intellect comme une virtualité tirée de son propre fonds; elle est acquise
et formée au contact du sensible, ainsi que le seront toutes nos autres
idées. Or, son mode de naissance définit à l'avance ce que sera son mode
de développement. Pas plus qu'elle n'était virtuellement préformée dans
l'intellect humain antérieurement à toute expérience sensible, pas
davantage elle ne contient, virtuellement préformée en soi, l'idée distincte de Dieu. Ce n'est ni en elle ni dans son idée que l'âme possède
la connaissance implicite de Dieu, c'est dans son objet, et c'est là aussi
qu'il lui faudra nécessairement la chercher. La vraie signification du
terme implicite n'est donc pas : virtuel, mais : confus et indéterminé;
et ce n'est pas du contenu même de l'idée d'être que la pensée, puisant
dans son propre fonds, fera sortir l'idée claire de Dieu, c'est une série
de déterminations ajoutées à l'idée d'être par l'intellect au cours de son
exploration du monde sensible qui déterminera progressivement et
construira l'idée de Dieu. Que l'on reprenne tous les textes de saint
Thomas où il est question de cette connaissance naturelle confuse, on
verra qu'il ne nous y présente pas l'âme humaine comme en possession
d'une notion dont le contenu va se développer de lui-même, mais comme
en présence d'un objet dont elle n'a pas encore exploré toutes les

---

1. M. J. Durantel a soutenu d'une manière très brillante qu'il y a place dans le thomisme
pour une certaine innéité des principes. Voir *Le retour vers Dieu*, Paris, Alcan, 1918,
p. 156-157, 159, 162, etc. S'il en était ainsi, le principe incomplexe qu'est l'idée d'être serait
doué d'une certaine innéité et la distance ne serait pas infranchissable entre saint Bonaventure et saint Thomas. Malheureusement, cette interprétation est en contradiction formelle avec les déclarations les plus expresses de saint Thomas : « Quidam vero crediderunt
intellectum agentem non esse aliud quam habitum principiorum indemonstrabilium in
nobis. Sed hoc esse non potest, quia etiam ipsa principia indemonstrabilia cognoscimus
abstrahendo a sensibilibus », *Qu. disp. de Anima*, un., art 5, ad *Resp.* Cf. *Cont. Gent.*, II,
78, ad *Amplius Aristoteles*. L'intellect agent est cause efficiente des principes et de leurs
caractères formels, mais il ne contient rien de ce qui constituera leur contenu. Il contient,
par exemple, ce qui explique la formation, l'universalité et la nécessité d'une idée comme
sera l'idée d'être, mais, en tant qu'intellect agent, l'idée d'être ne préexiste absolument pas
en lui.

richesses et défini la nature. Assurément, l'objet est bien présent à l'intellect et, puisqu'il l'appréhende, il le connaît d'une certaine manière ; mais jamais l'âme humaine ne tirera de son désir naturel de la béatitude ou de son idée naturelle de l'être plus qu'ils ne contiennent actuellement, si elle s'enferme à l'intérieur de cette connaissance et de cet amour ; les virtualités implicites qu'elle espère y exploiter ne s'y trouvent pas contenues, elles ne le sont que dans son objet, ou en elle-même en tant qu'elle pourrait devenir son propre objet. Pour déterminer sa connaissance implicite de Dieu, c'est donc à l'expérience sensible par laquelle il l'avait acquise que notre intellect doit encore recourir ; depuis le début jusqu'à la fin de sa carrière, saint Thomas n'a jamais enseigné autre chose : la lumière intellectuelle est un moyen de connaître, elle n'est jamais un objet connu ; on peut soutenir le contraire et se dire thomiste, mais il est bon de savoir qu'on pense alors en augustinien[1].

Bien différente est la position adoptée par saint Bonaventure devant

---

1. Le P. Lepidi renvoie au texte du *I Sent.*, dist. 3, qu. 4, ad *Resp.* Nous le donnons en entier : « Respondeo dicendum quod, secundum Augustinum, *De utilit. credendi*, cap. XI, differunt cogitare, discernere et intelligere. Discernere est cognoscere rem per differentiam sui ab aliis. Cogitare autem est considerare rem secundum partes et proprietates suas ; unde dicitur quasi coagitare. Intelligere autem dicit nihil aliud quam simplicem intuitum intellectus in id quod sibi praesens est et intelligibile. Dico ergo quod anima non semper cogitat et discernit de Deo, nec de se, quia sic quilibet sciret naturaliter totam naturam animae suae, ad quod vix magno studio pervenitur : ad talem enim cognitionem non sufficit praesentia rei quolibet modo, sed oportet ut sit ibi ratione objecti, ut exigitur intentio cognoscentis. Sed secundum quod intelligere nihil aliud dicit quam intuitum, qui nihil aliud est quam praesentia intelligibilis ad intellectum quocumque modo (c'est-à-dire sans en discerner la nature propre) sic anima semper intelligit se et Deum, et consequitur quidam amor indeterminatus. Alio tamen modo, secundum philosophos (c'est-à-dire pas selon saint Augustin), intelligitur quod anima semper se intelligit, eo quod omne quod intelligitur, non intelligitur nisi illustratum lumine intellectus agentis, et receptum in intellectu possibili. Unde sicut in omni colore videtur lumen corporale, ita in omni intelligibili videtur lumen intellectus agentis ; non tamen in ratione objecti sed in ratione medii cognoscendi. » La fin du texte indique nettement que connaître signifie ici avoir de quoi connaître, et, en effet, l'intellect est là cause des principes. Quant au texte de la *Somme théologique* auquel renvoie le P. Lepidi, I, 3, 5, *Sed contra :* « Nihil est prius Deo nec secundum rem, nec secundum intellectum », il suffit à disqualifier la thèse qui le revendique pour s'établir. Saint Thomas se demande si Dieu est dans un genre, et il répond naturellement que si Dieu était dans un genre quelque chose lui serait antérieur ; en effet, l'idée du genre est antérieure, pour l'entendement qui classe les idées, à celle de l'espèce contenue sous le genre ; or, il n'y a pas plus en nous d'idée qui soit logiquement antérieure à celle de Dieu qu'il n'y a hors de nous de réalité qui soit antérieure à Dieu même : « Ergo Deus non est in aliquo genere. » Le P. Lepidi supprime donc le contexte et traduit *prius secundum intellectum* par *prius secundum cognitionem*. L'auteur de la *Dissertatio* que nous avons citée l'a d'ailleurs clairement indiqué. *op. cit.*, p. 17.

ce problème capital. Il commence par distinguer entre deux questions :
celle de la nature de Dieu et celle de son existence. La nature de Dieu peut
être ignorée, mais son existence ne saurait l'être ; chrétiens, juifs, sarra-
sins, idolâtres même, tous s'accordent pour admettre qu'il existe un
Dieu, bien qu'ils ne s'accordent pas sur la nature de ce Dieu. Si donc
on cherche ce qui peut être implicite dans la connaissance de Dieu que
saint Bonaventure nous attribue, on arrive à cette conclusion que c'est
uniquement la connaissance de l'essence divine. Non seulement, en
effet, l'idolâtre peut se tromper sur la nature de Dieu, mais même nous
savons que toute raison qui n'est pas illuminée par la lumière de la foi
se trompera nécessairement. Il n'y a pas de raison naturelle, si haute
soit-elle, qui puisse s'élever par ses propres forces jusqu'à l'idée d'un
seul Dieu en trois personnes distinctes, et l'expérience de la philosophie naturelle avant la venue du Christ est là pour nous en convaincre.
Avant la révélation, les hommes n'étaient tenus de connaître la Trinité
qu'implicitement, et c'est ce que faisaient les meilleurs d'entre eux en
discernant par le seul effort de leur raison naturelle les attributs appropriés à des personnes qu'ils ne connaissaient pas[1]. Mais cette thèse laisse
intacte notre connaissance naturelle de l'existence de Dieu. Puisque
en effet saint Bonaventure, à la différence de saint Thomas d'Aquin,
nous accorde une idée innée de Dieu et de son existence, la connaissance que nous en avons est nécessairement inséparable de notre pensée ; c'est elle qui se manifeste extérieurement par les gestes de l'idolâtre ou les propos de l'hérétique ; c'est elle qui meut notre désir de
Dieu en le dirigeant vers le bonheur, la paix et le bien. Or, nous
sommes manifestement conduits sur ce point en présence de deux
théories de la connaissance profondément différentes ; l'implicite de
saint Bonaventure est véritablement du virtuel qui peut se développer
du dedans, parce que, comme nous le verrons, il ne distingue pas l'intellect de l'âme comme un accident d'une substance, qu'il rend par là
même possible une présence directe de l'âme à elle-même et qu'il lui
permet par là de déchiffrer dans sa propre substance l'image que le
créateur y a primitivement imprimée. S'il en est effectivement ainsi,
l'intellect humain n'est pas un faisceau de lumière blanche qui se projette sur des objets pour en dessiner les contours, il est bien plutôt la
promotion directe d'une substance intelligible qui est l'âme et que rend

1. *De myst. Trinit.*, I, 2, Concl., ad corollar., et consequent., 1ª et 2ª, et epilog., t. V,
p. 55-56.

intelligible à son tour la présence de l'action divine. C'est pourquoi
l'implicite, qui se déterminait chez saint Thomas par l'exploration
intellectuelle du sensible, se déterminera chez saint Bonaventure par
son approfondissement même, par une reconnaissance progressive et
de plus en plus plénière de l'intime parenté qui relie l'âme humaine à
Dieu.

La même différence de points de vue reparaîtra si l'on pose à saint
Bonaventure la question que posera saint Thomas : l'existence de Dieu
est-elle une *res per se nota*? On sera d'autant plus embarrassé pour
répondre que la réponse fournie par saint Bonaventure suppose une question formulée en termes quelque peu différents. Ce que le Docteur Séraphique se demande, c'est si l'existence de Dieu est un *verum indubitabile*, c'est-à-dire une vérité que toute pensée droite soit incapable de
mettre en doute. Or, à la question ainsi posée, saint Bonaventure répond
affirmativement et sans la moindre restriction : l'existence de Dieu est
une vérité à l'évidence de laquelle rien ne manque, ni en soi, ni du
point de vue des preuves qui l'établissent, ni quant à la connaissance
que nous en avons[1]. On ne saurait cependant assimiler sans aucune restriction le *verum indubitabile* de saint Bonaventure au *per se notum* de
saint Thomas d'Aquin[2]. Le connu par soi de la doctrine thomiste est une
proposition évidente en vertu de la seule définition des termes qui la

1. L'interprétation thomiste que donnent de cette doctrine les scoliastes de Quaracchi,
t. I, p. 155 : « Sanctus enim loquitur hic directe de veritate divini esse et tantum indirecte
de nostra cognitione hujus divini esse », semble inconciliable avec la pensée de saint Bonaventure. La conclusion de l'article visé est que, en soi, l'évidence de Dieu est absolue; pour
nous : « Tanta est veritas divini esse, ut non possit cum assensu cogitari non esse nisi
propter defectum ex parte intelligentis, qui ignorat quid sit Deus ». Or, il ne s'agit pas ici
de cette ignorance de l'essence divine qui empêche, selon saint Thomas, que l'existence de
Dieu ne soit évidente, mais de l'erreur beaucoup plus grossière de l'idolâtre ou de l'impie
qui se trompent sur les attributs de Dieu; et cette erreur laisse indubitable l'existence même de Dieu : « Intellectus autem noster deficit in cogitatione divinae veritatis
quantum ad cognitionem quid est, tamen non deficit quantum ad cognitionem si est. » C'est
pour saint Thomas que le manque de la première connaissance entraîne le manque d'évidence immédiate de la deuxième. La conclusion suivante résume exactement la pensée de
saint Bonaventure sur ce point et montre que l'existence de Dieu est évidente pour nous,
pourvu seulement que nous raisonnions bien : « Non est dubitabile Deum esse, si dubitabile intelligitur aliquod verum, cui deficit ratio evidentiae sive in se, sive in comparatione
ad medium probans, sive in comparatione ad intellectum apprehensivum. Dubitari tamen
de eo potest ex parte cognoscentis, scilicet ob defectum in actibus vel apprehendendi, vel
conferendi, vel resolvendi », *De myst. Trinit.*, 1, 1, Concl., t. V, p. 49.
2. Les scoliastes de Quaracchi, t. I, p. 155, affirment que : « Quaestio haec fere coinci-
dit cum illa quae communiter sic exprimitur, utrum Deum esse sit per se notum. » C'est
pour expliquer *fere* qu'ils soutiennent ensuite que l'évidence dont parle saint Bonaventure
est celle de Dieu en soi et non de la connaissance que nous en avons. Il y avait une manière

constituent; or, la vérité indubitable de saint Bonaventure peut être quelque chose de plus simple encore, puisque la seule présence de l'idée innée de Dieu dans notre pensée prouve son existence; elle peut être au contraire quelque chose de plus complexe, puisque nous raisonnons parfois à partir des choses contingentes ou de la vérité particulière pour en inférer l'existence de Dieu. Dans un seul cas, celui de l'argument de saint Anselme, il s'agit bien pour les deux philosophes d'une proposition telle que le prédicat s'y trouve nécessairement inclus dans le sujet. Mais, ici encore, la rencontre entre saint Thomas et saint Bonaventure est purement extérieure et verbale, parce que les notions à partir desquelles la preuve s'établit ne sont pas de même ordre. Ce dont parle saint Thomas lorsqu'il nie que l'existence de Dieu puisse devenir une chose connue par soi, c'est d'un concept construit par notre intellect avec une faculté innée et des matériaux empruntés au sensible; or, Dieu n'est pas inclus dans le champ de l'expérience sensible; ce concept ne peut donc pas nous donner l'intuition de son existence, mais nous apprendre ce que l'on peut en inférer au moyen d'un raisonnement causal et analogique. Notre concept de l'essence divine se construit progressivement à mesure que nous démontrons l'existence de Dieu; étant le résultat de la preuve, il ne saurait en devenir le moyen.

Or, saint Bonaventure accorderait sans doute que, pour une pareille théorie de la connaissance, l'existence de Dieu ne peut jamais être une chose connue par soi; mais l'idée de Dieu que lui-même nous accorde est de nature bien différente. Au lieu d'être une construction analogique de notre intellect, elle est innée; nous n'en fabriquons pas le contenu, nous le trouvons; et si ce n'est pas notre industrie qui en est l'origine, il faut bien que nous sachions d'où elle vient, que nous l'expliquions, elle aussi, par une cause. C'est pourquoi saint Bonaventure ose affirmer que l'explication la plus simple de notre idée de Dieu, c'est Dieu. Une idée qui ne vient ni des choses ni de nous-mêmes ne peut venir que de Dieu seul; elle est en nous comme la marque laissée par Dieu sur son ouvrage; elle est donc éminemment qualifiée pour attester de manière irréfutable l'existence de son objet : la présence de l'idée de Dieu dans l'âme humaine serait inintelligible si elle n'y manifestait la présence, par mode de vérité, d'un Dieu véritablement existant.

plus respectueuse des textes de montrer que saint Bonaventure ne contredit pas sur ce point saint Thomas, et c'eût été précisément de montrer qu'en fait les deux philosophes ne répondent pas à la même question.

Enfin, l'idée même d'une preuve de l'existence de Dieu ne correspond pas à la même opération intellectuelle dans le système thomiste et le système bonaventurien. Dans le premier, une preuve reste ce qu'elle est, quel que soit le moment où l'intellect la considère ; qui peut comprendre les termes et l'enchaînement des propositions dont se compose la preuve par le premier moteur peut comprendre et prouver à son tour que Dieu existe. Dans le second, en raison de son orientation mystique même, chaque genre de preuve correspond à une étape définie du retour de l'âme vers Dieu par l'extase et leur ordre de succession dépend du degré de pénétration de l'âme humaine par la grâce. Les preuves de l'existence de Dieu par le monde sensible forment en réalité la première partie du voyage de l'âme vers Dieu ; elles supposent donc déjà un secours surnaturel, sinon pour se constituer dans leur teneur dialectique, du moins pour acquérir leur plus haut coefficient d'évidence. Les preuves de l'existence de Dieu par la vérité et la preuve de saint Anselme par l'idée de Dieu supposent plus encore : une purification de l'âme par l'acquisition des vertus, un entraînement de l'intellect et de la volonté auquel la mystique bonaventurienne nous initiera ; elles ne prennent leur vrai sens que pour l'âme parvenue déjà aux sommets de la vie intérieure et qui va toucher Dieu par l'amour. Ainsi, en raison d'une différence entre leur attitude initiale que nous aurons plus tard à justifier, les deux grandes philosophies médiévales ne posent pas dans les mêmes termes le problème fondamental de l'existence de Dieu, et c'est aussi pourquoi les solutions qu'elles en apportent ne sont jamais rigoureusement comparables. On ne peut adapter les réponses de l'une aux questions formulées par l'autre qu'en adoptant pour la circonstance un point de vue bâtard qui ne fut ni celui de saint Bonaventure ni celui de saint Thomas d'Aquin.

CHAPITRE IV.

Les idées et la science divine.

La décision initiale par laquelle une philosophie comme celle de saint Bonaventure se situe entre la foi et la théologie délimite rigoureusement le champ d'exploration qui lui demeure accessible. Dans une doctrine comme celle de saint Thomas ou d'Albert le Grand, le théologien peut légitimement et doit même effectuer un choix parmi les problèmes philosophiques dont la solution viendra s'incorporer à l'édifice qu'il construit, mais c'est en tant que théologien qu'il effectuera ce choix; s'il raisonne en tant que philosophe, tous les problèmes lui sembleront légitimes et intéressants dans la mesure même où leur objet satisfera les exigences de sa raison. Il en va tout autrement avec saint Bonaventure; telle qu'il l'a définie, la philosophie ne peut perdre de vue le trésor des vérités garanties par une autorité divine et cachées dans le dépôt de la foi; elle se trouve donc orientée dès le premier pas vers une direction qu'elle connaît, qu'elle accepte ouvertement et vers laquelle elle se dirige de propos délibéré. La vraie philosophie se distinguera donc des autres précisément en ce qu'elle sait éviter la vaine curiosité qui se prend soi-même pour fin et se perd dans le détail infini des faits. Et c'est à quoi tient en définitive le privilège dont jouit la philosophie chrétienne d'effectuer la systématisation totale du savoir humain. Qui se tourne vers la connaissance des choses pour elles-mêmes se disperse irrémédiablement dans la multiplicité de l'expérience; il faut donc que le choix des problèmes soit fait pour nous et d'un point de vue extérieur aux choses; la théologie effectuera ce choix. Il y a trois problèmes métaphysiques et il ne doit pas y en avoir plus de trois : la création, l'exemplarisme et le retour à Dieu par mode d'illumination; c'est là toute la métaphysique, et le philosophe qui les a résolus est aussi le vrai métaphysicien[1].

---

1. *In Hexaëm.*, I, 8, t. V, p. 330, et surtout I, 17, t. V, p. 332 : « Verbum ergo exprimit Patrem et res quae per ipsum factae sunt, et principaliter ducit nos ad Patris congre

Les frontières de la philosophie chrétienne ainsi délimitées, nous pouvons en déterminer le centre : car, s'il est vrai que ces trois problèmes soient les seuls problèmes vraiment philosophiques, l'un d'eux l'est éminemment et à tel point qu'on peut le considérer comme le problème métaphysique par excellence. Que Dieu soit envisagé comme cause efficiente, exemplaire ou finale des choses, c'est toujours lui qui constituera l'objet dernier de notre recherche. Le métaphysicien prendra donc son point de départ dans les choses particulières et se fondera sur leurs principes constitutifs pour s'élever jusqu'à la substance universelle et incréée, jusqu'à l'être qui en est le principe, le moyen et la fin. Mais de découvrir quelle est la nature propre de cette cause première, c'est ce que le métaphysicien ne saurait faire ; incapable de s'élever, grâce aux seules ressources de la raison naturelle, jusqu'à la connaissance du Père, du Fils et du Saint-Esprit, il ne peut choisir la Trinité divine comme centre de perspective et doit donc s'effacer ici devant le théologien. Il en est de même si nous considérons le problème de la cause efficiente des choses, car là encore le métaphysicien ne se trouve pas seul maitre d'un terrain qui n'appartienne qu'à lui ; le physicien poursuit comme lui l'étude des causes et peut s'élever comme lui à la connaissance de l'existence de Dieu. Et il en est encore de même lorsque le métaphysicien s'élève jusqu'à la connaissance de Dieu comme fin dernière de toutes choses, car sur ce nouveau terrain le métaphysicien rencontre le moraliste qui poursuit également, par des voies qui lui sont propres, la détermination d'un souverain bien et d'une dernière fin. Mais il en va tout différemment au contraire lorsque le philosophe s'élève jusqu'à Dieu considéré comme cause exemplaire de toutes choses ; alors, en effet, il poursuit une œuvre qu'il est le seul à poursuivre, il s'établit en un domaine qui n'appartient qu'à lui, il est donc un vrai métaphysicien ; l'exemplarisme, c'est le cœur même de la métaphysique : *ut considerat illud esse in ratione omnia exemplantis, cum nullo communicat et verus est metaphysicus*[1].

---

gantis unitatem... Si vero declinamus ad notitiam rerum in experientia, investigantes plus quam nobis conceditur, cadimus a vera contemplatione, et gustamus de ligno vetito scientiae boni et mali, sicut fecit lucifer. Si enim lucifer, contemplando illam veritatem, de notitia creaturae reductus fuisset ad Patris unitatem, fecisset de vespere mane diemque habuisset... sic dicat quilibet : Domine exivi a te summo, venio ad te summum et per te summum. — Hoc est medium metaphysicum reducens, et haec est tota nostra metaphysica : de emanatione, de exemplaritate, de consummatione, scilicet illuminari per radios spirituales et reduci ad summum. Et sic eris verus metaphysicus ». Cf. également *In Hexaëm.*, III, 2, t. V, p. 343.

1. *In Hexaëm.*, I, 13, t. V, p. 331.

Or, c'est un fait déjà bien remarquable que de ce lieu central de la métaphysique Aristote soit complètement absent; ce n'est même pas assez dire : il s'en est volontairement exclu. Tourné vers la science des choses considérées pour elles-mêmes, cet homme en qui s'incarne la raison naturelle prise à l'état pur ne peut faire autrement que de nier les idées. Aussi le voyons-nous combattre de toutes ses forces une vérité que cependant il n'avait même pas à découvrir, puisqu'elle avait été mise en lumière par son maître Platon. Mais il faut nécessairement, ou bien que les choses subsistent pour elles-mêmes et soient pour nous de simples objets de curiosité, et alors elles ne doivent pas dépendre de la réalité transcendante des idées; ou bien il faut que l'exemplarisme soit vrai, et alors les choses prises en elles-mêmes ne peuvent plus cons- tituer le terme de notre connaissance. Aristote sent bien qu'entre Platon et lui une lutte à mort est engagée; il poursuit donc l'exemplarisme de ses sarcasmes et de sa haine : *exsecratur ideas Platonis;* et c'est pour- quoi le point central de la métaphysique est aussi dans l'aristotélisme le lieu des plus épaisses ténèbres : de l'exemplarisme naît toute lumière, de sa négation naît toute obscurité.

Mais il n'est pas vrai seulement de dire que la philosophie purement naturelle de l'homme « qui regardait toujours en bas[1] » impliquait nécessairement la méconnaissance des idées, il faut ajouter encore que la raison humaine, même bien dirigée et tendue vers le haut comme était celle de Platon, peut bien apercevoir la vérité de l'exemplarisme, mais non pas en découvrir la racine cachée ni en scruter la profondeur. Pour concevoir comment d'un seul et même Dieu, cause de toutes choses, et qui demeure identique à soi-même, la multiplicité des créatures a pu librement sortir, il faut suivre une voie dont la raison naturelle laissée à ses seules ressources ne trouvera jamais l'entrée et passer par une porte qui est la doctrine du Verbe incarné. C'est à partir de là seulement que la pensée découvre le sommet d'où s'ordonne naturellement la vérité des choses, mais qui ne connaît pas la porte ne peut passer, et si les philosophes considèrent si fréquemment les vérités suprêmes comme contradictoires et impossibles, c'est précisément que cette porte leur demeure fermée[2]. Une fois de plus nous allons constater que la philo- sophie trouve son compte à s'éclairer aux lumières de la révélation, par là seulement elle atteindra la conscience claire de sa propre vérité.

1. *Serm. IV de reb. theolog.*, IV, 18, fin., t. V, p. 572.
2. « Deus est causa omnium...; quod est contra philosophos qui negant quod ab uno et eodem, semper manente eodem, sint multiformia... Horum ostium est intellectus Verbi

Dieu est esprit pur et vérité souveraine ; nous ne saurions le révoquer en doute, puisque les preuves les plus immédiates de son existence nous l'ont fait saisir comme le suprême intelligible et comme la première Vérité. Or, un être dont l'essence même est de connaître et dont la substance est totalement intelligible, puisqu'il est esprit pur, ne peut pas ne pas se connaître soi-même. Et, puisqu'il est à la fois tout intellect et tout intelligible, il se connaît intégralement, comprenant à la fois et dans un seul acte la totalité de ce qu'il est. Efforçons-nous maintenant de concevoir quel rapport peut s'établir entre un tel sujet connaissant et l'acte par lequel il se connaît soi-même. Lorsque nous appréhendons un objet extérieur, la connaissance que nous en avons s'ajoute en quelque sorte à notre pensée pour l'enrichir et la compléter ; mais lorsque Dieu se connaît, l'acte par lequel il se connaît est identique au sujet connaissant, puisque l'essence divine est précisément de connaître, et il est identique à l'objet connu, puisque cet acte s'appréhende soi-même totalement. Il naît donc de ce cas unique un rapport auquel aucun autre ne peut se comparer : un sujet pensant qui se reflète en quelque sorte, mais intégralement et adéquatement, dans l'acte par lequel il se pense. La connaissance qu'il a de soi-même peut légitimement recevoir le nom de ressemblance, puisqu'elle le représente tel qu'il est, mais elle est en même temps une ressemblance d'un genre unique, puisqu'elle est en fait identique à son modèle. A la différence de toutes les similitudes qui nous sont données dans l'expérience quotidienne, celle-là ne se distingue absolument en rien du sujet qu'elle reproduit et imite ; en rien, sauf en ce qu'elle le présente à soi et le met en quelque sorte devant soi, ressemblance adéquate en ce qu'elle est la totalité de ce qu'elle représente, mais ressemblance néanmoins, puisqu'elle en naît, en tire son contenu et s'en distingue autant qu'il est possible et nécessaire pour constituer un autre lui-même. Cette ressemblance ainsi poussée jusqu'à l'extrême limite, au delà de laquelle elle deviendrait l'identité, est donc l'essence même de la similitude, la Ressemblance en soi, ce dont toute la nature consiste à ressembler ; adéquate à Dieu, elle est Dieu ; tirant de lui son origine, elle exprime tout ce qu'il est, tout ce qu'il sait et tout ce qu'il peut : c'est le Verbe[1].

incarnati, qui est radix intelligentiae omnium ; unde qui non habet hoc ostium, intrare non potest. Philosophi autem habent pro impossibili quae sunt summe vera, quia ostium est eis clausum », *In Hexaëm.*, III, 3-4, t. V, p. 343.

1. *In Hexaëm.*, III, 4, t. V, p. 343 ; *Breviloquium*, I, 3, 8 ; éd. min., p. 39 ; *De triplici via*, III, 7, 11 ; éd. min., p. 39.

Et c'est aussi le point de départ ou, plus exactement, le centre de perspective du vrai métaphysicien. Le Père a engendré de toute éternité un
Fils qui lui est semblable ; il s'est exprimé en se concevant, et comme il
se connaissait intégralement il s'est exprimé intégralement. Or, ce que
Dieu est ne consiste pas seulement dans l'actualité parfaite de son être,
c'est encore tout ce que Dieu veut faire et même tout ce que Dieu peut faire,
bien qu'il ne doive jamais l'accomplir ; l'acte par lequel Dieu se pense, se
connaît et s'exprime ne serait donc pas une image intégrale de lui-même
s'il ne représentait, en même temps que l'être infini de Dieu, tous les possibles qui s'y trouvent encore virtuellement contenus. Mais il apparaît
du même coup que le Verbe contient nécessairement les archétypes de
toutes les imitations possibles de Dieu, quel que soit leur degré de perfection. Puisque les choses qui peuvent être ne doivent leur possibilité
qu'à l'être infini qui les produira, leurs idées se trouvent inévitablement
incluses dans la représentation parfaite que Dieu se donne de soi-même.
Ainsi le Verbe est le modèle des choses en même temps que l'expression
de Dieu, et si nous le comparons à la conception par laquelle l'artiste
se représente ses œuvres futures, nous pouvons dire que le Verbe est
l'art du Père et le moyen par lequel il accomplit toutes choses. Mais si
le Verbe offre au choix du Père l'infinie multitude des êtres possibles,
il doit constituer aussi la source première de la connaissance que nous
en avons. Les principes de l'être sont en effet les principes du connaître, et rien de ce qui n'a pu être sans lui ne peut être connu sans lui.
Le Christ se trouve donc au centre de tout : Dieu, ressemblance parfaite de Dieu, lieu des archétypes de toutes les ressemblances partielles
de Dieu, il est à la fois le maître qui commande au plus haut des cieux
et qui parle à l'intérieur de nos âmes[1], l'origine de notre science, des
choses que nous connaissons et des modèles qu'elles reproduisent.

Si nous devons remonter jusqu'au Verbe pour atteindre la racine
même des idées, la connaissance de ce fait capital doit commander
jusque dans ses moindres détails le mode selon lequel nous nous les
représenterons. Sachant que leur être se trouve impliqué dans l'acte
même qui profère le Verbe, nous sommes en droit de supposer qu'elles
participent à l'essence même de l'acte qui les engendre et par conséquent de formuler au sujet de leur nature une hypothèse bien fondée.
Que l'on se souvienne en effet des métaphores expressives par lesquelles

1. *In Hexaëm.*, I, 13, t. V, p. 331.

l'Écriture et les théologiens désignent le rapport éternel du Fils au Père : le Verbe est engendré, exprimé, dit, toutes comparaisons qui supposent qu'une parole a été prononcée de toute éternité par le Père ; aucune d'entre elles ne prétend exprimer complètement l'acte mystérieux qu'elle signifie, mais on pressent qu'il y a entre elles toutes quelque chose de commun, et ce point caché vers lequel elles dirigent notre pensée est précisément la source première des idées.

Que voulons-nous dire en effet par ce terme de « mot » ou de « verbe » que nous appliquons ici à Dieu ? Dans notre humaine expérience, un verbe ou un mot est essentiellement quelque chose que l'on dit, et dire est la même chose que parler. Or, à l'origine de la parole se trouve toujours un acte de connaissance. Si donc nous voulons expliquer complètement la nature du verbe ou de la parole, il faut poser d'abord une intelligence et un acte de connaître. Au moment où elle connaît, cette intelligence engendre ou, comme le dit le langage ordinaire, « conçoit » la représentation de son objet ; c'est là son essence même de nature intelligente ; elle est féconde et génératrice par ce qu'il y a de primitif en elle et nous le constatons sans peine à ce qu'avant tout acte de connaissance il n'y a en présence qu'une intelligence et son objet, alors qu'après l'acte de connaissance il y a toujours en présence l'intelligence, l'objet, plus le concept de cet objet.

Efforçons-nous maintenant de définir la nature de l'image ainsi conçue. Elle est essentiellement une ressemblance, une sorte de copie formée par l'intelligence à l'imitation de l'objet qu'elle connaît et qui en constitue comme le double. Ce caractère de ressemblance est aussi rigoureusement inséparable de la connaissance que son caractère de fécondité. Toute connaissance est en effet, au sens fort du terme, une assimilation. L'acte par lequel une intelligence s'empare d'un objet pour en appréhender la nature suppose que cette intelligence se rend semblable à cet objet, qu'elle en revêt momentanément la forme, et c'est parce qu'elle peut en quelque sorte tout devenir qu'elle peut également tout connaître. Il est donc évident que, si tout acte de connaissance engendre quelque chose, ce quelque chose ne peut être qu'une ressemblance. Rapprochons maintenant ces deux caractères de la pensée ; elle est une ressemblance, conçue ou exprimée par une intelligence, et c'est précisément en quoi consiste le Verbe.

Peu importe en effet que l'intelligence considérée se connaisse elle-même ou connaisse un autre objet, et peu importe aussi qu'elle exprime extérieurement sa conception ou qu'elle ne l'exprime qu'intérieurement ;

ni sa nature propre ni celle du Verbe ne s'en trouvent altérées. Lorsque
la pensée se connaît elle-même, elle engendre une image de ce qu'elle
est ; lorsqu'elle connaît un objet autre qu'elle-même, elle engendre une
ressemblance de cet objet ; et dans l'un comme dans l'autre cas c'est
cette ressemblance exprimée par la pensée qui constitue le verbe, la
parole adressée par l'intelligence à d'autres intelligences ne faisant que
transformer le verbe déjà conçu intérieurement en un verbe extérieurement proféré. Or, ce que l'expérience nous permet de constater en
nous-mêmes est l'image de ce qui se passe en Dieu. Et il le faut bien,
si, comme nous le verrons plus tard, notre connaissance n'est à son tour
qu'une humble participation de la fécondité divine. Dieu peut d'abord
se penser et, en se connaissant, il exprime en soi, par un acte tout intérieur, le Fils ou Verbe éternel, qui se trouve être la ressemblance du
Père, parce qu'il résulte précisément d'un acte de connaissance. Mais
ce Verbe intérieurement proféré, Dieu peut en exprimer au dehors une
nouvelle ressemblance par des signes qui le manifestent, et ces signes
ne seront autres que les créatures, mots dans lesquels s'extériorisent
les archétypes éternellement conçus par la pensée de Dieu[1].

Ainsi, d'une extrémité à l'autre du processus par lequel les idées
expriment Dieu, et les choses, à leur tour, les idées, nous ne rencontrons que des images de fécondité et de génération ; et c'est là ce qui
confère son caractère distinctif à la théorie des idées telle que la conçoit
saint Bonaventure. Le terme propre qui désigne dans cette doctrine la
ressemblance engendrée par un acte de connaissance est le terme d'*expression*. Or, sous ce terme dont il use constamment, saint Bonaventure
se représente toujours l'acte générateur que nous désignons exactement
par le terme de *conception*, bien que l'usage en ait atténué la force primitive. Et comme le fruit d'une pensée ne peut être qu'une ressemblance, l'expression se trouve être nécessairement une ressemblance
posée et engendrée bien plutôt que constatée. Le rapport des idées à la
substance divine, considéré dans son origine métaphysique, se confon-
dra donc avec le rapport du Fils au Père. En concevant et engendrant
de toute éternité, dans l'acte par lequel il se pense, ce qu'il peut et veut
manifester de sa propre pensée au dehors, Dieu a *exprimé* toutes choses
en son Fils : *Pater enim ab aeterno genuit Filium similem sibi, et dixit*

---

1. *I Sent.*, 27, 2, un., 1, t. I, p. 482, et : « In intellectu verbi cadunt istae conditiones, scilicet intelligentis cognitio, similitudinis conceptio et alicujus expressio... Verbum autem
non est aliud quam similitudo expressa et expressiva, concepta vi spiritus intelligentis,
secundum quod se vel alia intuetur », *Ibid.*, 27, 2, un., 3, t. I, p. 487-488.

se et similitudinem suam similem sibi, et cum hoc totum posse suum ; dixit quae posset facere et omnia in eo expressit[1]. C'est donc pour une raison profonde que saint Bonaventure emploie continuellement le terme d'expression pour désigner le rapport des idées à Dieu sur lequel se fonde leur essence. Dès son commentaire sur Pierre Lombard, il affirme que *ratio cognoscendi in Deo est summe expressiva* et il identifie le terme *idea* avec celui de *similitudo expressiva*[2] ; il le répète dans ses questions disputées sur la science du Christ[3] et le maintiendra non moins énergiquement enfin dans les conférences sur l'*Hexaëmeron*. C'est donc bien d'un terme lourd de signification qu'il s'agit ici et, faute d'en comprendre toute la portée, on risque de défigurer la doctrine bonaventurienne des idées.

Comment, en effet, se représente-t-on le plus souvent le rapport des idées à la pensée divine? On dira par exemple qu'un point qui connaîtrait ce qu'il est capable d'engendrer connaîtrait, en se connaissant, la droite et le cercle ; ou qu'une unité, douée d'une faculté cognitive, qui réfléchirait sur elle-même, connaîtrait tous les nombres. Tel aussi Dieu, qui est capable de tout produire, connaîtrait tout en s'en connaissant capable. Mais cette manière de connaître les choses, pour digne de Dieu qu'elle semble être, ne l'est pas en réalité. Car Dieu ne connaît pas les choses discursivement, en allant d'un principe à ce qu'il contient ; il doit donc voir les choses en elles-mêmes et non pas comme des conséquences qui seraient déduites d'un principe, ou qui s'y trouveraient impliquées. En outre, Dieu ne produit pas les choses confusément et en tant qu'elles se conditionnent indirectement les unes les autres ; il produit chacune d'elles pour soi et distinctement ; or c'est le mode de connaissance de l'artiste qui détermine son mode de production ; si donc Dieu produit les choses distinctement, c'est qu'il les connaît individuellement. Ajoutons encore que Dieu connaît certaines choses qu'il ne produit pas, comme le péché ; comment donc les connaîtrait-il comme impliquées dans sa puissance productrice[4]? Mais l'argument décisif contre cette thèse inspirée de Denys n'est pas là ; la vérité est que la notion même d'une connaissance sans idées est impossible parce que contradictoire. Le fait de connaître, avons-nous dit, suppose toujours

---

1. *In Hexaëm.*, I, 13, t. V, p. 331 ; *I Sent.*, 32, 1, 1, arg. 5, t. I, p. 557 ; *De reduct. art. ad theol.*, 16 ; éd. min., p. 378.

2. *I Sent.*, 35, un., 1, Concl. 2, t. I, p. 601.

3. *Quaest. disp. de sc. Christi*, II, ad 5ᵐ, t. V, p. 9. Pour l'*Hexaëm.*, *loc. cit.*

4. *I Sent.*, 35, un., 1, Concl., t. I, p. 601. On verra cependant dans l'*Hexaëm.*, III, 5, t. V, p. 344, que ces comparaisons, bien interprétées, conservent une certaine valeur.

que le sujet connaissant devient semblable à l'objet connu, et cette ressemblance n'est pas autre chose que l'idée. La seule question que l'on puisse se poser en ce qui concerne la connaissance divine des choses n'est donc pas de savoir s'il y a des idées distinctes en Dieu, mais uniquement de savoir si Dieu *possède* les idées et la ressemblance, ou s'il *est* cette ressemblance et ces idées mêmes. C'est ce que nous allons immédiatement examiner en posant le même problème sous la forme suivante : y a-t-il en Dieu une réelle pluralité d'idées?

L'extrême difficulté que nous rencontrons lorsque nous entreprenons l'étude de cette question tient à son caractère en quelque sorte contradictoire. Pour la résoudre il faut en effet découvrir un procédé qui permette la conciliation de l'un et du multiple; les philosophes païens ne l'ont jamais découvert, ils ne pouvaient le découvrir et c'est pour cela que la raison seule ne pouvait guère parvenir à libérer Dieu des chaînes de la nécessité. Sans idées, pas de providence ni de liberté divine; mais avec les idées, plus d'unité divine, voilà quel est le dilemme dont la spéculation purement philosophique ne parvient pas à sortir. Que tel soit bien le nœud de la difficulté, c'est ce dont nous pouvons nous assurer aisément en constatant que nous-mêmes, avertis comme nous le sommes par la Révélation, ne réussissons cependant qu'à peine à nous élever jusqu'à une si haute vérité. Lorsque nous prétendons saisir, par la pensée pure, l'unité dans la multiplicité qui caractérise l'art divin, notre imagination met notre tentative en échec; l'infinité purement spirituelle que nous voudrions nous représenter nous apparaît comme une infinité matérielle, étendue dans l'espace, dont les parties sont par conséquent extérieures les unes aux autres et dont la multiplicité est inconciliable avec toute véritable unité. Nous n'avons donc pas et ne pouvons avoir d'intuition simple de l'unité de l'art divin; nous la concluons par le raisonnement sans l'apercevoir; le raisonnement dialectique peut nous contraindre à l'affirmer comme une nécessité purement abstraite, mais l'extase seule, illumination spéciale que peut conférer à l'âme la grâce divine, serait capable de nous la faire constater[1].

Dès lors en effet que nous avons reconnu la contradiction d'une connaissance qui ne se ferait pas par mode d'idée, nous sommes contraints d'attribuer des idées à l'Intelligence suprême; mais puisque d'autre

---

1. *In Hexaëm.*, XII, 9 et 11, t. V, p. 385 et p. 386 : « Haec autem ars est una et multiplex. Quomodo autem hoc esse possit, videri non potest nisi veniat illuminatio a montibus aeternis, et tunc turbabuntur insipientes corde, id est stulti. Oportet enim alte sentire de Deo », et : « Hoc autem videre non est nisi hominis suspensi ultra se in alta visione; et

part c'est à Dieu qu'il s'agit de les attribuer et qu'il est l'être total, ces idées ne peuvent pas se distinguer de sa substance même ; tel est le premier point que la raison, à défaut de nous le faire comprendre, peut du moins nous faire accepter. Cette thèse la heurte d'ailleurs d'autant moins violemment qu'on écarte plus soigneusement toutes les illusions qui peuvent nous en voiler le véritable sens. Nous avons dit que le rapport des choses aux idées et des idées à Dieu est un rapport de ressemblance, mais il convient d'être attentif aux multiples significations qui se dissimulent sous ce mot. Deux choses peuvent d'abord se ressembler parce qu'elles possèdent en commun une même qualité, comme deux feuilles blanches le sont par participation réelle à une même blancheur ; or, il est évident que cette similitude ne convient pas à la créature puisqu'elle ne possède rien qui appartienne en même temps au créateur. Mais il existe une autre sorte de ressemblance qui consiste en ce qu'une chose reproduit les traits d'une autre sans posséder réellement quoi que ce soit qui lui appartienne, et rien n'interdit que la créature ne ressemble à Dieu en ce second sens. Or, là encore, le rapport peut être entendu en deux sens différents ; car il y a bien de la différence entre être une copie qui reproduit les traits de son modèle ou être le modèle dont la copie reproduit les traits. La différence entre ces deux rapports est telle qu'on les désigne par deux mots différents ; la ressemblance de la copie au modèle se nomme imitation, et c'est de cette manière que la créature ressemble au Créateur ; la ressemblance du modèle à la copie se nomme exemplarité, et c'est de cette manière que le Créateur ressemble à la créature.

Considérons maintenant l'une quelconque de ces deux ressemblances ; chacune d'elles peut être envisagée soit en tant qu'elle s'exprime, c'est-à-dire en tant qu'elle cause une connaissance, soit en tant qu'expressive, c'est-à-dire en tant que représentative et objet de pensée. Si nous considérons l'idée ou exemplaire des choses, elle peut nous apparaître d'abord en tant qu'elle produit son objet et par conséquent s'exprime en lui ; mais elle peut nous apparaître également en tant qu'elle représente son objet et qu'elle constitue pour nous un moyen de le connaître. Si nous considérons d'autre part la copie exprimée par ce modèle, elle

quando volumus videre simplici intuitu quomodo illa ars est una et tamen multiplex, quia immiscet se phantasia, cogitare non possumus quomodo infinita sit nisi per distensionem ; et ideo videre non possumus simplici intuitu nisi ratiocinando. » La dernière phrase exigerait évidemment un « sed tantum » à la place du « nisi » ; le sens, en tout cas, n'est pas douteux.

peut nous apparaître d'abord comme exprimant à son tour dans notre pensée le modèle qu'elle imite ou comme le représentant simplement et permettant de le connaître. Or, il est clair que la connaissance qui résulte de ces deux genres de rapports est aussi différente que ces rapports eux-mêmes. La connaissance qui se fonde sur le caractère expressif des copies et qui remonte de chacune d'elles à leur modèle introduit et suppose même une réelle multiplicité dans l'intelligence qui l'acquiert; elle est incompatible avec une véritable unité et dépend nécessairement des divers intermédiaires qu'elle utilise. La connaissance qui se fonde sur la ressemblance du modèle à ses copies est au contraire une connaissance qui cause les choses; c'est donc une connaissance qui ne vient pas du dehors et qui ne suppose pas que quoi que ce soit d'extérieur vienne s'ajouter au sujet connaissant pour en altérer la simplicité en y introduisant une composition quelconque. Telle est, précisément, la connaissance que Dieu possède de tout dans les idées. Parce qu'il s'exprime soi-même et que l'expression implique la ressemblance, il faut que l'intellect divin, qui exprime éternellement toutes choses dans sa vérité suprême, possède éternellement en soi les ressemblances exemplaires de toutes choses sans que ces exemplaires puissent lui venir du dehors ni se distinguer de lui. Or, ces exemplaires sont les idées; ces idées divines ne sont donc pas distinctes de lui[1], mais sont ce qu'il est, essentiellement.

Indistinctes de l'essence une de Dieu, les idées ne peuvent pas être réellement distinctes entre elles, et la racine de cette vérité, comme celle de la précédente, se trouve dans la nature de l'*expression*. Nous avons établi en effet que Dieu ressemble aux choses en ce qu'il en est la vérité expressive. Dire que Dieu connaît les choses par lui-même en tant qu'il contient leur ressemblance, c'est donc dire simplement que Dieu connaît les choses par lui-même en tant qu'il est la lumière ou la vérité suprême expressive de ces choses. Or, la vérité divine, bien qu'elle soit absolument une en elle-même, est capable de tout exprimer par mode de ressemblance exemplaire. Étant acte pur elle est supérieure à

---

1. « Quia enim ipse intellectus divinus est summa lux et veritas plena et actus purus, sicut divina virtus in causando res sufficiens est se ipsa omnia producere, sic divina lux et veritas omnia exprimere; et quia *exprimere* est actus intrinsecus, ideo aeternus; et quia expressio est quaedam assimilatio, ideo divinus intellectus, sua summa veritate omnia aeternaliter exprimens, habet aeternaliter omnium rerum similitudines exemplares, quae non sunt aliud ab ipso, sed sunt quod est essentialiter », *Quaest. disp. de scientia Christi*, II, Concl., t. V, p. 9; cf. *I Sent.*, 35, un., 2, Concl., t. I, p. 605; *In Hexaëm.*, XII, 3, t. V, p. 385.

toute espèce, à tout genre et exempte de toute multiplicité. La pluralité des choses qui sont exprimées par elle doit en effet sa multiplicité à l'intervention de la matière, et comme toute matière est absente de Dieu, ce qui est multiple hors de lui doit être un en lui; les idées des créatures ne peuvent donc pas être réellement distinctes en Dieu.

Ajoutons cependant que ces idées, si elles ne sont pas réellement distinctes, le sont du point de vue de la raison. Le terme « idée » signifie en effet l'essence divine considérée par rapport à une créature; or, ce rapport n'est en Dieu rien de réel puisqu'il ne peut pas y avoir de relation réelle entre une unité infinie et une multiplicité finie[1]; mais il faut bien que les noms qui désignent les idées et les distinguent correspondent à quelque chose, à peine de devenir tous équivalents et par conséquent absolument vains. Ce quelque chose est précisément la ressemblance et, pour en comprendre la nature, il faut une fois de plus revenir à ce qu'est une *expression*.

La vérité qui s'exprime est unique et identique à soi-même aussi bien du point de vue de la raison qu'en réalité. Les choses qui sont exprimées sont au contraire virtuellement multiples en tant que réalisables, et réellement multiples si on les considère une fois réalisées. Quant à l'expression elle-même, et par conséquent l'idée, elle est pour nous intermédiaire entre le sujet connaissant et la chose connue : *respectum medium inter cognoscens et cognitum*[2]. Prise en elle-même elle se confond avec la vérité qui l'exprime, mais considérée par rapport à ce qu'elle exprime elle se rapproche pour nous de la nature des choses exprimées. Par conséquent les expressions de deux choses différentes par l'essence divine, prises en elles-mêmes, sont réellement identiques; mais considérées par rapport à ces choses elles reçoivent une sorte de multiplicité, car exprimer un homme n'est pas exprimer un âne, de même que prédestiner Pierre n'est pas prédestiner Paul et que créer un homme n'est pas créer un ange. Or, les idées désignent les expressions divines, non par rapport à Dieu même, mais par rapport aux choses; il s'introduit donc une certaine multiplicité non dans ce qu'elles sont, ni même dans ce qu'elles signifient, mais dans ce qu'elles connotent. Tout se passe comme si la multiplicité des choses matérielles issue des idées divines projetait une sorte de reflet divers sur leur unité, de telle sorte que nous croyons, par une illusion toute naturelle, trouver déjà préformée en elles une pluralité qui ne saurait y être puisqu'elle supposerait la présence de la matière.

1. *I Sent.*, 30, un., 3, Concl., t. I, p. 525-526.
2. *I Sent.*, 35, un., 3, Concl., t. I, p. 608.

Là réside la seule distinction que l'on puisse introduire entre les idées ; distinction de raison, s'il est vrai qu'il ne peut y avoir en Dieu de rapport réel aux choses, mais distinction fondée dans les choses si l'on se garde d'hypostasier indûment les rapports réels des choses à Dieu[1]. Saint Bonaventure a vainement tenté de découvrir une comparaison sensible qui permît d'imaginer un tel rapport. Celle qui s'en rapproche le plus serait peut-être celle d'une lumière qui serait à la fois son illumination et sa propre irradiation ; si l'irradiation extérieure de ce point lumineux se confondait avec lui, il serait simultanément chacun de ses rayons alors même qu'ils sont perpendiculaires les uns aux autres. Ainsi la vérité divine est une lumière, et ses expressions des choses sont comme autant d'irradiations lumineuses orientées vers ce qu'elles expriment ; mais la comparaison demeure boiteuse parce qu'aucune lumière n'est sa propre irradiation et que nous ne pouvons imaginer ce que serait une *irradiation intrinsèque*. C'est pourquoi nous avons prévenu que l'intuition d'une telle vérité peut être préparée par la connaissance discursive, mais que cette dernière demeure finalement impuissante à nous la donner.

Dès lors on conçoit aisément jusqu'à quel point peut aller la multiplication des idées. Puisque leur pluralité n'est pas réelle et n'a d'autre fondement que celle des choses, il existe nécessairement autant d'idées que de choses. Expressions, elles doivent se multiplier selon la multiplicité du réel qu'elles expriment ; unes en elles-mêmes, nous devons en concevoir autant que de genres, d'espèces et même d'individus[2]. Il y a plus. Ce qui fonde la diversité des idées réside dans la diversité de ce qu'elles connotent ; or, l'expression qui, en tant que vérité divine est une, connote cependant une infinité de choses sous laquelle rentre particulièrement le nombre fini des choses créées. Ce n'est donc pas le fait que ce que connotent les idées est créé qui nous autorise à les concevoir comme multiples ; tous les rapports de l'infinité des possibles exprimés dans l'acte divin à l'acte qui les pose sont autant de fondements qui nous autorisent à concevoir la multiplicité des idées. Puisque Dieu peut créer une infinité de choses, encore qu'en fait il n'en crée qu'un

1. *I Sent.*, 35, un., 3. Concl., t. I, p. 608. Mais surtout l'exposé beaucoup plus riche des *Quaest. disp. de scientia Christi*, III, Concl., t. V, p. 13-14 : « Sic in proposito intelligendum est, quia ipsa divina veritas est lux, et ipsius expressiones respectu rerum sunt quasi luminosae irradiationes, licet intrinsecae, quae determinate ducunt et dirigunt in id quod exprimitur. »
2. « Idea in Deo secundum rem est divina veritas, secundum rationem intelligendi est similitudo cogniti. Haec autem similitudo est *ratio expressiva* cognoscendi, non tantum

nombre fini, et qu'il ne peut rien qu'il ne le connaisse, nous avons le droit de dire qu'il y a en Dieu une infinité d'idées. Infinité qui n'entraîne d'ailleurs aucune confusion ; car la confusion pourrait peut-être résulter d'une infinité d'idées réellement différentes dont l'actualisation serait incompatible avec la distinction et l'ordre. Mais comme la multiplicité des idées se fonde sur l'immensité de la vérité divine qui exprime et connaît par un seul acte la totalité du possible, il ne saurait s'introduire au sein d'un pareil acte la moindre confusion[1]. Saint Bonaventure a poussé si loin le sens de cette unité réelle des idées en Dieu que, de même qu'il refuse de faire remonter jusqu'à elles la distinction qui sépare les êtres qu'elles connotent, de même il refuse de leur attribuer l'ordre ou la hiérarchie de perfection qui s'introduit entre les choses dont elles sont les modèles. L'homme est plus noble que le cheval, mais l'idée d'homme n'est pas plus noble que l'idée de cheval ; les choses sont ordonnées et Dieu les connaît comme ordonnées, mais il n'y a pas d'ordre réel entre les idées par lesquelles Dieu les connaît. Attribuer un ordre ou une perfection aux idées, ce serait en effet leur attribuer d'abord une subsistance séparée et introduire la pluralité en Dieu même. Les idées n'ont donc de rapport qu'à leurs idéats, elles n'en ont pas entre elles : *in ideis non est ordo ad invicem, nec secundum rem, nec secundum rationem, sed tantum ad ideata*[2].

La théorie des idées ainsi constituée nous permet d'aborder l'étude de la science divine, et, tout d'abord, elle en fonde la possibilité. L'argument le plus fréquemment invoqué pour établir que Dieu se connaît soi-même, mais qu'il ne connaît rien d'autre que soi, consiste à soutenir qu'il ne pourrait connaître les choses qu'en se tournant vers elles et qu'en recevant leur empreinte dans son intellect. Or, s'il en était ainsi, l'intellect divin dépendrait évidemment des choses puisqu'il serait en puissance à leur égard et leur devrait sa perfection. La conséquence est d'autant plus rigoureuse que toute connaissance est une assimilation ; Dieu devrait donc modeler sa pensée sur les choses pour les connaître et cet acte de soumission au réel ne peut se concilier avec la perfection de l'être divin. Mais cette objection préliminaire tombe d'elle-même si les idées des choses ne sont pas distinctes en Dieu de son être même.

---

universale, sed etiam singulare, quamvis ipsa non sit universalis nec singularis, sicut nec Deus », *I Sent.*, 35, un., 4, Concl., t. I, p. 610.

1. *I Sent.*, 35, un., 5, Concl., t. I, p. 612 ; *Quaest. disp. de scientia Christi*, I, Concl., t. V, p. 4-5.

2. *I Sent.*, 35, un., 6, Concl.: *Ibid.*, ad 1m et 2m, t. I, p. 613.

Connaissant les choses, et jusqu'aux moindres individus, Dieu ne se détourne cependant jamais de soi, car, s'il connaît par ses idées, il connaît par soi, et, dans un tel mode de connaître, ce sont les choses qui reçoivent leur perfection du sujet connaissant alors que lui-même ne doit rien aux objets connus. Non pas que la connaissance cesse dans ce cas particulier d'être une assimilation, mais le rapport de ressemblance s'y établit en sens inverse de celui que l'on imagine. La connaissance de Dieu ressemble aux choses, non parce qu'elle les imite, mais parce qu'elle les exprime, et, comme la vérité divine s'exprime elle-même et toutes les autres choses dans une unique et souveraine expression, elle réalise du même coup la parfaite ressemblance de soi-même et des choses sans dépendre aucunement de ses objets[1].

Sachant que la diversité des idées tient uniquement à celle des choses qu'elle connote nous pouvons distinguer encore de ce point de vue trois aspects différents de la science divine : la connaissance d'approbation, la connaissance de vision et la connaissance de simple intelligence. Par la première, Dieu connaît les biens en nombre fini qui pourront être réalisés au cours du temps ; leur nombre est fini parce que le temps lui-même l'est et qu'un nombre infini de biens ne saurait trouver place dans un temps fini. Par la connaisance de vision, Dieu voit non seulement les biens mais encore les maux, et, comme elle porte, elle aussi, sur les biens ou les maux qui ont été, sont ou seront dans le temps, elle porte sur un nombre d'objets finis. Par la connaissance de simple intelligence, Dieu ne connaît pas seulement le réel passé, présent ou futur, qu'il approuve ou qu'il désapprouve, mais encore tout le possible ; or, pour un être tel que Dieu, les possibles ne sont pas en nombre fini, mais infini[2] ; Dieu connaît donc et comprend en un seul acte une infinité d'essences bien qu'il ne les réalise pas.

Cette même indépendance de la science divine à l'égard des êtres qu'elle exprime se marque dans les caractères originaux qui l'en distinguent. Puisqu'elle est antérieure à ses objets, la science divine peut conditionner l'être des choses muables sans être elle-même soumise au changement ; Dieu les connaît comme muables et sait leur mutabilité,

---

1. « Ad cognitionem requiritur assimilatio, non per convenientiam in genere vel in specie, sed secundum rationem exprimendi. Et quoniam divina veritas una et summa expressione exprimit se et alia ; ideo summa assimilatio est, non tantum respectu sui, sed etiam respectu aliorum », *I Sent.*, 39, 1, 1, ad 4ᵐ ; cf. *Ibid.*, Concl., t. I, p. 686, et *I Sent.*, 39, 2, 1, Concl., t. I, p. 693.

2. *Quaest. disp. de scientia Christi*, I. Concl., t. V, p. 4-5 ; *I Sent.*, 39, 1, 3, t. I, p. 691 ; *III Sent.*, 14, 2, 3, Concl., t. III, p. 314 ; *Breviloquium*, I, 8, 1 ; éd. min., p. 52.

mais il la sait immuablement. Sa connaissance, en effet, ne leur doit
rien ; il ne l'en reçoit donc pas lorsqu'elles naissent, il ne la modifie
pas au gré de leurs transformations successives, il ne l'oublie pas lorsqu'elles périssent. Ici encore aucune comparaison sensible ne pourrait
représenter suffisamment un tel mode de connaissance ; on peut cependant l'imaginer comme analogue à un œil fixé sur une muraille qui, par
lui-même et sans recevoir aucune impression extérieure, serait capable
de voir tous les passants et leurs mouvements ; les changement qu'ils
subissent n'exerceraient aucune répercussion sur un pareil organe et la
connaissance des choses qu'il pourrait acquérir serait analogue à celle
qu'en possède Dieu[1]. Ce qui est vrai de l'immutabilité de la science
divine est d'ailleurs vrai de tous ses autres attributs. Nécessaire en soi,
elle exprime avec infaillibilité la contingence des choses contingentes ;
immatérielle, elle sait les choses matérielles ; actuelle, elle embrasse
tous les possibles ; une, elle découvre simultanément toutes les divisions
de même que, dans une simple pensée humaine, l'idée d'une montagne
n'est pas plus grosse que celle d'un grain de mil ; spirituelle, elle contient les corps ; pure de toute spatialité, comme l'âme humaine, la
science divine embrasse toutes les distances. Et la raison de ces attributs ainsi que de tous ceux que l'on pourrait encore invoquer demeure
la même : *quia illa ars est causa, sequitur quod in illa arte est repræ-
sentatio causabilium incausabiliter*[2]. Les idées divines sont des causes,
nous ne devons donc pas en raisonner comme si elles étaient causées
par leurs objets.

Ainsi les créatures bonnes ou mauvaises, passées, présentes ou
futures, et la légion infinie des possibles, demeurent présentes, dans une
permanence éternelle, devant le regard de Dieu. Que cette présence
soit chose possible bien que les créatures elles-mêmes soient transi-
toires, c'est ce que nous venons de constater ; mais il faut ajouter qu'elle
trouve sa racine la plus profonde dans le caractère radicalement intemporel de Dieu. Le présent de sa connaissance n'est pas divisible en instants ni extensible en durée temporelle ; c'est un présent parfaitement
simple, qui embrasse tous les temps, à tel point qu'on a pu dire de lui
qu'il est une sphère intelligible dont le centre est partout et la circonférence nulle part. Que l'on situe dans cet éternel présent l'acte unique
par lequel Dieu pense simultanément les idées, et l'on concevra ce que
peut être la présence de toutes les créatures à la pensée divine ; il n'y

1. *I Sent.*, 39, 2, 2, Concl., t. I, p. 694
2. *In Hexaëm.*, XII, 12-13, t. V, p. 380.

a de prescience en Dieu que par rapport à la futurition des choses elles-mêmes, car si nous la rapportons à lui-même sa prescience n'est qu'une connaissance immobile qui tient tout entière dans son perpétuel présent[1].

Cette doctrine des idées et de la science divine porte la marque d'une élaboration si profonde et occupe dans l'histoire de la philosophie une place si importante qu'on peut s'étonner de ne pas la voir appréciée à sa juste valeur. On se contente généralement de remarquer que, dans l'ensemble, elle s'accorde parfaitement avec celle de saint Thomas. Or, il n'est pas douteux que l'un et l'autre attachent une importance considérable à ce point de doctrine, que tous deux fondent la science divine sur les idées, les considèrent comme réellement identiques à l'être divin et distinctes seulement du point de vue de la raison; mais si les éléments qui entrent dans la composition de ces deux doctrines sont matériellement identiques, l'esprit qui préside à leur organisation et les interprète apparaît assez différent[2].

En premier lieu il semble certain que l'exemplarisme n'occupe pas exactement la même place dans les deux doctrines. Saint Thomas considère que l'on n'est pas métaphysicien si l'on méconnaît les idées et il ne se méprend assurément pas sur la situation centrale qui revient à cette doctrine en philosophie, mais il ne la considère pas comme le seul bien propre du métaphysicien. Nulle part on ne rencontrera sous sa plume une formule comparable à celle qui, chez saint Bonaventure, fait de l'exemplarisme l'essence même de la métaphysique. La raison de cette différence réside sans doute d'abord en ce que nulle distinction spécifique ne s'introduit chez saint Bonaventure entre notre connaissance théologique du Verbe et notre connaissance philosophique des idées, mais elle s'explique aussi par son hostilité latente à l'égard de l'aristotélisme. Tandis que saint Thomas s'efforce de diminuer et même de combler la distance qui sépare Aristote de l'exemplarisme, saint Bonaventure confond l'exemplarisme avec la métaphysique pour exclure complètement Aristote de l'une comme il s'est lui-même exclu de l'autre. Si la métaphy-

---

1. *I Sent.*, 39, 2, 3, Concl., t. I, p. 696; cf. *Scholie*, p. 697; *I Sent.*, 40, 2, 1, ad 4ᵐ, t. I, p. 708, et 41, 2, 1, ad 4ᵐ, t. I, p. 738; *Itinerarium*, V, 8; éd. min., p. 337.

2. Cette différence a été très vivement sentie par Barth. de Barberiis, *Cursus theologicus*, t. I, disp. 5, qu. 5 et qu. 6, dont on trouvera l'interprétation résumée dans le *Scholie*, IV, t. I, p. 604. Par contre, cet auteur outre certainement la pensée de saint Thomas pour mieux l'opposer à celle de saint Bonaventure, car on ne peut pas dire que pour saint Thomas les idées ne soient en Dieu que matériellement et comme en puissance. Les scoliastes de Quaracchi refusent de prendre position sur la question.

sique est l'exemplarisme, et si Aristote a nié les idées, il en résulte que
ce penseur peut bien se trouver au cœur de la science, mais qu'il n'a
pas même réussi à pénétrer dans la métaphysique. Cette hostilité déci-
dée, qui se trouvait à l'état implicite dans les premières œuvres de saint
Bonaventure, apparaît au grand jour dans les conférences de l'*Hexaëmeron;* elle s'est manifestée d'autant plus résolument que l'aristotélisme
lui-même s'affermissait et s'étendait.

Mais ce n'est pas seulement la place de l'exemplarisme qui diffère
dans les deux doctrines, c'est encore et peut-être même surtout la
manière de l'interpréter. Saint Thomas considère plus volontiers l'acte
pur sous l'aspect par lequel il s'offre à notre pensée comme une totale
réalisation de soi-même; dans cette énergie statique infinie c'est le côté
statique auquel il s'intéresse avant tout. Dieu est donc à ses yeux une
perfection dont la fécondité s'est éternellement achevée et nul mieux
que lui n'a mis en évidence ce caractère de total achèvement. C'est aussi
pourquoi les idées divines se présentent chez saint Thomas comme les
constatations éternellement faites par l'intellect divin des rapports des
choses à l'essence créatrice. Dieu se pense et, en se pensant, il se
voit du même coup sous l'infinité des modes particuliers selon lesquels
il est imitable par les créatures; la vision et la distinction des idées en
Dieu tient donc avant tout à la perfection de la connaissance qu'il a de
soi-même et c'est parce que quelque chose de son essence lui échapperait qu'il ne peut en ignorer les imitations créées, donc les formes et
les idées[1]. Ce caractère de relation donnée et éternellement posée entre
les choses et Dieu apparaît de la manière la plus saisissante dans la
distinction introduite par saint Thomas entre les possibles créés et les
possibles qui ne le seront jamais. A ses yeux la volonté de créer qui
choisit certains possibles pour les réaliser de préférence à d'autres détermine en quelque sorte leurs idées, tandis que les idées des possibles
non réalisés demeurent indéterminées en quelque manière[2]. Nous pouvons donc considérer les idées divines comme l'ensemble de toutes les
participations possibles à Dieu par mode de ressemblance, qu'il connaît
en se connaissant et qu'il trouve en soi plus ou moins déterminées selon
que leur objet doit être réalisé ou non.

Si nous considérons d'autre part la doctrine de saint Bonaventure,
nous constatons qu'elle s'accorde avec celle de saint Thomas sur chacune de ces thèses essentielles mais qu'elle suggère surtout à l'esprit,

1. Saint Thomas, *Sum. theol.*, I, 15, 2, ad *Resp.* et ad 3[m].
2. Saint Thomas, *Quaest. disp. de Veritate*, III, 6, ad *Resp.*

avec une insistance remarquable, la fécondité de l'acte par lequel Dieu pose les idées. Comme saint Thomas, il les tient pour éternellement actuelles, mais il nous les représente surtout en tant qu'elles sont éternellement proférées, dites ou exprimées par la pensée de Dieu. La connaissance que Dieu possède des idées participe à la fécondité par laquelle le Père engendre le Verbe; de là son insistance remarquable à employer pour les idées elles-mêmes le terme d'expression qui caractérise traditionnellement la génération du Verbe divin. C'est pourquoi saint Bonaventure n'a pas hésité à pousser jusqu'au bout la comparaison entre la sagesse divine et la fécondité naturelle des êtres créés lorsqu'une image de l'Écriture lui en a procuré l'occasion : *in sapientia aeterna est ratio fecunditatis ad concipiendum, producendum et pariendum quidquid est de universitate legum; omnes enim rationes exemplares concipiuntur ab aeterno in vulva aeternae sapientiae seu utero*[1]; c'est pourquoi enfin les idées qu'engendre cette fécondité infinie sont comme elle-même parfaitement actuelles, donc également distinctes, sans égard à la réalisation extérieure des copies matérielles qui les imitent mais ne les affectent pas.

Or c'est là un point d'importance pour qui s'intéresse à la filiation des doctrines philosophiques. Ce que l'on pourrait appeler l'*expressionnisme* de saint Bonaventure suppose une conception de Dieu dont l'inspiration profonde est assez différente de celle de saint Thomas et radicalement incompatible avec celle d'Aristote. Il peut bien emprunter au philosophe grec la formule même par laquelle il le définit, l'acte pur auquel pense saint Bonaventure participe d'abord à la fécondité du Dieu chrétien, et parce que cette fécondité pénètre plus profondément la notion de l'acte pur chez saint Bonaventure que chez saint Thomas, nous le voyons fonder l'acte par lequel Dieu connaît les idées sur l'acte par lequel sa pensée les exprime. Or, c'est là s'éloigner du théorétisme de saint Thomas pour entrer dans la voie où s'engagera Duns Scot, celle d'un Dieu qui crée déterminément les essences, en attendant qu'avec Descartes il en arrive à les créer librement.

---

1. Surtout, ajoute saint Bonaventure, celle de la prédestination, *In Hexaëm.*, XX, 5, t. V, p. 426. La connaissance qui réussit à se représenter Dieu comme le point central d'où jaillit la diffusion des trois personnes divines, des idées dans le Verbe et de la grâce dans le Saint-Esprit est une des plus hautes qui soient et précède immédiatement l'extase, *Itinerarium*, VI, 2; éd. min., p. 340.

CHAPITRE V.

La puissance et la volonté de Dieu.

L'étude du problème des idées nous a permis de concevoir qu'un Dieu parfait et infini puisse connaître autre chose que soi sans déchoir de sa perfection. Nous avons conquis du même coup le fondement sur lequel repose la création des êtres finis et, par conséquent, le premier des intermédiaires entre Dieu et les choses. Mais il ne suffit pas que le Créateur connaisse une infinité de possibles, il faut encore qu'il ait la puissance et la volonté de réaliser ceux que sa sagesse a choisis. Or, pour des raisons d'ailleurs différentes de celles qui nous retenaient d'admettre une science divine du fini, il semble que Dieu ne puisse rien réaliser hors de soi. Le problème fondamental de toute métaphysique, les rapports de l'un et du multiple, exige que nous l'envisagions et le résolvions successivement sous chacun de ses aspects.

Une puissance divine qui réaliserait quelque chose d'autre que Dieu se réaliserait elle-même hors de la substance divine ; il faudrait, en effet, qu'elle commençât d'exister et acquît son plein développement, en raison de l'effet produit par elle et supplémentairement à ce qu'elle était déjà. Un Dieu qui peut tout et qui a tout réalisé de ce qu'il peut ne saurait, par le fait même, ajouter quoi que ce soit à la somme de ses réalisations. On se demande d'ailleurs pourquoi un acte pur réaliserait quelque chose d'extérieur à soi. Toute puissance qui produit un effet nouveau ne le produit que parce qu'elle a besoin de le produire ; en agissant, elle tend vers son acte, elle aspire à une perfection qui lui manque ; or, Dieu ne manque de rien ; il paraît donc contradictoire que Dieu puisse quelque chose d'extérieur à soi.

Pour écarter ces difficultés, il faut considérer de plus près cette notion même d'acte pur sur laquelle elles se fondent. La puissance d'agir hors de soi peut signifier d'abord le pouvoir d'agir sur un objet doué d'une essence distincte et situé à une certaine distance dans l'espace. L'exercice d'une puissance de cet ordre suppose que son opération franchit un certain intervalle, un éloignement, et, comme la puissance sort en pareil cas de la substance qui l'exerce, elle dépend de la substance sur laquelle elle agit. On peut donc dire que toute puissance qui s'exerce d'une manière transitive suppose, en effet, une extériorité, donc une distance, et par conséquent une dépendance et subordination de l'agent par rapport à son objet. Or, lorsqu'il s'agit de la puissance de Dieu, elle s'exerce bien sur des êtres distincts de lui au point de vue de leur forme et de leur essence, mais on ne peut cependant pas dire qu'une distance quelconque les sépare de lui, ni, par conséquent, qu'elle ait besoin de sortir de lui-même pour étendre jusqu'à eux l'efficace de son action. C'est la présence de Dieu aux choses qui rend possible l'exercice de sa puissance ; c'est donc cette présence elle-même qu'il importe d'abord d'établir.

L'acte pur est un acte absolument simple ; aucune puissance ne s'introduit en lui qui puisse le limiter, le rétrécir ni le diviser. Cette simplicité, précisément parce qu'elle est identique à l'absence de limites, peut également recevoir le nom d'immensité ; or, son immensité n'est pas seulement celle d'une substance, c'est également l'immensité des facultés que cette substance possède, car, si la substance est simple et immense, ses facultés le sont aussi. La simplicité absolue de l'acte divin exclut donc à priori toute limitation dans l'espace qui interdirait la présence ou arrêterait l'efficace de son action dans une portion quelconque de l'être créé ; c'est ce que l'on veut exprimer en disant que Dieu est en toutes choses par sa substance et par son pouvoir[1].

Ce mode de présence étant posé, on aperçoit immédiatement pourquoi Dieu peut être partout présent sans être nulle part en aucun lieu. En un certain sens, le corps naturel est subordonné au lieu qu'il occupe, car il lui doit son repos et sa conservation ; en un autre sens, il lui est égal, car les dimensions du corps et du lieu qu'il occupe sont les mêmes ; en un dernier sens, il lui est supérieur, car le corps comble le vide du lieu naturel au moment où son mouvement s'arrête pour s'y reposer. Or, ce rapport entre le corps et le lieu qu'il occupe n'est que l'ombre d'un rapport plus profond entre le corps et Dieu lui-même. De même que la place d'un corps en appelle en quelque sorte la présence et que l'orbite de l'œil ne peut être comblée que par le globe de l'œil lui-même, ainsi le vide métaphysique dont souffre la substance finie des créatures ne peut

1. *I Sent.*, 37, 1, 1, 1, Concl., t. I, p. 638-639.

se trouver comblé que par la présence de Dieu. Toute chose particulière enveloppe une sorte de creux et de manque ; si parfaite soit-elle, son être n'a été posé que par une limitation, et les contours qui la définissent la séparent en même temps de tout ce qu'elle n'est pas. Or, cette chose, dont les limites extérieures posent un minuscule fragment d'être au milieu d'une immensité de non-être, ne se soutient évidemment pas d'elle-même ; il lui faut un support métaphysique, sans la présence intime duquel elle se dissoudrait et s'évanouirait. Creux et infirme, l'être créé est en même temps variable et fuyant ; il s'écoule à tout moment et rien n'en subsisterait sans la permanence intérieure de Celui qui lui donna l'existence. Nous sommes donc conduits nécessairement à supposer que les rapports spatiaux des corps avec les places dont ils remplissent le vide symbolisent et fondent les rapports métaphysiques de la substance divine avec les essences finies dont elle entretient le flux et comble l'inanité. Dieu est présent aux choses pour les maintenir dans l'être comme le sceau laisse sa marque sur une eau courante aussi longtemps qu'il s'y imprime : *locatum per praesentiam replet vacuitatem distantiae ; Deus autem per praesentiam replet vacuitatem essentiae, et illa quidem sine hac esse non potest*[1].

La nature purement métaphysique du rapport de présence ainsi défini entraîne cette conséquence importante que Dieu n'est pas également présent à toutes choses, mais que le degré de sa présence s'y mesure exactement à leur degré d'être. Si les considérations qui précèdent sont bien fondées, il est évident, en effet, que Dieu est présent à chaque chose porportionnellement à ce qu'il lui donne ; or, nulle modification n'atteint l'être divin lui-même du fait qu'il donne plus ou moins à telle ou telle créature, mais l'effet qui résulte de sa fécondité se trouve, au contraire, spécifié par là dans son essence propre ; il tient du rapport dans lequel il se trouve avec Dieu ce qui le fait différent de tous les autres. Dire que Dieu est plus présent à une créature dans la mesure précise où il lui donne davantage, c'est d'ailleurs se mettre à même de comprendre pourquoi la connaissance de Dieu, par exemple, est d'autant plus évidente que son objet et que l'intellect qui le connaît sont eux-mêmes plus élevés en dignité ; c'est comprendre ce que saint Bonaventure répète sans cesse du degré d'intimité qui caractérise la présence de Dieu dans l'âme humaine ; c'est donner enfin son sens plein à la comparaison de Dieu avec une montagne, d'autant plus aisée à porter

1. *I Sent.*, 37, 1, 1, 2, Concl., t. I, p. 641.

qu'elle est plus haute. Puisque Dieu est d'autant plus présent qu'il donne davantage, il est présent et évident comme cause des êtres matériels, plus présent et plus évident encore comme cause de la connaissance, éminemment présent et évident enfin lorsque nous découvrons en nous ce don splendide qu'est l'idée innée de Dieu. Ajoutons, cependant, qu'il serait possible de découvrir dans la créature des dons et des modes de présence plus nobles encore : la grâce par laquelle Dieu ramène à soi la nature issue de sa puissance et cette union divine, unique dans l'histoire du monde, qui a réalisé par Jésus-Christ, dans l'unité d'une seule personne, l'union substantielle de la créature et du créateur[1].

Il suffit maintenant de comparer à cette conclusion générale le problème que nous avions posé touchant la possibilité d'une efficace de la puissance divine pour en voir apparaître la solution. Toutes les difficultés que nous avions accumulées contre l'hypothèse d'une action divine sur les choses supposaient qu'une certaine distance et qu'une sorte d'extériorité spatiale séparaient la cause de l'effet; or, nous voyons ici que, bien loin d'opposer Dieu à l'extériorité des choses, l'action qu'exerce sa puissance définit le mode même selon lequel il leur est présent. La puissance divine peut donc agir hors de soi ou produire une chose hors de soi sans être elle-même à l'extérieur de cette chose, et, comme l'essence divine est absolument parfaite, sa puissance est absolument indivise; elle agit donc au dehors sans souffrir de dépendance et sans manquer de rien[2].

Ainsi la notion d'une puissance divine s'exerçant sur les choses n'a rien de contradictoire; bien plus, elle est requise proportionnellement au degré d'être des choses elles-mêmes; il reste à définir les conditions de son exercice, c'est-à-dire à comparer la puissance divine avec les possibles qu'elle peut. Il va d'abord de soi que Dieu peut tout ce que peuvent les causes créées, puisqu'il est la cause de leur causalité; la seule condition qu'il faille observer dans l'application de cette règle est de ne jamais attribuer à Dieu un pouvoir qui engendrerait directement

---

1. *1 Sent.*, 37, 1, 3, 1 et 2, Concl., t. I, p. 646-648; *II Sent.*, 19, 1, 1, ad 2^m; t. II, p. 460.

2. « Alio modo posse in aliud dicitur sicut in divisum secundum formam et essentiam, non tamen in remotum, secundum aliquam distantiam, *quia divina essentia, dum operatur, intime est in illo*. Et hoc modo nec ponit distantiam, nec dependentiam, nec indigentiam. Cum enim divina essentia sit omni perfectione perfecta, et potentia ejus sit omnimoda indivisione indivisa, a nullo alio dependet, nullo alio indiget : hoc igitur modo ponendum quod Deus potest in aliud a se sive aliud a se », *1 Sent.*, I, 42, un., 1, Concl., t. I, p. 747.

dans son effet une véritable imperfection. Dieu ne peut absolument pas pécher, puisque le péché est un acte entièrement mauvais, et il ne peut courir ou marcher que dans la mesure où de pareils actes supposent un pouvoir positif et un certain degré de perfection ; Dieu peut enfin connaître, aimer et agir, puisque de tels actes ne comportent rien que de bon, encore qu'il les exerce d'une manière bien différente de la nôtre. On distinguera donc trois modes principaux de son action. Dieu exerce en soi et par soi les actes qui ne comportent aucune imperfection, comme la connaissance et l'amour ; il exerce par soi, mais dans des êtres différents et distincts de soi, les actes qui comportent une certaine perfection mêlée à une certaine imperfection, comme marcher et courir ; quant aux actes qui ne supposent que de l'imperfection, Dieu ne les exerce ni en soi ni hors de soi, il ne les exerce pas du tout[1].

Beaucoup plus complexe, et aussi plus controversée, est la question de savoir si Dieu peut faire tout ce qui est impossible aux créatures ; nous savons, en effet, que tout ce qui est possible d'une possibilité positive pour un être fini l'est également pour Dieu, mais il n'en résulte nécessairement ni que ce qui est impossible à l'homme le soit à Dieu, ni même qu'il n'y ait pas d'impossible pour Dieu.

Afin de résoudre ce problème, on distinguera quatre genres différents d'impossibilité. Il existe d'abord des impossibles par *limitation des puissances naturelles ;* tout être créé est doué d'une certaine forme ou nature ; or, cette forme ne le définit pas seulement dans son être propre, elle le sépare des autres et lui interdit de les devenir : un arbre ne peut se changer en animal et une vierge ne peut ni concevoir ni enfanter. En un second sens, l'impossible peut résulter de la *limitation de notre intelligence.* Il n'y a pas d'impossibilité en soi à ce que deux corps soient simultanément présents dans le même lieu, ou qu'un même corps soit simultanément présent en divers lieux, ou qu'un corps plus grand tienne dans un espace plus petit ; mais notre imagination est ainsi faite qu'elle nous représente toujours le contraire, et c'est pourquoi, lorsque Dieu réalise ces diverses hypothèses dans l'eucharistie, notre raison doit s'élever au-dessus d'elle-même et contre elle-même pour croire à leur possibilité. Un troisième mode d'impossibilité consiste dans la *privation de toute existence ;* dire qu'un être quelconque peut faire l'impossible en ce sens reviendrait à dire qu'il peut faire ce qui n'est rien, ni principe, ni moyen, ni fin. Le quatrième et dernier mode d'impossibilité

1. *I Sent.,* 42, un., 2, Concl., t. I, p. 749 ; *Breviloquium,* I, 7, 1 ; éd. min., p. 50.

réside dans *l'incompatibilité d'une chose avec les règles éternelles* de la vérité ou de la sagesse divine. Il est impossible en ce sens qu'une même chose soit à la fois elle-même et son contraire, ou que deux et trois ne fassent pas cinq, car la vérité éternelle elle-même, en tant précisément que vérité, nous montre qu'il ne peut pas en être ainsi.

Ces distinctions étant posées, on peut apporter une réponse précise au problème de l'impossible pour Dieu. Tout ce qui n'est impossible que par limitation de puissance naturelle ou par limitation d'intelligence est possible pour Dieu, car la puissance divine est illimitée et infinie, donc affranchie des limites de la puissance et de l'intelligence naturelles. Au contraire, Dieu ne peut aucunement l'impossible par privation de toute existence ou par contradiction à la vérité éternelle. Il ne peut pas le premier, parce que pouvoir le néant c'est ne rien pouvoir. Il ne peut pas le second, parce que pouvoir contre la vérité éternelle serait pouvoir agir contre l'ordre et la sagesse ; or, Dieu est tout-puissant à l'égard de ce qui convient à une puissance divine et ne trouble pas l'ordre de sa sagesse ; il ne peut donc pas de tels impossibles.

Une assez curieuse et subtile controverse s'est cependant élevée touchant une variété particulière de l'impossible : l'impossible par accident. Supposons accordé que l'impossible par privation de toute existence le demeure même à l'égard de Dieu, on peut se demander s'il n'existe pas des êtres ou des événements qui, possibles en eux-mêmes, se sont trouvés accidentellement impossibles en raison de leur place dans l'ordre du temps. Par exemple, une proposition peut être vraie pour le passé, comme c'est le cas pour la suivante : César existe. Or, si une telle proposition est vraie, elle ne repose pas sur le néant. D'autre part, elle ne repose pas sur l'être divin, puisqu'elle a commencé d'être vraie avec l'existence de César et cessé de l'être avec sa mort. Elle repose donc sur de l'être créé, mais sur de l'être créé qui se trouve actuellement passé ; or, ce peu d'être qu'est l'être passé dépend de Dieu comme tout le reste, il peut donc l'anéantir si bon lui semble comme il dépend de lui de le conserver : Dieu peut donc faire que ce qui a existé n'ait pas existé. Une thèse de ce genre, si paradoxale qu'elle paraisse, avait été soutenue par des défenseurs trop zélés de la toute-puissance divine, saint Pierre Damiani, par exemple, et Gilbert de la Porrée, que saint Bonaventure cite nommément[1]. Malgré leur autorité et la tendance

1. *In Boët. de Trinitate*, IV : « Dicitur enim Deus semper esse, non modo quia fuit omni praeterito, est omni praesenti, erit omni futuro, verum etiam ante et post omnia

très forte qui le porte lui-même à exalter Dieu, saint Bonaventure trouve
cette doctrine « étrange[1] ». Elle se heurte, en effet, à des autorités con-
sidérables, comme celle de saint Jérôme ; elle ne peut alléguer aucun
argument rationnel décisif en sa faveur, puisque la suppression du
passé comme tel est contradictoire et rentre dans la catégorie du non-
être ; la foi ne nous oblige nullement à admettre cette impossibilité
logique ; nous sommes donc bien fondés à soutenir que Dieu ne peut
pas faire que le passé n'ait pas existé. Quant à l'argument qui s'appuie
sur ce que le passé conserve d'être, il est manifestement sophistique ;
car l'être du passé consiste précisément à avoir existé ; faire qu'il n'ait
pas existé serait donc faire le contradictoire et, par conséquent, le
néant, et le détruire serait sans objet puisqu'il n'existe plus actuellement : c'est donc une proposition dénuée de sens que d'étendre à un
impossible de ce genre la toute-puissance de Dieu[2].

Il nous est dès lors permis de préciser ce que l'on veut dire lorsqu'on
parle de la puissance infinie de Dieu. Et, d'abord, on ne peut douter
qu'elle soit. Car, si nous la considérons du point de vue de ses effets,
elle nous apparaît comme possédant en soi la totalité des effets qu'elle
peut produire, puisqu'elle est acte pur, et comme cependant capable de
produire sans cesse de nouveaux effets, puisqu'ils sont finis et incapables de l'égaler ; or, une puissance intégralement réalisée et capable
de produire une infinité d'effets est nécessairement infinie. Et la même
conclusion s'impose si nous envisageons le problème en quelque sorte
a priori. Car l'unité de Dieu est telle que sa puissance est identique à
son essence et que, par conséquent, elle ne saurait agir en se divisant.
Lorsqu'elle agit en un point quelconque de l'univers, elle s'y trouve
donc présente tout entière en même temps que l'essence infinie de Dieu.
L'infinité de la puissance divine, par le fait même qu'elle est celle d'un

---

tempora, vel et actu et natura, vel saltem natura temporalium. Nam omne quod fuit, vel
est vel erit, essendi initium vel habuit, vel habet, vel habebit ; finem vero quantum ad
actum quidem non omnia, sed quantum ad naturam et ad illius quo auctore sunt potesta-
tem, omnia habent. Aeque enim universa subjecta ejus potestati sunt, ut scilicet, *sicut
quaecumque non fuerunt possunt fuisse*, et quaecumque non sunt, vel non erunt possunt
esse ; ita etiam *quaecumque fuerunt possunt non fuisse*, et quaecumque sunt vel erunt,
possunt non esse* », Migne, *Patrologia latina*, t. 64, col. 1287, C. Le même fondement
emprunté à l'éternité divine supporte l'assertion de saint Pierre Damiani que « Deus potest
reparare corruptam virginem », cf. *De divina omnipotentia*, cap. 8 ; Migne, *Patr. lat.*,
t. 145, col. 607-609.

1. « Sed certe hujusmodi expositiones valde sunt extraneae », *I Sent.*, 42, un., 3, Concl.,
t. I, p. 753.

2. *I Sent.*, 42, un., 3, Concl., t. I, p. 752-754.

acte pur, est donc double : actuelle et habituelle. Actuelle, parce qu'elle est toujours et partout la totalité de ce qu'elle est ; habituelle, parce qu'elle possède de soi, et toujours présente en soi, l'infinité des effets qu'elle peut produire : *et ideo est habens in se plenam et perfectam actualitatem respectu infinitorum ; et necesse est, cum habeat totum quod unquam habitura est, et ex se habeat, quod ipsa infinita sit*[1].

Et, cependant, la puissance infinie de Dieu ne peut pas réaliser l'infini. Ce point est important et gros de conséquences en ce qui concerne la doctrine de la création, il est donc nécessaire d'y insister. Distinguons d'abord entre deux sortes d'infini : l'infini en puissance et l'infini en acte. L'infini en puissance est tel que le nombre de ses parties ne peut jamais être limité, mais que sa totalité ne peut jamais être donnée simultanément ; l'infini en acte est tel, au contraire, que la totalité des parties en nombre infini qui le constituent est donnée simultanément. Or, Dieu peut faire et il fait réellement des infinis en puissance, mais il ne convient pas à sa perfection et il répugne à la nature de la chose créée qu'il produise un infini actuel. Si, en effet, nous considérons le problème par rapport à sa perfection, il apparaîtra qu'un Dieu souverainement bon ne peut rien faire que de bon et, par conséquent, rien qui contrevienne à l'ordre. Or, l'ordre suppose le nombre et le nombre suppose la mesure, car, si l'on ne peut ordonner les choses les unes par rapport aux autres que selon des rapports numériques, on ne peut nombrer que des choses distinctes et, par conséquent, limitées. Dieu a donc dû faire toutes choses en nombre, en poids et en mesure, il n'a pas pu et ne peut pas les faire autrement ; l'infini actuel, incompatible avec l'existence de ces rapports définis, ne saurait donc être réalisé par Dieu.

La même conclusion s'impose d'ailleurs si nous envisageons le problème du point de vue de la créature. Un infini actuel, quel qu'il puisse être, est nécessairement un infini ; car, s'il possédait une limitation quelconque de son actualité, il perdrait du même coùp son infinité ; or, ce qui est acte pur est son être par essence, il ne le reçoit pas d'ailleurs et ne participe pas du néant. Si donc la créature, par le fait même qu'elle est créature, tient son être d'autrui et participe du néant, elle ne peut aucunement être un acte pur ni, par conséquent, infinie. Peut-être objectera-t-on qu'il ne s'agit pas nécessairement de conférer à une

1. *I Sent.*, 43, un., 1, Concl.; cf. *Ibid.*, 2 et 4 fund., t. I. p. 764-766 ; *I Sent.*, 43, un., 2, Concl., t. I, p. 768.

créature unique l'infinité absolue, mais simplement de produire une infinité de créatures finies? Mais c'est oublier la loi de l'ordre et du nombre qui préside à la création des choses. Il faut que les créatures soient ordonnées non seulement par rapport à Dieu, mais encore les unes par rapport aux autres; or, elles ne peuvent recevoir un ordre défini que par rapport à l'une d'entre elles prise comme centre de référence, et cet ordre n'est enfin intelligible que si les rapports des objets à ce centre sont en nombre fini. On ne peut donc pas ordonner une infinité d'objets par rapport à l'un ou à quelques-uns d'entre eux[1] et, par conséquent, ni l'infini actuel en perfection, ni l'infini actuel en nombre ne sont réalisables par la toute-puissance de Dieu[2].

Lorsqu'on réfléchit aux thèses fondamentales sur lesquelles repose toute cette doctrine, on atteint la conception bonaventurienne de l'essence divine et de l'infini dans ce qu'elle a de plus profond. Il y a un infini, et il ne peut y en avoir qu'un. Cet infini est possible parce que sa parfaite simplicité lui permet de poser une infinité d'actes intelligibles, simultanés et cependant ordonnés. Réellement identiques les unes aux autres, les idées divines sont exemptes de toute confusion; réellement identiques les uns aux autres, les possibles que l'essence divine exprime ne sauraient empiéter les uns sur les autres ni se confondre. Mais si nous considérons une pluralité quelconque d'êtres extérieurs à Dieu, le nombre intervient immédiatement; ils ne sont plusieurs que parce que chacun d'eux manque de ce qui définit les autres, et c'est pourquoi le nombre est la loi primordiale qui préside à la production des choses. Or, à partir du moment où la pensée se fixe sur une pluralité d'êtres distincts, elle ne peut leur conférer l'intelligibilité qu'en introduisant entre eux l'ordre, image affaiblie de l'unité. Mais la possibilité même d'un tel ordre suppose que les termes entre lesquels il s'établit sont en nombre fini. Dans une *infinité de termes séparés et simultanés*, aucune

---

1. Parce que ces quelques objets devraient s'ordonner à leur tour par rapport à un seul.

2. « Ratio est etiam quia hoc nullo modo convenit creaturae. Infinitum enim in actu est actus purus, alioquin, si aliquid haberet de limitatione et arctatione, esset finitum; sed quod est actus purus est suum esse per essentiam, et nihil tale accipit esse ab alia essentia nec ex nihilo. Si igitur creatura, eo ipso quod creatura, aliunde est et ex nihilo, nullo modo potest esse actus purus, nullo modo potest esse infinita. — Et si non potest esse una infinita, nullo modo possunt esse infinitae secundum numerum, quia necesse est illas plures ad aliquam unam creaturam reduci; sed infinita ad finitum reduci est impossibile : patet ergo etc. Et quod ad aliquod finitum necessario reducantur, patet : quia necesse est ponere ordinationem in creaturis, non tantum ad Deum sed etiam ad se invicem », *I Sent.*, 43, un., 3, Concl., t. I, p. 772.

pensée, même divine, ne peut faire régner l'ordre, parce que, quel que soit le nombre des termes qu'embrasse en un moment donné la synthèse ordonnatrice, elle laisse échapper un nombre indéterminé d'autres termes, qui sont cependant donnés eux aussi, et qui, par conséquent, sont privés d'ordre, en même temps qu'ils rendent caduc l'ordre partiel déjà établi. Sur ce point, la pensée de saint Bonaventure est donc résolument finitiste : dans le domaine du nombre, l'infini actuel est radicalement inintelligible, et c'est comme néant contradictoire qu'il échappe à la puissance même de Dieu.

Ce point essentiel apparaît en pleine lumière lorsqu'on se demande avec saint Bonaventure si l'infini en puissance peut être ramené à l'acte par la puissance divine. Considérons, par exemple, la grandeur continue d'un espace ou d'une ligne ; elle est virtuellement divisible à l'infini et contient par conséquent en puissance une infinité de parties ; d'autre part, Dieu possède une perfection infinie, et l'on ne voit pas au premier abord pourquoi un être tout-puissant ne pourrait pas réaliser complètement la division de la matière en ses parties. Et cependant Dieu même ne peut le faire, parce qu'il est également contradictoire que l'infini contienne des parties réellement distinctes et que ce qui consiste en parties réellement distinctes soit infini. La puissance propre de Dieu diffère donc ici de la nôtre en ce que, si nous tentions de diviser la matière à l'infini, nous serions bientôt obligés de nous arrêter dans l'exercice de cette opération, tandis que, si Dieu entreprenait de diviser la matière à l'infini, il pourrait indéfiniment la diviser, sans que jamais l'étendue cessât d'être divisible, ni sa puissance capable de la diviser. Dieu pourrait donc ramener à l'acte l'infini en puissance du continu en ce sens qu'il serait toujours à même de le diviser, mais non pas en ce sens qu'il puisse jamais arriver un moment où Dieu l'aurait effectivement ramené à l'acte et complètement divisé. L'idée même du *nombre infini* est frappée d'une inintelligibilité essentielle et porte en soi la contradiction ; il n'y a d'infini actuel que celui de Dieu et de sa puissance, parce que son infinité n'est pas celle du nombre, mais celle de la simplicité[1].

1. « Ad illud quod quaeritur, utrum possit potentiam continui reducere ad actum (*sc.* Deus), dicendum, quod sicut potentia in continuo passiva infinita est ad divisionem, sic in Deo activa infinita. Unde sicut continuum potest dividi in infinitum, tamen impossibile est quod totaliter sit divisum, alioquin non esset infinitum ; sic dividere in infinitum est possibile ad actum reducere ; sed sicut impossibile est divinam potentiam terminari, ita impossibile est quod sit in termino divisionis. Unde Deus potest potentiam continui reducere ad actum, quia potest esse in reducendo et semper in reducendo, ita quod nunquam plus se

Pour achever de définir les possibilités réalisables par la puissance divine, il nous reste à l'examiner par rapport à l'univers qu'elle a effectivement réalisé. La qualité des choses créées est-elle prédéterminée par le mode d'exercice de la puissance divine, ou Dieu était-il capable de produire un monde meilleur que celui qu'il a produit? C'est le problème de l'optimisme métaphysique en présence duquel nous nous trouvons conduits, et la solution que saint Bonaventure en apporte prend place parmi les plus précises et les plus soigneusement élaborées que connaisse l'histoire de la philosophie.

Cherchons d'abord si Dieu aurait pu faire le monde meilleur quant à la substance des parties intégrantes qui le constituent. Il faut distinguer en premier lieu entre les différences de perfection et les différences purement quantitatives qui séparent les choses. Un âne est inférieur à un homme parce que la forme même de l'homme est supérieure en perfection à celle de l'âne; un marc d'or n'est supérieur à une once d'or que parce qu'il contient une quantité supérieure du même métal. Il faut distinguer, en outre, entre les deux questions de savoir si Dieu aurait pu faire ce même monde actuellement réalisé meilleur qu'il ne l'est, ou s'il aurait pu faire un autre monde meilleur que celui qui se trouve actuellement réalisé. Ces distinctions posées, nous répondrons que, s'il s'agit de notre monde actuel et d'une supériorité des essences, Dieu ne pouvait pas le créer meilleur qu'il n'est. Car s'il eût été meilleur, comme constitué de parties dont l'essence fût supérieure à celle des êtres qui le constituent, il eût cessé d'être le même. De même, en effet, que celui qui a été fait homme aurait été autre qu'il n'est s'il avait été fait âne, de même l'univers actuellement réalisé aurait été un autre univers s'il avait été composé d'essences plus ou moins nobles que celles qui le constituent. Mais, comme Dieu est un être infini dont la puissance ne souffre aucune limite, il aurait pu faire un autre monde que le nôtre, composé d'êtres plus parfaits que ceux dont le nôtre est composé et, par conséquent, essentiellement supérieur à ce monde-ci. Et il est évident, enfin, que, s'il s'agit seulement d'une supériorité quantitative, comme celle qui distingue un marc d'une once d'or, Dieu aurait pu faire notre même monde plus grand qu'il ne l'a fait. Car s'il l'eût fait plus grand qu'il n'est, notre monde serait cependant resté le même; tel un enfant

---

extendat potentia quam divina actio : sed tamen continuum nunquam potest esse in *reductum esse*, sicut nec Deus in *reduxisse* », *1 Sent.*, 43, un., 3, ad 6, t. I, p. 773; voir *Ibid.*, 4, Concl., la critique de la théorie d'Abélard sur la limitation de la puissance divine *ad extra*, t. I, p. 775.

à qui Dieu donnerait la taille d'un géant et qui posséderait plus de substance et de force sans cesser d'être ce qu'il est.

Reste, il est vrai, une autre question à résoudre. Si nous admettons que la puissance divine pouvait produire un monde meilleur que le nôtre, pourquoi ne l'a-t-elle pas produit? Comme beaucoup de problèmes que l'on entend poser à propos de la puissance divine, c'est là un faux problème, et l'illusion qui l'engendre est celle-là même qui nous fait méconnaître la différence radicale de l'infini en puissance et de l'infini en acte. Comme le nombre se trouve toujours fixé en un degré défini sans que cependant Dieu ne soit capable de le dépasser, ainsi le degré de perfection du monde, qu'on le considère quant à la qualité de ses essences ou à la quantité de sa masse, se trouverait toujours fixé en un degré défini sans que Dieu ne fût cependant capable de le dépasser. Si nous imaginons, par conséquent, l'infinité des mondes possibles, chacun d'eux est bon, encore qu'il y en ait de meilleurs ou de pires; et si Dieu réalise l'un quelconque d'entre eux, ce qu'il fera sera bon; mais il n'en résultera pas pour cela qu'il n'aurait pu le faire meilleur, et nous sommes au contraire certains à priori que, quel que soit le monde choisi par Dieu, il pourrait en faire un meilleur et ainsi de suite à l'infini. Dans ces conditions, le problème posé s'évanouit; en vertu de la loi qui interdit à l'infini en puissance de s'actualiser et qui ne permet pas même à Dieu de le réaliser, il n'y a pas de monde concevable, si parfait soit-il, à propos duquel on n'eût été fondé à poser la même question qu'à propos du nôtre. Si Dieu avait fait un monde meilleur, nous aurions toujours pu demander : pourquoi ne l'a-t-il pas créé meilleur encore, et la question n'eût pas été moins vaine, car aucun terme de la série des mondes possibles ne contient en soi la raison nécessaire et suffisante de sa réalisation. La seule solution que comporte une telle question ne réside pas dans les créatures, elle est en Dieu et, par conséquent, elle nous échappe. Dieu a créé le monde actuel parce qu'il l'a voulu et lui seul en connaît la raison ; nous savons que ce qu'il a donné, il l'a donné par pure grâce, dans un acte de bonté qui ne permet de soupçonner nulle envie; le reste est son secret : *et ideo talis quaestio est irrationalis, et solutio non potest dari nisi haec, quia voluit et rationem ipse novit*[1].

Après avoir considéré la substance des parties dont se compose l'uni-

1. *I Sent.*, 44, 1, 1, Concl., et ad 4, t. I, p. 782-783. Ce qui est vrai de la substance des parties intégrantes de l'univers l'est également de leurs propriétés, *I Sent.*, 44, 1, 2, Concl., t. I, p. 784.

vers, nous pouvons considérer l'ordre selon lequel elles ont été disposées. Dieu aurait-il pu faire le monde meilleur quant à l'ordre de ses
parties? Tel qu'il nous est donné, ce monde manifeste à nos yeux deux
ordres différents dont l'un se subordonne à l'autre. Le premier est un
ordre de nature cosmique; il consiste dans l'adaptation réciproque des
parties de l'univers les unes aux autres et il relève avant tout de la
sagesse de Dieu. Le second est un ordre de finalité; au lieu de relier
entre elles les parties de l'univers pour les organiser, il les dispose toutes
en vue de la fin dernière qui est Dieu. Ces deux ordres ne sont évidemment pas indépendants, car le premier s'ordonne de lui-même en vue
du second. On peut, en outre, considérer dans l'univers soit ses parties
premières et substantielles, comme la nature angélique, humaine, élémentaire; soit ses parties accidentelles et corruptibles, comme tel corps
matériel particulier ou tel être humain. Ces distinctions une fois posées,
la question devient susceptible d'une réponse précise. S'il s'agit de
l'ordre cosmique des parties substantielles de l'univers, il est aussi parfait qu'il pouvait l'être, notre univers étant précisément ce qu'il est. Et
s'il s'agit de l'ordre de ces parties substantielles par rapport à la fin des
choses, il est également parfait, car l'univers est semblable à un magni-
fique poème dont les consonances et les parties se succèdent dans
l'ordre qui convient pour aboutir à sa conclusion. Si nous considérons,
d'autre part, l'ordre cosmique des parties accidentelles ou corruptibles
du monde, il peut être tantôt meilleur et tantôt moins bon, selon que
l'univers est pris à tel ou tel moment de son histoire. Et quant à l'ordre
de ses parties, même corruptibles, en vue de sa fin, il est aussi parfait
qu'il peut l'être, la providence de Dieu pénétrant tout et réglant la
marche des choses jusque dans ses moindres détails. Le monde dans
lequel nous vivons n'est donc certainement pas le meilleur possible,
mais, tel qu'il est, rien ne manque à sa perfection[1].

Un dernier problème que l'on a coutume de poser à propos de la
puissance divine est de savoir si Dieu aurait pu créer le monde avant le
temps qu'il a fixé pour la création. Et, cependant, une telle question
n'a pas de sens parce que l'énoncé même en est contradictoire. La
notion d'antériorité suppose, en effet, celle de temps, et la notion de
temps suppose l'existence de choses mobiles; demander si le monde
aurait pu être créé avant le temps de la création, c'est donc demander
si le monde aurait pu exister avant d'exister. Si l'on demandait : la pre-

1. *I Sent.*, 44, 1, 4, Concl., t. 1, p. 788-789.

mière sphère céleste aurait-elle pu être créée plus haut qu'elle ne l'est, on poserait une question absurde, car c'est la sphère céleste elle-même qui délimite et circonscrit le lieu, de telle sorte que, se demander si elle pourrait être située plus haut ou plus bas, c'est chercher à définir un lieu là où il n'y a pas de lieu. L'imagination nous déçoit ici comme dans tant d'autres cas. De même que nous imaginons le monde environné d'espace comme nous imaginons la terre entourée d'eau, de même aussi nous imaginons qu'avant le commencement du monde il y avait un temps dans la durée duquel il aurait pu recevoir un commencement anticipé. Mais ces *temps imaginaires* n'ont pas plus de réalité que les *espaces imaginaires;* il n'y a pas plus de monde concevable avant le monde qu'au-dessus ou au-dessous de lui. Ces raisons ne sont pas seulement très fortes, elles sont absolument décisives, et l'on peut y ajouter encore la cause même de cette fausse imagination. Lorsque nous imaginons que l'éternité s'étend indéfiniment dans la période antérieure au temps, nous nous la représentons sous l'aspect d'une durée étendue et dans cette durée nous distinguons par la pensée divers instants en chacun desquels le temps aurait pu commencer. Or, cette imagination ne correspond à rien de réel, car s'il n'y a pas de moments du temps avant le temps, il n'y a pas non plus de moments dans l'éternité qui l'enveloppe. L'éternité est un perpétuel présent où ne se discerne nulle diversité de parties; il faut donc admettre que, comme Dieu n'aurait pu faire le monde en un autre lieu parce qu'il n'y a pas de lieu hors du monde, il n'aurait pu le créer en un autre temps parce qu'en dehors du monde il n'y a pas de temps.

Reconnaissons cependant qu'il y a dans l'aveu de cette impossibilité quelque chose de pénible. Et c'est pourquoi, bien que le raisonnement nous prouve, à n'en pas douter, que c'est là une *stulta quaestio*, certains ont voulu prouver que Dieu aurait pu faire ce monde plus vieux comme il aurait pu le faire plus vaste. De même, disent-ils, que si Dieu l'avait voulu ainsi il y aurait plus de distance entre la terre et la première sphère qu'il n'y en a effectivement; de même, s'il l'eût voulu, le moment présent serait enveloppé dans une durée plus étendue et se trouverait, par conséquent, plus éloigné de l'instant de la création qu'il ne l'est en réalité. Mais il faut reconnaître que ce raisonnement est sophistique, car les rapports de lieu sont bien différents des rapports de temps. Si Dieu avait créé le ciel plus éloigné de la terre qu'il ne l'est dans notre monde, cette différence de pure quantité n'aurait pas empêché le ciel et la terre de conserver leur nature et d'être ce qu'ils sont. Mais si Dieu avait fait en sorte que l'instant actuellement présent se fût trouvé plus éloigné du moment initial de la création, notre présent ne serait pas celui qu'il est; il ne pourrait donc s'agir que d'un autre instant et même d'un autre monde qui embrasserait dans sa durée totale celle du monde dans lequel nous sommes actuellement placés. C'est donc bien décidément notre imagination qui est en faute; une fois de plus, nous hésitons à priver Dieu d'un pouvoir qui ne s'exercerait cependant que dans le vide et ne s'appliquerait qu'au néant[1].

Lorsqu'on poursuit jusqu'au bout l'analyse de chacun de ces problèmes, on se trouve donc toujours conduit soit à les dissoudre, soit à poser un acte inexplicable de la volonté divine comme cause ultime de ce que l'on veut expliquer. Que Dieu soit doué de volonté, c'est ce qu'il n'est pas permis de mettre en doute. Sans volonté, pas d'exercice possible de la puissance, car c'est elle qui préside à toutes les autres facultés de l'âme et il n'en est aucune qui puisse la commander; mais nous avons vu que Dieu est tout-puissant, il est donc nécessairement aussi doué de volonté. D'ailleurs, ce n'est pas seulement de sa puissance que Dieu serait privé s'il n'avait pas de volonté, il lui manquerait encore la béatitude et la joie suprême de posséder l'objet de son désir, il serait dépourvu de justice et d'équité, incapable enfin de manifester sa libéralité[2]. Le véritable problème n'est donc pas de savoir si Dieu est doué de volonté, mais en quel sens il peut en être doué et à quelle réalité positive correspond un tel concept, lorsque nous attribuons à une essence simple et infinie la perfection qu'il représente.

L'essence divine, avons-nous dit, est quelque chose de parfaitement un et simple; mais en même temps, selon la formule célèbre de Jean Damascène, elle est un océan infini de substance. Et c'est pourquoi tout ce qui se trouve en nous à l'état de division se retrouve en lui à l'état d'identité. Or, identiques, puisque Dieu est parfaitement un, ses perfections n'en sont pas moins réelles, puisqu'il est tout ce qu'il est possible d'être. De même donc que la sagesse et la puissance existent véritablement en nous et y sont les causes de tout ce que nous faisons, de

---

1. *I Sent.*, 44, 1, 4, Concl., t. I, p. 789. Saint Bonaventure introduit donc cette distinction pour ne pas répondre à la question par une affirmation ou une négation absolues, mais son opinion n'en est pas moins catégorique. Dieu aurait pu faire un monde dont les dimensions temporelles fussent plus vastes que celles du nôtre, et dans un tel monde notre présent aurait été plus éloigné du commencement qu'il ne l'est actuellement, mais il aurait été un autre présent.

2. *I Sent.*, 45, 1, 1, Concl., t. I, p. 799.

même ce qu'elles contiennent de perfection existe véritablement en Dieu. Sans doute, elles y sont d'une manière absolument une, et nous sommes incapables d'exprimer par un seul mot ce que serait un être unique identique à ses différentes perfections; aussi l'exprimons-nous par une multiplicité de mots et de noms différents[1], et notamment par le terme de volonté. Lorsque nous affirmons que Dieu est doué de volonté comme il est doué de puissance, nous ne proférons pas une simple tautologie, et nos deux affirmations diffèrent d'une manière autre que verbale. Chacune d'elles exprime, en effet, quelque chose de Dieu, mais elle n'en exprime pas ce qu'en expriment les autres, et c'est là ce qui va nous permettre de situer la volonté à sa place exacte parmi les autres perfections de Dieu.

Dieu est bon; or, le bien se définit essentiellement par deux propriétés, la fécondité et la finalité. De lui-même, le bien tend naturellement à se répandre, à s'épancher, à se diffuser hors de soi : *bonum dicitur diffusivum sui;* et il est en même temps le terme vers lequel tout le reste s'ordonne : *bonum est propter quod omnia.* Dans ces deux attributs essentiels du bien, saint Bonaventure situe les deux pôles entre lesquels va s'établir le courant de la volonté et se développer l'efficace de la causalité. Si l'on considère, en effet, chacun d'eux pris à part, on aperçoit qu'il pose une des conditions nécessaires pour qu'une action suivie d'effet se réalise : d'une part, fécondité spontanée d'une essence qui tend d'elle-même à produire; d'autre part, terme ultime qui peut seul donner à cette fécondité une raison de passer à l'acte et de se diffuser. Par une intuition métaphysique vraiment profonde et qui oriente immédiatement sa pensée vers une direction tout autre que celle de l'intellectualisme aristotélicien, saint Bonaventure fait surgir de la seule essence du bien considéré en tant que tel l'acte volontaire et son efficience. Pour que la volonté apparaisse, il faut, en effet, et il suffit que la fécondité du bien entre en contact avec sa finalité, et ce contact s'établit au moment où le bien, prenant conscience de son contenu total, trouve dans sa perfection la raison de se déployer hors de lui-même qu'attendait sa fécondité. C'est en ce point exact que surgit la volonté divine, réflexion du Bien sur lui-même, jonction immanente de tout ce qu'il

---

1. Consulter sur cette question, *I Sent.*, 22, un., 3, Concl., t. 1, p. 395, spécialement : « Quaedam (nomina) significant rem, cujus veritas est in Deo et similitudo ejus in creatura, ut potentia, sapientia et voluntas; et talia nomina transferuntur a creaturis ad Deum, non secundum rem, sed secundum impositionem; quia prius imposita sunt creaturis quam Deo, licet prius sint in Deo. »

contient de fécond avec tout ce qu'il a de désirable. Or, lorsqu'on a compris cette sorte de polarité du bien qui engendre d'elle-même la volonté, on comprend par le fait même pourquoi la causalité trouve dans la volonté ses racines les plus profondes et doit, par conséquent, lui être immédiatement attribuée. Fécondité d'un bien qui se règle sur soi-même, la volonté ferme le cercle entre deux termes, dont chacun pris à part demeurerait inefficace. De l'un elle tient la puissance et de l'autre la raison d'agir; nous sommes donc bien fondés à attribuer à Dieu la causalité en raison de sa volonté et non pas en raison de ses autres perfections[1].

Nous apercevons en même temps ce qu'il y a de superficiel et de vraiment insuffisant dans l'épithète de volontariste que l'on emploie si souvent pour désigner la doctrine de saint Bonaventure. En un sens, il n'est pas douteux que la causalité ne se rattache plus directement à la volonté dans cette doctrine que dans celle de saint Thomas; elle ne s'offre pas à nous comme la résultante de la connaissance que le Bien prendrait de lui-même, mais comme le résultat immédiat de l'acte par lequel la perfection divine motive et règle sa propre diffusion. On peut ajouter encore que saint Bonaventure rattache expressément la causalité de Dieu à sa volonté. Sans doute, Dieu est tout entier cause de toutes choses; il l'est donc à la fois par mode de puissance, de science et de volonté; mais saint Bonaventure n'en conclut cependant pas que la causalité divine se répartisse également entre ces trois perfections. L'unité de Dieu contient réellement, quoique identiquement à son essence, la perfection dont notre activité volontaire n'est qu'une pâle image, et c'est cette perfection même qui peut seule revendiquer ce privilège de l'efficace causale. La puissance peut beaucoup de choses, mais elle en contient plus qu'elle n'en réalise et elle ne contient pas en elle-même la raison du choix à effectuer entre ce qu'elle réalise et ce qu'elle ne réalisera pas. La science sait tout le possible et par conséquent tout le réel; ce n'est cependant pas elle qui confère la réalité à ceux des possibles qu'elle connaît comme réalisés. Tout ce qui est réel l'est par l'ef-

---

1. « Ratio autem quare voluntati attribuitur causalitas haec est, quia ratio causandi est bonitas et in ratione effectivi et in ratione finis. Nam bonum dicitur diffusivum et bonum est propter quod omnia. Effectivum autem non fit efficiens in effectu nisi propter finem. Illud ergo quod dicit conjunctionem principii effectivi cum fine est actus et ratio causandi in effectu; sed voluntas est actus secundum quem bonum reflectitur supra bonum sive bonitatem; ergo voluntas unit effectivum cum fine. Et hinc est quod voluntas est ratio causare faciens in effectu; et ideo attribuimus Deo rationem causalitatis sub ratione voluntatis, non sic sub aliis rationibus », I Sent., 45, 2, 1, Concl., t. I, p. 804.

ficace de la volonté; seule elle est coextensive à tout ce qui possède l'être, et l'on ne peut rien découvrir dans le domaine du réel qui ne lui doive sa réalité, ni, hors de ce domaine, qu'elle ait été impuissante à réaliser. C'est donc bien à la volonté en tant que telle qu'appartient le privilège de faire passer les possibles à l'être, la science et la puissance ne participant à la causalité que par l'intermédiaire de la volonté[1]. Mais il apparaît en même temps que la volonté telle que la conçoit saint Bonaventure n'est pas une pure contingence, un décret arbitrairement rendu et comme une sorte de coup d'État qui s'imposerait sans justification possible. C'est qu'en effet, pas plus en Dieu qu'en l'homme, la volonté n'est première, et c'est pourquoi, dans la mesure où le terme de volontarisme peut éveiller l'idée d'une sorte de primat de la volonté, il ne s'applique plus exactement à une telle métaphysique. Pour saint Bonaventure, il n'y a en Dieu qu'un seul primat, celui de Dieu lui-même. A la source et comme à la racine de tout, il y a l'Être, océan infini de substance, et c'est sur la richesse primitive de cet Être que se greffe immédiatement l'acte par lequel il se connaît et se veut, connaît les choses et veut les choses, et toute autre interprétation de sa pensée risquerait presque inévitablement de la fausser.

Remontons, en effet, jusqu'à la notion première vers laquelle nous avons été conduits par chacune de nos spéculations antérieures. Notre réflexion sur l'essence divine nous l'a fait apercevoir comme l'Être pur et absolu : *Ego sum qui sum;* premier, simple et nécessaire, d'une telle nécessité qu'il ne peut même pas être conçu comme n'existant pas[2]. Mais nous savons aussi par la foi, et nous ne pouvons pas ne pas nous en souvenir, que l'Être divin est un et triple. Il nous est d'autant moins possible de l'oublier qu'en méditant sur l'essence de l'Être pur nous découvrons par la seule raison que l'acte pur exclut toute puissance, toute particularité, toute limitation, toute analogie et que, par conséquent, il est la perfection même : *quia primum, aeternum, simplicissimum, actualissimum, ideo perfectissimum.* Or, si l'Être nous conduit nécessai-

---

1. *I Sent.*, 45, 2, 1, 4 fund., t. I, p. 803; *Ibid.*, ad 2 : « In voluntate primo invenitur ratio actualitatis. Potentia enim et scientia, etsi habeant rationem causae habitualis, non tamen actualis nisi per voluntatem. Unde voluntas facit de scientia dispositionem, sive facit scientiam esse disponentem et potentiam exsequentem. »

2. « Volens igitur contemplari Dei invisibilia quoad essentiae unitatem primo defigat aspectum in ipsum esse et videat ipsum esse adeo in se certissimum quod non potest cogitari non esse, quia ipsum esse purissimum non occurrit nisi in plena fuga non esse, sicut et nihil in plena fuga esse », *Itinerarium*, V, 3; éd. min., p. 332. Pour ce qui suit, p. 333, et *Ibid.*, 6, p. 335.

rement au bien, la fécondité ne nous apparaîtra pas comme plus séparable de l'Être que l'existence. C'est en vertu d'une seule et même perfection qu'il nous est apparu précédemment comme ne pouvant pas ne
pas exister et qu'il nous apparaît maintenant comme ne pouvant pas ne
pas se diffuser. La Trinité des personnes divines exprime d'abord cette
puissance infinie d'expansion interne en engendrant le Fils et faisant
procéder du Fils et du Père le Saint-Esprit[1]. Mais nous avons vu déjà
qu'en engendrant le Fils, le Père s'exprime totalement et profère éternellement les idées dont l'origine remonte ainsi jusqu'à la fécondité
originelle de l'Être. Nous pouvons ajouter maintenant que la création
des êtres finis et analogues dans le temps ne sera qu'une nouvelle manifestation de cette diffusion du bien divin. Pour qui la considère en elle-
même, la création du monde apparaît comme une merveille de puissance qui dépasse toute conception humaine ; pour qui la considère par
rapport à l'immensité de la perfection divine, elle n'apparaît que comme
un point infime, perdu dans la diffusion infinie de Dieu comme le centre
l'est dans la circonférence. Au tout premier commencement était l'Être ;
la volonté n'est qu'une des manifestations de sa fécondité.

1. « Vide igitur et attende, quoniam optimum, quod simpliciter est quo nihil melius
cogitari potest (et hoc tale sic est quod non potest recte cogitari non esse), sic est quod
non potest recte cogitari, quin cogitetur trinum et unum. Nam bonum dicitur diffusivum
sui ; summum igitur bonum summe diffusivum est sui. Summa autem diffusio non potest
esse, nisi sit actualis et intrinseca, substantialis et hypostatica, naturalis et voluntaria,
liberalis et necessaria, indeficiens et perfecta... Nam diffusio ex tempore in creatura non est
nisi centralis vel punctalis respectu immensitatis bonitatis aeternae ; unde et potest aliqua
diffusio cogitari major illa, ea videlicet in qua diffundens communicat alteri totam substantiam et naturam. Non igitur summum bonum esset si re, vel intellectu illa carere posset »,
Itinerarium, VI, 2 ; éd. min., p. 339-340.

CHAPITRE VI.

La création.

Avant même d'avoir abordé le problème de la création, nous savons que Dieu est l'auteur de la nature. Les preuves de son existence n'ont pu se développer complètement sans établir en même temps une série de conclusions qui décident de ce point. C'est la multiplicité des choses terrestres qui nous est apparue comme requérant un principe d'unité; c'est leur mutabilité qui suppose un principe immobile vers lequel elles sont ordonnées; c'est leur imperfection enfin qui implique la présence d'un être parfait pour étayer leur insuffisance. Il ne peut donc plus être question de démontrer que l'univers a une cause, nous le savons par le fait même que nous connaissons l'existence de Dieu. Mais, ce premier problème étant résolu, celui de la création reste intact; car le terme même de création ne désigne pas n'importe quel mode de production, ni même n'importe quel mode de causalité efficiente, il désigne un mode de production *sui generis*, unique, et les preuves de l'existence de Dieu ne nous apprennent pas selon quel mode ni dans quelles conditions s'est exercée sa causalité. Dieu est cause des choses; mais en est-il cause totale et intégrale, ou n'en est-il que la cause partielle, soit matérielle, soit formelle, voilà ce qu'il importe d'abord de déterminer[1].

Ce point est l'un de ceux qui illustrent le plus clairement la conception bonaventurienne de la philosophie et de ses rapports avec la foi. L'histoire de la pensée humaine scrutant le problème de l'origine du monde est l'histoire de sa lente et pénible progression, à travers les erreurs les plus diverses, vers une vérité cachée que la foi découvre

---

1. *II Sent.*, 1, 1, 1, 1, init., t. II, p. 16. Le *Breviloquium* résume ainsi la doctrine bonaventurienne de la création : « Circa quam (sc. *creaturam mundi*) haec tenenda sunt in summa : videlicet quod universitas machinae mundialis producta est in esse ex tempore et de nihilo, ab uno principio primo, solo et summo; cujus potentia, licet sit immensa, disposuit tamen omnia in certo pondere numero et mensura », *Breviloquium*, II, 1, 1; éd. min., p. 60.

enfin à ses regards. Rien d'irrationnel dans la solution chrétienne du problème ; rien même qui ne soit perceptible et transparent à la raison ; et cependant, toutes les données du problème étant rassemblées, la raison humaine, avec toutes les facultés dont elle est actuellement douée, étant en possession de ces données, elle n'en a pas découvert la solution. C'est que la raison humaine est incapable de s'orienter sans le secours d'une influence supérieure ; qu'elle n'a pas en elle-même de quoi mettre en œuvre ses propres ressources ; que seule la révélation lui épargne ces fausses démarches, dirige sa course et la conduit à son propre but : la raison n'est pleinement elle-même que lorsqu'elle travaille à la lumière de la révélation [1].

Les anciens philosophes n'ont, en effet, jamais réussi à concevoir une production des choses qui fût complète et intégrale, non seulement quant à leur ordre ou à leur forme, mais encore quant à leur être ; ils se sont donc ingéniés à leur assigner un mode de production à partir de quelque principe qui fût à la fois différent d'elles-mêmes et autre que le néant. Parmi les solutions de ce genre, la plus simple est celle des Éléates. En posant l'unité et l'identité absolue de l'être, ils posent en même temps que Dieu a tiré le monde de lui-même et fait les choses de sa propre essence. Mais cette position ne nous apparaît pas seulement fausse, à nous autres croyants, elle a déjà été jugée telle dès l'antiquité. Les philosophes qui ont suivi les Éléates ont estimé peu probable que l'essence de Dieu, qui est invariable, immuable et la plus noble des essences, pût se transformer en la matière des choses corporelles, que nous savons variable et imparfaite de soi, aussi longtemps qu'elle n'a pas été parfaite par sa forme. D'autres philosophes sont donc venus, qui ont enseigné avec Anaxagore que le monde a été fait par Dieu, mais non pas de l'essence de Dieu, et qu'il a été seulement tiré par lui de principes préexistants. Ces principes sont au nombre de deux : la matière et la forme ; les formes étaient primitivement latentes dans la matière, et Dieu, ou l'Intellect, n'a fait que les en tirer en les distinguant de la confusion originelle au moment de la formation du monde. Mais il y a dans cette supposition quelque chose que la raison

---

1. « Dicendum quod haec veritas est : mundus in esse productus est, et non solum secundum se totum, sed etiam secundum sua intrinseca principia, quae non ex aliis sed de nihilo sunt producta. Haec autem veritas, etsi nunc cuilibet fideli sit aperta et lucida, latuit tamen prudentiam philosophicam, quae in hujus quaestionis inquisitione, longo tempore ambulavit per devia », *II Sent.*, 1, 1, 1, 1, Concl., t. II, p. 16 : « Plato commendavit animam suam factori ; sed Petrus commendavit animam suam Creatori », *In Hexaëm.*, IX, 24, t. V, p. 376.

ne saurait admettre ; c'est la coexistence simultanée de toutes les formes au sein de la matière, alors qu'un grand nombre d'entre elles sont inconciliables et ne peuvent s'actualiser que par la suppression des formes contraires. C'est pourquoi cette opinion s'est vue rejetée par les philosophes postérieurs.

Une autre école s'est alors efforcée de résoudre le même problème en faisant appel à d'autres principes, c'est celle des platoniciens. Selon ces philosophes, le monde s'explique par le concours de trois causes également éternelles : Dieu, la matière et l'idée. La matière aurait d'abord existé à part et subsisté par soi de toute éternité, jusqu'au jour où Dieu serait venu lui associer les formes ou idées encore séparées. Or, on sait par la critique d'Aristote combien cette supposition recèle de difficultés. L'admettre, c'est admettre que la matière a subsisté de toute éternité dans un état imparfait ; c'est soutenir que la même forme peut subsister simultanément à l'état séparé et conjointe à la matière ; c'est admettre même qu'un homme puisse exister simultanément de trois existences différentes : en tant qu'homme naturel et composé de matière et de forme, en tant qu'homme abstrait et conçu par la pensée, en tant qu'homme divin et subsistant éternellement dans le monde des idées. Cette fois encore, les philosophes qui suivirent durent abandonner l'opinion de ceux qui les avaient précédés.

C'est alors que survinrent les péripatéticiens, dont le prince et chef fut Aristote, et qu'à l'époque paisible du *Commentaire sur les Sentences* saint Bonaventure traite avec une certaine modération. Il sait fort bien dès ce moment qu'Aristote enseignait l'éternité du monde ; or, comme nous le verrons plus amplement par la suite, il considère que la doctrine de l'éternité du monde est extrêmement difficile à concilier avec celle de la création ; il ne croit donc pas qu'Aristote ait considéré la matière et la forme comme créées par Dieu du néant, même de toute éternité : *utrum autem posuerit materiam et formam factam de nihilo, hoc nescio ; credo tamen quod non pervenit ad hoc*[1]. Sur la foi de textes complaisamment interprétés, saint Bonaventure suppose qu'Aristote considérait le monde comme fait par Dieu d'éléments éternels. L'erreur du philosophe était donc double, puisqu'elle portait à la fois sur l'éternité des éléments et sur l'ignorance de la création *ex nihilo*, mais il avait au moins sur Platon l'avantage de ne pas supposer que la matière ait jamais pu subsister sans sa forme. L'erreur du platonisme, qui posait

1. *II Sent.*, 1, 1, 1, 1, Concl., t. II, p. 17, et dist. 1, dubium 2ᵐ, t. II, p. 37.

à part Dieu, la matière et l'idée, lui paraît donc alors plus méprisable (*multo vilior*) que celle de l'aristotélisme qui pose Dieu et une matière éternellement parfaite par sa forme : *ideo et ipse etiam defecit licet minus quam alii*. Plus tard, saint Bonaventure s'exprimera beaucoup plus durement sur le compte d'Aristote, mais il ne niera cependant jamais expressément que son Dieu sans idées et sans providence n'ait fait éternellement le monde, de la matière et de la forme éternellement existantes.

Il apparaît donc clairement que ceux de tous les philosophes qui ont approché de plus près la vérité ne l'ont cependant pas atteinte. Or, c'est justement là, en ce point précis où défaut l'habileté des philosophes, que la révélation vient à notre secours, en nous apprenant que tout a été créé et que les choses ont été produites à l'être selon la totalité de ce qu'elles sont : *ubi autem deficit philosophorum peritia, subvenit nobis sacrosancta Scriptura, quae dicit omnia esse creata, et secundum omne quod sunt in esse producta*. Et c'est alors aussi que la raison mieux informée aperçoit et confirme par des arguments probants la vérité que l'Écriture affirme.

Il est en effet certain que plus une cause productrice est première et parfaite dans l'ordre de l'être, plus aussi son action pénètre profondément à l'intérieur de son effet. Dans le cas où la cause considérée est l'être absolument premier et parfait, l'action qu'elle exerce doit étendre son efficacité à la substance totale de chacun de ses effets. En d'autres termes, si c'est Dieu qui produit une chose, il ne peut la produire qu'intégralement, et son action engendre nécessairement à l'être ses principes constitutifs, matière et forme, en même temps que leur composé. De même, un agent est d'autant plus noble et plus parfait qu'il requiert moins d'adjuvants pour agir. Si donc nous considérons l'agent le plus parfait qui se puisse, son action devra se suffire complètement à elle-même et s'exercer sans le secours d'aucun adjuvant extérieur. Or, c'est précisément le cas de Dieu ; il est donc capable, pris en lui-même, de produire les choses sans l'aide de principes préexistants. D'autre part, Dieu est parfaitement simple ; son essence n'est pas morcelable en êtres particuliers ; il ne tire pas les choses de soi-même en fragmentant sa propre substance ; il les tire donc nécessairement du néant. De même enfin, si Dieu est vraiment la parfaite et absolue simplicité, il ne peut agir selon une partie de soi-même ; dans chacune de ses actions, c'est son être entier qui entre en jeu et se trouve intéressé ; or, la nature de l'effet est nécessairement proportionnée à celle de la cause ; de même donc que l'action d'un être composé de matière et de forme peut engendrer une forme dans une matière qui lui est déjà donnée, de même un être absolument simple, tel que Dieu, peut produire l'être d'une chose dans son intégralité. Agissant selon tout son être, son effet ne peut être que l'être; le terme normal de l'action divine est donc la production à l'existence de ce que rien ne précédait, si ce n'est Dieu et le néant.

Un deuxième problème, inséparable d'ailleurs du précédent, est de savoir quand cette production intégrale des êtres peut avoir eu lieu. La raison humaine, incapable de découvrir par ses seules ressources la nature vraie de l'acte créateur, se trouvait par là même incapable de déterminer correctement le moment de la création. Ou bien, en effet, on sait que la création consiste à produire l'être même des choses, sans employer aucune matière préexistante, et alors il va de soi que le monde a été créé dans le temps; ou bien, au contraire, on croit que le créateur utilisait pour son œuvre des principes antérieurs au monde lui-même, et alors l'univers créé apparaît logiquement comme éternel. Le nerf de l'argumentation de saint Bonaventure a toujours été sur ce point qu'il y a contradiction dans les termes à supposer que ce qui est créé de rien ne le soit pas dans le temps. La notion d'un univers créé par Dieu à la fois de rien et de toute éternité, notion qui sera considérée par saint Thomas d'Aquin comme logiquement possible, encore que fausse en fait, apparaît à saint Bonaventure comme une contradiction si grossière qu'il ne peut imaginer un philosophe assez médiocre pour ne l'avoir pas aperçue. Sa pensée, qu'il ne développe guère, encore qu'il l'affirme avec une extrême énergie, semble se rattacher ici très étroitement à celle de saint Anselme et procéder d'une interprétation rigoureusement littérale de la formule *ex nihilo*. La particule *ex*, en effet, ne lui paraît susceptible que de deux sens. Ou bien elle désigne une matière préexistante à l'action divine, ou bien elle marque simplement le point de départ de cette action, implique et pose un rapport d'ordre, fixe un terme initial et antérieur à l'apparition du monde lui-même. Or, le mot *ex* ne peut pas signifier une matière, car il détermine ici le mot néant, dont la signification même est : absence d'être, et qui ne saurait, par conséquent, désigner une étoffe dans laquelle seraient taillées les choses. Il ne peut donc signifier que le point de départ de l'action divine et poser le terme initial d'un rapport d'antériorité et de postériorité. Dès lors, dire que le monde est créé *ex nihilo*, c'est ou bien ne rien dire, ou bien dire que le néant d'univers a précédé l'existence de l'univers; qu'*avant* il y avait néant de monde et qu'*après* seulement est apparu le monde; c'est supposer, en un mot, le commencement des choses dans le temps et nier leur éternité[1].

Encore que cet argument paraisse bien avoir été l'argument central et décisif aux yeux de saint Bonaventure, puisqu'il fait apparaître l'éternité d'un monde créé de rien comme contradictoire, il s'offre à nous dès l'époque du *Commentaire sur les Sentences* entouré d'autres arguments dont l'importance historique n'est pas moindre et qui se fondent sur l'impossibilité de l'infini créé. On peut aisément vérifier sur ce point combien il est inexact d'expliquer par l'ignorance de l'aristotélisme albertino-thomiste la pensée de saint Bonaventure. C'est à l'aide d'arguments aristotéliciens et contre Aristote lui-même qu'il démontre l'impossibilité d'un monde créé de toute éternité; mieux encore, il réfute expressément la thèse à laquelle croira pouvoir se rallier saint Thomas d'Aquin; saint Bonaventure a donc pleinement conscience de l'attitude qu'il adopte, et c'est au nom de principes mûrement réfléchis qu'il exclut la doctrine qu'on lui reproche d'avoir ignorée.

En premier lieu, l'éternité du monde contredit ce principe qu'il est impossible d'ajouter à l'infini; car si le monde n'a pas eu de commencement, il a déjà parcouru une durée infinie; or, chaque jour nouveau qui passe ajoute une unité au nombre infini des jours déjà écoulés; l'éternité du monde suppose donc un infini qui serait susceptible d'augmenter. Si l'on objecte que cet infini ne l'est, en quelque sorte, que par un bout et que le nombre des jours écoulés, infini dans le passé, est fini dans le présent, on n'allègue rien de solide. Car il est évident que, si le monde est éternel, il s'est écoulé déjà un nombre infini de révolutions solaires et que même il y a toujours eu douze révolutions lunaires pour une révolution solaire, de telle sorte que la lune aurait accompli un nombre de révolutions supérieur à l'infini. Ainsi, même en supposant cet infini borné par le présent et en ne le considérant que là où il est réellement infini, dans le passé, on aboutit à poser un nombre plus grand que l'infini, ce qui est absurde.

En second lieu, l'éternité du monde contredit ce principe : il est impossible d'ordonner une infinité de termes. Tout ordre part en effet d'un commencement, passe par un milieu et aboutit à une fin. Si donc il n'y a pas de premier terme, il n'y a pas d'ordre; or, si la durée du monde et, par conséquent, les révolutions sidérales n'ont pas eu de

---

1. *II Sent.*, 1, 1, 1, 2, Concl., t. II, p. 22. « Productio ex nihilo ponit esse post non esse », *Breviloquium*, II, 1, 3; éd. min., p. 61.

commencement, leur série n'a pas eu de premier terme, elles ne comportent pas d'ordre, ce qui revient à dire qu'en réalité elles ne forment même pas une série et qu'elles ne se précèdent ni ne se suivent les unes les autres. Mais c'est ce que l'ordre des jours et des saisons prouve manifestement être faux ; la durée de l'univers a donc eu un commencement. Cet argument peut sembler sophistique du point de vue aristotélicien et thomiste. Si Aristote affirme qu'il est impossible d'ordonner une série infinie de termes, c'est qu'il entend parler de termes essentiellement ordonnés ; autrement dit, il conteste qu'une série d'essences hiérarchiquement ordonnées et dont l'existence ou la causalité se conditionnent de haut en bas puisse être infinie, mais il ne conteste pas que la série des causes ou des êtres de même degré puisse être infinie. Par exemple, on ne peut pas remonter à l'infini dans la série ascendante des causes du mouvement local des corps terrestres, car il faut des moteurs supérieurs mus par un premier moteur immobile pour en rendre compte ; mais on peut supposer sans contradiction que ce système hiérarchique de causes motrices existe et fonctionne de toute éternité, le déplacement de chaque corps s'expliquant par un nombre fini de causes supérieures, mais étant précédé par un nombre infini de causes de même ordre. Saint Bonaventure n'ignore pas cette distinction et, s'il ne s'en contente pas, ce n'est pas qu'il soit incapable de la saisir, c'est qu'elle suppose un état de l'univers incompatible avec ses tendances métaphysiques les plus profondes. En réalité, il n'y a pas de place pour l'accident aristotélicien dans l'univers chrétien de saint Bonaventure ; sa pensée répugne à supposer une série de causes accidentellement ordonnées, c'est-à-dire sans ordre, sans loi et dont les termes se succéderaient au hasard. La providence divine doit pénétrer l'univers jusque dans ses moindres détails ; elle ne rend donc pas compte seulement des séries causales, mais encore des séries de succession. Si l'on va au fond des choses, l'univers chrétien de saint Bonaventure diffère de l'univers païen d'Aristote en ce qu'il a une histoire ; chaque révolution céleste, au lieu d'y succéder, indifférente, à une infinité de révolutions identiques, y coïncide avec l'apparition d'événements uniques, dont chacun a sa place marquée dans le grand drame qui se déroule entre la création du monde et le jugement dernier. Chaque jour, chaque heure même font donc partie d'une série que régit un certain ordre et dont la Providence divine connaît la totale rationalité : *si dicas quod statum ordinis non est necesse ponere, nisi in his quae ordi-*

*nantur secundum ordinem causalitatis, quia in causis necessario est
status, quaero quare non in aliis?* Saint Bonaventure ne reconnaît pas
non seulement de causes, mais même d'événements accidentellement
ordonnés.

La troisième propriété de l'infini qui ne peut se concilier avec l'éternité du monde est que l'infini ne peut pas se franchir; or, si l'univers
n'a pas eu de commencement, il a dû s'écouler un nombre infini de
révolutions célestes et, par conséquent, on n'a pas pu atteindre le jour
actuel. Si l'on objecte, comme le fera saint Thomas d'Aquin[1], que pour
franchir une distance il faut la parcourir d'une extrémité à l'autre et,
par conséquent, partir d'un point initial qui fait ici défaut, nous répondrons : en partant du jour présent, on doit nécessairement pouvoir assigner un jour qui lui soit infiniment antérieur, ou bien l'on ne peut en
assigner aucun; si aucun jour antérieur ne précède le jour actuel d'une
durée infinie, c'est que tous les jours antérieurs le précèdent d'une
durée finie et que, par conséquent, la durée du monde a eu un commencement; si, au contraire, on peut assigner un jour antérieur infiniment
éloigné du jour actuel, nous demandons si le jour immédiatement postérieur à celui-là est infiniment éloigné du jour actuel ou s'il ne l'est
pas. S'il n'en est pas infiniment éloigné, le précédent ne l'est pas non
plus, car la durée qui les sépare est finie. S'il en est infiniment éloigné,
nous reposons la même question à propos du troisième jour, puis du
quatrième et ainsi de suite à l'infini; le jour actuel ne sera donc pas
plus éloigné du premier que des autres, ce qui revient à dire que l'un
de ces jours ne précédera pas l'autre et que, par conséquent, ils seront
tous simultanés.

Une quatrième proposition incompatible avec l'éternité du monde
est que l'infini ne peut être compris par une vertu finie. Or, dire que le
monde n'a pas eu de commencement, c'est dire que l'infini peut comprendre le fini. On admet communément, en effet, que Dieu est infiniment puissant et que tout le reste est fini; on admettra de plus, avec
Aristote, que chaque mouvement céleste suppose une Intelligence finie
qui le produise ou, tout au moins, le connaisse; on concédera sans doute
enfin qu'une Intelligence pure ne peut rien oublier. Si donc on suppose

---

1. *Summa theologica*, I, 46, 2, per tot., où l'on trouvera discutés point par point les
arguments de saint Bonaventure : ad 1[m] et ad 2[m] contre l'interprétation bonaventurienne
de *ex nihilo;* ad 6[m] contre l'argument *infinita impossibile est pertransiri;* ad 7[m] contre
l'impossibilité d'une série infinie de causes accidentellement ordonnées; ad 8[m] contre l'infinité actuellement réalisée des âmes immortelles.

que cette Intelligence a déjà déterminé ou simplement connu une infinité de révolutions célestes, comme elle n'en a oublié aucune, elle possède nécessairement aujourd'hui la connaissance actuelle d'une infinité de souvenirs. Et si l'on objecte qu'elle peut connaître par une seule idée cette infinité de révolutions célestes qui sont toutes semblables entre elles, nous répondrons qu'elle ne connaît pas seulement ces révolutions, mais encore leurs effets, qui sont divers et infinis, de telle sorte qu'on ne peut éviter d'attribuer à une Intelligence finie la connaissance actuelle de l'infini[1].

La cinquième et dernière impossibilité objectée par saint Bonaventure à l'éternité du monde est celle de la coexistence d'un nombre infini d'êtres simultanément donnés. Le monde a été fait pour l'homme, car il n'est rien dans l'univers qui, d'une certaine façon, ne s'y rapporte ; il n'a donc jamais dû exister sans hommes, puisqu'il eût été sans raison d'être ; or, l'homme ne vit qu'un temps fini ; si donc le monde existe de toute éternité et s'il a toujours porté des hommes, il a dû exister un nombre d'hommes infini. Mais autant il y a eu d'hommes, autant il y a eu d'âmes raisonnables ; donc il y a eu une infinité d'âmes. Or, ces âmes sont naturellement immortelles ; si donc il a existé une infinité d'âmes, il en existe actuellement encore une infinité, ce que l'on a déclaré d'abord impossible. Et les défaites auxquelles on a recours pour éviter cette erreur sont pires que l'erreur même. Certains supposent, en effet, la métempsycose, de telle sorte qu'un nombre fini d'âmes pourrait circuler à travers des corps différents pendant un temps infini : hypothèse inconciliable avec le principe qui veut que chaque forme soit l'acte propre et unique d'une matière déterminée. D'autres supposent, au contraire, qu'il existe un seul intellect pour l'espèce humaine tout entière : confusion plus grave encore, puisqu'elle entraîne la suppression des âmes individuelles, des fins dernières et de l'immortalité[2].

Ce dernier argument est particulièrement intéressant pour l'historien en ce qu'il nous montre un saint Bonaventure déjà complètement armé contre l'averroïsme bien avant que le conflit n'ait encore éclaté. Nous

1. Cette discussion constitue un excellent exemple de ces disputes sur les propriétés de l'infini contre lesquelles protestera plus tard Descartes, édit. Adam-Tannery, t. I, p. 146, 20-147, 2 ; t. III, p. 294, 6-7 ; t. VII, p. 139, 11-22.

2. Cette objection paraîtra très forte à saint Thomas d'Aquin et il ne voit guère comment les partisans de l'éternité du monde pourraient l'éviter, si ce n'est en supposant que le monde a toujours existé, ainsi que les corps immuables ou les Intelligences perpétuelles, mais non les êtres corruptibles tels que l'espèce humaine. Cf. *Sum. theol.*, *loc. cit.*, ad 8ᵐ.

avons vu que dans le *Commentaire sur les Sentences*, saint Bonaventure traite Aristote avec une remarquable indulgence. Il sait parfaitement que le philosophe n'a pas enseigné la création du monde dans le temps, mais, loin d'en être scandalisé, il le loue, au contraire, d'avoir été sur ce point cohérent avec lui-même et fidèle à ses propres principes. Puisque Aristote présuppose l'éternité de la matière, il est tout à fait raisonnable et intelligible de sa part d'avoir affirmé l'éternité du monde. On peut, justement, comparer alors la création, avec ces philosophes dont parle saint Augustin[1], à l'empreinte que laisse le pied sur la poussière. Si l'on suppose, en effet, un pied qui poserait de toute éternité sur une poussière éternelle, le vestige de ce pied serait, lui aussi, éternel. Or, qu'est-ce que le monde créé, sinon le vestige et comme la trace de Dieu? Celui qui pose la matière coéternelle à Dieu ne fait donc que soutenir la thèse la plus logique en enseignant l'éternité du monde. N'est-ce pas plus raisonnable que de supposer avec Platon une matière qui demeure éternellement privée de sa forme et soustraite à l'action divine? Cette erreur, s'il faut croire avec les Pères et les Commentateurs qu'il l'a véritablement commise, est donc bien digne d'un grand philosophe tel que lui[2]. Alors qu'en 1270 saint Bonaventure dénoncera comme authentiquement aristotélicien l' « aveuglement » de l'éternité du monde, il ne sait pas encore ici avec une absolue certitude si Aristote a nié radicalement que le monde ait commencé dans le temps ou s'il a nié seulement que le monde puisse avoir commencé dans le temps par un mouvement naturel.

Il ne faudrait pas croire cependant que, dès ce moment de sa carrière, saint Bonaventure n'ait pas aperçu clairement les répercussions métaphysiques d'une pareille doctrine. Il hésite à en faire peser la responsabilité sur Aristote, il ne prononce donc pas la condamnation de la personne; mais il n'hésite pas à condamner la doctrine, et la sentence complètement motivée est déjà suspendue sur sa tête. Si le philosophe a voulu prouver seulement que le monde ne peut pas avoir commencé par un mouvement naturel, ses preuves sont bonnes et il a entièrement raison, car nous verrons par la suite qu'en effet la création n'est pas un mouvement naturel. Mais s'il a voulu nier radicalement que le monde

---

1. *De civitate Dei*, lib. X, c. 31. Pat. lat., t. 41, c. 311.

2. « Et magis rationabile est quam suum oppositum, scilicet quod materia fuerit aeternaliter imperfecta, sine forma vel divina influentia, sicut posuerunt quidam philosophorum; et adeo rationabilius, ut etiam ille excellentior inter philosophos, Aristoteles, secundum quod Sancti imponunt et commentatores exponunt et verba ejus praetendunt, in hunc errorem dilapsus fuerit », *II Sent.*, 1, 1, 1, 2, Concl., t. II, p. 22; pour ce qui suit, *Ibid.*, p. 23.

ait eu un commencement, il s'est manifestement trompé et, pour éviter de se contredire, il a dû nécessairement soutenir soit que le monde n'a pas été créé du néant, soit même qu'il n'a pas été formé par Dieu. Bien plus encore, s'il a soutenu l'éternité du monde, Aristote a dû nécessairement enseigner l'existence actuelle d'un nombre infini de jours écoulés ou d'une infinité actuelle d'âmes humaines, thèses que nous venons précisément de rejeter ; que s'il a voulu nier, au contraire, la possibilité d'un infini actuel, il lui a nécessairement fallu supposer soit la mortalité de l'âme, soit l'unité de l'intellect agent, soit enfin la métempsycose ; de toute façon, il devait en arriver à nier les fins dernières et les récompenses ou châtiments de la vie future : *unde iste error et malum habet initium et pessimum finem*. C'est donc la condamnation de l'*Hexaëmeron* qui se trouve implicitement contenue dans ces lignes. En 1273, mieux renseigné sur les personnes et sur l'attribution des responsabilités, saint Bonaventure apercevra moins dans l'attitude d'Aristote une louable cohérence qu'une aveugle obstination dans l'erreur ; c'est Platon qu'il louera, au contraire, d'avoir le premier enseigné la création du monde dans le temps. Mais ce changement d'attitude à l'égard des personnes ne supposera nulle modification dans sa pensée et l'*Hexaëmeron* ne fera qu'appliquer une sentence que le *Commentaire* avait portée depuis longtemps[1].

Créé de rien et dans le temps, l'univers l'a été par un principe unique. Cette assertion ne signifie pas seulement, comme il est évident, que Dieu est un, ni même que l'on ne saurait admettre avec les manichéens un principe pour le bien et un autre pour le mal[2], elle signifie surtout que Dieu a tout produit par soi, immédiatement, et sans aucun intermédiaire. L'idée de mettre à la disposition de Dieu des instruments pour la production du monde est inconcevable lorsqu'on admet que le monde a été créé *ex nihilo*. Nous avons été conduits, en effet, à définir la création comme la production de l'être et comme le mode d'action réservé à Dieu seul. Or, de même que l'Être seul peut produire de l'être, de même tout ce qui n'est pas par soi, mais tient son être d'autrui, ne saurait trouver en soi la puissance infinie qui seule peut faire surgir l'être du néant.

Mais nous savons que la raison humaine, appuyée sur ses propres

---

1. « Nunquam invenies quod ipse (*sc.* Aristoteles) dicat quod mundus habuit principium vel initium, immo redarguit Platonem qui solus videtur posuisse tempus incepisse. Et istud repugnat lumini veritatis », *In Hexaëm.*, VI, 4, t. V, p. 361.

2. Nous retrouverons ce problème à l'occasion du problème du mal.

ressources, n'a jamais pu concevoir la création *ex nihilo;* les philosophes admettaient l'existence d'un principe matériel ou potentiel auquel se serait appliquée l'action créatrice pour le modeler. Dès lors, il ne s'agissait plus d'une action créatrice au sens où nous employons ce terme, mais seulement d'une sorte d'action formatrice, et la conception d'une délégation de cette action à des essences inférieures devenait intelligible; elle devenait même vraisemblable. De là cette doctrine néo-platonicienne, reprise par les Arabes, qui considère la production du monde comme une descente hiérarchique et graduelle à partir de Dieu. Le créateur, au sens spécial que reçoit alors ce terme, étant un intellect en acte et absolument simple, produit en se pensant une seule et unique Intelligence, la première. Cette Intelligence se connaît elle-même en même temps qu'elle connaît son principe; par cette double opération, elle devient en quelque sorte composée et produit d'une part son orbe propre, d'autre part l'Intelligence motrice de l'orbe planétaire immédiatement inférieur. La production du monde continue selon le même rythme, descendant de sphère en sphère jusqu'à l'orbe de la lune et à la dixième Intelligence, qui rayonne son influence sur les âmes raisonnables des hommes : *et sicut ordo est in procedendo ita in irradiando.*

Or, il est clair que, si l'on se place au point de vue de la création *ex nihilo,* cette conception repose sur une erreur fondamentale, à savoir que Dieu n'a pas produit la matière du monde. Mais, même en supposant cette question réservée, la doctrine néo-platonicienne de l'émanation repose sur un principe erroné, à savoir que la parfaite simplicité d'une cause l'empêche de produire plus d'un unique effet. Tout au contraire, la simplicité est inséparable de l'actualité, et l'actualité est le fondement même de la puissance active d'un être. Plus Dieu est simple, plus il est en acte; plus il est en acte, plus il est puissant; la parfaite simplicité de Dieu, bien loin d'exiger l'insertion d'intermédiaires entre le principe premier et les choses terrestres, est donc le fondement métaphysique de la multiplicité des créatures[1].

Nous savons désormais qu'un principe parfaitement simple peut produire le multiple; il nous reste encore à chercher s'il le devait. Or, lorsqu'on en arrive à fonder l'action créatrice de Dieu sur la perfection de son essence, ce n'est pas seulement la raison suffisante de sa possibilité que l'on découvre, c'est encore sa raison d'être. La création du

---

1. *I Sent.*, 17, 2, 2, ad 3, t. 1, p. 312; *II Sent.*, 1, 1, 2, 2, ad Sed contra et Concl., t. II, p. 29; *II Sent.*, 1, 2, 1, 1, fund. 3, et Concl., t. II, p. 39-40.

monde s'explique par la tendance naturelle du bien à se répandre hors de soi-même et à se diffuser; peut-être même s'exprime-t-on mal lorsqu'on paraît supposer que cette tendance s'ajoute à l'essence du bien, car elle en fait, au contraire, partie intégrante et c'est comme par définition que le bien se communique. S'il en est ainsi, d'autant meilleure sera la substance considérée, d'autant plus communicative elle sera; et plus elle tendra à se répandre, plus grand sera le nombre des êtres auxquels elle devra tendre à se communiquer. Or, Dieu, cause première des choses, est aussi le plus parfait des êtres, il lui convient donc éminemment de se communiquer à une multiplicité de créatures. Ajoutons que plus une cause est première, plus elle est universelle, et que plus elle est universelle, plus considérable est le nombre des effets dont elle est le principe. Or, Dieu est la cause absolument première; il est donc aussi la cause absolument universelle et, par conséquent, non seulement il pouvait, mais encore il devait être la cause d'une multiplicité de créatures. On remarquera enfin que, de la part même de la créature, la multiplicité n'était pas moins requise que de la part de Dieu. Production de rien, la création n'aboutit pas à poser dans l'être des personnes divines égales au Père comme le Fils ou le Saint-Esprit, elle produit des êtres mélangés de non-être, finis, imparfaits; un seul de ces êtres serait donc radicalement insuffisant à recueillir en soi l'effusion de la perfection divine; de là cet univers, sorte d'immense société d'êtres divers, dont chaque partie représente à sa manière la bonté créatrice et dont l'ensemble exprime ce que chaque être pris à part ne suffirait pas à exprimer[1].

Il importe de remarquer ici l'unité profonde de tous les problèmes qui se rattachent à la définition de l'acte créateur. La même perfection divine qui requiert comme opération propre de Dieu la création *ex nihilo*, donc dans le temps, fonde du même coup la multiplicité des créatures. Or, il est permis et même requis d'aller plus loin encore; si la perfection du créateur est la raison suffisante du fait et du mode de la création, la structure même du monde créé doit pouvoir s'expliquer à son tour par le même principe. Déjà, nous tenons la racine métaphysique du pluralisme universel; un nouvel approfondissement de notre

1. *II Sent.*, 1, 2, 1, 1, fund. 1-3, et ad 4ᵐ. Il va sans dire que cette expression universelle, quoique plus parfaite que l'expression individuelle, n'épuise cependant pas le pouvoir créateur de Dieu : « Propter ergo immensitatem infinita potest, sed propter immensitatis manifestationem multa de suis thesauris profert, non omnia, quia effectus non potest aequari virtuti ipsius primae causae », *loc. cit.*, Concl., t. II, p. 39-40.

point de départ va nous conduire jusqu'à la racine de l'ordre particulier qui définit la structure de l'univers.

Puisque, en effet, la cause première de la production d'une pluralité d'êtres finis réside dans une exigence interne de la bonté divine, nous savons quelle est la fin de la création. Dieu repose éternellement dans la perfection de son être; étant actuellement tout le possible, il ne manque de rien, ne souffre d'aucun défaut, ne requiert nul complément extérieur de son être. Le rayonnement de cette complaisance éternelle en soi-même et la satisfaction que l'Être divin en recueille se nomment la Gloire; gloire qui n'a plus à être acquise, puisqu'elle est coessentielle à Dieu, et qui ne peut pas non plus être augmentée, puisqu'elle est inséparable de la perfection créatrice. Que peut-il donc survenir à la gloire divine du fait de la création? Précisément, de se communiquer, de se manifester, de répandre hors de soi quelque chose du bonheur infini qui la constitue en multipliant autour de soi des images fragmentaires de la perfection qui la fonde. Cette gloire dont Dieu jouit de toute éternité rayonne donc autour de soi des foyers partiels qui la reflètent sans l'augmenter; ce faisant, elle se montre, et c'est cette manifestation même de la perfection divine qui constitue la fin immédiate de la création[1].

Ainsi la fin première et principale de l'univers est Dieu lui-même, mais, par une conséquence nécessaire, cette finalité transcendante devient le bien de la créature qui lui sert de moyen et la loi même qui définit sa structure. Pour se montrer et se communiquer, la perfection divine produit hors de soi des images qui ne lui apportent pas plus d'accroissement que n'en reçoit d'un miroir la substance d'un objet qui s'y reflète, mais qui, prises en elles-mêmes, se trouvent, au contraire, des reflets de gloire projetés sur le fond obscur du néant, des participations à cette éternelle complaisance en soi-même et à ce bonheur infini qui constitue proprement la vie divine. La fécondité essentielle de la gloire créatrice veut donc qu'en se montrant pour elle-même et simplement pour se manifester, elle multiplie pour d'autres un bonheur qui ne peut pas se multiplier pour lui-même. Aucun des êtres ainsi créés ne peut avoir été voulu primitivement pour sa perfection propre et, puisque le Parfait existe, il absorbe toute la finalité en même temps

---

1. « Res factae sunt propter Dei gloriam, non, inquam acquirendam vel ampliandam, sed ostendendam et communicandam. Et quamvis gloria Dei sit sine rebus factis, non tamen communicatur vel manifestatur nisi per res productas », *II Sent.*, 1, 2, 2, 1, ad 3m, t. II, p. 45.

qu'il pose tout le bien ; mais chacun de ces êtres doit d'avoir surgi du néant à un appel divin qui n'a pas été lancé pour lui, et la formule de cet appel est devenue la loi même de sa substance ; la fin de la création des êtres est demeurée la fin des êtres créés ; pour chacun d'eux, cela seul désormais est utile qui réalise aussi pleinement que possible leur raison d'être, manifeste la gloire de Dieu et les en rend participants ; d'un mot, l'utilité, la gloire et le bonheur des choses sont de glorifier Dieu et d'en refléter la béatitude : *in Cujus manifestatione et participatione attenditur summa utilitas creaturae, videlicet ejus glorificatio sive beatificatio*[1].

Il est permis de dire qu'au point où nous sommes actuellement parvenus toutes les perspectives de l'éthique et de la philosophie naturelle se développent sous nos regards. Comment, d'ailleurs, pourrait-il en être autrement? Lorsqu'on remonte jusqu'à ses principes métaphysiques, la science de la nature est comme une morale des choses. Issu de la même effusion divine, régi par la même loi interne, l'univers répond à la même exigence de la bonté originelle, et ce que l'homme fait au moyen de son intelligence et de sa volonté, chaque chose le fait au moyen de sa forme propre et des opérations qu'elle accomplit. Pour toute créature, à quelque degré de la création que nous la considérions, c'est une seule et même chose d'être ce qu'elle est et de louer le Seigneur ; l'Écriture le proclame ; saint François l'avait rappelé aux hommes par chacune de ses paroles et chacun de ses gestes ; la raison, à son tour, nous en apporte la preuve ; pourquoi ne permettrions-nous pas enfin à notre imagination de pousser plus loin sur la route que la raison même indique et d'interpréter à la lumière de la fécondité créatrice la structure même de l'univers créé?

Dieu est à la fois puissance, sagesse et bonté ; si donc la création a pour fin première de manifester sa gloire, la créature doit porter la marque de cette triple perfection. Or, le degré de la puissance d'un agent se mesure à la diversité des objets qu'il peut produire et à son art de les relier entre eux. En d'autres termes, plus un être est puissant, plus les effets qu'il est capable de produire sont éloignés en nature les uns des autres, et plus il est capable d'établir une certaine communication, un ordre, une harmonie entre des effets si différents. N'est-ce pas précisément cette prodigieuse virtuosité de la puissance divine qui s'exprime dans la création de l'Ange, presque Dieu ; de la matière,

1. *II Sent.*, 1, 2, 2, 1, ad Concl., t. II, p. 44.

13

presque néant, et de l'homme qui les unit[1]? De même, la sagesse de
l'artisan se trahit à la perfection de l'ordre ; or, tout ordre suppose un
degré inférieur, un degré supérieur et un moyen degré. Si donc ce qu'il
peut y avoir de plus bas est la nature purement corporelle, et ce qu'il
y a de plus haut la nature purement spirituelle, le moyen degré se
composera nécessairement de l'un et de l'autre ; il fallait donc, pour
que la sagesse divine fût satisfaite, que les choses fussent créées exactement comme elles l'ont été. Il le fallait enfin pour que Dieu manifes-
tât sa bonté ; car, bonté, c'est diffusion et communication de soi aux
autres ; Dieu devait donc, pour se diffuser selon ce qu'il a de plus
intime, donner aux créatures non seulement les perfections les plus
nobles, comme la vie et l'intelligence, mais encore la puissance même
de communiquer. Et tel est précisément la raison d'être de l'âme
humaine ; entre la vie et l'intelligence des substances purement spirituelles, et le corps, qui ne peut qu'être parfait par l'intelligence et la
vie, est venu s'insérer l'être humain, en qui s'établit par mode de composition et d'union substantielle la communication entre le suprême
degré des créatures et le dernier[2].

Ainsi l'acte créateur nous apparaît infiniment plus riche qu'il ne pouvait sembler au premier abord. Notre pensée tend généralement à n'y
voir qu'un simple décret qui poserait dans l'être un univers organisé
d'autre part selon les exigences de la sagesse divine. Il n'en est rien,
et l'on peut dire que la perfection de Dieu, raison suffisante de la création, en explique du même coup et les modalités de réalisation et l'économie intérieure. Étant donné qu'il s'agit de l'action divine, elle ne
pouvait être qu'une production du néant, s'exerçant dans le temps et
amenant à l'existence un univers ordonné selon les exigences de sa
puissance, de sa sagesse et de sa bonté. Ces principes fondamentaux
une fois établis, le nom par lequel on désigne l'action créatrice importe
assez peu. Saint Thomas refusera de considérer la création comme une
mutation[3], parce qu'en bonne doctrine aristotélicienne toute mutation
suppose qu'un même sujet se transforme du commencement à la fin de
l'opération. Or, dans le cas de la création, l'être succède au néant ; ce
serait donc une mutation sans point de départ. Saint Bonaventure,
absolument d'accord avec la doctrine qu'enseignera saint Thomas, pré-

---

1. *Breviloquium*, II, 6, 3 ; éd. min., p. 75 ; *II Sent.*, 1, 2, 1, 2, Sed contra, 1, t. II, p. 41.
2. *Ibid.*, et ad 2^m, 3^m, t. II, p. 42. On trouvera dans ce dernier texte une description
détaillée de la proportion qui s'établit chez l'homme entre l'esprit pur et la matière.
3. *Quaest. disp. de Potentia*, qu. III, art. 2 ; *Sum. theol.*, I, 45, 2, ad 2^m.

fère employer une autre terminologie[1]; il distingue les changements
avec mouvement des changements sans mouvement. La création est un
changement ou une mutation, puisque là où il n'y avait rien nous voyons
subitement apparaître une forme, et cependant elle n'est pas un mouvement analogue aux mouvements naturels, puisqu'elle fait succéder
l'être au non-être, et non pas un état nouveau à un état ancien dans un
être déjà donné. La conception de l'acte créateur est identique dans
l'un et l'autre cas; tel est l'être, telle est son opération; la création est
l'action propre de Dieu quand il agit hors de lui-même, action qui
n'ajoute ni ne change rien à ce qu'il est, puisqu'il est son action, mais
qui change quelque chose dans l'histoire de la créature, puisqu'elle en
marque le commencement. Il nous faut maintenant préciser la nature
de ces images divines que l'acte créateur vient de poser entre l'Être et
le néant.

1. *II Sent.*, 1, 1, 3, 1, Concl., t. II, p. 32.

CHAPITRE VII.

L'analogie universelle.

Le point où s'effectue le passage de l'essence créatrice aux choses créées est aussi le point où beaucoup de ceux qui suivent la pensée de saint Bonaventure perdent courage et l'abandonnent. Aussi longtemps qu'il parle de Dieu et de ses attributs, son langage ne rend aucun son insolite, même lorsqu'il expose ce que sa pensée peut avoir de plus personnel ; dès qu'il atteint, au contraire, le domaine de la créature, il paraît changer de mode d'expression ; la langue dont il use est constamment figurée, chargée de comparaisons mystiques, lourde d'allusions à des textes qui lui sont si familiers, à lui et à ses auditeurs, qu'un seul mot caractéristique inséré dans une phrase suffit à les leur rappeler. Ses procédés de raisonnement ne semblent pas moins étranges que la manière dont il les exprime. Là où le lecteur attend des syllogismes et des démonstrations en forme, saint Bonaventure ne lui offre le plus souvent que des correspondances, des analogies, des convenances dont on a peine à se satisfaire, et qui semblent au contraire le satisfaire profondément. Les images se pressent dans sa pensée, se suscitent indéfiniment les unes les autres, évoquées par une inspiration dont la logique nous échappe, à tel point que même les philosophes néo-scolastiques et les théologiens d'aujourd'hui quittent volontiers la partie pour revenir aux exposés dépouillés et lucides de saint Thomas.

Il importe cependant de persévérer dans l'entreprise et nous croyons que, sur ce point comme sur tant d'autres, la pensée médiévale patiemment interrogée finit par livrer son secret. Ce qui, chez un saint Bonaventure, s'épanouit avec une abondance stupéfiante, se retrouve à un moindre degré chez d'autres penseurs de son époque et se développe de nouveau pendant la Renaissance avec une luxuriance telle que l'on y voit volontiers un des traits les plus originaux et les plus caractéristiques de cette période. Aujourd'hui, les historiens les mieux intentionnés cherchent à l'en excuser. Tantôt on ne veut y voir qu'une sorte de jeu ou de délassement, une satisfaction que le poète qui rêve accorde au savant qui prouve, mais dont sa raison n'est pas dupe. Tantôt on concède au contraire que le philosophe prenait ses classifications au sérieux et que sa raison, dupée par son imagination, trouvait un sincère plaisir à répartir tous les êtres sur les gradins de la création[1]. Nous croyons pour notre part qu'il s'agit là de tout autre chose que d'un jeu ou d'une illusion. Bien loin d'être un accident ou un élément surérogatoire, le symbolisme de saint Bonaventure plonge des racines profondes au cœur même de sa doctrine ; il trouve sa justification rationnelle complète dans les principes métaphysiques sur lesquels il se fonde, et il est à son tour impérieusement requis par eux comme le seul mode qui leur permette de s'appliquer au réel.

Remarquons d'abord que la notion même de créature reçoit nécessairement dans une telle doctrine un sens tout particulier. Il n'est pas de grand système métaphysique à qui ne se soit imposé le problème de l'origine radicale des choses, et pour chacun d'entre eux c'est là le point ultime dont la pensée n'approche qu'avec crainte, au delà duquel elle ne concevrait plus rien à chercher. Or, lorsqu'il s'agit d'une philosophie d'inspiration chrétienne, le problème se complique de données définies, auxquelles la solution cherchée doit satisfaire, sous peine de se voir taxée d'erreur. Le Dieu chrétien est l'Être parfait, qui se suffit totalement à soi-même et à qui rien ne peut être ni ajouté ni enlevé. D'autre part, le Dieu chrétien est fécondité infinie en même temps qu'actualité infinie. Son essence, dans la mesure où ce terme peut s'appliquer à lui, doit donc satisfaire à la double condition d'être une perfection totalement réalisée, tout en demeurant capable de créer. Bien plus, nous l'avons vu, elle doit être d'autant plus féconde qu'elle est plus parfaitement achevée.

Pour résoudre cette difficulté, les théologiens scolastiques font appel à la doctrine de la création *ex nihilo*, sur les termes de laquelle ils sont unanimes, qu'ils considèrent comme fondamentale, mais dont on répète trop souvent la formule sans tenir compte des présuppositions initiales, qui seules lui confèrent un sens. Une telle doctrine s'accompagnait en effet, au XIIIe siècle, de représentations alors familières à tous et dont l'oubli engage parfois les historiens dans une série de difficultés dont

---

1. En ce qui concerne saint Thomas, voir Rousselot, *L'intellectualisme de saint Thomas*, Paris, 1908, p. 159. Pour saint Bonaventure, voir Menesson, *La connaissance de Dieu chez saint Bonaventure*, Revue de philosophie, t. X, juillet, p. 7-8.

ils rendent responsables les philosophes qu'ils expliquent. Si l'on suppose que le terme : *être*, est nécessairement univoque, l'être de la créature apparaîtra comme quelque chose d'emprunté à Dieu ou comme quelque chose qui s'ajoute à lui ; or, dans l'une comme dans l'autre hypothèse on se trouvera conduit à des impossibilités. Car, si l'être créé est emprunté à celui du Créateur, Dieu ne produit rien en créant, puisque cet être existait déjà ; par contre, en se fragmentant et limitant, l'être divin s'appauvrit et déchoit de sa propre perfection. Que si, au contraire, l'être de la créature est quelque chose d'entièrement nouveau qui comble le vide d'un néant, il doit nécessairement s'ajouter à l'être divin et s'additionner avec lui. On ne sort donc pas alors de ce dilemme : ou il y a plus d'être après la création qu'avant, et alors Dieu n'était pas tout, ou il n'y a pas plus d'être après la création qu'avant, et alors la création n'est rien.

En réalité, cette argumentation se meut tout entière hors du domaine de la spéculation médiévale. A partir du moment où saint Bonaventure pose le monde donné comme un contingent qui requiert une cause nécessaire, le point de départ sensible, qui nous semblait d'abord le type de l'être, devient un simple analogue, une image de l'Être véritable qu'il postule et dont il dépend. Dès lors, ce n'est pas l'être contingent et visible dont nous sommes partis, c'est l'être nécessaire et invisible que nous avons conclu qui méritera seul en propre le nom d'être ; ce que nous voyons, entendons et touchons n'en est qu'une copie et une sorte d'imitation. Or, s'il en est bien ainsi, le problème de la création se pose sous un aspect tout différent de celui que l'on imaginait d'abord. Il ne s'agit plus du tout de savoir comment Dieu peut créer le monde sans que sa qualité d'*être* en soit affectée, car il n'y a pas de commune mesure entre les deux réalités si différentes que nous désignons par ce même nom[1] ; il s'agit uniquement de savoir quelle transformation nous devons logiquement imposer à notre représentation de l'univers pour avoir réduit ce qui nous semblait d'abord l'être primitif et par excellence à la condition d'être analogue, dérivé et emprunté. La solution de ce problème central se trouve dans ce que l'on pourrait nommer la loi de l'analogie universelle.

L'analogue s'oppose à l'équivoque et à l'univoque. Nous pouvons éliminer immédiatement la considération de l'équivoque. Deux êtres qui

---

1. Une raison suffisante est d'ailleurs que le fini n'ajoute rien à l'infini, *In Hexaëm.*, XI, 11, t. V, p. 382.

portent le même nom ou que l'on qualifie de la même épithète, bien qu'il n'existe entre eux aucun rapport réel, se trouvent désignés par une dénomination équivoque Or, tel n'est pas le cas de l'être divin et de l'être créé. Puisque notre point de départ métaphysique se trouve dans la considération de l'univers donné, y compris l'homme et sa pensée, l'être divin que nous concluons serait un mot vide de sens s'il n'avait aucun rapport d'aucune sorte avec celui dont nous sommes partis. Ou bien donc toute preuve de l'existence de Dieu est impossible et sophistique, ou bien il y a quelque chose d'analogue dans l'être que nous attribuons aux créatures et dans celui que nous attribuons à Dieu pour les expliquer.

Il reste cependant à se demander si cette analogie de sens va jusqu'à l'identité, c'est-à-dire si le terme d'être est univoque et désigne un seul et même être commun à Dieu et aux choses. Sur ce point encore, la réponse doit être négative. Pour que l'être pût s'affirmer en un sens univoque du Créateur et des créatures, il faudrait que l'être en question fût le même dans l'un et l'autre cas, qu'il y eût une participation réelle et substantielle des choses finies à Dieu, en un mot il faudrait que l'être fût un troisième terme commun à Dieu et à la créature[1]. Or, nous avons vu quelles impossibilités résulteraient de ce fait, et pour Dieu lui-même qui cesserait d'être immuable, et pour la production de la créature qui ne mériterait plus le nom de création. Si donc nous avons eu raison de poser que l'action propre d'un être, au sens où Dieu est, ne peut consister qu'en une production radicale de l'être succédant au néant, nous sommes contraints d'affirmer d'autre part que l'être des choses n'est pas emprunté à celui de Dieu et que, ontologiquement parlant, il n'y a entre eux rien de commun.

Mais ce qui est vrai dans le domaine de l'être ne l'est pas nécessairement dans celui des rapports. A défaut de l'univocité qui se fonderait sur la possession indivise d'un élément commun, nous pouvons invoquer l'analogie qui se fonde sur une communauté de relations entre des êtres substantiellement distincts. De cet ordre relève ce que l'on nomme la proportionnalité et qui consiste, non en un rapport entre des êtres, mais en un rapport entre les rapports qui unissent deux couples d'êtres,

---

1. « Similitudo... dicitur : uno modo secundum convenientiam duorum in tertio, et haec est similitudo secundum univocationem », I Sent., 35, un. 1, Concl., t. I, p. 601. « Est similitudo univocationis sive participationis, et similitudo imitationis et expressionis. Similitudo participationis nulla est omnino, quia nihil est commune (sc. Deo et creaturae) », Ibid., ad 2ᵐ. Cf. I Sent., 48, 1, 1, Concl., t. I, p. 852.

ces êtres pouvant d'ailleurs se trouver aussi différents qu'on le voudra. Par exemple : le Docteur est analogue au pilote dans l'ordre de la proportionnalité, car le Docteur est à l'école qu'il régit dans le même rapport que le pilote au navire qu'il conduit. Dans le cas où les deux couples d'êtres considérés sont de même espèce, par exemple des quantités arithmétiques, on donne au rapport qui les unit le nom de proportion; parfois même, en un sens large, on appelle proportions l'une et l'autre sorte de rapports. De toute façon il ne s'agit jamais d'une communauté d'être, puisque la relation de proportion ou de proportionnalité s'établit soit entre des individus distincts à l'intérieur d'une même espèce, soit même entre des individus spécifiquement différents[1].

Un deuxième genre de rapport, dont la considération peut être plus importante encore pour l'explication de la nature créée, est celui qui s'établit entre deux êtres dont l'un joue le rôle de modèle alors que l'autre joue le rôle de copie[2]. La pensée de saint Bonaventure se réfère sur ce point à des textes précis d'Aristote, mais probablement aussi à des observations qui présentaient un caractère d'évidence immédiate pour le sens commun[3]. Il existe en effet un genre d'êtres particulier, que l'on nomme *images*, et dont le caractère distinctif est d'être engendrés par voie d'imitation. Pour qu'un être soit dit l'image d'un autre, il faut nécessairement qu'il lui ressemble, mais il faut en outre que cette ressemblance dérive de l'acte même qui l'engendra : rien de plus semblable à un œuf qu'un autre œuf, et cependant on ne dit pas d'un œuf qu'il est l'image d'un autre parce que le rapport de ressemblance qui

---

1. « Alio modo contingit conformari aliquid alicui secundum consimilem habitudinem sive comparationem, quae potest dici proportio. cum est rerum ejusdem generis. et proportionalitas, cum est rerum diversorum generum sive non communicantium, ut fiat vis in verbo. Large tamen loquendo utraque potest dici proportio, et haec nihil ponit commune, quia est per comparationem duorum ad duo, et potest esse et est inter summe distantia », *I Sent.*, 48, 1, 1. Concl., t. I, p. 852. L'exemple du docteur et du pilote : *I Sent.*, 3, 1, 2, ad 3ᵐ, t. I, p. 72. La définition des termes : proportionnalité et proportion, est empruntée à Boèce, *De arithmetica*, II, 40, P. L., t. LXIII, col. 1145.

Saint Bonaventure oppose rigoureusement l'univocité à l'analogie, et c'est le mode d'expression que nous avons adopté comme étant le plus exact. Mais en un sens assez voisin, saint Bonaventure parlera quelquefois de ressemblance d'univocité : *similitudo univocationis* (cf. note précédente) En pareil cas, la *ressemblance* devient un genre dont l'*univocité* et l'*analogie* sont les espèces. Elles ne cessent donc pas, même alors, de se distinguer.

2. « Ad illud quod objicitur de defectu communitatis, dicendum quod non est commune per univocationem, tamen est commune per analogiam, quae dicit habitudinem duorum ad duo, ut in nauta et doctore, vel unius ad unum, ut exemplaris ad exemplatum », *I Sent.*, 3, 1, un. 2, ad 3ᵐ, t. I, p. 72.

3. Aristote, *Topic.*, VI, 1; *Prem. anal.*, II, 27 et 28.

les unit ne se fonde pas sur un rapport de filiation. Une analogie de ce genre, beaucoup plus prochaine que l'analogie de proportion, ne laisse pourtant, elle non plus, subsister aucune communauté d'être entre les deux termes qu'elle met en rapport ; elle demeure donc également compatible avec les exigences qu'implique la notion de création[1].

Dès lors, il apparaît immédiatement qu'une analogie est non seulement possible, mais inévitable, entre Dieu et l'univers qu'il a créé. Bien mieux, ce sont des analogies multiples et de divers ordres qui se sont trouvées posées par l'acte même qui posait les créatures, et non pas à titre de relations extérieures ou accidentelles, mais consubstantiellement à leur être même : l'analogie est la loi selon laquelle s'est effectuée la création. On ne s'étonnera donc pas de voir saint Bonaventure discuter avec une minutie scrupuleuse le sens précis des termes qui doivent désigner les aspects et les degrés divers de ce rapport : ce ne sont pas des classifications verbales ou purement abstraites, c'est la structure même de l'univers que nous habitons, c'est notre propre structure qui se trouvent ici en jeu. Et comme la règle conformément à laquelle nous devons user des choses est inscrite dans la loi selon laquelle elles ont été constituées, la métaphysique de la nature va nous conduire au fondement même de la moralité.

S'il s'agissait de distinguer des degrés dans l'analogie, depuis les créatures les plus infimes jusqu'à égaler l'infinité de la perfection divine, l'entreprise serait impossible. Elle le serait même en ce sens qu'elle impliquerait contradiction, car on aura beau ajouter indéfiniment à lui-même un bien créé de degré quelconque, on ne parviendra jamais à rejoindre l'infinité de Dieu. Au vrai, le nombre de tels degrés serait lui-même infini. Par contre, on peut s'efforcer d'ordonner les êtres en se plaçant au point de vue de la manière dont Dieu leur est présent. Or, lorsqu'on les envisage sous cet aspect, on voit aisément qu'il n'y a plus un nombre infini de degrés à considérer ; bien au contraire, n'importe quelle créature, si basse soit-elle, suffit à conduire la pensée de l'homme jusqu'à Dieu ; et cependant il y a des degrés en nombre fini à discerner, parce que certaines créatures sont ordonnées vers Dieu en raison de certaines autres créatures qui, au contraire, sont

---

1. « Similitudo quae est in imagine non attenditur per identitatem aut ejusdem naturae participationem, sed per convenientiam in ordine et proportione ; quae similitudo non exigit communicantiam (*sic*) in tertio, quia in convenientia ordinis unum est similitudo alterius : in convenientia proportionis non est similitudo in uno, sed in duabus comparationibus », *II Sent.*, 16, 1, 1, ad 2ᵐ, t. II, p. 395.

elles-mêmes immédiatement ordonnées vers lui. On distinguera ainsi trois degrés principaux : considération de la présence de Dieu dans les choses sensibles, considération de la présence de Dieu dans les êtres spirituels, tels que les âmes ou les purs esprits, considération de la présence de Dieu dans notre âme propre qui se trouve conjointe immédiatement à lui[1].

Puisqu'il n'est plus question d'égaler le Créateur, mais de déceler sa présence aux marques qu'il a laissées sur son ouvrage, nous devons nous demander d'abord de quelle nature sont ces marques et comment il est possible de les distinguer. On parle couramment de vestiges et d'images de Dieu ; à quoi ces expressions correspondent-elles? A l'époque de saint Bonaventure, la question était encore controversée. Les théologiens eussent visiblement désiré faire correspondre à chaque degré d'être un degré déterminé de ressemblance à Dieu. Selon les uns, le terme de vestige devait être réservé pour désigner la ressemblance imprimée par Dieu sur les choses sensibles, le terme d'image désignant au contraire la marque divine que portent les substances spirituelles. Mais saint Bonaventure entendait conserver le droit de retrouver les vestiges de Dieu même dans les substances spirituelles qui en sont également l'image ; il ne pouvait donc se satisfaire de cette distinction. D'autres prétendaient que le vestige correspondait à une représentation partielle et l'image à une représentation totale de Dieu. Mais cette nouvelle distinction ne lui semblait guère plus satisfaisante, car, d'une part, Dieu qui est simple ne peut pas être représenté partiellement et, d'autre part, Dieu qui est infini ne peut être représenté totalement ni par une créature ni même par l'univers tout entier. Il faut donc chercher un autre principe de distinction.

En premier lieu, et c'est là le principe le plus manifeste, il y a des degrés de proximité et d'éloignement dans la manière dont les créatures représentent le Créateur. En ce sens, l'ombre est une représentation lointaine et confuse de Dieu ; le vestige, une représentation loin-

1. « Ascensus in Deum potest esse dupliciter : aut quantum ad aspectum praesentiae, et sic quaelibet creatura nata est ducere in Deum, nec sic sunt infiniti gradus; aut quantum ad aequalitatem aequiparantiae, et sic verum est quod sunt infiniti, quia bonum creatum, quantumcumque duplicatum, nunquam aequiparatur increato. Primus autem gradus quantum ad ascensum ad aspectum praesentiae est in consideratione visibilium, secundus in consideratione invisibilium, ut animae vel alterius substantiae spiritualis ; tertius est ab anima in Deum quia *imago ab ipsa veritate formatur et Deo immediate conjungitur* (Aug., 83 Q. Q., qu. 51, n. 2) », *I Sent.*, 3. 1, un., 2, ad 4ᵐ, t. I, p. 72-73.

taine, mais distincte ; l'image, une représentation prochaine et distincte à la fois. De ce premier mode de distinction en découle un deuxième : une créature est l'ombre de Dieu par celles de ses propriétés qui se rapportent à lui sans que l'on spécifie le genre de cause sous lequel on le considère ; le vestige est la propriété d'un être créé qui se rapporte à Dieu considéré comme cause soit efficiente, soit exemplaire, soit finale ; l'image enfin est toute propriété de la créature qui suppose Dieu non plus seulement comme cause, mais encore comme objet[1].

De ces deux premières différences en découlent encore deux autres. D'abord en ce qui concerne le genre de connaissances auquel conduisent ces diverses analogies. Puisqu'elles se classent en plus lointaines et plus prochaines, elles se distinguent nécessairement par la précision des connaissances qu'elles nous apportent relativement à Dieu. Considérée comme ombre, la créature ne conduit qu'à la connaissance des attributs qui sont communs dans le même sens aux trois personnes divines, comme l'être, la vie et l'intelligence. Considérée comme vestige, la créature conduit aux attributs communs aux trois personnes divines, mais que l'on approprie cependant plus particulièrement à l'une d'elles, comme la puissance au Père, la sagesse au Fils et la bonté au Saint-Esprit. Considérée comme image, la créature conduit à la connaissance des attributs qui appartiennent en propre à une personne divine et n'appartiennent par conséquent qu'à elle : la paternité du Père, la filiation du Fils et la spiration du Saint-Esprit.

Enfin, un dernier mode de distinction découle à son tour des précédents, celui qui se tire des êtres en qui se rencontrent ces divers degrés d'analogie. Il est évident que, contrairement à ce que prétendaient les théologiens dont nous avons rapporté l'opinion, ces modes de ressemblance ne sont pas exclusifs les uns des autres. Qui possède le plus possède aussi le moins ; les créatures spirituelles sont les images de Dieu puisqu'elles l'ont pour objet, mais elles en sont également les vestiges et les ombres puisqu'elles l'ont pour cause ; et cela dans les trois genres de cause. Par contre, qui possède le moins ne possède pas nécessairement le plus, et par conséquent les créatures matérielles

---

1. « Contingit simile cognosci per simile ; sed omnis creatura est similis Deo vel sicut vestigium, vel sicut imago, ergo per omnem creaturam contingit cognosci Deum », *I Sent.*, 3, 1, 1, 2, fund. 4, t. I, p. 72. Cette possibilité tient à la nature particulière du *semblable* qui n'est ni tout à fait la chose ni tout à fait quelque chose d'autre : « Nam res non habet tantam identitatem cum sua similitudine ut sint unum numero, nec tantam diversitatem ut differant genere », *I Sent.*, 2, 1, 3, Concl., t. I, p. 86.

peuvent être les ombres et les vestiges de Dieu, mais elles n'en sont pas les images, parce qu'elles ne l'ont pas pour objet[1].

Déduisons d'abord les conséquences qui découlent de cette doctrine en ce qui concerne la nature et la structure du monde sensible. Si vraiment le rapport posé par l'acte créateur entre l'univers et Dieu est un rapport d'analogie, il n'est pas possible que, non seulement l'acte créateur n'ait pas laissé de traces sur les choses, mais encore que ce rapport ne soit pas inscrit au plus profond des choses. Ou bien en effet l'analogie n'est pas impliquée dans la notion de création, ou bien elle est la loi même qui régit la substance de la créature. Or, nous savons par les preuves de l'existence de Dieu que nulle propriété des choses ne trouve sa raison suffisante dans les choses mêmes; elles sont donc nécessairement, et comme par nature, des imitations et des analogies de Dieu.

Considérons en effet un être corporel quelconque, son essence nous révélera immédiatement que Dieu a tout créé selon la triple règle de la mesure, de l'ordre et du poids : *omnia in mensura et numero et pondere disposuisti* (*Sap.*, XI, 21). Ce corps possède en effet une certaine dimension extérieure qui est sa mesure, un certain ordre interne des parties qui est son nombre, un certain mouvement résultant d'une inclination qui l'entraîne comme le poids entraîne le corps. Mais on peut pénétrer plus avant dans la substance même de ce corps ; avant de posséder le poids, le nombre et la mesure, qui sont autant de vestiges de Dieu et correspondent aux attributs appropriés, ce corps possède l'être ou la substance, considérés sous leur aspect le plus général et le moins déterminé, ombres de l'Être premier dont ils dérivent. Or, si nous permettons au rayon de la foi d'illuminer notre raison, de quelles richesses

1.	MODE DE REPRÉSENTATION.	PROPRIÉTÉS CONSIDÉRÉES.	CONNAISSANCES AUXQUELLES ELLES CONDUISENT.	ÊTRES QUI LES POSSÈDENT.
OMBRE.	Lointaine et confuse.	Celles qui ont Dieu comme cause.	Attributs communs.	Matérielles et spirituelles.
VESTIGE.	Lointaine et distincte.	Celles qui ont comme cause Dieu agissant selon tel genre de causalité.	Appropriés.	Idem.
IMAGE.	Prochaine et distincte.	Celles qui ont Dieu comme objet.	Propres.	Spirituelles seulement.

Cf. *I Sent.*, 3, 1, un., 2, ad 4ᵐ, t. I, p. 73. Cette classification pourra être utilement comparée avec la classification de saint Thomas d'Aquin, *Sum. theol.*, I, 45, 7, et *Cont. Gent.*, I, 13. Saint Bonaventure propose la même doctrine, sauf variantes d'expression, dans le *Breviloquium*, II, 12, 1; éd. min., p. 93; *Itinerarium*, I, 2; éd. min., p. 295; *In Hexaëm.*, II, 20 et suiv., t. V, p. 339 et suiv.

cette ombre lointaine ne nous apparaîtra-t-elle pas remplie ! Tout être
se définit et se détermine par une essence ; et toute essence se trouve à
son tour constituée par le concours de trois principes : la matière, la
forme et la composition de cette matière avec cette forme. Pourquoi la
créature corporelle est-elle nécessairement constituée selon ce type ?
On n'en apercevrait aucune raison à priori, et la structure intime des
êtres dont l'univers sensible est composé demeurerait inexpliquée si
l'on ne se souvenait de ce qu'enseigne la foi touchant l'essence première, origine de toutes les essences et modèle à l'imitation duquel elles
sont constituées. C'est en Dieu d'abord qu'apparaît cette unité dans la
trinité. Un principe originel ou fondement de l'être, un complément
formel de ce principe, un lien qui les unit : le Père qui est origine, le
Fils qui est image, le Saint-Esprit qui est amour et communication, cet
ordre interne qui constitue l'essence divine est devenu la loi même qui
régit l'économie intérieure des corps créés[1].

Il ne suffirait pas de dire de cette conception que saint Bonaventure
ne la considère ni comme un jeu, ni comme une rêverie poétique ; on
peut affirmer sans crainte d'erreur qu'elle est pour lui le seul centre de
perspective d'où l'univers créé cesse d'être un désordre inintelligible
pour devenir pénétrable à la raison. Si nous savions bien regarder les
choses, chacune d'elles et chaque propriété de chacune d'elles nous
apparaîtrait sous son vrai jour, comme l'application à un cas particulier
d'une règle de la sagesse divine. Tel a d'ailleurs été l'objet des études
poursuivies par les philosophes et spécialement par le plus grand
d'entre eux, Salomon ; c'est donc bien dans ce sens que les esprits
humains les plus puissants ont cherché la raison dernière des choses,
et leur plus grand tort a même été de s'attarder trop longtemps dans la

1. « Non est enim aliqua creatura, quae non habeat mensuram, numerum et inclinationem ; et in his attenditur vestigium, et manifestatur sapientia, sicut pes in vestigio : et hoc
vestigium in illam sapientiam ducit, in qua est modus sine modo, numerus sine numero,
ordo sine ordine. In substantia autem est altius vestigium quod repraesentat divinam
essentiam. Habet enim omnis creata substantia materiam, formam, compositionem : originale principium seu fundamentum, formale complementum et glutinum ; habet substantiam, virtutem et operationem. Et in his repraesentatur mysterium Trinitatis : Pater,
origo ; Filius, imago ; Spiritus sanctus, compago », *In Hexaëm.*, II, 23, t. V, p. 340 ; *Itinerarium*, I, 11 ; éd. min., p. 299-300.

Dans ce dernier ouvrage, I, 14, p. 301, saint Bonaventure multiplie par sept la considération des trois attributs *appropriés* en envisageant successivement l'origine, la grandeur, la multitude, la beauté, la plénitude, l'opération et l'ordre des choses, d'où vingt et
un vestiges de Dieu. L'influence de cette méthode sur la pensée de Raymond Lulle sera
considérable.

contemplation de ces vestiges corporels qui ne sont, en somme, que les plus lointaines de toutes les analogies divines[1]. Pour qui pénètre une fois jusqu'à ses principes constitutifs et vraiment premiers, la créature ne semble plus être qu'une sorte de représentation, comme pourraient l'être un tableau ou une statue, de la sagesse divine : *creatura non est nisi sicut quoddam simulacrum sapientiae Dei et quoddam sculptile*[2]. Elle est encore un livre dans lequel est écrite en caractères éclatants la Trinité créatrice : *creatura mundi est quasi quidam liber in quo relucet, repraesentatur et legitur Trinitas fabricatrix*[3], et nous demeurons, devant ce livre, incapables d'y lire la sagesse de Dieu inscrite dans les vestiges des œuvres divines. Tel un laïc illettré porte un livre sans se soucier de son contenu, tels nous sommes devant cet univers dont la langue est devenue pour nous comme du grec ou de l'hébreu, ou comme une langue barbare dont nous ignorerions complètement jusqu'à l'origine[4].

On ne peut pas ne pas se demander, en présence d'expressions aussi énergiques, jusqu'à quel point il convient d'en accepter le sens littéral. Que veut dire au juste saint Bonaventure lorsqu'il affirme que l'univers visible est un livre dont les êtres particuliers seraient les mots? On pourrait être tenté d'abord de ne voir là qu'une simple comparaison. Les corps créés seraient naturellement doués d'une nature qui les constituerait dans leur substance propre et, en outre, à titre extrinsèque et en quelque sorte accidentel, jouiraient de cette propriété d'être des analogues ou des vestiges de Dieu. Mais cette interprétation, rendue déjà peu vraisemblable par les analyses qui précèdent, se heurte à des déclarations de saint Bonaventure aussi formelles qu'il est possible de les souhaiter. C'est par nature, nous dit-il, que toute créature est

---

1. « Ista sapientia diffusa est in omni re, quia quaelibet res secundum quamlibet proprietatem habet regulam sapientiae et ostendit sapientiam divinam; et qui sciret omnes proprietates manifeste videret sapientiam istam. Et ad hoc considerandum dederunt se philosophi et etiam ipse Salomon; unde ipsemet se redarguit dicens (*Eccl.*, VII, 24) : *Dixi; sapiens efficiar; et ipsa longius recessit a me* Quando enim per curiosam perscrutationem creaturarum dat se quis ad investigandam istam sapientiam, tunc longius recedit », *In Hexaëm.*, II, 21, t. V, p. 340.

2. *In Hexaëm.*, XII, 14, t. V, p. 386.

3. *Breviloquium*, II, 12, 1; éd. min., p. 93. Cf. II, 11, 2, p. 91.

4. « Item tertia facies sapientiae est omniformis in vestigiis divinorum operum... Et tamen nos non invenimus eam, sicut laïcus nesciens litteras et tenens librum non curat de eo; sic nos; unde haec scriptura facta est nobis graeca, barbara et hebraea et penitus ignota in suo fonte », *In Hexaëm.*, II, 20, t. V, p. 340. « Hae igitur speculationes ordinis, originis et completionis ducunt ad illud esse primum quod repraesentant omnes creaturae. Hoc enim nomen scriptum est in omnibus rebus », *Ibid.*, X, 18, t. V, p. 379.

l'image et ressemblance du Créateur : *omnis enim creatura ex natura est illius aeternae sapientiae quaedam effigies et similitudo*[1]. Et ailleurs, plus vigoureusement encore, il affirme que d'être l'image ou le vestige de Dieu ne peut être quelque chose d'accidentel, mais seulement une propriété substantielle de toute créature : *esse imaginem Dei non est homini accidens, sed potius substantiale, sicut esse vestigium nulli accidit creaturae*[2]. C'est donc bien d'une dénomination intrinsèque qu'il s'agit ici.

Resterait alors l'interprétation inverse : s'il est naturel aux choses de représenter Dieu, cette ressemblance qu'elles ont avec le Créateur n'est-elle pas ce qui constitue leur substance même? Pour qui adopterait un tel point de vue, l'univers se transformerait en un ensemble d'images ou de signes et ne serait, selon l'expression dont usera Berkeley, que le langage parlé aux hommes par le Créateur. Mais deux difficultés s'opposent à cette nouvelle interprétation. La première, et non la moins grave, est qu'elle nous ramènerait par une voie détournée à faire de chaque créature une participation de l'être divin. Si les choses étaient des ressemblances divines, au sens actif du verbe être, elles posséderaient un degré de perfection bien supérieur à celui que possèdent en fait les corps. Parlant de la volonté humaine, qui, ainsi que nous le verrons, est beaucoup plus semblable à Dieu que ne le sont les substances matérielles, saint Bonaventure spécifie qu'elle ne participe à la ressemblance de Dieu ni comme le cygne et la neige participent à la même blancheur, ni comme l'espèce sensible participe à la couleur qu'elle représente, mais seulement comme le miroir participe à la ressemblance des objets. Seules, dans l'ordre surnaturel, la grâce et la gloire béatifique sont des ressemblances de Dieu au deuxième sens; quant à l'âme qui possède la grâce ou la gloire, elle ne participe à la ressemblance divine qu'au troisième sens; et nulle créature, pas même la Grâce ou la Gloire céleste, ne sont l'être divin au premier sens que nous avons assigné[3]. La seule ressemblance substantielle du Père est le Verbe; rien ne pourrait être cette ressemblance sans être Dieu.

La deuxième objection contre une interprétation de ce genre serait une objection de fait. Si la substance même des créatures se réduisait à leur ressemblance avec Dieu, nul esprit humain ne pourrait jamais la

1. *Itinerarium*, II, 12; éd. min., p. 313.
2. *II Sent.*, 16, 1, 2, fund. 4, t. II, p. 397. Traduire : de même qu'être un vestige ne peut être un accident dans aucune créature.
3. *I Sent.*, 48, 1, 1, Concl., t. I, p. 852.

méconnaître ; or, nous savons fort bien qu'il n'en est pas ainsi, puisque
nous-mêmes sommes obligés de nous imposer un effort continuel pour
ne pas oublier que tel est bien le sens profond de la création. Il existe
donc un aspect des choses sous lequel leur caractère de vestiges n'apparaît pas et qui même peut être capable de nous le masquer complètement. Bien loin d'être de la ressemblance divine à l'état pur, elles n'ont
de cette ressemblance que le reflet projeté sur la matière qui les constitue. Sans doute, lointain et affaibli comme il est, ce reflet est ce qui
seul leur confère l'ordre, la mesure, le poids et, en un mot, l'intelligibilité. Mais nous pouvons malgré tout ne pas l'apercevoir ou refuser
volontairement de nous tourner vers lui ; alors aussi le vestige que nous
avions sous les yeux s'efface et ce qui reste est précisément la *nature*,
un résidu brillant, mais dépourvu d'intelligibilité et dont la cécité des
philosophes se repaît[1].

Ainsi, la condition de la créature corporelle est susceptible d'une
définition rigoureuse. L'ombre et le vestige, précisément parce qu'ils
ne sont que des ombres et des vestiges, c'est-à-dire des analogies extrêmement lointaines, ne sont pas capables de subsister à part et de four-
nir la substance d'êtres complets en soi. A ce degré d'éloignement, le
rayon intelligible projeté par le foyer divin passerait inaperçu à travers
le vide du néant ; mais là où il n'y a plus de connaissance connue, il peut
y avoir place encore pour de la connaissance réalisée. Être l'ordre,
comme Dieu, c'est la perfection suprême ; connaître l'ordre, comme
l'homme, c'est imiter cette perfection ; mais recevoir l'ordre, comme
les choses, c'est encore participer à l'analogie divine en inscrivant et
réalisant dans sa substance une loi que l'on ne connaît pas. Le spectateur qui contemple une statue participe plus intimement à la pensée de
l'artiste que ne fait la statue elle-même, et cependant cette statue
exprime à sa manière, en la matérialisant, l'image créatrice qui lui
assigne ses contours et distribue ses parties dans l'espace. Telle la pensée de Dieu. Au-dessous de la limite où elle cesse d'être connaissable,
elle demeure capable d'agir encore efficacement. Cette matière inerte
que l'artiste trouve à sa disposition et qu'il modèle selon l'ordre et la
mesure de sa pensée, Dieu peut se la donner s'il le veut, et il le veut

---

1. « Quando ergo anima videt haec, videtur sibi quod deberet transire ab umbra ad
lucem, a via ad terminum, a vestigio ad veritatem, a libro ad scientiam veram, quae est
in Deo. Hunc librum legere est altissimorum contemplativorum, non naturalium philosophorum, quia solum sciunt naturam rerum, non ut vestigium », *In Hexaëm.*, XII, 15,
t. V, p. 386.

parce qu'il désire communiquer sa perfection sous tous les modes où elle peut être reçue. L'analogie divine traversera donc la pensée et descendra jusqu'à la matière, c'est-à-dire qu'elle ira s'imprimer sur un fond passif dont la définition même est de manifester, en la subissant, une analogie divine qu'il ne perçoit pas.

Mais il apparaît en même temps que si les corps ne sont pas des analogies divines subsistant par elles-mêmes, c'est pourtant d'être l'ombre ou le vestige de Dieu qui constitue l'élément positif et intelligible de leur être. En eux la matière n'est là que pour recevoir l'analogie qui l'informe, de telle sorte que, par tout le positif de leur être, ils sont ordre, mesure et poids. Or, nous rejoignons ici la ligne métaphysique à partir de laquelle vont se départager les philosophes chrétiens et païens, et c'est aussi de là que nous pourrons définitivement les juger. La philosophie païenne se définit comme telle par l'objet même qu'elle assigne à ses recherches; elle consiste en effet dans l'étude de la nature. Or, qu'est-ce qu'une nature? C'est un vestige méconnu. On ne peut pas dire que la philosophie naturelle soit sans objet, ni que l'univers des choses sensibles, tel qu'elle le considère, se réduise à une pure illusion, mais l'objet qu'elle s'assigne, considéré précisément et en lui-même, est incomplet, et elle l'aborde par un tel biais que ce qui pourrait lui conférer une véritable intelligibilité cesse d'être visible. Cette philosophie n'a donc pas tort de se laisser charmer par la beauté de la créature, car cette beauté est véritable; mais elle a tort de se laisser retenir par elle comme si elle était à soi-même sa propre raison d'être, alors qu'elle nous est proposée comme un signe qui nous invite à passer plus loin. Nous sommes ici au point de discernement où il importe de bien choisir notre route, car une fois engagés il nous sera difficile de revenir sur nos pas : *aut sistitur in pulchritudine creaturae, aut per illam tenditur in aliud. Si primo modo tunc est via deviationis*[1]. Le débat est donc bien différent ici de celui qui s'élève entre les réalistes et les idéalistes. On ne doute pas qu'il n'y ait un objet de la pensée, ni que cet objet ne subsiste indépendamment d'elle; il y a des créatures, mais ces créatures peuvent être interprétées soit comme des choses, soit comme des signes : *creaturae possunt considerari ut res vel ut signa*[2]; l'erreur des philosophes est précisément d'avoir négligé

---

1. *I Sent.*, 3, 1, un., 2, ad 1ᵐ, t. I, p. 72; *In Hexaëm.*, II, 21, t. V, p. 340.
2. « Aliae creaturae possunt considerari ut res vel ut signa. Primo modo sunt inferiores homine, secundo modo sunt media in deveniendo, sive in via, non in termino, quia illae

ce qui faisait de la création un système de signes intelligibles pour n'en laisser subsister qu'un amas de choses qui ne le sont pas[1].

Puisque Dieu créait l'univers comme un auteur compose un livre, pour manifester sa pensée, il convenait que les principaux degrés d'expression possible y fussent représentés et que par conséquent un degré d'analogie supérieur à celui du vestige et de l'ombre y fût également réalisé. Être l'analogue d'un modèle dont on porte la ressemblance inscrite dans la substance même de son être, c'est une manière de le représenter. Mais avoir conscience de cette analogie; savoir que, par ses racines métaphysiques les plus profondes, on est une ressemblance; comprendre que la loi qui définit l'être d'une créature prédétermine la règle de sa vie; se vouloir de plus en plus conforme au patron sur le modèle duquel on se sait formé, voilà un mode de représentation et d'expression bien supérieur à celui du vestige ou de l'ombre, et c'est précisément celui de l'image dont les substances spirituelles constituent le type le plus accompli[2].

Le secret qui justifie l'existence des âmes est donc le même que celui qui justifie l'existence des corps, mais c'est seulement à l'occasion des âmes qu'il se dévoile pleinement. Une bonté infinie se trouve féconde et créatrice en raison de son infinité même; mais sa fécondité ne peut pas ne pas porter à son tour la marque de la bonté qu'elle manifeste. Cette perfection suprême se communique d'abord pour soi; elle veut

non perveniunt, sed per illas pervenit homo ad Deum, illis post se relictis », *I Sent.*, 3, un., 3, ad 2ᵐ, t. I, p. 75.

1. Du point de vue de la métaphysique, qui seule peut rendre raison suffisante des choses, parce que : « Ad notitiam creaturae perveniri non potest nisi per id per quod facta est », *In Hexaëmeron*, I, 10, t. V, p. 331. Ce point de vue transcendant sur le réel était si habituel aux religieux franciscains qu'ils en tiraient familièrement des plaisanteries : « Habui quemdam ministrum in Ordine fratrum minorum, qui dictus est frater Aldevrandus, et fuit de oppido Flaniani, quod est in episcopatu Imolae, de quo frater Albertinus de Verona, cujus est « Sermonum memoria » ludendo dicebat quod turpem ideam in Deo habuerat. Habebat enim caput deforme et factum ad modum galeae antiquorum et pilos multos in fronte », Salimbene, *Chronica*, éd. Holder-Egger, p. 137.

2. « Si consideremus egressum, quod effectus artificialis exit ab artifice, mediante similitudine existente in mente, per quam artifex excogitat, antequam producat, et inde producit, sicut disposuit. *Producit autem artifex exterius opus assimilatum exemplari interiori, eatenus qua potest melius; et si talem effectum posset producere qui ipsum amaret et cognosceret, utique faceret,* et si effectus ille cognosceret suum opificem, hoc esset mediante similitudine secundum quam ab artifice processit... Per hunc modum intellige quod a summo Opifice nulla creatura processit nisi per Verbum aeternum « in quo omnia disposuit » et per quod produxit non solum creaturas habentes rationem vestigii, sed etiam imaginis, ut eidem assimilari possint per cognitionem et amorem », *De red. art. ad theolog.*, 12; éd. min., p. 376.

donc des effets qui soient pour elle et tournés vers elle ; or, nul effet ne s'ordonnera plus complètement vers elle que celui qui la connaîtra et l'aimera. Connaître et vouloir une Perfection qui ne vous a connu que par soi et voulu que pour soi, c'est bien plus qu'imiter l'objet de ce vouloir et de cette pensée, c'est reproduire ce vouloir et cette pensée dans l'acte même par lequel ils vous ont conféré l'être. Plus profondé- ment qu'un effet de Dieu, l'image est donc un analogue de la vie divine, et c'est pourquoi, lorsqu'elle s'observe attentivement elle-même, l'âme discerne comme un reflet de l'essence créatrice au sein de ses obscures profondeurs[1].

Qu'est-ce en effet que l'image? C'est l'analogie que l'acte générateur imprime sur l'être engendré. En d'autres termes, et plus brièvement encore, c'est une imitation par voie d'expression[2]. Or, l'imitation d'un modèle peut se faire selon deux ordres différents, celui de la qualité et celui de la quantité. Lorsqu'un être possède une essence qualitative- ment semblable à celle de sa cause, on dit qu'il lui ressemble, et nous aurons à nous demander plus loin si la ressemblance n'est pas une ana- logie divine plus immédiate encore que l'image créée. Mais un être peut en représenter un autre par une sorte de conformité plus extérieure et en quelque sorte quantitative; il suffit alors pour établir un rapport d'analogie qu'une certaine correspondance apparaisse entre l'ordre et la configuration des éléments tels qu'ils existent dans la cause et tels qu'ils se trouvent disposés dans l'effet. C'est donc moins d'une ana- logie d'essence que d'un rapport entre l'ordonnance interne et la struc- ture des êtres considérés qu'il s'agit alors, et telle est précisément celle que désigne en propre le nom d'image[3]. L'image est littéralement une conformité, c'est-à-dire une analogie de formes et par conséquent un rapport fait à la fois de qualité et de quantité.

Il pourrait sembler d'abord qu'un rapport de ce genre ne puisse inter-

1. Il est à peine besoin de faire remarquer combien la conscience d'un tel fait doit trans- former la vie morale et religieuse de l'homme. C'est pourquoi la notion d'analogie est au centre même de l'anthropologie bonaventurienne.

2. « Dicitur imago quod alterum exprimit et imitatur », *I Sent.*, 31, 2, 1, 1, Concl., t. I, p. 540.

3. C'est Aristote qui fournit les définitions techniques grâce auxquelles saint Bonaventure commentera la parole de la Genèse : « Faciamus hominem ad imaginem et similitudinem nostram » (I, 26), ou de l'Ecclésiaste : « Deus de terra creavit hominem et secundum ima- ginem suam fecit illum » (XVII, 1). Les *Catégories*, c. *De qualitate*, rattachent expressé- ment la ressemblance ou dissemblance à la catégorie de qualité, d'où saint Bonaventure : « De prima nominis impositione differt imago et similitudo. Imago enim nominat quam-

venir entre Dieu et l'âme humaine, car la quantité n'occupe aucune place ni dans une telle cause ni dans un tel effet ; mais, à défaut de la quantité proprement dite et de la configuration spatiale qu'elle rendrait possible, nous pouvons assigner des convenances ou conformités spirituelles, plus profondes que celles des corps, et légitimer pleinement un tel rapport d'analogie. En premier lieu, l'âme humaine est l'image de Dieu en raison de l'ordre tout particulier qui l'unit à lui.

Les trois aspects primitifs sous lesquels nous apparaît l'unité de l'essence divine sont la puissance, la lumière et la bonté. En tant que souveraine puissance et majesté, Dieu a tout fait pour sa gloire ; en tant que suprême lumière, il a tout fait pour se manifester ; en tant que suprême bonté, il a tout fait pour se communiquer. Or, il n'y a pas de gloire parfaite sans un témoin qui l'admire ; il n'y a pas de manifestation digne de ce nom sans un spectateur qui la connaisse ; il n'y a pas de communication d'un bien sans un bénéficiaire qui puisse le recevoir et s'en servir. Mais poser un témoin qui célèbre cette gloire, connaisse cette vérité et jouisse de ce don, c'est poser une créature raisonnable telle que l'homme. On peut donc dire avec saint Augustin[1] que les créatures raisonnables sont ordonnées immédiatement vers Dieu, ce qui signifie que Dieu, pris en lui seul, constitue leur raison suffisante. La nature immédiate de ce rapport apparaîtra mieux peut-être en le comparant à celui qui unit les créatures non raisonnables et Dieu. L'existence de choses dépourvues de pensée n'est pas immédiatement requise par un Dieu qui se manifeste et se communique, mais elle est requise par l'existence d'un témoin tel que l'homme qui contemplera en elles comme dans un miroir les perfections de Dieu. Les choses sont donc là pour l'homme, et, comme l'homme est là pour Dieu, les choses sont là indirectement pour Dieu. L'homme, au contraire, n'est là que pour Dieu, et il n'y a pas d'intermédiaire obligé entre Dieu et l'homme, c'est donc bien un rapport immédiat qui les unit.

Mais la nature des rapports qui unissent entre eux plusieurs êtres suffit par elle-même à déterminer un certain degré d'accord ou de désaccord entre ces êtres. Plus ce rapport devient immédiat, plus aussi l'accord et l'affinité des êtres entre lesquels il s'établit deviennent intimes.

---

dam configurationem, et ita importat figuram, quae est quantitas in qualitate, vel qualitas in quantitate ; similitudo vero dicitur rerum differentium eadem qualitas », *II Sent.*, 16, 2, 3, Concl., t. II, p. 405. Cf. *I Sent.*, 31, 2, dub. 4, t. I, p. 551.

1. *De vera religione*, XLIV, 82, et *De Trinitate*, XIV, 8, 11.

L'âme raisonnable, ou la créature spirituelle quelle qu'elle soit, par le
seul fait qu'elle se trouve associée en qualité de témoin à la gloire de
Dieu, se trouve donc mise en un rapport aussi étroit et en un accord
aussi intime que possible avec Dieu. Or, à mesure que l'accord se res-
serre entre deux êtres, leur ressemblance devient de plus en plus
expresse et formelle. Dire par exemple que l'homme est immédiatement ordonné vers Dieu, ou dire qu'il peut participer à sa gloire, c'est
tout un. Mais l'homme ne peut participer à la gloire divine qu'en se
modelant sur Dieu, qu'en reproduisant en soi l'image du créateur, en
un mot, et littéralement parlant, qu'en se configurant à lui. Il est donc
également exact de dire que si l'homme est capable d'y parvenir c'est
qu'il porte empreinte sur le visage, dès son origine, la lumière de la
face de Dieu, ou de dire que s'il porte le reflet de cette lumière c'est
que son âme est naturellement apte à participer à la perfection divine
et à s'y configurer. De quelque manière que l'on exprime un tel rapport, il suppose entre Dieu et l'homme une convenance d'ordre immédiate qui ne s'expliquerait pas à son tour si l'âme humaine n'était une
image expresse de Dieu[1].

Ce qui est vrai de l'analogie ou convenance d'ordre ne l'est pas moins
de l'analogie ou convenance de proportion. Cette convenance, ainsi que
nous l'avons déjà noté, consiste en une ressemblance de rapports. Or,
on peut comparer entre eux des rapports de deux sortes ; ou bien des
rapports qui s'établissent entre des objets et d'autres objets qui leur
sont extérieurs, ou bien des rapports qui s'établissent à l'intérieur
même de deux objets. Par exemple, on peut comparer le rapport qui
unit Dieu à ses effets au rapport qui unit l'homme à ses effets ; mais on
peut comparer également les rapports internes qui constituent l'essence
divine aux rapports internes qui définissent l'essence de la personne
humaine. Le premier ordre de comparaison conduit à des analogies
réelles, mais d'un caractère relativement superficiel. On dira par
exemple que toute créature est aux effets qu'elle cause dans le même
rapport que Dieu aux créatures qu'il crée ; mais il est bien évident que
le rapport est extrêmement différent dans un cas de ce qu'il est dans

---

1. « Et hoc est quod dicit Augustinus de Trinitate decimo quarto, quod « eo est anima
imago Dei, quo capax ejus est et particeps esse potest ». Quia enim ei immediate ordinatur, ideo capax ejus est, vel e converso ; et quia capax est, nata est ei configurari ; et
propter hoc fert in se a sua origine lumen vultus divini (*Ps.*, IV, 7). Et ideo quantum ad
similitudinem quae attenditur ad convenientiam ordinis, perfecte dicitur imago Dei, quia
in hoc ei assimilatur expresse », *II Sent.*, 16, 1, 1, Concl., t. I, p. 395.

l'autre, et l'artisan qui façonne une matière préexistante n'est pas l'image expresse d'un Dieu créateur.

Il en va tout autrement lorsque les rapports considérés sont d'ordre interne ou, comme disent les philosophes, intrinsèques. Sans doute l'essence divine ne peut recevoir aucune figure et, par conséquent, elle n'est pas représentable en ce sens par le moyen de quelque image ; mais on observera qu'outre les images corporelles et qui exigent une configuration corporelle, il existe des images spirituelles et qui ne requièrent qu'une configuration spirituelle. Ce n'est plus d'une quantité de masse qu'il s'agit alors, mais du nombre et des rapports de certaines propriétés. Ainsi, par exemple, de même qu'on se représente un triangle sous l'aspect des trois sommets reliés par trois côtés, on se formera une image spirituelle où trois facultés correspondraient aux trois sommets, et la réduction à l'acte de l'une par l'autre aux côtés qui les réunissent[1]. Sur cette proportion interne entre les trois personnes divines et les puissances spirituelles de l'âme humaine, saint Augustin a longuement insisté dans un grand nombre d'ouvrages, mais il ne l'a marquée nulle part avec autant de force que dans le *De Trinitate;* recueillons donc avec lui les analogies essentielles qui configurent notre âme à l'essence de Dieu.

Il apparaît d'abord que les trois puissances constitutives de l'âme, mémoire, intellect et volonté, correspondent, par leur nombre même, aux trois personnes divines ; et cette correspondance s'étend d'ailleurs plus loin, car il ne suffit pas de dire qu'il existe en l'homme trois puissances spirituelles comme il existe en Dieu trois personnes divines, il faut dire encore que ces trois puissances de l'âme, entées sur l'unité de l'âme à laquelle elles appartiennent, reproduisent un plan interne dont l'essence divine fournit le modèle. En Dieu, unité d'essence et distinction des personnes ; en l'homme, unité d'essence et distinction des actes. Bien mieux encore, il y a correspondance exacte entre l'ordre et les relations réciproques des éléments dont ces deux trinités sont constituées. De même que le Père engendre la connaissance éternelle du Verbe qui l'exprime, et que le Verbe à son tour se relie au Père par l'Esprit, de même la mémoire ou pensée, grosse des idées qu'elle enferme, engendre la connaissance de l'intellect ou verbe, et l'amour naît de l'un et de l'autre comme le lien qui les unit[2]. Or, ce n'est pas

---

1. *II Sent.*, 16, 1, 1, ad 4ᵐ, t. I, p. 395. Cf. *I Sent.*, 3, 2, 1, 1, ad 2ᵐ, t. I, p. 81.
2. *I Sent.*, I, 3, 2, 1, 1, Concl., t. I, p. 81; *Breviloquium*, II, 12, 3; éd. min., p. 94; *Iti-*

d'une correspondance accidentelle qu'il s'agit ici; la structure de la
Trinité créatrice conditionne et par conséquent explique la structure
de l'âme humaine; une fois de plus l'analogie nous apparaît comme la
loi constitutive de l'être créé.

Ce serait toutefois commettre une grave erreur que de considérer
cette loi comme une sorte de définition statique réglant et fixant une
fois pour toutes le statut de la créature raisonnable. L'image n'est pas
une qualité inamissible et il y a plusieurs degrés dans la configuration de
l'âme à Dieu. Sans doute, puisque nous considérons comme une propriété substantielle de l'âme l'analogie qu'elle porte avec le Créateur,
on ne peut pas nier qu'elle ne lui soit nécessairement semblable, au
moins d'une ressemblance matérielle et qui s'ignore. Mais une analogie
si confuse et mal développée ne suffirait pas à faire de l'âme une véritable image de Dieu. L'image, avons-nous dit, est une conformité
expresse, c'est-à-dire une conformité étroite; or, elle ne l'est que dans
la mesure où elle se connaît et se veut comme telle. La structure de
l'âme raisonnable peut donc bien être analogue à celle de la Trinité; si
cette âme elle-même ne le sait pas; si, au contraire, elle se détourne de
Dieu et de soi-même pour se tourner vers la matière, elle retombe vers
l'analogie plus lointaine des corps naturels. Ainsi l'âme humaine est
une image de Dieu qui peut s'obscurcir en vestige, et, inversement, ce
qui marque le passage du vestige à l'image, c'est l'aptitude de l'analogue divin à se connaître comme tel et à transformer en un rapport
explicite la loi qui se cachait dans la substance même de son être[1]. Pour
éviter cette dégradation et réaliser cette transformation, il lui suffit de
se tourner vers Dieu et de contempler le mystère de la Trinité créatrice
tel que l'Écriture et la foi nous le révèlent; alors, en présence de l'archétype même de son être, elle s'illumine d'un éclat incomparable, se
connaît soi-même en tant qu'analogue au modèle parfait qu'elle repro-

nerarium, III, 5 : « Secundum autem harum potentiarum ordinem et originem et habitudinem, ducit in ipsam beatissimam Trinitatem. Nam ex memoria oritur intelligentia ut
ipsius proles, quia tunc intelligimus, cum similitudo quae est in memoria resultat in acie
intellectus, quae nihil aliud est quam verbum; ex memoria et intelligentia spiratur amor
tanquam nexus amborum. Haec tria scilicet mens generans, verbum et amor, sunt in
anima quoad memoriam, intelligentiam et voluntatem, quae sunt consubstantiales, coae-
quales et coaevae, se invicem circumincedentes »; éd. min., p. 321.

1. « Licet itaque in hujusmodi potentiis, secundum quod convertuntur ad inferiora sit
reperire trinitatem et aliquam conformitatem, similiter et in potentiis sensitivis, sicut
ostendit Augustinus, quia tamen deficiunt ab expressa conformitate, non reperitur ratio
imaginis in eis », *I Sent.*, 3, 2, 1, 2, Concl., t. I, p. 83. Cf. saint Augustin, *De Trinitate*,
XII, 4.

duit et découvre son fondement métaphysique ultime dans cette analogue qui la configure à lui. De même encore, l'âme humaine ne déchoit
pas de sa dignité native lorsqu'elle se prend elle-même pour objet. C'est
encore voir quelqu'un que d'en voir l'image. Que l'âme se détourne
donc des choses sensibles et que, sans se tourner directement vers
Dieu, elle considère en soi l'unité de son essence et la trinité de ses
puissances qui s'engendrent les unes les autres, elle demeure véritablement une image de Dieu, moins brillante et moins immédiatement conforme que la précédente puisqu'elle n'éclaire plus l'image à la lumière
du modèle, mais moins inadéquate peut-être puisque l'objet inférieur
qu'elle appréhende est saisi par elle dans son être et sa substantialité[1].

Il s'agit donc bien ici de définir les âmes dans leur essence propre, et
c'est expliquer leur nature même que de retrouver en elles l'image de
Dieu : *nam imago naturalis est, quae repraesentat per id quod habet a
natura*[2]. On ne peut dès lors s'étonner de la tranquille audace avec
laquelle saint Bonaventure résout les cas de préséance les plus épi-
neux ; son principe d'analogie lui en offre le moyen. Il établit, notamment, que d'être l'image de Dieu appartient en propre à l'homme lorsqu'on le compare aux animaux, mais non lorsqu'on le compare aux
anges avec lesquels il possède cette qualité en commun ; que d'ailleurs
si les anges sont à certains égards des images plus expresses et plus
parfaites de Dieu, les âmes humaines expriment à leur tour certains
aspects de Dieu que les anges n'expriment pas ; que la raison d'image
ne se rencontre pas à un plus haut degré chez l'homme que chez la
femme, ni chez le maître que chez l'esclave, quant à l'être même de
l'image, mais que, pour des raisons accidentelles et qui tiennent à la
différence corporelle des sexes, l'image peut être plus claire et plus
expresse chez l'homme que chez la femme[3] ; qu'enfin l'image de Dieu

---

1. *I Sent.*, 3, 2, 1, 2, ad 5^m, t. I, p. 84. Il convient d'observer que les deux contemplations de l'image ici distinguées correspondent à deux ordres de connaissance différents.
Considérer la Trinité dans son image humaine, c'est ce que la raison peut faire à elle seule,
mais cela ne la conduirait pas à la connaissance de la Trinité divine. La preuve de fait en
est fournie par les philosophes païens : « Philosophi istam trinitatem (*sc.* mens, notitia et
amor) cognoverunt, et tamen non cognoverunt Trinitatem personarum ; ergo haec non
necessario ducit in illam. » Pour conduire à sa perfection l'analogie que recèle l'image
humaine, il faut la connaître comme telle et par conséquent comparer la copie au modèle
divin ; or, la foi seule nous révèle la nature de ce modèle : « Et ita perfecta ratio imaginis
non habetur nisi a fide. » Nouvel exemple de l'insuffisance de la philosophie naturelle qui
ne reçoit son achèvement que de la foi. Cf. *I Sent.*, 3, 2, 2, 3, Concl., t. I, p. 93.

2. *II Sent.*, 16, 1, 2, Concl., t. II, p. 397.

3. Pour les anges on consultera la curieuse discussion, *II Sent.*, 16, 2, 1, Concl., t. II,

étant représentée en nous par deux facultés cognitives et une seule faculté affective, elle réside plutôt dans notre connaissance que dans notre affectivité[1].

Reste enfin à franchir un dernier degré dans l'ordre de l'analogie ; au delà de l'ombre, du vestige et de l'image apparaît la similitude. En un sens indéterminé, la similitude ou ressemblance est un genre plus vaste dont l'image est une espèce ; mais, au sens propre et technique de l'expression, elle désigne un mode éminent de participation à la perfection divine, le mode le plus immédiat qui soit compatible avec la condition de créature. L'image, en effet, telle que nous l'avons définie, se fonde essentiellement sur un rapport, et, qu'il s'agisse d'un rapport d'ordre ou d'une configuration des parties, elle implique nécessairement une intervention de la quantité, donc de la spatialité, et une inévitable extériorité. La similitude, au contraire, est qualité pure. Elle ne suppose pas l'identité, et même elle l'exclut formellement, puisque la ressemblance ne peut exister qu'entre des êtres distincts ; mais elle suppose que ces êtres distincts possèdent en commun une même qualité : *similitudo dicitur rerum differentium eadem qualitas.*

Or, comment découvrir une qualité divine qui puisse être, non plus imitée de l'extérieur et figurée, mais possédée par la créature? On observera d'abord que pour être participée comme telle par l'âme humaine une telle qualité doit être quelque chose de créé ; car s'il s'agissait de l'être divin lui-même, puisqu'il est la simplicité absolue, il ne pourrait être que totalement ou nullement participé. Il n'y a pas de milieu entre être Dieu et ne pas l'être. D'autre part, il faut nécessairement qu'une qualité divine parvienne sous un mode assimilable jusqu'à la créature, sans quoi l'état actuel de l'homme et de l'univers seraient leur état définitif. Se suffisant à eux-mêmes et parvenus dès à présent au terme de leur histoire, n'ayant pas à devenir autre chose que ce qu'ils sont, ils n'auraient pas besoin d'autre chose que ce qu'ils ont. Mais si l'état final de l'homme et du monde consiste dans une perfection et une gloire dont

p. 400-402. On observera que, conformément à l'esprit de l'augustinisme, la distance qui sépare ici l'ange de l'homme n'est pas si considérable qu'on pourrait l'imaginer.

Pour le rapport d'image concernant l'homme et la femme, *Ibid.*, qu. 2, t. II, p. 403, et : « Vir enim, quia fortis est et praesidet mulieri, superiorem portionem rationis significat, mulier vero inferiorem... Hoc autem est ratione virilitatis ex parte una, et infirmitatis et fragilitatis ex altera, quae non respiciunt imaginem secundum se, sed ratione corporis annexi, et ita non essentialiter, sed accidentaliter », *loc. cit.*, p. 404.

1. Savoir la mémoire et l'intellect pour les facultés cognitives, la volonté pour les facultés affectives, *II Sent.*, 16, 2, 3, Concl., t. II, p. 405. Cf. plus loin p. 219, note 1.

leur condition actuelle n'est qu'une sorte de préfiguration, il faut nécessairement que la force spirituelle qui les meut et les tire vers leur destinée dernière les anime dès à présent. Ou bien il y a déjà au sein de
la nature une qualité surnaturelle qui prépare la transfiguration finale,
ou cette transfiguration n'aura jamais lieu. Or, cette qualité ne peut
être à la fois surnaturelle et participable par l'homme qu'à la condition
d'être simultanément créée et transcendante au reste de la nature, c'est
la grâce.

La grâce est donc essentiellement destinée à rendre l'homme capable
de sa fin dernière. Dieu, dans la plénitude de sa bonté, a créé une âme
raisonnable et destinée à la béatitude éternelle ; cette âme imparfaite et
déchue par le péché, il lui faut maintenant la réparer, la recréer en
quelque sorte pour la restituer dans la dignité de sa condition première ; or, le salut ne peut consister pour l'âme que dans la possession
du souverain bien dont elle est indigne. Tel est le tragique de la destinée humaine : une créature consciente de sa fin et qui s'en trouve séparée par un intervalle sans commune mesure avec les ressources naturelles dont elle dispose. Mais c'est alors aussi que Dieu vient à son
secours. Ce que la créature ne peut franchir, le Créateur peut le lui
faire franchir, non pas à la vérité en abaissant vers l'homme son essence
immuable, mais en infusant dans l'âme une qualité, créée et cependant
déiforme, qui rende l'homme agréable à Dieu et digne de la gloire
éternelle [1].

Supposons donc cette qualité déiforme pénétrant dans l'âme au sein
de laquelle Dieu l'introduit. Cette âme est déjà disposée en vue de Dieu
et immédiatement ordonnée vers lui ; elle représente, en outre, la configuration divine par la disposition interne de ses puissances ; elle va
maintenant recevoir un don qui ne la tournera pas seulement vers Dieu
comme l'image, mais la rendra capable d'entrer en société avec lui. Si
nous avons pu considérer comme une analogie divine les rapports
externes qui précèdent, comment ne situerions-nous pas au degré le
plus éminent de l'analogie cette grâce qui rapproche jusqu'au contact
ce qui ne se peut confondre ? Par la similitude de la grâce, l'âme devient
le temple de Dieu, l'épouse de Dieu ; il n'est pas d'approche plus immédiate concevable pour la créature, car pour faire mieux que de recevoir
la grâce il faudrait être la Grâce incréée elle-même, c'est-à-dire le

---

1. La Grâce en soi est incréée, car c'est le Saint-Esprit, mais la Grâce conférée à l'homme
est créée, sans quoi Dieu serait la forme immédiate de l'homme, *II Sent.*, 26, un., 2,
Concl., t. II, p. 635. Elle est même en ce sens un accident.

Saint-Esprit; pour avoir plus que la similitude de Dieu, il faudrait être cette similitude elle-même, c'est-à-dire le Verbe; au-dessus d'avoir Dieu, il n'y aurait plus que d'être Dieu[1].

Ainsi, depuis les degrés les plus bas de la nature jusqu'au point suprême où la créature réformée devient digne de s'unir à Dieu, l'univers entier nous apparaît comme soutenu, régi et animé par l'analogie divine. Mais si telle est bien la loi qui préside à son organisation, c'est nécessairement elle aussi qui en expliquera la structure; la métaphysique de l'analogie doit donc se compléter par une logique de l'analogie dont il nous reste à déterminer les lois.

Si l'on s'en tient aux apparences immédiates, la logique de saint Bonaventure n'est autre que la logique d'Aristote. Le syllogisme est à ses yeux l'instrument par excellence de la démonstration scientifique, le moyen grâce auquel s'élabore la connaissance probable dans les domaines où la première fait défaut, l'instrument enfin qui permet à la raison d'enrichir ses connaissances en déduisant des principes premiers les conséquences qu'ils renferment. Et cependant il est impossible de pratiquer longtemps les œuvres de ce philosophe sans apercevoir que la logique aristotélicienne est plutôt pour lui un procédé d'exposition qu'une méthode d'invention. Une autre logique vivifie et nourrit de ses découvertes celle du Stagyrite, et il ne pouvait en être autrement. Dans un univers tel que celui dont nous venons de déceler les substructures métaphysiques, le seul procédé d'explication qui convienne doit consister à discerner, sous le désordre et la diversité apparente des choses, les fils ténus de l'analogie qui les relient les unes avec les autres et les rattachent toutes à Dieu. De là cette prodigieuse multiplicité de ressemblances, de correspondances, de proportions et de convenances où certains sont aujourd'hui tentés de ne voir qu'un jeu d'esprit, un

---

1. « Qui fruitur Deo Deum habet; ideo cum gratia, quae sua deiformitate disponit ad Dei fruitionem, datur donum increatum, quod est Spiritus sanctus, quod qui habet habet et Deum », *Breviloquium*, V, 1, 4; éd. min., p. 165. Cf. *Ibid.*, 3 et 5, p. 164-166: *I Sent.*, 14, 2, 1, t. I, p. 249; *II Sent.*, 26, un., 3 et 4, t. II, p. 637-641. On notera que si l'*image* se trouve dans les facultés cognitives, la *similitude* réside dans la partie affective de l'âme et que, par conséquent, l'analogie divine la plus immédiate a son siège dans la volonté. Ce point est capital pour l'orientation de la morale et de la mystique bonaventuriennes; cf. *II Sent.*, 16, 2, 3, Concl., t. II, p. 405, surtout : « Similitudo vero principalius consistit in unione animae ad Deum, quae quidem est per gratiam. Et quoniam unio et gratia principaliter respiciunt affectivam, hinc est quod in imagine recreationis, quae quidem est in gratuitis, duae sunt virtutes quae respiciunt affectivam, scilicet spes et caritas... una vero quae respicit cognitivam, scilicet fides. »
En ce qui concerne la supériorité de la similitude sur l'image, voir également : *Breviloquium*, II, 12, 1; éd. min., p. 93, et *I Sent.*, 48, 1, 1, Concl, t. I, p. 852.

enchantement de l'imagination ou, au mieux, une ivresse de l'âme qui tente d'oublier son humaine condition, mais où l'on doit chercher d'abord le seul moyen d'exploration et d'interprétation qui fût exactement adapté à l'univers d'un tel métaphysicien[1].

A la vérité, saint Bonaventure n'avait aucun effort à faire pour découvrir les hypothèses directrices dont allait s'inspirer sa logique de l'invention. Puisque l'univers s'offrait à ses yeux comme un livre à lire et qu'il voyait dans la nature une révélation sensible analogue à celle des Écritures, les méthodes traditionnelles d'interprétation qui s'étaient de tout temps appliquées aux livres saints devaient pouvoir s'appliquer également au livre des créatures. Et en effet, de même qu'il y a un sens immédiat et littéral du texte sacré, mais aussi un sens allégorique par lequel nous découvrons les vérités de foi que la lettre signifie, un sens tropologique par lequel nous découvrons un enseignement moral sous un récit d'apparence historique, et un sens anagogique par lequel notre âme se trouve élevée vers l'amour et le désir de Dieu[2], de même il est nécessaire de ne pas s'en tenir au sens littéral et immédiat du livre des créatures, mais d'en chercher le sens profond dans les enseignements théologiques, moraux et mystiques qu'il contient. Le passage s'effectue d'autant plus aisément entre l'un et l'autre de ces deux domaines qu'ils sont en réalité inséparables. Si les choses peuvent être considérées comme des signes dans l'ordre de la nature, c'est parce qu'elles jouent déjà ce rôle dans l'ordre de la révélation. Les termes employés par une science quelconque ne désignent que des choses; ceux qu'emploie l'Écriture désignent des choses, et ces choses à leur tour désignent des vérités d'ordres théologique, moral ou mystique. Nous n'avons donc pas fait autre chose que d'appliquer au monde sensible les méthodes d'exégèse scripturaire ordinairement reçues lorsque nous avons traité les corps et les âmes comme des allégories de la Trinité créatrice, et c'est alors seulement que l'univers a trouvé son véritable sens : *et sic*

---

1. Le principe métaphysique de cette logique est expressément formulé dans le texte suivant : « Sicut in Christum pie intendentibus aspectus carnis, qui patebat, via erat ad agnitionem Divinitatis, quae latebat; sic ad intelligendam divinae sapientiae veritatem aenigmaticis ac mysticis figuris intelligentiae rationalis manuducitur oculus. Aliter enim nobis innotescere non potuit invisibilis Dei sapientia, nisi se his quae novimus visibilium rerum formis ad similitudinem conformaret et per eas nobis sua invisibilia, quae non novimus significando exprimeret », *De plantatione paradisi*, 1, t. V, p. 575. De là le double livre de l'Écriture et de la nature.

2. *Breviloquium*, Prolog., IV, 1 et 5; éd. min., p. 20-23; *In Hexaëm.*, II, 15-18, et XIII, 11-33, t. V, 338-339 et 389-392; *De reductione artium*, 5, t. V, p. 321, et éd min., p. 372.

patet quod totus mundus est sicut unum speculum plenum luminibus praesentantibus divinam sapientiam, et sicut carbo effundens lucem[1].

Ces principes directeurs de l'interprétation une fois acceptés, il reste à choisir l'instrument qui permettra de les appliquer. Or, le syllogisme d'Aristote est ici manifestement impuissant. Adapté à un univers de natures dont il permet d'analyser les notions, il nous laisse dépourvus de ressources pour explorer les dessous d'un monde symbolique comme celui de la tradition augustinienne et de saint Bonaventure en particulier. La seule méthode qui puisse manifester quelque fécondité en pareil cas est le raisonnement par analogie et spécialement le raisonnement de proportion. Si la loi intérieure qui régit l'essence des êtres matériels ou spirituels est celle d'une conformité et comme d'une configuration à l'essence divine, tout raisonnement véritablement explicatif devra mettre en évidence une certaine correspondance entre le créé et l'incréé. Le syllogisme ne sera d'ailleurs nullement exclu d'une telle logique, mais il s'y trouvera subordonné. Le parallélisme est frappant entre la conception de la métaphysique chrétienne et la conception de la logique chrétienne chez saint Bonaventure. De même qu'à ses yeux le *verus metaphysicus* est celui qui établit fermement l'exemplarisme au-dessus du monde aveugle d'Aristote, de même, et par une conséquence d'ailleurs nécessaire, le vrai logicien est celui qui place le Christ au centre de tous ses raisonnements : *haec est logica nostra, haec est ratiocinatio nostra, quae habenda est contra diabolum, qui continuo contra nos disputat*[2]. Or, si nous prenons le Christ et la foi qu'il nous

---

1. *In Hexaëm.*, 11, 27, t. V, p. 340.
2. *In Hexaëm.*, I, 30, t. V, p. 334. Cf. *Ibid.*, 10, p. 330 : « Incipiendum est a medio, quod est Christus. Ipse enim mediator Dei et hominum est, tenens medium in omnibus, ut patebit. Unde ab illo incipiendum necessario si quis vult venire ad sapientiam christianam... Manifestum est etiam quod ab illo incipiendum a quo duo maximi sapientes inceperunt, scilicet Moyses, inchoator sapientiae Dei, et Joannes, terminator. Alter dixit : *In principio creavit Deus coelum et terram*, id est in Filio...; et Joannes : *In principio erat Verbum...* Si ergo ad notitiam creaturae perveniri non potest nisi per id per quod facta est, necesse est ut *verbum verax praecedat te* (*Ecclesiastic.*, 37, 20). » Cf. également 11, p. 331 : « In Christo sunt omnes thesauri sapientiae et scientiae Dei absconditi, et ipse est medium omnium scientiarum. » Toute la *Coll. I*ª est un développement de ce thème et le texte qui désigne l'exemplarisme comme la métaphysique spécifiquement chrétienne s'y trouve inclus. Saint Bonaventure met d'ailleurs en relief à cette occasion même le lien qui unit la logique chrétienne à la métaphysique chrétienne : « ... et verus est metaphysicus. Pater enim ab aeterno genuit Filium similem sibi et cum hoc totum posse suum; dixit quae posset facere, et maxime quae voluit facere, et omnia in eo expressit, scilicet in Filio seu in isto medio tanquam in sua arte. Unde illud medium veritas est; et constat secundum Augustinum et alios sanctos, quod Christus habens cathedram in caelo docet interius;

a révélée comme mineure, toutes nos connaissances donneront aussitôt
naissance à autant de proportions analogiques correspondantes. Le raisonnement par analogie de proportion constituera donc la vraie logique
du chrétien, et c'est de quoi l'on se convaincra mieux encore en considérant quelques exemples, empruntés à saint Bonaventure, de pareilles
transpositions.

Voici d'abord le *mathematicus*, c'est-à-dire à la fois le mathématicien
et l'astronome. L'objet de son étude est la quantité abstraite ou la
matière sensible considérée précisément sous sa raison de quantité.
Parmi les figures géométriques auxquelles il s'applique se trouve le
cercle, et il peut en étudier le centre, soit en lui-même, soit à propos
de la mesure de la terre, soit enfin à l'occasion du mouvement des corps
célestes. Or, le centre du monde est bien la Terre ; centrale et petite,
elle est sise au point le plus bas ; et parce que petite et basse, elle reçoit
toutes les influences des corps célestes auxquels elle doit sa prodigieuse
fécondité. Tel le Fils de Dieu, pauvre, misérable, descendu pour nous
en ce bas lieu, revêtu de notre terre, fait de notre terre, n'est pas venu
seulement à la surface de la terre, mais est encore descendu jusqu'en
la profondeur de son centre. Par sa crucifixion, le Christ est devenu le
centre du centre du monde : *operatus est salutem in medio terrae*,
parce qu'après la crucifixion son âme est descendue aux enfers pour
délivrer les justes qui l'attendaient. Ainsi le Christ est au royaume
céleste ce que la Terre est à la machine du monde ; proportion allégorique à laquelle s'ajoute une proportion tropologique, c'est-à-dire
morale, car ce centre du monde est aussi le centre de l'humilité dont
on ne peut s'écarter sans être damné : *in hoc medio operatus est salutem, scilicet in humilitate crucis*[1].

Considérons maintenant l'ordre des formes telles que le philosophe
les envisage. Les formes intellectuelles et abstraites sont comme intermédiaires entre les raisons séminales et les formes idéales. Or, dès
que les raisons séminales s'introduisent dans une matière, elles y
engendrent d'autres formes ; de même en ce qui concerne les formes
intellectuelles, car elles engendrent le Verbe ou parole intérieure dans
la pensée où elles apparaissent ; de même donc les raisons idéales ne

nec aliquo modo aliqua veritas sciri potest nisi per illam veritatem. *Nam idem est principium essendi et cognoscendi.* Si enim scibile in quantum scibile secundum Philosophum
aeternum est, necesse est ut nihil sciatur nisi per veritatem immutabilem, inconcussam,
incoangustam », *Ibid.*, I, 13, p. 331.

1. *In Hexaëm.*, I, 21-24, t. V, p. 333.

peuvent subsister en Dieu sans que le Verbe ne soit engendré par le Père; à ce prix seulement les exigences du raisonnement de proportion sont satisfaites, car une telle fécondité est une dignité, et si elle convient à la créature, elle convient plus évidemment encore au créateur.

Autre raisonnement du même genre : le degré de perfection le plus élevé qui soit réalisàble dans l'univers ne serait pas atteint si l'appétit de la forme qui travaille la matière n'aboutissait pas à l'union de l'âme raisonnable et d'un corps matériel; c'est alors seulement que le désir de la matière se trouve satisfait. De même donc on peut dire que l'univers manquerait de son plus haut degré de perfection si la nature qui contient les raisons séminales, la nature qui contient les raisons intellectuelles et la nature qui contient les raisons idéales ne finissaient par concourir dans l'unité d'une seule personne, ce qui fut fait dans l'incarnation du Fils de Dieu : *praedicat igitur tota naturalis philosophia per habitudinem proportionis Dei Verbum natum et incarnatum*[1].

On pourrait multiplier sans grand profit les exemples de cet ordre, car saint Bonaventure n'a pas de rival dans l'art d'inventer les proportions et les analogies. Plus il avance dans sa carrière doctrinale, plus il les multiplie, à tel point qu'elles finissent par constituer intégralement la matière de ses derniers traités. Sans doute, l'intrépidité avec laquelle il procède dans cette voie justifie dans une certaine mesure l'illusion des historiens qui n'y ont vu qu'un jeu. De même, dit-il, que le corps ne peut s'unir à l'âme sans l'intermédiaire de l'humeur, de l'esprit et de la chaleur qui disposent le corps à recevoir l'âme, de même Dieu ne s'unit à l'âme pour la vivifier que si elle est humectée par les larmes de la componction, spiritualisée par le mépris du monde et échauffée par le désir de la patrie céleste. Virtuosité où se complaît saint Bonaventure, mais dont la conclusion lui semble métaphysiquement évidente : *ecce qualiter in philosophia naturali latet sapientia Dei*[2]. Et il faut bien qu'elle le soit à ses yeux, car la supériorité décisive de la philosophie chrétienne sur la philosophie païenne consiste précisément en ce qu'elle est seule à posséder le secret de cette logique mystique et des perspectives profondes qu'elle nous ouvre sur l'ordre des

---

1. *De reductione artium*, 20-21; éd. min., p. 380; *In Hexaëm.*, I, 25-26, t. V, p. 333.

2. *De reductione artium*, 22; éd. min., p. 382. Voici encore une remarquable proportion : « Dicendum quod tempus incarnationis dicitur tempus plenitudinis multiplici de causa... Quinta ratio propter plenitudinem generationis; prima quidem nec de viro nec de muliere, sed de terra; secunda mulieris de solo viro; tertia vero prolis, de viro et muliere; quarta vero viri de sola muliere, ista quarta est consummata in Christi incarnatione », *III Sent.*, I, dub. 1, t. III, p. 33; cf. *Breviloquium*, IV, 3 et 4; éd. min., p. 133-140.

choses. C'est parce qu'il y a trois cieux incorruptibles et quatre éléments mobiles que Dieu a disposé les sept orbes des planètes : *ut fiat
debita connexio, concordia et correspondentia.* Le total des dix sphères
et des quatre éléments rend en effet le monde si beau, si parfait et si
ordonné qu'il en devient à sa manière représentatif de son principe[1] ;
de là ces longues et minutieuses considérations sur les propriétés des
nombres senaires et septennaires, sur la correspondance entre ces
nombres et celui des âges de la vie, entre celui des âges de la vie et
celui des âges de l'humanité, entre celui des âges de l'humanité et celui
des étapes de la création[2], entre celui des étapes de la création et le
nombre des illuminations intérieures[3], entre ce même nombre et celui
des ailes du séraphin qui apparut à saint François[4], entre le nombre de
ces ailes et celui des degrés du trône de Salomon, entre celui de ces
degrés et des six jours après lesquels Dieu appela Moïse du sein de la
nuée, des six jours après lesquels le Christ conduisit ses disciples sur
la montagne pour se transfigurer devant eux, des six degrés de l'ascension de l'âme vers Dieu, des six facultés de l'âme et de leurs six propriétés[5]. Et l'on pourrait continuer ainsi presque à l'infini.

L'expression n'a rien d'exagéré ; elle est de saint Bonaventure lui-
même, et le raisonnement par lequel il la justifie permet de voir que
ses variations les plus subtiles sur les propriétés des nombres correspondent chez lui à une méthode définie. L'interprétation de l'univers
présent ou futur lui semble tout entière contenue dans un nombre fini
de faits ou de notions qui sont comme les germes d'où cette interprétation doit sortir. Pour l'en tirer, il faut faire appel à ce qu'il nomme les
théories, c'est-à-dire les explications déduites de ces germes par la
pensée discursive ; or, de même qu'un rayon reflété par un miroir peut
engendrer un nombre indéfini d'images, de même qu'on peut intercaler

1. *Breviloquium*, II, 3, 5 ; éd. min., p. 67.
2. *Breviloquium*, Prolog., II, 1-4 ; éd. min., p. 14-18. On trouvera en note les références
aux textes de saint Augustin dont s'inspire ici saint Bonaventure.
3. *De reductione artium*, 7 ; éd. min., p. 373.
4. Sur la perfection du nombre six, voir *II Sent.*, 13, 1, 2, ad 4[m], t. II, p. 316, et :
« Nam per senas alas illas recte intelligi possunt sex illuminationum suspensiones, quibus
anima quasi quibusdam gradibus vel itineribus disponitur, ut transeat ad pacem per
exstaticos excessus sapientiae christianae », *Itinerarium*. Prol., 3 ; éd. min., p. 291 ; *In
Hexaëm.*, XXI, 3, t. V, p. 432. Cf. une preuve par le nombre dix, *II Sent.*, 9, un., 7,
Concl., t. II, p. 254.
5. Ces degrés sont en nous : « Plantati, deformati, reformati, purgandi, exercendi, perfi-
ciendi » ; cf. *Itinerarium*, I, 4-6 ; éd. min., p. 296-297. Tout ceci : « Quia senarius est primus numerus perfectus », *Breviloquium*, VI, 12, 4 ; éd. min., p. 244.

un nombre indéfini d'angles intermédiaires entre un angle droit et un angle obtus, ou un angle obtus et un angle aigu, de même que des graines peuvent se multiplier à l'infini, de même aussi des semences de l'Écriture peut s'engendrer une infinité de théories[1]. Ainsi l'esprit glisse de correspondance en correspondance sans jamais rencontrer d'obstacle; un passage de l'Écriture, déclare le Docteur séraphique, en appelle mille autres; l'imagination n'a donc pas d'obstacle à y redouter. Et elle ne saurait en rencontrer davantage dans cet autre livre qu'est la nature. Étroitement modelée sur la structure intime des choses, la logique de la proportion nous permet seule de progresser et de nous élever sur l'ample voie illuminative, en décelant la présence secrète de Dieu à l'intérieur de chacun des êtres que nous rencontrons le long du chemin[2].

Sur ce point encore le rapprochement doctrinal entre saint Bonaventure et saint Thomas d'Aquin est aussi fallacieux qu'inévitable. On n'aura pas de peine à placer les uns en face des autres un certain nombre de textes correspondants, à montrer que l'un et l'autre usent de l'analogie, raisonnent par voie de proportions et décèlent au sein des choses le vestige ou l'image de la Trinité créatrice. L'accord des deux doctrines sur les principes métaphysiques de l'analogie et la parenté des formules qui les expriment sont également incontestables; et cependant l'esprit qui les anime est profondément différent. La notion d'analogie n'a pas le même sens pour saint Bonaventure que pour saint Thomas d'Aquin, et dans les formules parfois identiques dont ils font usage le terme principal n'a presque jamais la même valeur.

Dans la doctrine de saint Thomas d'Aquin l'analogie renferme en soi et hiérarchise une signification platonicienne et une signification

---

1. « Intelligentiae enim principales et figurae in quodam numero certo sunt, sed theoriae quasi infinitae... Sicut enim in seminibus est multiplicatio in infinitum, sic multiplicantur theoriae », *In Hexaëm.*, XV, 10, t. V, p. 400. D'où la possibilité d'un renouvellement continuel de la science : « Quia varie inspicit hic et ille in speculo. » Pour ce qui suit : « Tota scriptura est quasi una cithara, et inferior chorda per se non facit harmoniam, sed cum aliis; similiter unus locus scripturae dependet ab alio, immo unum locum respiciunt mille loca », *In Hexaëm.*, XIX, 7, t. V, p. 421. Cf. « Quis potest scire infinitatem seminum, cum tamen in uno sint silvae silvarum et postea infinita semina? Sic ex scripturis elici possunt infinitae theoriae, quas nullus potest comprehendere nisi solus Deus... », *In Hexaëm.*, XIII, 2, t. V, p. 388. L'expression de *silva silvarum*, qui donnera son titre à l'un des ouvrages de F. Bacon, peut-être dans le même sens, est empruntée ici à saint Augustin, *De vera religione*, c. 42, n. 79; P. L., t. 34, col. 158. Cf. également saint Bonaventure, *II Sent.*, 30, 3, 1, Concl., t. II, p. 729.

2. *De reductione artium*, 26; éd. min., p. 384-385.

aristotélicienne. Pour satisfaire aux exigences de l'exemplarisme, elle désigne la dépendance et la parenté qui unit les choses particulières à leurs modèles éternels; mais, pour satisfaire aux exigences de la logique aristotélicienne, elle sépare l'analogue de l'univoque par une infranchissable ligne de démarcation. Ainsi, lorsqu'on laisse aux termes dont usait saint Thomas la valeur qu'il leur attribuait lui-même, on désigne un rapport de dissemblance non moins que de ressemblance lorsqu'on affirme qu'un être est analogue à un autre être. Mais il faut aller plus loin. Préoccupé surtout de fermer toutes les voies qui conduisent au panthéisme et d'interdire toute communication substantielle d'être entre Dieu et la créature, saint Thomas insiste toujours beaucoup plus volontiers sur la signification séparatrice de l'analogie que sur sa signification unitive. Cette tendance fondamentale de sa pensée se fait jour dès ses premières œuvres et s'affirme d'une manière saisissante dès le *Commentaire sur les Sentences;* à l'analogie augustinienne qui relie, rattache, cherche toujours des communautés d'origine pour assigner des ressemblances de parenté, saint Thomas oppose l'analogie aristotélicienne qui sépare, distingue, confère aux êtres créés une substantialité et une suffisance relatives en même temps qu'elle les exclut définitivement de l'être divin[1].

Or, la tendance fondamentale de saint Bonaventure est exactement inverse de celle de saint Thomas. Les philosophes qu'il vise constamment ne sont pas ceux qui exaltent la créature en la confondant avec l'être divin, mais ceux qui font tort à l'immensité de l'être divin en attribuant une indépendance et une suffisance excessives à la créature. Là donc où saint Thomas se montre surtout préoccupé d'installer la créature dans son être propre pour la dispenser de prétendre à l'être

---

1. Voir, par exemple, la réponse de saint Thomas au problème augustinien : « Utrum omnia sint vera veritate increata? » L'analogie qui conduit saint Anselme à répondre par l'affirmative conduit saint Thomas à réserver une vérité propre aux êtres créés : « Et similiter dico quod veritas et bonitas et omnia hujusmodi dicuntur analogice de Deo et creaturis. Unde oportet quod secundum suum esse omnia haec in Deo sint, et in creaturis secundum rationem majoris perfectionis et minoris; ex quo sequitur, cum non possint esse secundum unum esse utrobique, quod sint diversae veritates », *In I Sent.*, XIX, 5, 2, ad 1ᵐ. La participation n'est pas moins séparatrice en ce qui concerne les facultés de connaître que les intelligibilités créées : « Ratio veritatis in duobus consistit : in esse rei et in apprehensione virtutis cognoscitivae proportionata ad esse rei. Utrumque autem horum quamvis, ut dictum est, reducatur in Deum sicut in causam efficientem et exemplarem, nihilominus tamen quaelibet res participat suum esse creatum, quo formaliter est, et unusquisque intellectus participat lumen per quod recte de re judicat, quod quidem est exemplatum a lumine increato », *Ibid.*, ad *Resp.*

divin, saint Bonaventure se montre avant tout préoccupé de déceler les liens de parenté et de dépendance qui rattachent la créature au créateur pour interdire à la nature de s'attribuer une complète suffisance et de se poser comme une fin en soi. Ce n'est donc pas une analyse du contenu même de leur notion d'analogie qui permettra de comprendre la pensée de ces deux philosophes, car, pour l'un comme pour l'autre, l'analogue est à la fois du semblable et de l'autre ; mais on la comprendra de la manière la plus exacte en observant le mouvement par lequel leur pensée parcourt le champ de cette notion commune, et surtout le sens de ce mouvement. *Augustinus autem Platonem secutus quantum fides catholica patiebatur*, écrit saint Thomas[1] ; saint Bonaventure suit à son tour saint Augustin et nous conduit devant cet univers de symboles transparents dont la luxuriante floraison n'avait jamais été atteinte et ne sera jamais dépassée. *Thomas autem Aristotelem secutus quantum fides catholica patiebatur*, pourrions-nous écrire à notre tour ; et c'est pourquoi l'analogie thomiste nous conduit devant cet univers des formes et des substances, où chaque être participe solidement son être et l'est essentiellement avant de représenter un autre être qu'il n'est pas. Différence philosophique profonde dont la différence d'aspect que présentent les deux doctrines n'est que le signe extérieur, mais véridique : l'analogie thomiste ordonne l'architecture sobre et dépouillée des essences distinctes que hiérarchise la *Somme contre les Gentils ;* l'analogie bonaventurienne projette à travers l'apparente hétérogénéité des êtres le lien ténu, mais indéfiniment ramifié, de ses proportions conceptuelles ou numériques, et elle engendre le pullulement de symboles qu'est l'*Itinéraire de l'âme vers Dieu.*

1. Saint Thomas, *Quaest. disp. de spiritualibus creaturis*, X, ad 8m.

CHAPITRE VIII.

Les anges.

Après avoir déterminé les conditions générales de l'action créatrice, nous devons en examiner successivement les différents effets. Nous le ferons en allant des créatures les plus parfaites aux moins parfaites et en remontant ensuite de ces dernières à la créature humaine qui constitue leur véritable fin[1].

Les créatures les plus parfaites sont les anges, et il doit exister de telles créatures pour que l'univers s'ordonne selon les exigences d'un plan régulier. Le principe directeur de ce plan apparaît d'ailleurs immédiatement pour peu qu'on réfléchisse à la nature de l'acte créateur. Il consiste, avons-nous dit, à produire les choses de rien; on ne s'étonnera donc pas que Dieu ait conféré un être déficient et pauvre à un certain ordre de créatures, tirées à peine du néant par l'action créatrice, et qui semblent, en raison de leur mutabilité continuelle, sur le point d'y retourner à chaque moment du temps. Parce que Dieu créait le monde de rien, il lui convenait de créer les corps matériels qui ne sont en effet presque rien. Mais ce terme de l'action créatrice une fois marqué, il restait à en marquer un autre. C'est de rien que Dieu a créé les choses, mais c'est lui qui les a créées; dès lors il devait lui convenir de conférer l'être à des substances qui fussent aussi proches de lui que les corps le sont du néant, et tels sont précisément les anges. C'est donc de leur proximité à l'essence divine que nous allons déduire leurs principales propriétés[2].

La première et la plus caractéristique est leur pure spiritualité. Une substance proche de Dieu et aussi semblable à lui que peut l'être une substance créée doit être une substance incorporelle, donc totalement

---

1. On trouvera un certain nombre de renseignements d'ordre théologique sur des points que nous ne toucherons pas, dans le chapitre consacré aux anges et aux démons par G. Palhoriès, *Saint Bonaventure*, c. IX, *Les anges et les démons*, p. 272-293.

2. *Breviloquium*, II, 6; éd. min., p. 75. Se réfère à saint Augustin, *Confess.*, XII, 7, 7.

spirituelle. En effet, Dieu est un être totalement dépourvu de corps, en ce sens que, non seulement il est intellect et intelligible, mais aussi que l'esprit n'est aucunement relié en lui à aucune sorte de corps. Il doit donc en être ainsi chez la plus noble et la plus semblable à lui de toutes les créatures, celle sans laquelle, selon l'expression de Richard de Saint-Victor, notre univers serait acéphale ; *quod est inconveniens*[1]. Il résulte de cette conclusion qu'en dépit des hésitations de bien des Docteurs et même de certains Pères de l'Église, les anges ne sont pas naturellement unis à des corps. Saint Augustin et saint Bernard paraissent en douter, mais il est quasi certain qu'ils ne leur sont pas naturellement unis, et même assez probable qu'ils ne peuvent pas leur être inséparablement attachés[2]. Lorsque, pour un temps, et afin de remplir une mission spéciale, ils revêtent l'apparence sensible d'un corps, ces purs esprits ne deviennent pas les âmes ni par conséquent les formes de ce corps ; ils n'y exercent aucune fonction végétative ou sensitive, mais les dirigent et les ordonnent sans s'y mêler[3].

Ce point est d'une extrême importance philosophique, encore que les minutieux développements de l'angélologie bonaventurienne intéressent plus spécialement la théologie. C'est ici en effet que se pose le premier fondement de l'ordre universel ; si l'ange n'est pas un pur esprit, il ne peut être qu'une forme ; s'il est une forme, il rentre dans la même espèce que l'âme humaine, et s'il rentre dans la même espèce que l'âme, un degré nécessaire de l'ordre créé disparaît par confusion avec un autre degré. C'est pourquoi les arguments que saint Bonaventure invoque pour maintenir contre les théologiens encore hésitants l'indépendance absolue des anges à l'égard de tout corps sont généralement empruntés aux exigences de l'ordre hiérarchique universel ; il s'agit de savoir si les anges sont des anges ou s'ils sont des âmes, c'est-à-dire s'il reste place pour un degré intermédiaire entre l'homme et Dieu.

Le problème n'est pas aussi facile à résoudre qu'il peut sembler d'abord, car, si l'on ne peut guère douter que l'ange ne soit d'une

1. *II Sent.*, 8, 1, 1, 1, 3ᵐ fund., t. II, p. 210. Dans R. de Saint-Victor, *De Trinitate*, IV, 25.
2. *II Sent.*, 8, 1, 1, 1, Concl., t. II, p. 211 ; saint Bernard, *In Cant. Cant.*, V, 2 et suiv. Pour saint Augustin, on trouvera les références dans P. Lombardi, *Lib. IV Sententiarum*, t. I, p. 340-341 (éd. Quaracchi, 1916).
3. *II Sent.*, 8, 1, 2, 1, Concl., t. II, p. 214. Il en résulte que ces corps ne sont pas, à proprement parler, organisés, mais : *ex natura elementari imperfecte commixta* ; on en trouvera la théorie : *II Sent.*, 8, 1, 2, 2, Concl., t. II, p. 217 ; résumée dans G. Palhoriès, *op. cit.*, p. 274-275 ; cf. II, 8, 1, 3, 1, Concl., t. II, p. 219.

nature supérieure en dignité à celle de l'âme, on peut légitimement
hésiter lorsqu'il s'agit de savoir en quoi cette supériorité consiste. La
distance actuelle entre l'ange et l'homme est, certes, considérable,
mais la distance primitive et essentielle qui les séparait n'était pas telle
qu'on la suppose parfois. C'est ainsi qu'au point de vue de l'ordre des
fins ces deux substances spirituelles se trouvent placées exactement sur
le même rang ; elles sont littéralement égales, car les hommes sont
ordonnés comme les anges en vue de la béatitude éternelle qui consiste
dans la jouissance de Dieu. Non seulement les uns et les autres ont
pour fin la même béatitude, mais encore ils l'ont pour fin immédiate,
c'est-à-dire que l'ange n'a pas été créé en vue d'une autre créature qui
aurait eu elle-même Dieu pour fin, et que l'âme n'a pas été non plus
créée en vue de l'ange qui avait Dieu pour fin ; l'homme, aussi bien que
l'ange, n'est créé que pour Dieu : *nec homo propter angelum, nec ange-*
lus propter hominem[1]. Point de grande conséquence lorsqu'on songe au
problème de la connaissance humaine et aux rapports immédiats qu'elle
suppose entre l'homme et Dieu ; la doctrine augustinienne selon laquelle
Dieu préside à l'âme humaine : *nulla interposita natura*, ne sera vraie
dans l'ordre de la connaissance que pour avoir été vraie d'abord dans
l'ordre des fins.

Chercherons-nous la supériorité des anges dans la nature de leur
intellect? Certains, rappelant l'expression de Denys[2] qui attribue aux
anges un intellect *deiformis*, en ce qu'il est capable de connaître par
espèces innées, et d'une intuition directe, les opposent aux hommes
qui ne conquièrent leur science que par les voies indirectes et composées de la raison raisonnante. Mais c'est là comparer l'homme, pris
dans son état actuel de déchéance transitoire, à l'ange considéré dans
sa perfection définitive. Or, on peut dire que le mode de connaissance
qui est présentement celui de l'âme humaine lui est purement accidentel. Avant la chute, Adam connaissait par espèces innées comme con-

---

1. *II Sent.*, 1, 2, 2, 2, Concl., t. II, p. 46. Cette curieuse conclusion de saint Bonaventure, et qui semble avoir été peu suivie (voir *Scholion*, ad loc.), fait les anges et les hommes
concitoyens de la même cité ; ils se rendent donc de mutuels services : « Nam homo habet
habilitatem ad labendum frequenter et possibilitatem ad resurgendum ; angelus vero stans,
perpetuitatem in stando, et cadens impossibilitatem in resurgendo, ideo Angelus stans sus-
tentat hominem sive infirmitatem humanam, et homo resurgens reparat ruinam angelicam ;
ideo quodammodo angelus propter hominem, et quodammodo propter angelum ; et ideo in
hoc ordine pares sunt. » Pour ce qui suit, le rapprochement est fait par saint Bonaventure,
ad 1ᵐ, p. 46 ; cf. p. 45, note 5.

2. *De div. nom.*, VII, 2.

naissent les anges. Mieux encore, l'âme séparée après la mort demeure capable de connaissance, et ce qu'elle connaît alors lui est connu par l'intuition intellectuelle de ses espèces innées. Ajoutons enfin que ce que la grâce confère parfait toujours la nature et ne la détruit jamais ; or, l'intellect humain deviendra déiforme dans l'état de gloire béatifique ; il se trouvera dès lors placé sur le même rang que les anges et par conséquent la différence qui distingue actuellement ces deux substances spirituelles est purement accidentelle, non essentielle[1]. Cette résistance de saint Bonaventure est instructive. Saint Thomas, logique et conséquent avec lui-même, enseignera que l'âme est la plus basse des formes intelligibles, le correspondant dans l'ordre de l'intelligible de ce qu'est la matière première dans l'ordre du corporel, vide de toutes espèces intelligibles, et il reprochera toujours à ceux qui lui attribuent des connaissances innées de la mettre sur le même plan que l'ange. Saint Bonaventure, non moins logique et cohérent avec lui-même, considère l'âme comme capable d'intuition intellectuelle dès cette vie même, riche des espèces intelligibles d'elle-même et de Dieu, donc essentiellement analogue aux substances séparées. Reste, il est vrai, l'union de l'âme et du corps, et c'est bien là que nous trouverons une différence spécifique entre l'âme et l'ange, mais à l'expresse condition de la bien interpréter.

Qui voudrait, en effet, hiérarchiser ces deux substances de ce nouveau point de vue s'engagerait dans une voie sans issue. Remarquons, en effet, qu'attribuer à l'ange une telle supériorité d'essence et de perfection sur l'âme qu'il en résulte un changement d'espèce, c'est oublier qu'il a jadis existé une âme qui, sans cesser d'être une âme humaine, a pu être l'âme du Christ. Puisque la plus excellente des formes spirituelles, celle d'un Homme-Dieu, a pu trouver place entre les limites de l'espèce des âmes humaines, n'est-il pas bien douteux que l'ange l'emporte en dignité sur l'âme au point d'appartenir à une espèce supérieure ? Sans doute cette âme possède une aptitude naturelle à s'unir au corps humain ; saint Bonaventure le reconnaît, et il précise même que cette aptitude n'est pas chez elle quelque chose d'accidentel, mais d'essentiel ; avec saint Thomas d'Aquin, il se refuse à croire que l'union de l'âme et du corps soit un châtiment pour l'âme[2] et que le corps consti-

---

1. *II Sent.*, 1, 2, 3, 2, Concl., t. II, p. 49-50.
2. Voir E. Gilson, *Le Thomisme* (Études de philosophie médiévale, I), ch. IX, p. 139. Paris, J. Vrin, 1922. La vraie différence est que saint Bonaventure peut comparer l'*âme* à

tue pour elle une prison. Mais tout d'abord l'âme bonaventurienne est, comme nous le verrons plus loin, une substance complète, douée de sa matière et de sa forme, comparable par conséquent à une substance angélique. En second lieu, et par une conséquence toute naturelle, le lien de l'âme au corps n'est pas de même nature chez les deux philosophes ; le désir du corps qu'éprouve l'âme thomiste est celui d'une substance incomplète qui souffre d'un manque, et d'une forme intelligible sans contenu qui réclame des organes sensibles pour conquérir ses concepts en explorant le monde des choses ; le désir du corps qu'éprouve l'âme bonaventurienne est celui de conférer une grâce à ce corps, de lui faire du bien, à lui et non à elle ; de combler le manque de forme dont il souffre sans elle et non le manque de contenu dont elle souffrirait sans lui, puisqu'elle possède sans lui l'essentiel de ce contenu dans les deux idées fondamentales de l'âme et de Dieu. L'âme thomiste a besoin de son corps pour constituer la science des choses et prouver l'existence de Dieu ; l'âme bonaventurienne unie au corps éclairera le domaine des choses sensibles à la lumière d'une idée de Dieu qu'elle possède déjà. C'est pourquoi nous la verrons informer le corps par un désir naturel et qui lui est essentiel, mais par un désir qui est un acte d'amour, de générosité et de libéralité, non l'expression d'un manque et d'un besoin. On comprend dès lors l'insistance de saint Bonaventure à rappeler que c'est une perfection pour l'âme que de pouvoir et de devoir informer le corps[1] ; elle est en quelque sorte à son corps comme Dieu est à l'âme ; et s'il est vrai que l'homme, composé d'intelligible et de matière corporelle, est inférieur à l'ange[2], ce n'est pas en raison de son âme qu'il l'est, c'est bien plutôt à cause de son âme qu'il l'est de si peu, même en tant qu'homme. La parole du Psaume (VIII, 6) : *Minuisti eum*

l'ange comme une substance à une substance, alors que saint Thomas ne peut comparer à l'ange que l'*homme*.

1. « Hoc enim, quod est animam humanam uniri corpori humano sive vivificare corpus humanum, non dicit actum ignobilem..., quia ratione illius est anima nobilissima formarum omnium, et in anima stat appetitus totius naturae. Corpus enim humanum nobilissima complexione et organizatione quae sit in natura est organizatum et complexionatum ; ideo nec completur nec natum est compleri, nisi nobilissima forma sive natura. Illud ergo quo anima est unibilis corpori, tale dicit quid essentiale, respiciens quod est nobilissimum in anima ; et ita penes illud recte sumitur specifica differentia, secundum quam differt anima a natura angelica », *II Sent.*, 1, 2, 3, 2, Concl., p. 50. Ce qui n'empêche, comme on le verra plus loin, qu'une fois présente : « Se ipsa anima perficit corpus, sicut forma se ipsa unitur materiae », *Ibid*, p. 51.

2. *II Sent*, 1, 2, 2, 2, fund. 1 et 2, t. II, p. 45. Pour ce qui suit, voir un texte caractéristique, *II Sent.*, 9, un., 6, ad 4^m, t. II, p. 251.

paulo minus ab angelis, exprimerait assez bien la tendance fondamentale de saint Bonaventure sur ce point.

Les anges ont été créés dès le premier jour de la création. Non pas qu'ils aient été les premières créatures à eux seuls, mais ils ont été parmi les premières. Quatre ordres de créatures ont été en effet produits à l'être par Dieu dès le premier jour, savoir : le ciel empyrée, les anges, la matière et le temps. Une première raison de cette quadruple création est qu'il convenait de représenter dès le commencement du monde tous les genres possibles de créatures : les corps passifs, les corps actifs, les esprits, et la mesure des uns et des autres. Or, la première des créatures spirituelles est l'ange, puisqu'il est un esprit pur ; sa place était donc marquée dès le début de la création. Au même moment apparaissaient la première des substances corporelles actives qui est l'empyrée ; la première des substances corporelles passives qui est la matière des éléments, et la première des mesures qui est le temps. Nous voyons ici pourquoi l'on peut et doit dire que le monde a été créé dans le temps, car il n'est pas seulement la mesure de ce qui existe déjà et dure, mais aussi la mesure qui accueille les choses dès leur passage du néant à l'être : *non tantum dicit mensuram durationis, sed etiam egressionis*[1] ; chaque chose naît contemporaine de la durée qui l'enveloppe et qui désormais la mesurera.

Une autre raison de cette quadruple création simultanée est que la substance angélique, en tant que chef de la nature entière et indépendante des autres substances, devait être produite dès le premier moment. Or, comme nous le verrons plus amplement, le monde des anges comporte distinction et ordre, et son existence ne pouvait s'insérer dans la nature en satisfaisant aux exigences de l'ordre que si les substances angéliques se voyaient assigner un certain lieu ; tel fut précisément l'empyrée, corps céleste le plus haut de tous et qui contient par conséquent tous les autres. Mais on sait d'autre part que le vide est impossible ; l'empyrée, siège des anges, ne pouvait donc demeurer sans contenu, d'où la création de la matière corporelle des quatre éléments. Enfin, rien de ce qui existe ne peut exister sans une durée qui le mesure ; ces trois ordres de créatures supposaient donc nécessairement le temps[2]. Ainsi les anges avaient droit d'apparaître les premiers de par leur perfection propre, et c'est par suite d'une nécessité concomitante que leur

1. *II Sent.*, 2, 1, 2, 3, Concl., t. II, p. 68.
2. *Ibid.*, ratio 2ª.

lieu, ce que leur lieu contient et la durée du tout se sont trouvés simultanément créés.

Examinons d'abord quelle est l'essence de la nature angélique et quelles sont les opérations qui en découlent ; nous déterminerons ensuite, en fonction de ces données fondamentales, leur rapport à l'espace et au temps. Le premier problème qui se pose est de savoir ce que l'on entend lorsqu'on affirme que l'essence des anges est une essence simple[1]. Et tout d'abord ce terme doit-il être pris dans son sens absolu, de telle sorte que simple signifie : affranchi de toute composition ? Posé de cette manière, le problème ne doit pas être isolé du reste de la philosophie première, et l'on peut même dire que la solution en est définie d'avance par ce que nous savons de la nature de Dieu. S'il est simple d'une absolue simplicité, il est évidemment le seul à l'être, et par conséquent nulle créature ne la sera au même sens que lui. Or, on peut montrer, en effet, que toute créature comporte de multiples compositions.

La première est la composition de substance et d'accident ; c'est-à-dire qu'en aucune créature les propriétés ou facultés de la substance ne se confondent avec la substance même. Dieu est son être ; étant son être il agit par son être, et ce que nous appelons ses facultés ou puissances se confond nécessairement avec ce qu'il est. Toute créature, au contraire, est une substance participée, qui n'est pas son être même, et qui, par conséquent, se développe en facultés, lesquelles, à leur tour, accomplissent des opérations. Or, ces facultés et ces opérations s'ajoutent à l'essence de la créature comme les accidents s'ajoutent à la substance, et puisque les anges sont des créatures ils n'échappent pas à ce premier mode de composition.

Non seulement toute créature agit par des facultés dont elle se distingue, mais encore elle rentre dans un genre. L'individu ne réalise complètement ni son genre ni même son espèce. Pour nous en tenir à ce dernier cas, il est clair que l'être de l'individu est un être limité, semblable sous certains rapports à tel autre individu de la même espèce, mais différent de lui sous certains autres rapports. Si l'on veut exprimer métaphysiquement ce fait, on dira que l'essence, commune à tous les individus de l'espèce, se multiplie avec les sujets particuliers. Or, il découle immédiatement de là que l'essence de l'individu n'est pas iden-

---

1. Ce qu'affirme Pierre Lombard, dont saint Bonaventure commente le texte ; cf. *Lib. IV Sent.*, éd. Quaracchi, t. I, p. 317. On remarquera que « essentia simplex » signifie dans ce texte « indivisibilis et immaterialis ».

tique au sujet dans lequel elle se réalise ; l'être créé, et l'ange comme les autres, résulte donc nécessairement de leur composition.

Mais ces deux compositions en supposent à leur tour une troisième dont elles dérivent. Si les créatures ne sont jamais ni leur essence, ni leurs facultés, ni les opérations qui en dérivent, c'est précisément qu'étant des créatures elles ne sont pas leur être. Elles jouissent d'une existence qui ne leur appartient pas de droit, mais qu'elles ont reçue ; qui, par conséquent, se distingue d'elles comme quelque chose qui pouvait ne pas leur être donné et dont on ne trouve pas la raison suffisante dans la considération de ce qu'elles sont. C'est ce que saint Bonaventure nomme la distinction de ce qui est et de son être : *differentia entis et esse*. Or, les anges n'échappent pas plus à cette composition qu'aux deux précédentes ; créatures, ils ne peuvent prétendre à l'absolue simplicité du créateur[1].

Reste une dernière question, et la plus épineuse : les anges sont-ils composés de matière et de forme? A quelques différences près dans le mode d'expression tous les théologiens sont d'accord sur les trois genres de composition qui précèdent ; il n'en est pas de même en ce qui concerne celui-ci, et l'on sait par exemple que saint Thomas ne le concédait pas aux tenants de la tradition franciscaine. Saint Bonaventure estime au contraire, pour sa part, qu'il est plus juste d'affirmer la composition hylémorphique des anges que de la nier, et s'il juge que la position contraire est difficilement défendable c'est au nom du principe métaphysique absolument général que voici : dans toute substance composée l'un des éléments composants joue nécessairement le rôle d'agent et l'autre joue nécessairement le rôle de patient. Si l'on n'admet pas la vérité de ce principe, la composition même du composé dont on le nie devient inintelligible ; car si ses deux composants sont l'un et l'autre en puissance, ils demeureront inertes et juxtaposés sans jamais s'unir, et s'ils sont, au contraire, l'un et l'autre en acte, chacun d'eux se suffira à soi-même sans qu'aucune cause assignable de leur composition puisse jamais surgir. Dès lors, dire que les anges sont des substances composées, c'est dire qu'il y a en eux de l'actuel et du possible ; or, l'acte est toujours la forme et le possible est toujours la matière, les anges sont donc nécessairement composés de matière et de forme[2].

1. *I Sent.*, 8, 2, un., 2, Concl., t. I, p. 168, et *II Sent.*, 3, 1, 1, 1, Concl. 1ª, t. II, p. 90-91.
2. *II Sent.*, 3, 1, 1, 1, Concl. 3ª, t. II, p. 91 : « Cum in angelo sit ratio mutabilitatis non tantum ad non esse, sed secundum diversas proprietates, sit iterum ratió passibilitatis,

C'est ce qui apparaîtra peut-être plus clairement encore en reprenant à propos des anges eux-mêmes les arguments généraux que nous avons invoqués pour établir l'hylémorphisme de toute nature créée. Les anges sont sujets au changement; ils n'ont pas l'immutabilité de l'essence divine; or, rien de ce qui change n'est simple, l'ange est donc composé. Mais, s'il change, il doit inévitablement contenir une matière, car la matière est le principe même du changement. L'ange doit donc posséder une essence qui, à certains égards, ne soit ni de l'être au sens absolument positif du terme, ni du non-être au sens absolument privatif de l'expression; il entre donc dans sa composition une part de ce principe qui n'est ni tout à fait quelque chose ni tout à fait rien, mais semble hésiter entre l'être et le rien, et qu'Augustin nomme la matière; il existe donc dans l'ange une matière de son changement. De plus, tout changement ou tout mouvement suppose deux termes, l'un qui le provoque et l'autre qui le subit; le changement est donc inséparable de l'action et de la passion. Or, le principe de l'action est la forme et le principe de la passion est la matière; si donc, par exemple, les anges peuvent recevoir des connaissances ou les transmettre, ils peuvent agir par une forme et pâtir par une matière, et nous retrouvons exactement la même conclusion que précédemment.

Nous la retrouverons encore en considérant le principe d'individuation des substances angéliques. Certains, parmi lesquels se range encore saint Thomas, esquivent la difficulté en soutenant que chaque ange constitue à lui seul une espèce et que, par conséquent, le problème de l'individuation ne se pose pas à son égard. Mais pour soutenir une thèse aussi étrange sans vice de présomption il faudrait au moins qu'elle fût exigée par le texte de l'Écriture et qu'on y fût acculé par des raisons nécessaires; or, elle ne nous est imposée par aucun de ces deux ordres de preuves. On remarquera d'abord que, parmi les propriétés attribuées par Pierre Lombard aux anges, se rencontre la *discretio personalis;* or, le terme *personalis* ne peut guère signifier que des personnes, donc des individus, et l'on réussira difficilement à lui faire signifier des espèces. Il n'est peut-être pas non plus sans intérêt d'ob-

sit iterum ratio individuationis et limitationis, postremo ratio essentialis compositionis secundum propriam naturam, non video causam nec rationem, quomodo defendi potest, quin substantia angeli sit composita ex diversis naturis, et essentia omnis creaturae per se entis (c'est-à-dire de toute substance créée); et si composita est ex diversis naturis, illae duae naturae se habent per modum actualis et possibilis, et ita materiae et formae. Et ideo illa positio videtur verior esse, scilicet quod in angelo sit compositio ex materia et forma. »

server que l'Écriture nous représente souvent de nombreux anges comme occupés à remplir les mêmes fonctions ou des fonctions très analogues ; or, l'analogie des fonctions suppose l'analogie des êtres et nous sommes invités par là plutôt à nous les représenter comme divers individus de même espèce que comme des espèces formellement différentes[1]. Mais surtout on observera qu'à tous les degrés de la hiérarchie des êtres raisonnables se rencontrent la distinction personnelle et l'individualité. Dieu lui-même, qui est forme pure, n'en contient pas moins trois personnes distinctes ; les hommes, si éloignés qu'ils soient de la perfection divine, se distinguent cependant les uns des autres comme des individus numériquement différents ; pourquoi donc n'en serait-il pas de même en ce qui concerne les anges, plus parfaits que les hommes et plus proches de la souveraine perfection de Dieu[2]? Il y a donc de bonnes raisons de considérer comme *sobria et catholica* la doctrine de la distinction individuelle des anges ; cherchons maintenant si l'on peut découvrir dans la nature angélique une raison philosophique de lui refuser une matière qui l'individue.

A priori, on ne voit pas pourquoi l'ange seul ferait exception à la loi de l'individuation par la matière. Toute distinction numérique se fonde sur un principe intrinsèque et substantiel, car si l'on considère deux individus quelconques, même abstraction faite de tous les accidents qui les distinguent, ils restent encore deux. Or, il n'y a que deux principes substantiels, la matière et la forme ; la forme est le principe de l'espèce, ce n'est donc pas elle qui fonde l'individualité des êtres comme telle, et il reste, par conséquent, que ce soit la matière. On objectera peut-être que l'individuation de l'ange se fait par son « sujet » même, mais il faudra bien que l'on nous dise alors si ce sujet ajoute quelque chose à la forme ou s'il ne lui ajoute rien. S'il ne lui ajoute rien on ne

---

1. « Danielis septimo : Millia millium ministrabant ei ; et constat quod non tot habebant ministeria differentia specie quot Daniel enumerat ; ergo nec ministri omnes differebant specie ; ergo aliqui vel omnes differebant numero solo. Quodsi dicas quod tot quot ministeria, objicitur de secunda parte auctoritatis. Et decies centena millia assistebant ei. Constat quod tanta diversitas non poterat cadere nisi secundum numerum, cum haberent unum statum, scilicet assistere », *II Sent.*, 3, 1, 2, 1, fund. 1ᵐ, t. II, p. 102.

2. *II Sent.*, 3, 1, 2, 1, fund. 3ᵐ, et Concl., t. II, p. 103. Saint Bonaventure ajoute que la vie affective de l'ange serait mutilée s'il ne pouvait jouir de la société de ses semblables ; or, cette satisfaction suppose une pluralité d'individus de même espèce ; *Ibid.*, fund. 4ᵐ. Cette raison n'est ni superficielle ni de circonstance ; elle se fonde sur ce que : « Amor caritatis exsultat in multitudine bonae societatis », d'où multiplication des anges et des hommes ; *Ibid.*, ad 1ᵐ, p. 104. Sur le caractère substantiel et non accidentel de cette distinction numérique, voir *II Sent.*, 3, 1, 2, 2, t. II, p. 105.

voit pas comment il peut ramener cette forme universelle à l'existence particulière d'un individu donné; dès lors, ce sujet individuel sans matière sera un universel à l'état pur, son existence ne sera déterminée ni à tel temps ni à tel lieu particulier, il devra donc exister nécessairement partout et toujours, il sera une personne divine, il sera Dieu. Or, l'ange n'est qu'une créature, un être fini et soumis aux conditions de l'espace aussi bien que de la durée; sa substance requiert donc un principe de détermination et de limitation qui ne peut être que la matière, et nous tenons la conclusion que nous nous proposions de démontrer[1].

Reste à déterminer de quelle matière on parle lorsqu'on l'attribue aux anges. Dans la doctrine de saint Thomas la réponse ne comporte aucune hésitation; qui dit matière dit corps, et c'est avec une parfaite conséquence qu'il refuse simultanément aux anges toute matérialité et toute corporéité. Saint Bonaventure use, au contraire, du mot matière dans son sens le plus large et il l'entend toujours comme une potentialité absolument indéterminée. Principe du devenir, elle n'est rigoureusement ni ceci, ni cela, ni rien d'autre; elle n'est donc ni corporelle ni spirituelle, mais deviendra indifféremment corps si elle reçoit une forme de corps, ou esprit si elle reçoit une forme d'esprit : *materia in se considerata nec est spiritualis nec corporalis, et ideo capacitas consequens essentiam materiae indifferenter se habet ad formam sive spiritualem sive corporalem*[2]. Dès lors, on peut résoudre sans difficulté ce problème d'apparence si obscure et sur lequel se sont divisés de grands et illustres clercs, philosophes aussi bien que théologiens. Si l'on raisonne en physicien on ne considérera que la matière déjà informée par une forme sensible, et chaque fois que l'on parlera de matière le physicien comprendra qu'il s'agit de la matière des corps qui constituent l'objet ordinaire de son étude. Pour lui toute matière sera donc corporelle et, par conséquent, il ne consentira jamais à reconnaître que les anges aient une matière pour ne pas leur attribuer la seule qu'il connaisse, celle du corps en général. Mais le métaphysicien ne s'en tient pas à l'être concret donné dans l'expérience; il élève sa considération jusqu'à l'essence même des choses et à leur substance en tant que telle. Or, la substance suppose une existence déterminée que confère la forme,

1. *II Sent.*, 3, 1, 1, 1, fund. 4ᵐ, t. II, p. 90 Cf. texte cité p. 235, note 1. Pour comparer cette doctrine avec celle de saint Thomas, voir le *Scholion*, t. II, p. 92-94.

2. *II Sent.*, 3, 1, 1, 2, ad 3ᵐ, t. II, p. 98. Le *Scholion* des éditeurs, p. 92, art. 1, renvoie avec raison à Aristote, *Metaph.*, VI, 3, 1029, a 20 et suiv.

et une permanence dans l'existence que la matière confère à cette forme. Mais la matière que considère le métaphysicien est la matière de toute substance quelle qu'elle soit, indépendamment du mode d'être défini que lui confère telle ou telle forme, et, dès lors, elle est indétermination pure. Si donc nous interrogeons le métaphysicien, il affirmera contre le physicien que la matière des anges est la même que celle des corps.

C'est alors au théologien qu'il appartient de choisir. Répondra-t-il à la question en physicien ou en métaphysicien? Son choix est libre; il l'effectuera donc du point de vue supérieur de la Sapience chrétienne, à qui toutes les autres sciences sont soumises en ce qu'elle use de leurs conclusions selon ses besoins. Pourquoi, en effet, hésiterait-il entre deux jugements, dont l'un émane d'une science supérieure et l'autre d'une science inférieure en dignité? Le métaphysicien juge les choses d'un point de vue plus élevé que le physicien, le théologien le sait et, par conséquent, il doit opter pour le métaphysicien; ceux qui posent une seule matière pour les corps et pour les anges sont ceux qui prennent la question de plus haut et la résolvent selon la vérité. Tous sont donc d'accord pour nier que la matière des anges soit une matière corporelle, mais les métaphysiciens ont raison lorsqu'ils considèrent la matière indéterminée, que détermineront ensuite les formes angéliques et les formes corporelles, comme homogène et numériquement identique chez les esprits et dans les corps créés[1].

Ainsi les anges se présentent à nous comme des substances spirituelles, totalement indépendantes des corps, composées de matière et de forme et numériquement distinctes les unes des autres; mais un dernier problème relatif à leur essence attend encore une solution : dans ces substances composées où la matière permet l'individualisation de la forme, quel est le principe de l'individuation? Problème extrêmement grave et dont la solution sera grosse de conséquences métaphy-

---

1. *II Sent.*, 3, 1, 1, 2, Concl., t. II, p. 96-97. Saint Bonaventure va jusqu'à l'identité numérique de cette matière, comme nous l'indiquons ici, mais ce n'est pas l'identité actuelle d'un sujet déterminé, comme celle d'un individu considéré dans deux endroits différents, c'est une unité d'indétermination et comme d'homogénéité (au sens d'indifférenciation) : « Illa est unitas magis possibilitatis, quae adeo ampla est ut sustineat receptionem majoris multitudinis diversitatis formarum superadjectarum quam unitas formae alicujus universalis, etiam generis generalissimi; et hoc est propter summam possibilitatem. Unde dicitur una numero, quia est una sine numero, quemadmodum ovis carens signo respectu ovium habentium signum dicitur esse signata : per hunc modum intelligi potest materia numero una », *II Sent.*, 3, 1, 1, 3, Concl., t. II, p. 100.

siques. Car il peut sembler parfaitement clair qu'une forme universelle se trouve multipliée par les contractions successives que la matière lui impose; mais, si l'on s'explique par là qu'il surgisse un certain nombre d'individus, on ne sait pas pour autant si le principe de leur individuation doit être attribué à la matière seule, et moins encore si la matière suffit à rendre compte de cette perfection supérieure à l'individualité qu'est la personnalité.

Certains philosophes, s'appuyant sur l'autorité d'Aristote, ont enseigné que le principe d'individuation est la matière, parce que l'individu n'a rien de plus que l'espèce, si ce n'est la matière elle-même; on passerait ainsi du domaine de l'universel, qui est aussi le domaine des formes, au domaine du particulier et des individus, au moment précis où la matière apparaît, et elle serait, par conséquent, le principe propre de l'individuation. Mais bien des difficultés rendent cette solution inacceptable aux yeux de saint Bonaventure; elle peut avoir pour elle l'autorité d'Aristote, elle a contre elle de subordonner l'individualité à un élément de pure indétermination et de presque non-être. Or, saint Bonaventure a fortement insisté sur l'antériorité métaphysique de la substantialité par rapport à la distinction individuelle et au nombre qui en résultent. Comme Aristote, il admet et enseigne que la matière est le nombre, mais en ce sens que s'il n'y avait pas de matière il n'y aurait pas non plus de nombre. La matière rend la multiplicité possible, elle ne suffit pas à la constituer, et même, en tant qu'elle n'apporte aux individus que la multiplicité numérique, elle ne peut être qu'un élément subordonné de l'individuation. L'apparition d'une multiplicité d'êtres individuellement distincts suppose en effet tout d'abord la constitution d'une substance par les principes essentiels qui la définissent; cette substance une fois posée, elle se trouve distincte des autres, et c'est de sa distinction que surgit le nombre comme une propriété accidentelle dérivée de cette substance : *individuatio autem est ex principiorum indivisione et appropriatione; ipsa enim rei principia, dum conjunguntur, invicem se appropriant et faciunt individuum. Sed ad hoc consequitur esse discretum sive esse distinctum ab alio, et surgit ex hoc numerus, et ita accidentalis proprietas consequens ad substantiam*[1]. Pour

---

1. *II Sent.*, 3, 1, 2, 2, Concl., t. II, p. 106. Cf. « Nec potest habere veritatem, quod distinctio individualis sit ab accidentibus, cum individua differant secundum substantiam, non solum secundum accidens; et similiter de discretione personali intelligendum est », *II Sent.*, 3, 1, 2, 2, Concl., t. II, p. 106. « Quod objicitur quod individuatio est a materia, dicendum quod per illas auctoritates non datur intelligi quod materia sit principium indi-

une philosophie qui attache cette haute valeur à l'individualité, c'est donc prendre la conséquence pour le principe que de considérer la matière et le nombre comme le principe de l'individuation. Elle peut en être la condition *sine qua non*, elle n'en est pas la cause totale ni même, à proprement parler, la cause, et c'est dans une autre direction qu'il convient de la chercher.

En présence de ces philosophes, nous en apercevons d'autres qui se portent immédiatement à l'extrémité opposée et veulent trouver dans la forme seule la raison dernière qui justifie le discernement des individus. Après la forme de l'espèce la plus spéciale, qui semble la dernière que nous puissions assigner avant d'en venir à l'individu lui-même, ces philosophes introduisent une forme supplémentaire qui serait la forme de l'individu. Ils conçoivent donc l'ordre de génération des formes dans la nature comme rigoureusement parallèle au tableau des genres et des espèces ; en conséquence, ils se représentent la matière comme une puissance absolument pure, à laquelle advient d'abord la forme du genre le plus universel, puis une forme moins universelle, et ainsi de suite en descendant jusqu'à la forme spécifique la moins universelle de toutes ; mais cette dernière forme elle-même n'est pas totalement actuelle, puisqu'il lui manque encore la détermination de l'individualité ; ils ajoutent donc aux formes précédentes celle de l'individu, qui est tout entière en acte comme la matière était tout entière en puissance, et c'est à ce moment seulement que l'individu se trouve constitué[1]. Mais cette solution, si elle a le mérite de ne pas expliquer le supérieur par l'inférieur en faisant sortir l'individualité de la matière, a le défaut de méconnaître le rôle nécessaire de la matière comme fondement du nombre et de la multiplicité. La matière peut n'en être pas la raison unique ni même la cause la plus profonde, mais on ne voit pas comment la multiplicité s'introduirait dans la forme sans le secours de la matière. Il y a plus ; nous voyons continuellement la forme d'une même espèce se plurifier sous nos yeux sans qu'une forme additionnelle vienne s'y

viduationis, nisi sicut causa sine qua non, non autem sicut tota causa. Nec tamen ita potest attribui materiae personalis discretio, sicut individuatio, propter hoc quod dicit dignitatem quae principalius respicit formam », *II Sent.*, 3, 1, 2, 3, ad 4[m], t. II, p. 110. « Diversitatem substantialem consequitur numerus inseparabiliter ; tamen secundum rem et naturam distinctio illa est a substantiali principio, non accidentali », *II Sent.*, 3, 1, 2, 2, ad 6[m], t. II, p. 107.

1. *II Sent.*, 3, 1, 2, 3, Concl., t. II, p. 109 ; les éditeurs, note 8, renvoient sur ce point à Averroès, *In Met.*, I, texte 17.

ajouter; un feu ne diffère pas d'un autre feu par une forme individuelle quelconque; lorsque nous coupons un fragment de matière continue nous engendrons des parties distinctes les unes des autres par voie de simple division et sans introduire aucune forme dans cette matière. Ajoutons enfin que si l'individu était constitué comme tel par une forme il serait définissable; or, chacun sait qu'il est impossible de définir le particulier[1]. C'est donc dans une troisième direction qu'il nous faut chercher.

En réalité, nous n'avons plus guère le choix, étant donné le point où notre discussion nous a conduits; si l'individuation ne résulte ni de la matière seule ni de la forme seule, elle ne peut résulter que de la conjonction de la matière et de la forme. Il en est de cette conjonction par laquelle chaque principe s'empare de l'autre et se l'approprie comme d'un sceau et de la cire sur laquelle il s'imprime. Cette impression fait apparaître une multitude de sceaux sur une cire primitivement une, et ni le sceau n'aurait pu se multiplier sans la cire, ni les parties de la cire devenir numériquement distinctes sans les multiples impressions du sceau qui sont venues la différencier. Que si l'on veut pousser plus loin encore la précision et déterminer quelle est la cause principale de l'individuation, de la forme qui spécifie ou de la matière qui reçoit le nombre, nous répondrons qu'un individu est *hoc aliquid;* il est *hoc,* c'est-à-dire un être particulier auquel se trouve assignée une position déterminée dans le temps comme dans l'espace, et il le doit à sa matière; mais il est aussi *aliquid,* c'est-à-dire une essence définissable et saisissable par la pensée comme spécifiquement distincte des autres, et c'est à sa forme qu'il le doit. A la matière, la forme doit d'exister, puisqu'elle ne saurait subsister à part; à la forme, la matière doit l'acte même qui définit son indétermination et l'actualise; c'est donc bien de la conjonction de ces deux principes que surgit l'individu créé[2]. Conclusion logique et que rendait inévitable le souci constant chez saint Bonaventure de conférer à l'individu comme tel le maximum de distinction et de stabilité. En confondant l'individualité avec la substance même, il lui subordonne les accidents de temps et de lieu dont on prétendait la faire sortir. Les âmes chrétiennes, pas plus que les natures angéliques, ne s'accommodent de l'individualité accidentelle que leur concéderait un aristotélisme rigoureux; le Christ n'est pas mort pour sauver l'espèce

---

1. *Ibid.,* ad oppos. 2, et Concl., t. II, p. 109.
2. *II Sent.,* 3, 1, 2, 3, Concl., t. II, p. 109-110; *II Sent.,* 18, 1, 3, Concl., ad rat. 1ᵃᵐ, t. II, p. 441.

puisque, comme le Christ de Pascal, celui de saint Bonaventure pourrait dire à chacune d'elles : « Je pensais à toi dans mon agonie, j'ai
versé telles gouttes de sang pour toi[1]. »

C'est ce qui paraît mieux encore lorsqu'on s'élève avec saint Bonaventure du problème de l'individualité à celui de la personnalité. La
personne ajoute, en effet, quelque chose à l'individu, et c'est la personnalité même. Tous les êtres réels sont des individus, seuls les êtres
doués de connaissance sont des personnes. A ce titre ils possèdent
d'abord cette dignité d'occuper le premier rang parmi toutes les natures
créées et de n'être ordonnés immédiatement qu'à Dieu comme à leur
fin. Qualité si l'on veut, mais qualité que l'on ne saurait considérer
comme un simple accident de la substance; c'est une propriété essentielle de la nature raisonnable, et inscrite dans son être même, que
de ne supposer aucune fin intermédiaire entre elle et Dieu; dès à présent nous savons donc qu'il serait vain de fonder la personnalité sur
quelque accident. En outre, la personne ajoute à la simple individualité ce que l'on pourrait nommer l'éminence actuelle, en ce sens
qu'elle réside toujours dans la forme la plus haute du sujet qui la possède. La personnalité ne s'expliquerait donc pas suffisamment par
l'union d'une forme quelconque avec une matière, il faut encore que
cette forme jouisse d'une éminente dignité. Dès lors, c'est bien la
dignité et l'éminence de la forme qui constituent le principe de la personnalité comme telle et la matière suffirait moins encore à la constituer qu'elle ne suffisait à fonder l'individualité[2].

Ainsi, nous retrouvons à l'origine de chacune des conclusions de saint
Bonaventure le respect de l'éminente dignité de la personne humaine :
*nec ita potest attribui materiae personalis discretio, sicut individuatio,
propter hoc quod dicit dignitatem*. Et si nous cherchons où réside cette
dignité comme dans son sujet, c'est toujours dans la substance que
nous la trouvons inscrite. La personne est bien à ses yeux quelque
chose de séparé et d'incommunicable, mais la « privation de communication » qui lui confère son existence distincte n'est pas quelque chose

---

1. C'est pourquoi saint Thomas lui-même, malgré son désir de maintenir intact le principe aristotélicien de l'individuation par la forme, enseigne corrélativement que la matière
individuante n'est là qu'en vue de la forme individuée; cf. *Le Thomisme*, p. 141, note 1.

2. « Personalis autem discretio dicit singularitatem (comme l'individualité) et dignitatem
(ce qu'elle ajoute à la simple individualité). In quantum dicit singularitatem hoc dicit ex
ipsa conjunctione principiorum ex quibus resultat ipsum quod est. Sed dignitatem dicit
principaliter ratione formae, et sic habet unde sit personalis discretio originaliter, in creaturis loquendo, sive in hominibus sive in angelis », *II Sent.*, 3, 1, 2, 3, Concl., t. II, p. 110.

de purement négatif; à moins de faire sortir une dignité du néant, la distinction des substances ne peut être que l'envers et comme la conséquence de quelque perfection positive : *privatio illa in persona magis est positio quam privatio*[1]. Si donc on veut donner une définition de la personne, soit angélique, soit humaine, il faudra nécessairement y inclure et même y situer au premier plan la forme substantielle qui lui confère actualité et dignité. La personne est la dignité que confère à la substance la forme qui réside incommunicablement et d'une manière différente dans chaque sujet : *proprietas dignitatis incommunicabiliter existens in hypostasi; aliter tamen reperitur hic, aliter ibi*[2].

Puisqu'il est une personne, l'ange est un être doué de connaissance et, par conséquent, nous ignorons sa nature propre si nous ignorons le mode selon lequel il connaît. Problème pour la solution duquel nous ne disposons d'aucune donnée expérimentale, puisque l'essence de la nature angélique nous demeure inaccessible, mais que nous ne devons cependant pas désespérer de résoudre; à défaut de faits directement observables, nous disposons des principes métaphysiques par lesquels se définit la hiérarchie des êtres, et la solution la plus juste du problème de la connaissance angélique sera celle qui satisfera le plus complètement à leurs exigences.

Le premier principe auquel il importe de se référer est que les anges, si éminente que soit leur dignité, ne sont cependant que des créatures. Pour connaître les choses, il faut que leur intellect soit en acte à l'égard des choses; mais leur intellect ne peut être un acte pur, car attribuer l'actualité pure à l'intellect angélique équivaudrait à en faire un Dieu; les anges ne peuvent même pas être en acte par eux-mêmes et sans le devoir à quelque action transcendante, car cela supposerait que Dieu peut créer des êtres en acte sans leur avoir conféré leur actualité. La

---

1. *I Sent.*, 25, 2, 1, Concl., t. I, p. 443.
2. *II Sent.*, 3, 1, 2, 3, Concl., fin., t. II, p. 110. On retrouvera la même définition, interprétée en fonction du principe d'analogie pour l'appliquer aux personnes divines, dans le texte auquel renvoie la note précédente; spécialement : « Persona ulterius quia incommunicabilitatem habet ratione ejus quod subest proprietati distinguenti, dicit habitudinem ad proprietatem, sicut per nomen hypostasis. » C'est le seul texte où la personne soit définie comme un rapport ou une relation et, si l'on ne craignait de forcer la pensée de saint Bonaventure, ce serait peut-être l'expression la plus commode pour désigner sa position philosophique sur ce point important; mais il faudrait l'entendre, de toute évidence, comme une relation substantielle : la substance considérée dans le rapport qui la constitue. C'est en effet ce rapport de soumission du sujet à la forme qui constitue la personne et lui confère l'incommunicabilité : « Rursus, ex his habetur quod persona ponit, circa suppositum de quo dicitur, intentionem subjiciendi, et non praedicandi de pluribus »; *loc. cit.*, t. I, p. 443.

connaissance angélique, de quelque manière que nous devions la définir, supposera donc nécessairement une réception, une passivité primitive qu'un don de Dieu sera venu actualiser.

Mais un second principe, non moins nécessaire que le précédent, fait également valoir ses droits. L'ange est un pur esprit; n'ayant pas de corps, il ne peut être ramené de la puissance à l'acte par les corps sensibles eux-mêmes. Bien plus, il est peu croyable qu'un intellect aussi parfait que celui de l'ange soit soumis d'une manière quelconque à l'influence de ces corps et qu'il ait besoin d'acquérir quelque chose pour s'assurer leur connaissance. Pour satisfaire aux deux principes que nous venons de rappeler, il faut donc que la connaissance des choses par les anges soit une connaissance reçue, mais il faut en même temps qu'elle soit indépendante de toute action des objets connus sur l'intellect angélique; elle ne peut donc être qu'une connaissance innée.

Pour comprendre en quoi consiste exactement un tel mode de connaître, il faut distinguer entre la connaissance de l'universel et celle du particulier. Dieu a créé les anges, munis des espèces universelles, non seulement de tout ce qu'il créait en même temps qu'eux, mais encore de tout ce qu'il devait créer dans l'avenir. Cette connaissance est donc une connaissance reçue et, par conséquent, l'intellect angélique ne tient pas de soi-même son actualité; s'il connaît tout ce qu'il est possible de connaître et même tout ce qui se produit de nouveau dans l'univers sans en subir l'action, c'est que les espèces intelligibles lui en ont été conférées par Dieu au moment de sa création même; l'ange subit la loi qui s'impose à tout être créé.

S'agit-il de la connaissance des choses particulières, le problème est un peu plus compliqué, mais il se résoudra selon le même principe. Conférer aux anges les espèces innées de tous les êtres particuliers et de toutes leurs combinaisons possibles eût été leur conférer une infinité d'espèces particulières, car le particulier est multipliable à l'infini, il se perd dans l'inintelligible par défaut de nombre et de loi. En outre, la connaissance angélique, parvenue dès le début à son état d'achèvement, eût été une connaissance complètement statique, incapable de s'accroître et de s'enrichir par l'activité propre du sujet connaissant. Mais une solution intermédiaire demeurait possible. Si le particulier se perd dans l'infini, on peut toujours ramener l'infinité des cas particuliers à la combinaison d'un nombre fini d'universaux, et, inversement, on peut toujours combiner d'une infinité de façons différentes un nombre fini d'universaux donnés. Prenons un exemple concret; je ne possède pas l'image d'un individu déterminé, et encore moins celle de tous les individus possibles; mais si je suis capable de concevoir une figure en général, un homme en général, la couleur en général et le temps en général, je pourrai toujours, en les composant, me représenter un individu quelconque sans qu'aucune connaissance nouvelle soit venue s'ajouter aux connaissances générales que je possédais déjà. Pour que cette combinaison soit possible, aucune autre condition n'est nécessaire; pour que cette combinaison soit vraie, il faut en outre qu'elle corresponde à un être réel et indépendant de la pensée; il faut donc que l'ange se tourne vers le particulier connaissable, qu'il le considère et que, sans subir de l'objet aucune action ni en recevoir aucune espèce nouvelle, il recompose en soi, grâce à une combinaison appropriée de ses espèces universelles innées, la représentation de l'objet particulier tel qu'il existe en lui-même et dans la réalité. Ainsi, la connaissance angélique embrasse la multiplicité d'un donné sensible à l'influence duquel elle échappe; elle compose activement ses connaissances, les compare, les enrichit et se trouve être un intense foyer d'activité intellectuelle sans jamais recevoir du dehors rien qui soit pour elle vraiment nouveau[1].

Nous savons comment l'ange connaît les choses, mais il nous faut encore savoir comment l'ange connaît Dieu. Puisque l'intellect angélique est une créature, il ne pouvait pas être naturellement capable de contempler Dieu dans son essence même et dans sa clarté. Entre la créature, si parfaite d'ailleurs soit-elle, et le Créateur, il existe une disproportion infinie, et une essence qui est infiniment inférieure à une autre est évidemment incapable de la comprendre en elle-même et de l'appréhender. Pour qu'une créature quelconque devienne capable de Dieu, il faut donc que Dieu la rende telle, qu'il lui confère comme une libre grâce et comme un don gratuit cette connaissance dont elle est naturellement incapable; il faut, en un mot, que Dieu condescende à se faire connaître. Mais cette condescendance ne peut consister en une diminution et comme un rétrécissement de l'essence divine s'adaptant à l'étroitesse de l'intellect créé, elle ne peut donc consister que dans l'infusion gratuite d'un rayon illuminateur, infusion si abondante qu'elle engendre dans la connaissance angélique cette même connaissance claire de la substance divine que possédera dans la Gloire l'âme humaine béatifiée. Cette solution est d'une extrême importance lors-

---

1. *II Sent.*, 3, 2, 2, 1, Concl., depuis *Et ideo*, et ad 1^m, 2^m, 3^m, t. II, p. 120. Sur l'interprétation de cette connaissance comme *vespertina* (selon l'expression augustinienne), cf. *II Sent.*, 4, 3, 2, t. II, p. 141.

qu'on la situe à la place qui lui revient dans l'ensemble de la doctrine
bonaventurienne. Elle nous conduit d'abord en présence de ce fait que
la vue de Dieu ne peut jamais devenir une connaissance naturelle ni
acquise : même une fois infuse, elle reste une grâce divine et une pure
libéralité, parce que Dieu peut bien franchir s'il le veut la distance qui
le sépare de la créature, mais non pas la créature, si noble soit-elle,
franchir la distance qui la sépare de Dieu. Il en est, sur ce point, de
l'intellect angélique comme d'un œil humain devant la lumière solaire ;
qu'il s'éclaire d'autant de lumières artificielles qu'il le voudra, cet œil
ne connaîtra jamais la lumière solaire si le soleil lui-même ne l'illumine
de ses rayons. En second lieu, cette solution nous fait comprendre, dès
le premier cas d'illumination divine qu'il nous soit donné de rencontrer, comment cette illumination procède ; elle n'est pas une introduction de l'intellect dans la substance divine, mais une immixtion de la
lumière divine dans l'intellect, de telle sorte que c'est bien l'essence
divine que voient les anges, et qu'ils la voient bien en elle-même, mais
parce qu'elle-même se les assimile grâce au rayon dont elle les a
d'abord illuminés[1].

Doué d'une essence et d'un mode de connaître qui lui sont propres,
l'ange doit être également doué d'une durée propre. Les mesures de la
durée se diversifient nécessairement comme les manières qu'ont les
choses de durer, et leurs manières de durer dépendent à leur tour de
leurs manières d'être. Or, Dieu est forme pure et perfection totalement
réalisée ; son essence, son existence et son opération se confondent ; il
n'y a donc en lui rien d'antérieur ni de postérieur, aucune mutabilité,
mais, selon la formule célèbre de Boèce, une vie sans fin possédée
toute à la fois d'une possession parfaite ; c'est précisément ce que l'on
nomme l'éternité. L'ange, au contraire, est une substance créée, et
nous en avons décelé les multiples compositions ; mais il diffère surtout de Dieu au point de vue de la durée en ce qu'il a eu un commencement et ne possède pas par essence le privilège de n'avoir pas de fin.
En effet, l'ange fait partie de notre univers ; il a reçu l'être en même
temps qu'apparaissait la matière, et si son histoire s'est déroulée avec
une rapidité prodigieuse pour se fixer définitivement dans la gloire ou
dans la chute, il n'en joue pas moins son rôle dans l'immense drame

1. *II Sent.*, 3, 2, 2, 2, fund. 6, et Concl., t. II, p. 123. Sur cette connaissance comme
matutina, cf. *II Sent.*, 4, 3, 1, Concl., t. II, p. 139. Il résulte de cette connaissance de
Dieu que l'ange a été créé naturellement capable de l'aimer pour lui-même et par-dessus
toutes choses ; voir *II Sent.*, 3, 2, 3, 1, t. II, p. 125.

dont les hommes sont également les acteurs. En outre, créé au commencement des temps, l'ange est une substance incorruptible, mais pas
plus que les autres créatures cet être composé n'est incorruptible par
nature ; il ne l'est que par grâce et son incorruptibilité, comme notre
immortalité, est un don de Dieu. Enfin, les anges sont les sujets d'affections changeantes ; ils ne possèdent pas toute leur science à la fois
et nous les avons vus se tourner vers le monde sensible pour recompo-
ser au moyen d'espèces innées les idées des êtres particuliers ; ils
acquièrent donc des connaissances[1] et se trouvent par là même bien
éloignés de la simultanéité totale et parfaite que suppose l'éternité.

Mais il apparaît en même temps que la nature angélique ne peut se
situer dans la même durée que la nature humaine, ni par conséquent se
mesurer par la même mesure. Si les affections des anges peuvent se
succéder d'une manière analogue à la succession des affections humaines,
leur substance est bien différente de celle des êtres humains. Nous
savons, en effet, qu'ils ont été créés pourvus de toutes les espèces intelligibles nécessaires à la formation de leurs connaissances, mais cette
perfection n'est que le signe d'une autre perfection plus profonde. Ces
purs esprits ne reçoivent plus rien de l'extérieur parce que leur matière
est ramenée une fois pour toutes par leur forme à sa complète actualité ; de là un mode d'être stable, paisible et que l'on peut qualifier de
perpétuel repos. Pour désigner la durée particulière de ces créatures
spirituelles dont l'être immuable n'a pas d'histoire, on emploie le
terme *aevum*. Cette mesure toute spéciale est celle qui convient à
une éternité créée. Puisque, en effet, cette durée mesure une actualité stable, elle est analogue à la simultanéité totale de la substance
divine et peut être considérée comme une sorte d'éternité. Mais,
puisque l'actualité qu'elle mesure est une actualité conférée par Dieu à
la créature, il faut que la durée qui la mesure le soit également. Comme

---

1. Un interprète de saint Bonaventure déclare, à propos de sa doctrine des anges : « On
voit par là qu'il n'y a pas, à proprement parler, chez eux de connaissance acquise. » L'expression fausse la pensée de saint Bonaventure, pour qui les anges peuvent acquérir des
connaissances nouvelles, mais non recevoir des espèces nouvelles : « Haec positio bene
ponit angelos multa discere, sed non propter hoc species novas recipere. Nec illud est
incompossibile. Ego enim habeo speciem hominis et animalis dum scio unam conclusionem
de eis ; sed per multiplicem conversionem et collationem poterit circa easdem res per easdem species nova cognitio generari secundum diversas operationes et habitudines, et ita
aliquid addiscam, sed non novam speciem recipiam. Sic et angeli multa didicerunt tum ex
propria industria, tum ex revelatione, tum ex experientia », *II Sent.*, 3, 2, 2, 1, ad 1ᵐ,
t. II, p. 120.

l'éternité, l'*aevum* est donc une actualité perpétuelle et immuable[1], mais c'est une perpétuité qui a commencé et ne se suffit pas à elle-même ; actualité créée, éternité créée, le mode de durée suit exactement le mode d'être.

Sur ce point, saint Bonaventure déclare qu'il conforme sa réponse à celle des saints et des philosophes. Mais s'il accepte en effet la notion fondamentale de l'αἰών aristotélicien, on le voit aussitôt corriger ce qu'elle a de trop « philosophique » chez Aristote et ce qu'elle conserve de tel à ses yeux dans la solution de saint Thomas d'Aquin[2]. Saint Bonaventure leur concède bien, en effet, que l'*aevum* soit dépourvu de toute succession temporelle, mais il considère comme incompatible avec l'état de créature une absence complète de succession. Ces théologiens et philosophes soutiennent que l'être des substances æviternelles est donné tout entier à la fois comme la durée qui le mesure ; saint Bonaventure, au contraire, craint manifestement que cette simultanéité totale de la créature incorruptible ne soit confondue avec la seule vraie présence éternelle, qui est celle de Dieu. Quoi qu'il en soit de ce point, elle lui paraît certainement contradictoire en elle-même, parce qu'un *aevum* totalement simple et dépourvu de succession serait une durée créée actuellement infinie, indestructible par Dieu même, nécessaire et, par conséquent, une créature qui posséderait les attributs du Créateur. Saint Bonaventure considère donc l'expression d'*éternité créée* comme une contradiction dans les termes si l'on veut la prendre en toute rigueur, et c'est pour lui rendre une signification acceptable que, non content d'affirmer avec saint Thomas la création de l'*aevum*, il y introduit contre saint Thomas une véritable succession.

Il y a en effet dans l'*aevum* de l'avant et de l'après, donc de la succession, mais une succession différente de celle du temps. Dans le

---

1. *II Sent.*, 2, 1, 1, 1, fund. 4-6, et Concl., t. II, p. 55-57. surtout : « Et hoc sufficit quaestione praesenti, qua quaeritur, utrum spiritualia habeant mensuram diversam a corporalibus. Dicendum enim quod sic. Quod si quaeras quae sit illa, respondendum secundum Sanctos et philosophos, quod dicitur aeternitas creata aut aevum ; sed quoniam aeternitas proprie accipitur pro increato, et aevum frequenter accipitur pro tempore, ideo proprio nomine potest aeviternitas appellari. Sic respondendum est si quaeratur de mensura quae respicit ipsum esse spiritualis creaturae, esse, inquam, immutabile et perpetuum. »

2. Saint Thomas vise à son tour saint Bonaventure dans la *Sum. theol.*, I, 10. 5, ad *Resp.* « Alii vero assignant... » On observera que les arguments 3 et 4 *ad oppositum* se fondent sur la doctrine aristotélicienne des incorruptibles : « In perpetuis non differt esse et posse. » C'est de là que part saint Thomas pour nier toute succession dans la durée de l'*aevum*. Cf. *II Sent.*, 2, 1, 1, 3, t. II, p. 61.

temps, toute succession est celle d'une variation, et de même que l'avant y désigne un rapport d'ancienneté, l'après y correspond toujours à quelque chose de nouveau. Or, l'*aevum* exclut manifestement l'avant et l'après des substances qui ont une histoire, car la nature angélique ne connaît ni les innovations ni le vieillissement; mais il n'exclut pas nécessairement une certaine extension dans la durée qui le distingue de la simultanéité totale de l'éternité. On demandera peut-être comment la durée reste concevable là où tout changement fait défaut? Prenons un exemple. Un ruisseau ne sort pas d'une source comme un rayon sort du soleil. Un ruisseau qui sort d'une source, c'est une eau toujours nouvelle qui s'écoule; un rayon qui sort du soleil, ce n'est pas quelque chose de toujours nouveau qui se trouve émis, mais c'est la même émission qui continue, de telle sorte, si l'on peut ainsi parler, que l'influence du soleil se réduit à la continuation du même don. Il en est de même du temps et de l'*aevum*. Le temps accompagne le changement; il mesure l'être des choses qui perdent par leur mouvement une propriété qu'elles possédaient ou en acquièrent une qu'elles ne possédaient pas. Au contraire, l'être que la substance æviternelle a reçu de Dieu dès la création lui est continué par l'influence permanente de Dieu et ne subit aucun changement; mais il reste qu'aucune créature, pas même angélique, ni qu'aucune faculté d'aucune créature ne peut être complètement en acte puisqu'elle a continuellement besoin de la puissance divine pour durer. Encore donc qu'elle ait eu en un certain sens tout son être à la fois, elle n'a pas toute la continuation de son être à la fois, ce qui revient à dire qu'il y a là une succession sans innovation, la continuation d'une existence à l'égard de laquelle l'ange est d'une certaine manière en puissance, et par conséquent une véritable succession[1]. Par là saint Bonaventure atteint le but qu'il s'était proposé; il soumet la créature au Créateur par un rapport de dépendance métaphysique qui, inscrit dans sa substance, se traduit dans sa durée même : *Solus igitur Deus, qui est actus purus, est actu infinitus, et totum esse et possessionem sui esse simul habet.*

S'il y a succession métaphysique dans l'immutabilité de l'être angélique, à plus forte raison découvrirons-nous une succession dans les affections changeantes de l'ange. Et ici ce n'est plus seulement d'*aevum*, c'est véritablement de temps qu'il s'agit. Situés dans l'*aevum* par la perpétuité et la stabilité de leur substance, les anges sont donc dans

---

1. *II Sent.*, 2, 1, 1, 3, Concl., t. II, p. 62.

le temps par la mutabilité de leurs affections. Sans doute c'est là une conclusion que ne prévoyait pas Aristote lorsqu'il élaborait sa théorie des substances incorruptibles ; mais il ne songeait pas non plus à déterminer dans quel genre de quantité peut se ranger leur durée, si différente de toutes les autres. C'est que, sans doute, Aristote ne se proposait pas de classer d'autres mesures que celles des natures inférieures et l'on ne saurait le blâmer de pareils oublis ; mais quand bien même il les aurait consciemment voulus et en serait par conséquent responsable, ce ne serait pas pour nous une raison de nous éloigner en rien du droit chemin de la vérité[1].

Situés dans l'*aevum* par leur être et dans le temps par leurs affections, les anges sont également situés dans un lieu. Quel est ce lieu ? Saint Bonaventure reconnaît que les Pères de l'Église n'en ont guère parlé, et les philosophes encore moins, car ce lieu échappe à nos sens ; mais avec l'assurance d'un architecte qui reconstitue les parties absentes d'un édifice dont il a retrouvé le plan, le Docteur Séraphique nomme ce lieu l'empyrée, et il en affirme l'existence pour une triple raison de finalité. D'abord, la perfection de l'univers requiert un ciel uniforme, c'est-à-dire fait d'une matière homogène, sans étoiles, et dont la substance répande également une lumière uniformément diffusée par chacune de ses parties. Le dernier ciel accessible à nos sens est multiforme, en raison des étoiles qu'il porte ; sans ce ciel uniforme qui l'enveloppe, l'univers ne serait donc pas complet. En second lieu, l'empyrée doit être un ciel immobile, et il faut qu'un tel ciel existe si l'on veut assigner un point de repère et un lieu au mouvement de la dernière sphère. Enfin, l'homme béatifié sera nécessairement placé dans un lieu de luminosité parfaite, afin qu'il y ait accord entre la nature du lieu et la nature de ce qu'il contient. Saint Bonaventure ne se dissimule pas que ce ciel immobile, quoique parfaitement sphérique et situé plus près que les autres du premier moteur, lumineux par soi et d'une égale luminosité bien qu'il reçoive la lumière du soleil, élément de beauté pour le monde bien qu'il soit homogène et dépourvu de tout ordre et de toute distinction des parties, ne s'insère pas facilement dans l'univers du Philosophe. Mais il n'en a cure et trouve d'ailleurs réponse à tout. Si l'empyrée n'a pas la beauté que les autres cieux tiennent des astres, il a celle

---

1. « Nec ponitur ex hoc in ipso insufficientia, et si etiam poneretur, non esset propter hoc a veritatis tramite aliquatenus discedendum », *II Sent.*, 2, 1, 1, 1, ad 6^m, t. II, p. 57. Méfiance de l'aristotélisme qui n'a pas attendu l'époque de l'*Hexaëmeron* pour se manifester. Cf. *In Hexaëm.*, V, 26, et VII, 1, p. 358 et 365.

que lui donnent les anges ; quant à la lumière du soleil, elle ne vient
introduire nulle inégalité dans celle de l'empyrée, car le soleil n'est
que la lanterne du monde visible et ses rayons ne vont pas jusqu'à
l'empyrée : *et ratio hujus est limitatio virtutis a parte solis, quia nihil
agit ultra terminum sibi a Deo constitutum.* Reste enfin l'objection qui
se tire de la sphéricité de l'empyrée et de sa proximité par rapport au
premier moteur ; mais la sphéricité ne suffit pas à causer la mobilité,
il faut encore un lieu où se mouvoir, et l'empyrée n'a pas de lieu. En
outre, l'empyrée est le ciel le plus proche du premier moteur, mais d'un
premier moteur immobile et qui peut aussi bien conférer le repos à l'empyrée que le mouvement au ciel suivant.

En réalité, la véritable pensée de saint Bonaventure n'est dans aucun
de ces arguments ingénieux ; elle est ailleurs ; et c'est qu'il ne peut pas
y avoir de raisons philosophiques pour que l'empyrée se meuve s'il y
a des raisons chrétiennes pour qu'il reste en repos. Lorsqu'on y réfléchit, on voit en effet que les raisons philosophiques du mouvement du
ciel lui-même n'ont rien de décisif ; elles contiennent plus de vanité que
de vérité, car les raisons dernières du mouvement des sphères célestes
ne sont pas des raisons philosophiques, mais religieuses. Le ciel étoilé
ne tourne autour de nous que pour le service de l'homme voyageur, et
nous savons que la dernière révolution céleste prendra fin au moment
précis où le nombre des élus sera complet. La vraie raison d'affirmer
l'existence et de définir comme nous l'avons fait la nature de l'empyrée,
c'est qu'il faut une demeure immobile, uniforme et lumineuse pour
accueillir les bienheureux [1].

Or, c'est également dans l'empyrée que se trouvent les anges ; d'abord
parce que tout l'univers est contenu dans l'empyrée ; or les anges font
partie de l'univers, donc ils sont dans l'empyrée ; ensuite et plus particulièrement parce que les anges agissent sur les corps, il nous faut donc
leur assigner le lieu le mieux adapté à la contemplation angélique et où
cependant ils ne soient pas tellement éloignés des corps que leur action

---

1. « Et ideo ratio quare non movetur est quia Deus nihil influit super ipsum ad motum
sed ad quietem tantum ; et sicut influentia Dei movet firmamentum, sic quietat empyreum.
— ... Et hac ratione, scilicet quia est ut sit locus Beatorum, accipitur triplex ejus proprietas, scilicet immobilitas, uniformitas et luminositas. Et haec est ratio magis catholica,
quia etiam motus caeli stellati non est nisi propter obsequium hominis viatoris ; unde
numero electorum completo, non erit amplius revolutio. Rationes autem philosophicae quae
assignantur de motu caeli, apud fideles habent plus vanitatis quam veritatis, si quis diligenter aspiciat », *II Sent.*, 2, 2, 1, 1, ad 3ᵐ, t. II, p. 72 ; cf. *Ibid.*, fund. et Concl.

ne puisse les atteindre ; l'empyrée satisfait à cette double exigence, et c'est donc là qu'il convient de les situer[1].

Mais on peut en assigner une raison plus profonde, en ce qu'elle manifeste non seulement que les anges sont dans l'empyrée, mais encore comment ils y sont. Rien de ce qui est distinct ne peut être ordonné s'il ne se trouve disposé dans un lieu qui le contient, et ce lieu doit être nécessairement un lieu corporel. En effet, l'esprit incréé qui est Dieu possède, avec la simplicité par laquelle il est présent en toutes choses, l'immensité par laquelle il contient tout et demeure cependant extérieur à tout. L'acte par lequel il crée les choses leur communique ce double attribut de simplicité et d'immensité, mais dans la mesure seulement où leur nature finie leur permet de les recevoir. Dieu communique donc la simplicité aux esprits, mais il ne peut pas leur communiquer l'immensité ni l'aptitude à contenir d'autres êtres, car si les esprits créés sont simples parce qu'esprits, ils sont finis parce que créés, individués et situés dans un certain temps et un certain lieu. Or, un être simple et dépourvu de parties se trouve nécessairement tout entier dans le lieu où il réside ; il peut être contenu, il ne peut rien contenir. Inversement, le corps est composé de parties innombrables ; il ne pouvait donc recevoir de Dieu la simplicité, mais, puisque ses parties tiennent l'étendue de leur distinction même, il pouvait recevoir la capacité de loger les autres êtres. Si donc la limitation individuelle de l'ange et la loi de l'ordre exigent qu'il soit en un lieu, et si la nature des choses est telle que tout lieu soit nécessairement corporel, l'ange ne peut pas être ailleurs que dans le plus noble de tous les corps, l'empyrée. Mais il apparaît en même temps que le lieu de l'ange lui confère uniquement la place que requiert sa distinction et qui permet l'ordre, il n'en est pas la mesure et ne le conserve pas[2].

Les anges sont donc susceptibles d'être ordonnés ; il reste à déterminer le principe qui leur confère l'ordre. Le problème peut sembler d'autant plus difficile à résoudre que nous ne les considérons pas comme

---

1. *II Sent.*, 2, 2, 2, 1, fund. 3 et 4, t. II, p. 75.
2. « Et sic patet ratio duplex quare data est corpori potentia locandi spiritum et spiritui contineri a corpore. Hoc enim exigebat ordo universi tum propter limitationem spiritus creati, tum quia in solo corpore distinctio est secundum hic et ibi », *II Sent.*, 2, 2, 2, 1, Concl., t. II, p. 76-77. Il résulte de là qu'un ange ne peut pas être dans plusieurs lieux à la fois et que ce lieu n'est pas un point mathématique, mais un espace divisible, encore qu'un ange puisse toujours être en un lieu plus petit que tout lieu donné. De même, en raison de l'ordre universel, deux anges ne peuvent être dans le même lieu.

des espèces, mais comme des individus, et que même, selon toute probabilité, nous devons ranger tous ces individus dans une seule espèce [1].
Aussi bien, la connaissance des ordres angéliques ne peut-elle pas être
acquise par les ressources de la lumière naturelle. Ceux qui les ont
connus les premiers, comme saint Paul et saint Jean l'Évangéliste, en
ont été instruits par révélation, et c'est pourquoi ils ont pu en instruire
les autres, comme saint Paul en instruisit saint Denys l'Aéropagite [2].
Mais le philosophe ne peut se dispenser de s'instruire à son tour auprès
du théologien s'il ne veut pas se rendre inintelligible l'ordonnance hiérarchique de l'univers et l'économie générale des illuminations divines.

Dans la doctrine de saint Thomas d'Aquin, les anges se hiérarchisent
selon les exigences d'un principe aussi linéaire que possible : la simplicité croissante des espèces intelligibles par lesquelles ils connaissent.
L'ordre que suit saint Bonaventure, pour n'être pas moins réel, est
cependant beaucoup plus compliqué, car il s'inspire des correspondances multiples que lui suggère le principe d'analogie. Les anges se
hiérarchisent en ordres selon les états et degrés différents où les
situe l'illumination dont Dieu les gratifie. Nous avons dit en effet que
l'ange est une nature spirituelle à qui Dieu conféra dès l'origine la
grâce de la vision béatifiante ; or, cette grâce contient à elle seule toutes
les grâces, et l'on peut dire en un certain sens que tous les anges possèdent à quelque degré tous les dons de Dieu ; mais, en un autre sens,
Dieu distinguait les anges en les illuminant, parce que les dons que son
illumination confère sont inégaux en dignité, et il gratifiait éminemment
certains anges des dons les plus nobles, alors qu'il les concédait plus
parcimonieusement aux autres. De là les ordres de la hiérarchie angélique, dont chacun contient les anges qui possèdent à peu près au même
degré les mêmes dons. Les principes de cette hiérarchie sont les trois
suivants : il y a des dons plus nobles les uns que les autres, et la charité, par exemple, est le plus excellent de tous ; l'ordre supérieur l'emporte du point de vue de tous les dons sur les ordres inférieurs ; toute
dénomination se fait par ce qu'un être contient de plus noble. En raison
de ces trois principes, nous admettrons que, s'il y a neuf dons de la
grâce, il doit y avoir aussi neuf ordres angéliques, et nous hiérarchise-
rons les ordres en désignant chacun d'eux par le don le plus noble
qu'il ait le plus pleinement reçu [3].

1. *II Sent.*, 9, un., 1, Concl., t. II, p. 242.
2. *II Sent.*, 9, un., 4, ad 1^m, t. II, p. 249.
3. *II Sent.*, 9, un., 4, Concl., et ad 4^m, t. II, p. 248-249. Sur l'inégalité individuelle des

Remarquons d'abord que nous sommes parvenus ici au point initial de toutes les illuminations divines. Dieu est semblable à un soleil resplendissant ; de la lumière le Père a la puissance, le Fils a la splendeur, et le Saint-Esprit a la chaleur, d'où une triple illumination de la créature. Mais, de même que la puissance de la lumière resplendit et échauffe, sa splendeur possède la puissance et la chaleur, et sa chaleur possède la puissance et la splendeur ; de même donc nous pourrons contempler chaque personne en elle-même ou dans les deux autres, d'où résulteront trois illuminations correspondant aux trois personnes prises en elles-mêmes, et six illuminations correspondant à leurs relations entre elles, en tout neuf illuminations[1], nombre qui nous fait immédiatement prévoir celui des ordres angéliques. Pour en découvrir la nature, il nous suffira de considérer en effet les attributs appropriés à chaque personne de la Trinité divine et de faire correspondre un ordre angélique à chacun d'entre eux.

Or, Dieu n'est pas seulement puissance, splendeur et chaleur, il est encore le principe qui confère au monde son origine, le gouverne et lui accordera la béatitude. En tant qu'origine, la Trinité possède trois attributs : puissance, sagesse et volonté ; en tant qu'elle gouverne les choses, elle en possède trois autres : piété ou bonté, vérité, sainteté ; en tant que béatitude finale, elle en possède encore trois : éternité, beauté, joie. Telles sont les illuminations divines principales qui vont pénétrer dans les natures angéliques et les ordonner en neuf ordres hiérarchiques[2].

Si l'exemplarisme régit le monde des anges, il faut supposer en effet que, par cette infusion de lumière dont nous avons parlé, un ordre hiérarchique s'introduit entre ces purs esprits. Hiérarchisés, il se trouvent ordonnés en une série d'êtres saints et raisonnables, qui reçoivent de Dieu leurs pouvoirs et les exercent comme il convient sur les créatures qui leur sont soumises[3]. Et, hiérarchisés à l'image de la Trinité, ils se

anges, *Ibid.*, 8, Concl., t. II, p. 255. Sur l'inégalité naturelle qui prépare celle de la grâce, II, 9, praenotata, 3, t. II, p. 239. Définition d'un ordre, *Ibid.*

1. « In hac consideratione est quaedam ratio exemplaritatis divinae respectu omnium illuminationum... Et secundum hunc numerum novenarium habent illuminationes esse », *In Hexaëm.*, XXI, 2 et 3, t. V, p. 431-432.

2. *In Hexaëm.*, XXI, 16, t. V, p. 434. On trouvera, *II Sent.*, IX, praenotata, ad *divisiones*, t. II, p. 239 et suiv., une division plus simple, mais elle a été retouchée et très approfondie par celle de l'*Hexaëmeron* qui, sur tous les points qu'il traite, reste le texte capital.

3. *II Sent.*, IX, praenotata, ad *definitiones*, t. II, p. 237-238 ; *In Hexaëm.*, XXI, 17, t. V, p. 434 ; cf. *Ibid.*, 18-19.

distribuent en trois hiérarchies, dont la première est appropriée au Père, la deuxième au Fils, la troisième au Saint-Esprit, chacune d'elles s'assimilant en trois manières différentes à son divin modèle. Un ordre répondra au Père, un ordre au Fils et un ordre au Saint-Esprit tels qu'ils sont en eux-mêmes. Un ordre répondra ensuite au Père, au Fils et au Saint-Esprit tels que chacun d'eux est dans chacune des deux autres personnes, et nous retrouvons ainsi le nombre neuf.

L'ordre qui répond au Père en lui-même est l'ordre des Trônes ; celui qui répond au Père dans le Fils est l'ordre des Chérubins ; celui qui répond au Père dans le Saint-Esprit est celui des Séraphins. — L'ordre du Fils dans le Père se nomme les Dominations, dont les fonctions sont de commander et de régner. L'ordre du Fils en lui-même se nomme les Vertus ; l'ordre du Fils dans le Saint-Esprit se nomme les Puissances. — L'ordre du Saint-Esprit dans le Père se nomme les Principautés ; l'ordre du Saint-Esprit dans le Fils se nomme les Archanges ; l'ordre du Saint-Esprit en lui-même se nomme les Anges[1].

Rapprochons enfin ces neuf ordres angéliques des neuf attributs que nous avons appropriés aux trois personnes divines et nous obtiendrons la déduction des fonctions spécialement départies à chacun des trois ordres de ces trois hiérarchies. L'aspect le plus élevé de la Trinité est celui sous lequel nous la considérons comme béatificatrice, et c'est à cet aspect que correspond la première hiérarchie. L'éternité correspond au Père, à qui correspondent les Trônes, ainsi nommés parce qu'ils résident en Dieu et jouissent de la science suprême qui discerne et qui juge. La beauté correspond au Fils, à qui correspondent les Chérubins et la science reçue. La joie correspond au Saint-Esprit, à qui correspondent les Séraphins, amour et science élévatrice qui ramène la créature à son origine. — Le second aspect de la Trinité est celui sous lequel nous la considérons comme créatrice, car s'il est meilleur de donner le bonheur que de donner l'être, créer est supérieur à gouverner. C'est donc aux trois attributs de cet aspect que correspond la deuxième hiérarchie. La puissance correspond au Père, à qui corres-

1. Le rédacteur des notes de l'*Hexaëmeron* nous a transmis un trait charmant, qui permet de soupçonner l'aimable familiarité des allocutions de saint Bonaventure et le sujet vraiment séraphique de ses conversations : « Et dicebat quod semel conferebat cum uno, de quo ordine fuisset Gabriel. Et dicebat ille, quod sibi revelatum fuerat quod erat de media hierarchia et de medio ordine, scilicet Virtutum. — Et hoc videtur valde congruum, ut ille qui erat nuntius conceptionis Filii Dei, de illo ordine mitteretur qui Filio appropriatur. Item, quia erat nuntius Mediatoris, congruum fuit ut de medio ordine mitteretur. Hoc dictum est secundum probabilitatem », *In Hexaëm.*, XXI, 20, t. V, p. 434.

pondent les Dominations et leur fonction de commander; la sagesse correspond au Fils, à qui correspondent les Vertus et leur force; la volonté correspond au Saint-Esprit, à qui correspondent les Puissances et leur aptitude à détruire toutes les forces ennemies. — Le troisième aspect de la Trinité la considère en tant qu'elle gouverne le monde, et ses trois attributs sont la piété, la vertu et la sainteté. La sainteté correspond au Père, à qui correspondent les Principautés et leur autorité sur les princes; la vérité correspond au Fils, à qui correspondent les archanges et leur domination sur les peuples; la vertu correspond au Saint-Esprit, à qui correspondent les anges et leur fonction de gardiens des individus[1].

Il convient d'observer enfin que chacun des ordres de ces trois hiérarchies est créé par Dieu seul et immédiatement, mais que l'illumination divine parvient à chacun d'entre eux à la fois directement et par l'intermédiaire des hiérarchies antérieures. La deuxième est donc illuminée par Dieu et par la première; la troisième est illuminée par Dieu et par les hiérarchies précédentes, et c'est seulement après avoir traversé les trois hiérarchies angéliques que le rayon divin pénètre dans la hiérarchie ecclésiastique, mais alors aussi il sort de l'ordre angélique pour passer dans l'ordre humain.

1. *In Hexaëm.*, XXI, 22-33, t. V, p. 435-437, et *II Sent.*, *loc. cit.*, t. II, p. 239-241. Pour ce qui suit : *In Hexaëm.*, XXI, 21, t. V, p. 435. Saint Bonaventure tient d'ailleurs que les défections causées dans les ordres angéliques par la chute des mauvais anges seront compensées par la promotion des saints les plus éminents que Dieu élèvera à leur dignité. Mais tous les hommes n'en sont pas dignes. Même, parmi les élus, il y aura un dixième ordre, celui des « hommes imparfaits sauvés par les mérites du Christ ». Et cela s'accorde avec la perfection du nombre dix, *II Sent.*, 9, un., 7, Concl., t. II, p. 253 et 254, note 5.

CHAPITRE IX.

Les corps inanimés. La lumière.

Dieu a créé simultanément les purs esprits que sont les anges et la matière corporelle à l'intérieur de laquelle vont être constitués les corps particuliers. Dans cette créature corporelle nous devons distinguer d'abord deux principes : le principe matériel et le principe formel. Considérons en premier lieu le principe matériel et déterminons quel rapport unissait la matière corporelle à sa forme au moment de la création.

Si l'on considère la matière d'un point de vue purement abstrait et comme une simple définition posée par la pensée, elle nous apparaît comme une puissance passive à l'état pur. En principe, la matière est un réceptacle vide, une capacité de recevoir et de subir, ce que l'on désigne communément par le terme de possibilité. En ce sens, on peut concevoir une matière qui serait totalement dépourvue de forme, et l'on peut même ajouter qu'en ce sens la matière est exclusive de la forme, car dès que la pensée pose la détermination de la forme la matérialité disparaît aussitôt. Mais si nous considérons la matière concrète telle qu'elle peut être actuellement réalisée dans les choses et non plus conçue par la pensée, le problème s'offre à nous sous un aspect tout différent. Toute matière corporelle donnée se trouve nécessairement dans un lieu déterminé, en un moment déterminé, en mouvement ou en repos, douée d'une figure quelconque ; or, aucune de ces déterminations ne peut lui venir d'ailleurs que de la forme. On peut donc concevoir une sorte d'antériorité métaphysique de l'indétermination et de la possibilité de la matière par rapport à la détermination et à l'actualité de la forme, en ce sens qu'elle est possibilité par sa nature propre et actualité par une forme distincte d'elle ; mais on ne peut pas concevoir que la matière ait précédé la forme dans le temps, ni qu'elle ait existé antérieurement à toute détermination par la forme. Dans le domaine du concret, l'informe est toujours ce qui possède une certaine forme, mais peut en recevoir une autre, et le possible se définit toujours en fonction d'un certain acte[1].

La matière a donc été créée dans le seul état sous lequel elle soit réalisable, revêtue d'une forme déterminée; mais peut-on dire qu'elle ait été douée dès le principe d'une parfaite actualité? Le problème revient en somme à se demander si Dieu a créé le monde des corps tel qu'il existe actuellement sous nos yeux, ou si la création s'est faite par étapes successives au cours desquelles la matière corporelle aurait acquis progressivement des formes qu'elle ne possédait pas originairement. Saint Augustin, qui représente presque toujours la tradition aux yeux de saint Bonaventure, lui paraît pour cette fois avoir abordé la question plutôt en philosophe qu'en théologien. Du point de vue de la raison, il semble plus conforme à l'idée que nous nous formons naturellement de la puissance divine d'admettre que Dieu a créé d'un seul coup la matière revêtue de toutes les formes qu'elle devait jamais recevoir. Or, saint Augustin se proposait spécialement, dans son commentaire sur la Genèse, de montrer que la lettre même du texte est susceptible d'une interprétation que les philosophes ne puissent déclarer ridicule et d'écarter ainsi les obstacles qui les empêchent encore d'accéder à la vraie foi. C'est pourquoi son interprétation décide en faveur de l'hypothèse la plus rationnelle; il admet donc que Dieu a créé immédiatement le monde avec toutes ses parties revêtues de formes distinctes et que les six jours dont parle l'Écriture doivent être entendus en un sens spirituel plutôt qu'en un sens réel.

Mais la conception bonaventurienne de la philosophie ne consiste pas à dresser une autorité contre une autorité et Augustin contre Aristote, elle exige que la raison attende la connaissance d'un acte de soumission à la foi. Peut-être donc Augustin, qui a cru devoir s'écarter de la lettre de l'Écriture pour atteindre une interprétation acceptable par la raison, en eût-il découvert une autre plus profonde encore en soumettant plus exactement sa raison aux données de la révélation. Et il faut admettre en effet que la matière de tous les corps a bien été créée dès le premier jour, mais que la distinction complète des corps au moyen de leurs formes s'est faite ensuite progressivement, comme l'affirme expressément l'Écriture et comme l'enseigne la tradition[2].

1. *II Sent.*, 12, 1, 1, Concl. et ad 1ᵐ, t. II, p. 294.
2. « Hanc positionem, etsi minus videatur rationabilis quam alia, non tamen est irratio-

On peut d'abord en apporter une raison littérale. Dieu n'est pas obligé de faire tout ce qu'il peut, et, s'il est clair qu'il pouvait créer le monde sous sa forme actuelle, notre raison n'est aucunement fondée à en conclure qu'il le devait. Supposons donc que le texte sacré dise vrai; une raison très profonde s'offre aussitôt à la pensée pour le confirmer. Dieu pouvait parachever immédiatement le monde des corps, mais il a préféré le produire d'abord dans un état imparfait et sous une forme incomplète, afin que la matière élevât vers Dieu comme le cri et l'appel de son imperfection même. Qu'il ait différé jusqu'au terme des six jours l'achèvement du monde, s'explique par les propriétés du nombre six, nombre parfait en ce qu'il résulte de toutes ses parties aliquotes et ne peut ni s'accroître de lui-même ni diminuer[1].

La raison morale de cette décision divine est que l'homme est instruit par elle du rapport dans lequel son âme se trouve à l'égard de Dieu. De même en effet que la nature corporelle, informe par elle-même, se trouve achevée lorsque la bonté divine lui confère sa forme, de même l'âme est incapable de se former elle-même si Dieu ne verse en elle sa grâce. La raison allégorique en est l'analogie entre les six jours de la création, les six âges du monde et les six âges de l'homme. La raison anagogique est de nous signifier la perfection de la connaissance dans la nature angélique béatifiée[2]. Rien ne nous interdit par conséquent d'accepter telle quelle la lettre du texte sacré et d'admettre une véritable succession temporelle des six jours de la création.

Ainsi la matière corporelle n'a été créée par Dieu ni dépourvue de toute forme ni revêtue de toutes ses formes; est-il possible d'en définir avec plus de précision l'état primitif? La réponse de saint Bonaventure à cette question est intéressante en ce qu'elle nous prépare à mieux comprendre la doctrine si difficilement saisissable chez lui des rapports de la matière et de la forme. Il admet en effet que la matière a été créée par Dieu revêtue d'une certaine forme, mais que cette forme n'était pas une forme complète et qu'elle ne conférait pas au corps son être complet. Cette solution présente pour saint Bonaventure l'avantage, non

nabile sustinere. Quamvis enim ratio non percipiat hujus positionis congruitatem, prout considerationi suae innititur, percipit tamen prout sub lumine fidei captivatur », *II Sent.*, 12, 1, 2, Concl., et ratio 4ᵃ, t. II, p. 297.

1. *Ibid.*, ratio 1ᵃ, t. II, p. 297; cf. ch. VII, p. 224, note 4. Voir une autre raison tirée des attributs appropriés, *Ibid.*, ad 4ᵐ, t. II, p. 298.

2. *Ibid.*, p. 297. On y trouvera également la raison morale du nombre six. Pour ce qui concerne les anges (raison anagogique), voir saint Augustin, *De Genesi ad litt.*, IV, 21, 38 et suiv., t. 34, col. 311.

seulement de rendre plus aisément intelligible le développement temporel de la création selon l'ordre des six jours, mais encore d'installer au cœur de la substance même des choses comme une attente universelle de Dieu.

Si nous essayons, en effet, de nous représenter cette première information du sensible, elle nous apparaîtra comme ayant eu pour résultat de produire des corps dont la matière déjà informée n'était cependant pas satisfaite et demeurait encore travaillée par le désir de formes ultérieures. Cette information doit donc avoir consisté beaucoup moins à produire des êtres achevés qu'à préparer le terrain en vue de l'avènement des formes les plus hautes. L'Écriture nous dit que la terre, et par conséquent la matière, était alors *inanis et vacua* (Gen., I, 2), donc vide de formes. Et elle l'était en effet, en ce sens que sa forme l'actualisait juste assez pour lui conférer la détermination la plus basse que requiert une existence actuelle, mais pas assez pour la fixer dans ce mode d'être. La matière possédait donc alors une sorte de diversité ou d'hétérogénéité inachevée, d'où une confusion qui ne résultait pas du désordre d'une multiplicité de natures définies, mais de son absence partielle de définition. Pour se représenter de la manière la moins inadéquate cette matière incomplètement actualisée par sa forme, il faut donc se la représenter moins comme une confusion d'éléments que comme une confusion de désirs : *materia in diversis suis partibus quamdam diversitatem imperfectam habebat, non ex diversis actibus completis, sed magis appetitibus ad diversa*[1].

On comprendra peut-être mieux encore l'intention de saint Bonaventure en la comparant sur ce point avec la doctrine de saint Thomas. Pour ce dernier, la création aboutit immédiatement à une matière complètement définie qui est celle des quatre éléments. La création n'est pas achevée dès le premier jour, parce que Dieu n'a pas encore divisé les eaux de la terre et du firmament et que les éléments ne sont pas encore dans leur lieu. En outre, tous les corps mixtes qui seront ultérieurement formés au moyen de ces éléments ne sont pas encore constitués ou organisés; il y a donc également place dans la genèse thomiste pour le vide de formes que l'Écriture attribue à l'œuvre du premier jour. Et cependant le monde des corps tel que le conçoit saint Thomas est alors bien différent de celui que décrit saint Bonaventure.

1. *II Sent.*, 12, 1, 3, Concl., t. II, p. 300. Pour ce qui suit, voir saint Thomas, *Qu. disp. de Potentia*, **IV**, 1, ad 13, et saint Bonaventure, *Scholion*, 1, t. II, p. 301.

Aux yeux de saint Thomas, ce monde est inachevé, mais ce que Dieu en a déjà créé est achevé. Les éléments seuls sont là, mais ils y sont sous leur forme complète d'éléments, comme les quatre constituants simples dont les formes supérieures n'auront qu'à s'emparer pour les composer en corps mixtes et organisés. Aux yeux de saint Bonaventure, la matière est alors plutôt semblable à la masse de chair encore indifférenciée qui constitue l'embryon ; les membres n'y sont pas encore, mais ils peuvent se développer. Elle est quelque chose de moins achevé encore, car l'embryon est déjà une matière très actualisée et les membres de l'enfant s'y trouvent en un certain sens préformés ; sa forme est une forme visible et, comme nous le verrons, elle tient déjà de la nature tout ce qu'il lui faut pour se développer jusqu'à sa complète perfection. La matière corporelle du premier jour est bien loin d'un pareil état ; rien en elle qui soit ordonné ni préformé, elle n'a pas de figure discernable, elle échapperait au regard par son indétermination même, elle est inerte et incapable de développer ses formes ultérieures sans la vertu et l'opération de Dieu ; nous ne découvrons donc pas en elle la distinction définie des quatre formes élémentaires, nous ne pouvons ni la comprendre ni même l'imaginer, sauf peut-être comme une masse indifférenciée, un peu plus dense à certaines places, un peu plus rare à d'autres, une sorte de corporéité étendue, inerte, et dans l'attente de toutes les formes[1]. Et pourtant cette masse confuse n'est pas un pur rien ; elle est si manifestement quelque chose qu'elle occupe de la place, remplit le lieu et que nous avons dû déjà faire appel à son extension corporelle pour combler dès l'origine du monde le creux de l'empyrée ; la matière la

---

1. « Et ideo propter imperfectionem formae illius materia illa dicitur informis ; et propter indeterminatum appetitum multarum formarum confusa dicitur et permixta. Et haec positio satis videtur esse intelligibilis et probabilis. Et juxta hanc positionem concedendum est quod materia non fuit creata sub formarum diversitate, sicut rationes ad hoc inductae ostendunt », *II Sent.*, 12, 1, 3, Concl., t. II, p. 300. « Materia illa non sic erat corporea quod esset completa in genere corporum, sed sic habebat extensionem et corporeitatem quod non habebat perfectam formae actualitatem », *Ibid.*, ad 5ᵐ. Sur la nature purement passive du désir des formes dans ce premier état de la matière, voir ce texte significatif : « Appetitus non semper sequitur formam completam, sed etiam attenditur secundum appetentis indigentiam et aliquam dispositionem semiplenam ; nisi fortassis sit talis appetitus qui consequatur dispositionem quae est necessitas ; sed talis non erat in illa informi materia, sed secundum quamdam majorem subtilitatem et raritatem in partibus materiae erat dispositio longinqua ad formas alias et alias », *Ibid.*, ad 6ᵐ. Ces variations de densité n'impliquent aucune diversité de formes, *Ibid.*, ad 5ᵐ. Sur la disposition qui nécessite la forme, voir *I Sent.*, 6, un., 1, Concl., t. I, p. 126. Un exemple en serait le besoin de nourriture dans un corps organisé, ce qui n'est précisément pas le cas de la matière du premier jour.

moins définie ne peut donc l'être que par sa forme et c'est le premier principe formel des corps qu'il nous faut maintenant déterminer[1].

En réalité, nous ne sommes pas sans savoir dès à présent ce qu'un tel principe peut être. Puisque l'acte créateur a simultanément conféré l'existence aux anges, à la matière corporelle et à l'empyrée, posant ainsi dans la durée les types caractéristiques de chaque genre d'êtres, il faut que l'empyrée corresponde au principe formel des corps comme ce qu'il loge correspond à leur principe matériel et comme les anges inaugurent l'ordre des créatures raisonnables. Or, nous avons dit que la nature de l'empyrée était une luminosité parfaitement homogène; il est donc vraisemblable que la lumière doive nous apparaître comme la forme définie et d'une actualité pleinement déterminée qui va conférer à la matière des corps ses formes successives.

On peut distinguer en effet deux informations différentes de la matière corporelle : l'une qui est spéciale et confère aux corps les formes qui en font des éléments ou des mixtes; l'autre qui est générale et commune à tous les corps en tant que tels : la lumière[2]. Il s'agit ici, bien entendu, de la lumière corporelle telle qu'elle a été créée par Dieu le premier jour et par conséquent trois jours avant le soleil lui-même. Qu'il ne s'agisse pas de la lumière divine, c'est ce qui est immédiatement évident. Sans doute Dieu est lumière, et même, comme le fait observer saint Augustin, c'est lui qui est lumière au sens propre, non la lumière analogue du soleil. Mais il n'en reste pas moins vrai que le sens immédiat attaché par l'usage au mot lumière est celui de lumière corporelle[3], et c'est en ce sens également que nous le prendrons. Quant à l'ingénieuse théorie d'Augustin, qui confond avec les

1. *II Sent.*, 12, 2, 3, Concl., t. II, p. 306.

2. « Lux est natura communis reperta in omnibus corporibus tam caelestibus quam terrestribus », *II Sent.*, 12, 2, 1, arg. 4m, t. II, p. 302. Cf. : « Duplex est informatio materiae corporalis, quaedam generalis, quaedam specialis; generalis per formam communem omnibus corporalibus, et haec est forma lucis; specialis vero per alias formas. sive elementares, sive mixtionis », *II Sent.*, 13, divis. textus, t. II, p. 310. Sur la théorie bonaventurienne de la lumière, consulter : Cl. Baeumker, *Witelo* (Beitr. z. Gesch. d. Philos. des Mittelalters, III, 2, Münster, 1908), p. 394-407. Il est surtout intéressant de comparer les indications de saint Bonaventure avec les thèses développées par Robert Grosseteste et Roger Bacon. Nous renverrons pour le premier à L. Baur, *Die philosophischen Werke des Robert Grosseteste, Bischofs von Lincoln* (même collection, Bd. IX, Münster, 1912). Du même auteur, on consultera sur ce point : *Das Licht in der Naturphilosophie des Robert Grosseteste* (Festgabe G. v. Hertling, Freiburg, 1913, p. 41-55).

3. *II Sent.*, 13, 1, 1, ad 3m, t. II, p. 311. Pour ce qui suit, *Ibid.*, Concl., et ad 2m, où saint Bonaventure suggère que le récit de la Genèse pourrait bien être du moins une analogie sensible de la création des substances angéliques.

anges la lumière créée par Dieu le premier jour, saint Bonaventure
l'estime soutenable, mais un peu trop éloignée de la lettre et par conséquent il ne l'accepte pas.

La lumière dont nous allons parler est donc la lumière corporelle, mais cela ne signifie pas qu'elle soit elle-même un corps. Bien
qu'en effet la lumière physique soit un analogue de la lumière divine,
et même ce qu'il y a de plus immédiatement analogue à Dieu dans le
domaine des créatures corporelles[1], on ne peut admettre qu'il existe un
corps dont la substance soit intégralement lumière. Aucune créature,
en effet, qu'il s'agisse d'une créature corporelle ou même d'une créature spirituelle, ne peut être considérée comme une forme pure. Sauf
Dieu, tout ce qui existe est forme unie à de la matière ; il en est donc
nécessairement ainsi pour les corps, et la chose est même d'autant plus
évidente en ce cas que tous les corps sont étendus, que toute étendue
suppose une matière corporelle et que, dans cet ordre défini, la matérialité est absolument inséparable de la corporéité. Si donc la lumière
est une forme, elle ne peut cependant pas être un corps, ou, en d'autres
termes, il est contradictoire d'admettre qu'il existe un corps dont toute
l'essence soit d'être une forme lumineuse pure. Mais si la lumière est
une forme et n'est pas forme pure, elle est nécessairement la forme du
corps lumineux[2]. Nous pouvons donc la considérer comme une forme
actuant une matière corporelle et qui n'existe à part que dans notre
pensée, lorsque nous l'isolons de la matière par abstraction.

Simple forme des corps, la lumière en est du moins une forme substantielle et la plus noble de toutes[3]. Ce point est spécialement important
parce que le fondement assigné par saint Bonaventure à cette substantialité est la nature éminemment active de la lumière et qu'il va
relier ainsi sa métaphysique à la physique enseignée par les perspectivistes d'Oxford, Robert Grosseteste et Roger Bacon. Si, en effet, la
lumière est une simple forme accidentelle du corps, elle peut en être

---

1. « Lux inter omnia corporalia maxime assimilatur luci aeternae, sicut ostendit Dionysius de *Divinis Nominibus* (IV, 1 et 4), et maxime et virtute et efficacia », *II Sent.*, 13, 2,
2, fund. 3, t. II, p. 319. Cf. « ... quae (lux) inter caeteras formas corporales est maxime
activa et quasi medium tenens inter formas spirituales et corporales », *II Sent.*, 14, 1, 3,
2, t. II, p. 348.

2. *II Sent.*, 13, 2, 1, Concl., t. II, p. 317-318.

3. « Forma substantialis est nobilior quam accidentalis ; sed lux est nobilissima formarum corporalium, sicut in multis locis docet Augustinus ; ergo cum multae aliae formae corporales sint substantiae, videtur quod lux sit forma substantialis », *II Sent.*, 13, 2, 2, fund. 2,
t. II, p. 319.

séparée, aussi bien que s'y trouver unie, et lorsqu'elle se trouve unie à un corps elle n'en constitue pas la substance, mais s'y ajoute comme la science vient s'ajouter à l'intellect ou la chaleur aux corps chauds. Telle est notamment la conception que défend saint Thomas d'Aquin[1]. Selon d'autres philosophes, au contraire, la lumière serait la forme substantielle des corps, et ce serait selon leur degré de participation à cette forme commune que les corps posséderaient un degré d'être plus ou moins éminent dans l'ordre universel de la nature. Ainsi, le plus noble de tous les corps, l'empyrée, serait aussi le plus lumineux, et le plus bas de tous, la terre, serait aussi le plus opaque. Les autres corps viendraient se hiérarchiser entre ces deux extrêmes, chacun se trouvant plus ou moins noble selon qu'il participe plus ou moins de cette forme. Et que tous les corps participent plus ou moins de la lumière, c'est ce que ces philosophes n'ont pas de peine à prouver, puisqu'il n'existe guère de corps, si opaque soit-il, que l'on ne puisse rendre brillant ou lumineux par un traitement approprié, comme il appert de ce que l'on fait du verre avec de la cendre ou de ce que la terre engendre du charbon.

Entre ces deux conceptions opposées, saint Bonaventure déclare que le choix est difficile, et c'est pourquoi il les choisit finalement toutes les deux; mais en les choisissant toutes deux il accorde nécessairement sa préférence à la deuxième et se range du côté de Grosseteste et de Bacon[2]. Il est vrai, déclare en effet saint Bonaventure, que la lumière est la plus noble de toutes les formes corporelles, comme s'accordent à le proclamer les philosophes et les Pères; il est donc vrai qu'elle est une forme substantielle, que tous les êtres y participent et que leur degré de dignité se mesure à celui de leur participation à cette forme[3]. Cette solution s'imposait en effet à sa pensée lorsqu'il interprétait comme

1. Qui vise expressément les perspectivistes d'Oxford dans la *Sum. theol.*, I, 67, 3, ad *Resp.*, surtout depuis : « Secundo quia impossibile est... »

2. L'expression des scoliastes de Quaracchi (p. 322) : « S. Bonav. pro more suo viam mediam inter utramque opinionem aggreditur », n'est pas tout à fait exacte, car, en acceptant la deuxième thèse pour la lumière et la première pour le rayon lumineux, saint Bonaventure passe par-dessus l'objection fondamentale de saint Thomas : « Impossibile est ut id quod est forma substantialis in uno sit forma accidentalis in alio. » Si d'ailleurs tous les corps participent à la même forme substantielle, la lumière, il faut admettre la pluralité des formes. Il n'y a pas de *media via* entre les deux opinions.

3. « Verum est enim, quod lux, cum sit forma nobilissima inter corporalia, sicut dicunt philosophi et Sancti, secundum cujus participationem majorem et minorem sunt corpora magis et minus entia, est substantialis forma », *II Sent.*, 13, 2, 2, Concl., t. II, p. 321.

nous l'avons vu faire l'œuvre du premier jour. Au moment où le monde des corps s'est trouvé composé de la seule matière contenue sous l'empyrée et de la seule forme lumineuse de l'empyrée lui-même, il a nécessairement fallu que la première substance constituée par leur union le fût par l'efficace active de la lumière. Or, la matière indistincte qui en est alors résultée nous est apparue comme étant dès ce premier jour de l'*extensio* ou de la *corporeitas*[1]; c'était donc nécessairement de la lumière qu'elle tenait la seule actualité qui lui fût alors assignable, et si l'extension dans l'espace est désormais inséparable de la matière corporelle c'est à la forme de la lumière qu'elle le doit[2]. Comment nier dès lors que la lumière ne soit une forme substantielle du corps et la réduire au rôle d'un simple accident?

On objectera sans doute que si la lumière est une forme commune à tous les corps il faut admettre que chaque corps possède simultanément plusieurs formes? Saint Bonaventure le concède sans hésitation, et comme nous rencontrons pour la première fois cette doctrine de la pluralité des formes qui embarrasse si fort ses interprètes, il importe de dissiper immédiatement le malentendu que sa terminologie même a provoqué. Si nous réservons toutes les corrections de détail qu'appellerait une telle formule pour ne considérer que l'esprit de la doctrine, nous dirons que la forme thomiste est essentiellement définissante; elle fonde, mais elle limite; elle confère une perfection substantielle, mais elle interdit à la substance ainsi constituée de posséder à titre essentiel et naturel aucune autre perfection que celle qu'elle vient de lui conférer; si d'autres perfections s'y ajoutent, elles ne pourront jamais être des formes mais de simples accidents. Or, si l'on se demande comment

---

1. Voir plus haut, p. 262, note 1, et : « Communiter secundum expositores nomine terrae, cum dicitur : *In principio creavit Deus caelum et terram*, intelligitur materia omnium visibilium citra caelum empyreum; ergo si illa una fuit et habuit aliquam formam, ut supra visum est, ergo videtur quod caelestia et terrestria ex una materia quantum ad esse sint producta », *II Sent.*, 12, 2, 1, fund. 1ᵐ, t. II, p. 302.

2. Saint Bonaventure, qui ne procède pas en physicien, ne nous dit rien du processus selon lequel la lumière peut conférer l'extension à la matière, mais on ne court aucun risque de se tromper en admettant qu'il se réfère ici à la théorie de Robert Grosseteste, *De luce*, *op. cit.*, p. 51, 12-13 : « Corporeitas vero est quam de necessitate consequitur extensio materiae secundum tres dimensiones, cum tamen utraque, corporeitas scilicet et materia, sit substantia in seipsa simplex, omni carens dimensione. Formam vero in seipsa simplicem et dimensione carentem, in materiam similiter simplicem et dimensione carentem, dimensionem in omnem partem inducere fuit impossibile, nisi seipsam multiplicando et in omnem partem subito diffundendo, *et in sui diffusione materiam extendendo*, cum non possit ipsa forma materiam derelinquere, quia non est separabilis, nec potest ipsa materia a forma evacuari. »

saint Bonaventure peut avoir enseigné la pluralité des formes, on ne
devra jamais raisonner comme si les formes en question étaient des
formes thomistes, et c'est précisément parce que l'on commet cette
erreur de point de vue qu'on voit dans cette partie de sa doctrine un
aristotélisme inconséquent ou incomplètement développé. Le terme de
forme est d'origine aristotélicienne chez saint Bonaventure, mais la
notion de forme ne l'est pas. La forme bonaventurienne a bien, en effet,
pour fonction principale de conférer une perfection, mais en habilitant
la substance qu'elle informe pour les autres perfections substantielles
qu'elle ne peut elle-même lui conférer. Non seulement donc elle ne
ferme pas la substance à d'autres formes, mais elle l'y dispose et les
requiert. Que l'on réfléchisse aux deux orientations intellectuelles si
différentes que supposent ces deux conceptions de la forme, l'une surtout faiseuse d'êtres, l'autre surtout intermédiaire d'influences et de
perfections, on les verra s'accorder avec l'inspiration profonde des
deux systèmes.

Tout d'abord, il devient plus facile de comprendre pourquoi saint
Bonaventure parle toujours comme s'il admettait la pluralité des
formes sans jamais éprouver le besoin de justifier son attitude par une
théorie spéciale. La pluralité des formes se prouve par la présence, au
sein des êtres ou des choses, de perfections qui leur sont substantielles, car sans elles ils ne seraient pas ce qu'ils sont, et qui requièrent
cependant comme causes des formes supérieures à celles qui définissent leur être particulier. On comprend ensuite que la contradiction
relevée par les thomistes dans la notion même d'une pluralité des
formes ne l'ait pas arrêté, car, de son point de vue, cette contradiction
n'existe pas. L'être substantiel d'un corps inanimé ou d'un vivant, avec
toutes les propriétés qui le définissent, est une des perfections ou
même la perfection fondamentale que doit expliquer la forme; mais
elle n'est pas la seule, et la même raison qui nous oblige à l'assigner
pour rendre compte de l'essence nous oblige encore à assigner d'autres
formes pour rendre compte de ses autres perfections. Ainsi, dans le
problème qui nous occupe, la lumière ne s'ajoute pas à la forme du
corps pour lui conférer quelque chose que cette forme serait déjà capable
de lui donner; la forme substantielle du corps en fait tel corps; la
forme de la lumière est également substantielle en ce sens que son
action pénètre le corps au point qu'il devienne inintelligible sans elle,
mais son effet n'est plus d'en faire tel corps, il l'est déjà; c'est bien
plutôt de compléter ce corps en achevant de le constituer par l'influence

tonifiante qu'elle exerce sur lui; c'est aussi de le conserver une fois
qu'il est constitué; c'est enfin de féconder en quelque sorte sa forme
pour en stimuler l'activité et concourir à chacune de ses opérations.
L'étude détaillée du rôle et de l'activité de la lumière nous préparera
de la manière la plus sûre à bien interpréter le rôle de l'âme raisonnable dans le composé humain.

Si nous voyons saint Bonaventure affirmer que les corps se hiérarchisent selon leur degré de participation à la forme commune de la
lumière, c'est en effet parce que la dignité des êtres se reconnaît à
celle de leurs opérations et que ces opérations ont à leur tour la
lumière pour principe[1]. Elle est active par elle-même, et l'expression
dont nous usons ici doit être entendue dans le sens métaphysique le
plus fort qu'elle puisse recevoir. Selon saint Thomas d'Aquin, Dieu
seul agit par sa substance, et la terminologie rigoureuse dont il use lui
interdit d'admettre qu'une substance autre que la substance divine
puisse être considérée comme le principe immédiat de ses opérations.
Saint Bonaventure, au contraire, plus préoccupé de relier que de définir, incline toujours à faire rentrer dans chaque cas particulier les
opérations dans les substances et à supprimer les facultés intermédiaires dans la mesure même où les êtres considérés se rapprochent de
Dieu; avec saint Thomas, il enseigne que nulle créature n'est son être
et que, par conséquent, la lumière n'est pas son acte d'illuminer, mais
si le respect dû à l'usage ne le retenait de le faire, il admettrait volontiers que l'acte d'illuminer sort de cette substance de la lumière qu'il
n'est pas, immédiatement et sans l'intermédiaire d'aucune faculté[2].

1. « Sed quoniam sacra Scriptura lucem inter caeteras formas pure corporales commen-
dat, et catholici tractatores sicut Dionysius in quarto *de Divinis nominibus* (1 et 4), et
Augustinus in multis locis, et philosophi etiam principatum operandi in corporibus luci
attribuunt, ideo lucem magis esse substantiam quam accidens sentire videntur », *II Sent.*,
13, 2, 2, Concl., t. II, p. 320.

2. « Nullum accidens est per semetipsum activum, cum nullum sit per se existens; ergo
sicut per se non est, ita etiam nec per se agit; sed corpus luminosum, in quantum luminosum, per se activum est : ergo videtur quod lux non sit ei accidens sed substantialis
forma », *II Sent.*, 13, 2, 2, fund. 5m, t. II, p. 319. « Ad illud quod objicitur quod est immediatum principium operandi, dicendum quod illud non cogit necessario, ut videtur; forma
enim substantialis per se posse agere videtur. Sed quia exemplum hujus non de facili
invenitur in aliis, quamvis non irrationabiliter credatur in forma lucis esse possibile, cum
sit maxime activa, concedi potest quod quamvis lux interius perficiens sit substantialis
forma, tamen fulgor ille quo corpus illud instrumentaliter operatur, sentitur et decoratur,
ad naturam accidentis, sicut praedictum est, pertinere non indocte credi potest », *Ibid.*,
ad 6m, t. II, p. 322.

Cette *lux interius perficiens* est précisément la forme substantielle commune des corps :
« Si lux ponitur esse forma substantialis corporum specie diversorum, utpote caeli et ignis,

La raison déterminante qui conduit saint Bonaventure à faire de la lumière une forme substantielle et à lui conférer une action substantielle est que sa pensée se réfère sur ce point à une conception de la lumière qui n'est pas celle d'Aristote et ne sera pas celle de saint Thomas. Pour lui comme pour Robert Grosseteste, la lumière ne saurait avoir besoin d'une faculté pour agir, puisqu'elle est action par son essence même et qu'on peut la définir comme *multiplicativa et diffusiva sui*. Qu'on suppose en effet un point lumineux quelconque, il sera capable d'engendrer et de propager instantanément, selon toutes les directions de l'espace, une sphère lumineuse dont il sera le centre et d'un diamètre proportionnel à son intensité[1]. C'est là d'ailleurs ce qui nous permet de comprendre que la lumière de l'empyrée ait pu conférer l'étendue à la matière dès le premier jour, et aujourd'hui encore c'est cette aptitude essentielle de la lumière à se multiplier qui confère aux choses qu'elle informe l'activité qu'elles manifestent; c'est donc bien d'une propriété inhérente à sa substance même qu'il s'agit lorsqu'on attribue la fécondité ou l'activité à sa forme et l'on conçoit aisément que saint Bonaventure ne se résigne pas à l'en séparer.

On conçoit également sous quel aspect il peut se représenter l'action au dehors de la forme lumineuse et comment il en explique la transmission. Puisqu'il admet que la lumière est active par son essence même, il doit nécessairement se rallier à une doctrine analogue à celle de la multi-

---

neutrius est forma ultimo completiva... Forma enim lucis cum ponitur in eodem corpore cum alia forma, non ponitur sicut dispositio imperfecta quae nata sit perfici per ultimam formam, *sed ponitur tanquam forma et natura omnis alterius corporalis formae conservativa et dans ei agendi efficaciam*, et secundum quam attenditur cujuslibet formae corporalis mensura in dignitate et excellentia », *Ibid.*, ad 5ᵐ, t. II, p. 321. « ... de productione illius formae (lucis) quae est quasi generale principium distinguendi caeteras formas », *II Sent.*, 14, 1, divis. textus, t. II, p. 335; *II Sent.*, 17, 1, 2, ad 6ᵐ, t. II, p. 412-413.

1. « Quanto lumen est majus, tanto magis se diffundit et multiplicat; si ergo empyreum inter corpora est luminosum maxime, ergo maxime diffusivum », *II Sent.*, 2, 2, 1, 2, fund. 4ᵐ, t. II, p. 73. « Si enim lux esset ipsum corpus, *cum lucis sit ex se ipsa se ipsam multiplicare*, aliquod corpus posset seipsum multiplicare ex se sine appositione materiae aliunde; quod est impossibile alicui creaturae cum materia non habeat educi nisi per creationem », *II Sent.*, 13, 2, 1. Concl., t. II, p. 318. « Sol enim, sive quodcumque aliud corpus luminosum, habet virtutem diffundendi lumen usque ad aliquod spatium determinatum, cum sit virtutis finitae; et quamdiu se protendit illa virtus, multiplicatur lumen, si susceptibile sit idoneum », *II Sent.*, 13, 3, 1, ad 2ᵐ, t. II, p. 325-326. Cf. II, 13, 2, 1, ad 5ᵐ, t. II, p. 318. Il est regrettable que l'*Hexaëmeron* de Robert Grosseteste soit encore inédit, car la comparaison avec saint Bonaventure en serait sans doute instructive. Dès à présent, on comparera *De luce, op. cit.*, p. 51-52, et pour ce qui concerne la lumière comme cause des opérations naturelles : « Et in hoc patet quod motus corporalis est vis multiplicativa lucis. Et hoc idem est appetitus corporalis et naturalis », *De motu corporali, op. cit.*, p. 92, 6-19. Pour le texte qui suit, voir *II Sent.*, 25, 2, un., 4, ad 4ᵐ, t. II, p. 617.

plication des espèces. Et en effet, bien que saint Bonaventure ne nous ait pas exposé sur ce point l'ensemble de ses conceptions, nous retrouvons du moins à plusieurs reprises dans son *Commentaire* l'expression caractéristique de *multiplicatio*[1] et le peu qu'il en dit ne permet guère de douter qu'il n'ait accepté dans ses lignes générales l'ensemble de la doctrine. C'est, en effet, une nécessité absolue que la lumière se propage par voie de multiplication, si c'est sa définition même que de s'engendrer indéfiniment lorsqu'un milieu convenable le lui permet : *radii multiplicatio est naturalis, nec potest lux se ipsam non multiplicare cum invenit materiam sibi aptam.* La difficulté la plus considérable ne concerne pas le principe même de la propagation lumineuse, mais le mode de cette propagation.

Les philosophes de cette époque ne disposaient assurément pas des ressources de la physique moderne, mais beaucoup d'entre eux, et notamment les perspectivistes auxquels se rallie saint Bonaventure, avaient un sentiment déjà suffisamment net de ce que peut être une explication géométrique pour discerner la complexité du problème posé. Le mode habituel de propagation que l'on attribuait aux facultés naturelles était l'information d'une matière par la forme d'une substance. Une telle propagation prend nécessairement du temps, puisqu'elle procède par informations successives ; son principe joue véritablement le rôle d'une forme par rapport à la matière du milieu dans lequel elle s'effectue, et elle engendre nécessairement sur son passage de véritables corps, puisque sur toute la ligne qu'elle parcourt une matière se trouve revêtue d'une forme. Or, le rayon lumineux, sous l'aspect géométrique et avec le caractère de rayonnement que les perspectivistes lui attri-

---

1. Il l'emploie notamment à propos d'un problème que se poseront aussi Robert Grosseteste et Roger Bacon : « Ad illud quod objicitur (*scil.* que le rayon lumineux doit être un corps) quod fit intersecatio et confractio radiorum ; dicendum quod hoc dicitur ratione aëris conjuncti, qui ex virtute radiorum ibi concurrentium habet subtiliari et moveri ; et ratione illius dicuntur etiam radii confringi, dum ex multiplicatione secundum oppositas vias, per progressum et regressum, fit quaedam multiplicatio et aggregatio luminis et subtiliatio aeris circa corpus tersum ; ex qua contingit, effectum calorem radii intendi, et ignem ibidem per caloris intensionem ex aëre sic subtiliato generari », *II Sent.*, 13, 3, 1, ad 3ᵐ, t. II, p. 326. Cf. *II Sent.*, 14, 2, 2, 2, ad 3ᵐ. Voir R. Grosseteste, *op. cit.; De calore solis*, p. 87-88. Sur la multiplication, *De lineis, op. cit.*, p. 60, 16-19. La théorie complète s'en trouve dans le traité de Roger Bacon, *De multiplicatione specierum*, II. Voir *Opus majus*, éd. Bridges, t. II, p. 459 et suiv. Cf. *Communia naturalium*, éd. Steele, t. II, p. 24 et suiv. Bacon s'élève à une théorie de la radiation universelle : « Et quia hujusmodi multiplicatio, cujuscumque sit, est similis radiis multiplicatis a stella, ideo universaliter omnem multiplicationem vocamus radiosam, et radios dicimus fieri, sive sint lucis, sive coloris, sive alterius », *Op. maj.*, t. II, p. 459.

buent, ne s'accommode pas d'un tel mode de transmission. D'abord la lumière rayonnée n'est pas l'émanation d'une substance lumineuse, matière et forme comprises, mais de la forme seule de cette substance. C'est pourquoi d'ailleurs la lumière rayonnée est inséparable du corps lumineux et s'engendre perpétuellement autour de lui sans entraîner pour lui aucune déperdition de matière; la substance lumineuse rayonne par sa forme et sa matière ne s'use pas. En second lieu, il est clair que le rayon ainsi engendré par la substance lumineuse ne peut pas être un corps. Si c'était un corps émis par cette substance, le corps rayonnant s'userait nécessairement. Et si la forme de cette substance allait progressivement s'emparer de la matière dont est constitué le milieu, la lumière exigerait du temps pour se transmettre; elle n'arriverait à son terme final qu'après avoir quitté son point initial. Or, il n'en est pas ainsi en ce qui concerne la lumière rayonnée; elle ne se déplace pas dans l'espace comme un corps qui change de lieu, elle se multiplie instantanément, comme si la présence de chacun des points de ses rayons dans chacune des directions de l'espace était contemporaine et métaphysiquement inséparable de sa substance même[1]. Ce n'est pas là un cas unique dans la doctrine de saint Bonaventure et nous retrouverons le même problème à propos de la notion d'espèce. Mais bien qu'il conçoive la propagation de la lumière comme analogue à celle de l'espèce, nous le voyons maintenir cependant une distinction entre ces deux cas, et c'est probablement pour sauvegarder la dignité supérieure de la lumière. C'est ce que nous discernerons plus clairement peut-être en définissant le mode selon lequel le rayon se trouve dans son milieu.

Nous partons de ce principe que la lumière ne joue pas le rôle de forme par rapport au milieu qu'elle traverse; le rayon lumineux n'est

---

1. « Cum lumen in medio sit per modum speciei et idoli, quae nullo modo veniunt ad constitutionem alicujus rei naturalis », *II Sent.*, 17, 2, 2, fund. 4ᵐ, t. II, p. 422. Sur la différence entre ces deux cas analogues : « Et unus est motus (*scil.* speciei generatae a colore) per diffusionem procedendo a corpore objecto usque ad speculum... et primus non est motus localis, sed generationis; ... sic intelligendum est in proposito, quod motus luminis qui est per egressum ipsius a corpore lucido, non est proprie loci mutatio, sed magis luminis generatio et diffusio; et hoc patet ex hoc quod fit subito in spatio quantumcumque magno », *II Sent.*, 13, 3, 1, ad 1ᵐ, t. II, p. 325. Pour comprendre le mécanisme de cette génération, voir Roger Bacon, *De multiplicatione specierum* : « Et ideo non est aliquid quod moveatur ibi de loco ad locum, sed est continua generatio novae rei », III, 1; dans *Opus majus*, t. II, p. 504 et suiv. Bacon et saint Bonaventure se l'expliquent comme la radiation instantanée d'une qualité sans matière qui résulte immédiatement de la seule présence d'une substance lumineuse, donc active, au centre d'un milieu. Cf. également

donc pas un corps matériel; mais s'il n'est pas un corps, il ne contient
pas non plus de forme au sens propre du terme, et c'est là le point le
plus important. Lorsqu'on déduit de ce principe les conséquences qu'il
comporte, on aboutit en effet immédiatement à cette conclusion que la
lumière ne peut pas être le transfert d'une forme proprement dite, et
c'est pourquoi saint Bonaventure cherche à la définir comme quelque
chose qui serait analogue à une véritable forme et qui, cependant, n'en
serait pas une. De la forme, la lumière a la fécondité, l'activité, la
faculté de fonder, de préparer et d'achever l'acte de la connaissance;
mais elle n'en a pas la propriété essentielle de s'emparer d'une matière
pour constituer avec elle une substance définie. Sa dignité et son éminence parmi les formes corporelles expliquent peut-être cette faculté
qu'a la lumière de traverser le milieu sans s'y engager, comme un
ange; de même que nous verrons les corps inférieurs eux-mêmes exprimer des espèces sous l'action occulte de la lumière et imiter en cela
l'expression suprême du Père par le Fils, de même nous voyons ici la
lumière rayonner quelque chose d'analogue à une forme libre de
matière, cet *habitus* du milieu où le rayon se déplace, mais ne se
fixe pas.

Telle est, en effet, l'hypothèse que suggèrent les expressions et comparaisons dont use saint Bonaventure. De même, nous dit-il, que l'espèce sensible de la couleur, si nous la considérons dans le milieu qu'elle
traverse, est *comme* de la couleur ou une ressemblance de la couleur,
mais non pas la couleur même, ainsi la lumière qui se trouve engendrée dans le milieu n'est pas la forme lumineuse elle-même ni une
forme engendrée par elle, mais quelque chose qui est *comme* cette
forme, ou une similitude de cette forme. Définir plus précisément cette
radiation serait sans doute impossible; on ne peut pas la définir par son
rapport avec un principe matériel, puisqu'elle n'en a pas; ni par son
principe formel, puisqu'elle n'est pas une forme; on ne peut donc la
définir que par son principe originel; or, c'est ce que nous avons fait
en la définissant comme une similitude, c'est-à-dire comme ce qui possède en commun une certaine qualité, et spécialement comme une similitude *rayonnée*, à la différence de cette similitude *exprimée* que sera

R. Grosseteste, *De luce*, *op. cit.*, p. 55, 5-8 : « Nec est ejus transitus, sicut si intelligeretur
aliquid unum numero transientis subito a caelo in centrum — hoc enim forte est impossibile — sed suus transitus est per sui multiplicationem et infinitam generationem
luminis. »

l'espèce[1]. On ne peut aller plus loin dans le métaphysique ; ce que l'on peut ajouter sur la nature du rayon lumineux ne relève que du perspectiviste ou du géomètre et saint Bonaventure en laisse le soin à Robert Grosseteste ou à Roger Bacon.

Il reste cependant un corollaire à tirer de ces principes, et nous devons le prendre en considération parce qu'il peut aider à mieux concevoir la subtile pensée de saint Bonaventure sur cette importante question. Les philosophes se sont demandé à propos du rayon ce que nous nous sommes déjà demandé pour la lumière elle-même : est-ce une forme substantielle ou une forme accidentelle? Il faut ici distinguer.

En un premier sens, on nomme lumière rayonnée (*lumen* par opposition à *lux*) une vertu active, issue du corps lumineux et par laquelle ce corps agit sur les corps inférieurs qui lui sont soumis. Or, cette première radiation ne peut pas être considérée comme une forme accidentelle. Elle ne l'est pas dans le corps lumineux qui l'engendre, puisque nous avons dit que la nature d'un tel corps était précisément de se multiplier ; elle lui est donc bien plutôt connaturelle et consubstantielle ; on ne peut l'en séparer. Mais elle n'est pas non plus la forme accidentelle de son milieu, puisque nous avons dit qu'elle ne joue pas à proprement parler le rôle de forme. Il reste donc que la lumière rayonnée soit purement et simplement une forme substantielle, à savoir la forme substantielle même du corps lumineux en tant qu'elle agit comme forme commune motrice, régulatrice et conservatrice des êtres inférieurs : *ipsa forma quae dat esse corpori lucido, et a qua luminosum corpus principaliter est activum sicut a primo movente et regulante*[2]. C'est cette radiation substantielle de la source lumineuse que nous retrouvons partout pré-

---

1. *II Sent.*, 13, 3, 1, Concl., t. II, p. 325; 13, 3, 2, Concl., et ad 1-3, t. II, p. 329. Pour la définition des termes, *I Sent.*, 17, 1, un., 1, Concl., t. I, p. 294; 9 dub., 7, t. I, p. 190; *II Sent.*, 13, 3, 1, Concl., sub. fin., t. II, p. 325.

2. « Lumen enim in medio dicit virtutem activam, egredientem a corpore luminoso, per quam corpus luminosum agit et imprimit in haec inferiora ; et haec est virtus substantialis ipsi corpori. Et de hac dicit Damascenus, quod lumen quod est ex igne, non est aliquid ministeriale ipsius ignis vel accidentale, sed virtus ei connaturalis et consubstantialis... ; et haec virtus non est sensu perceptibilis nec solummodo operatur in sensu visus, sed etiam facit ad eductionem omnium sensuum in actum, sicut dicit Augustinus septimo super Genesim ad litteram (XV, 21, et XIX, 25)... Sic etiam dicunt philosophi quod corpus caeleste mediante suo lumine influit usque ad profundum terrae, ubi mineralia corpora generari habent », *II Sent.*, 13, 3, 2, Concl., t. II, p. 328. Pour les expressions citées dans le texte, *II Sent.*, 13, 2, 2, Concl., t. II, p. 321; on y distinguera *lux* (*lucidum*) de *lumen* (*luminosum*).

sente dans le monde des corps organisés ou non organisés. Puisqu'elle n'est pas une qualité accidentelle et sensible, elle ne saurait être perçue et sa présence dans les êtres inférieurs ne se décèle que par les opérations multiples qu'elle y exerce. Aucun domaine ne lui échappe. Elle pénètre jusqu'au plus profond de la terre et y préside à la formation des miné-raux[1]; grâce à sa pureté et à l'analogie qui les rapproche, elle peut agir sur l'« esprit » qui dispose la matière en vue de recevoir de la vie; c'est elle qui occasionne par son influence les générations animales, tire de la puissance de la matière les âmes végétatives et les âmes sen-sitives et collabore à titre de principe actif à la vie de ces formes[2]. Mais la lumière fait plus encore. Si l'on admet en effet qu'elle dispose le corps en vue de recevoir la vie, il est nécessaire de la considérer comme une sorte d'intermédiaire et de lien entre l'âme et le corps[3]; elle interviendra jusque dans les opérations inférieures de la connaissance et fera passer non seulement le sens de la vue, mais encore tous les autres sens de la puissance à l'acte[4]. Telle est la vaste sphère d'in-fluence de cette forme substantielle et l'on peut dire qu'aucun être du monde sublunaire n'est soustrait à son action.

Il n'en est pas de même si l'on considère sous le nom de lumière cette radiation sensible que nous percevons par la vue et à laquelle on

1. Voir note précédente, *loc. cit.*, p. 328, et : « Quod ergo objicitur de influentia luminis et caloris, dicendum quod influentia luminis potest esse dupliciter, vel manifesta vel occulta. Manifesta influentia est per diaphanum corpus, maxime quando sensu percipitur. Occulta influentia est non solum per diaphanum corpus, sed etiam per opacum, sicut virtus stellarum est in mineralia quae latent sub terra », *II Sent.*, 2, 2, 1, 2, ad 1ᵐ, t. II, p. 75.

2. « Quanto lumen est majus, tanto magis se diffundit et multiplicat; si ergo empyreum inter corpora est luminosum maxime, ergo maxime diffusivum; sed lumen illud non priva-tur efficacia vegetandi et conservandi, quemadmodum nec lumen firmamenti; ergo videtur quod empyreum in haec inferiora magis sit influens », *II Sent.*, 2, 2, 1, 2, fund. 4, t. II, p. 73. « Nullum accidens est causa substantiae; sed lux corporis caelestis est principium educendi animam vegetabilem et sensibilem, quae sunt formae substantiales; ergo videtur quod sit substantia », *II Sent.*, 13, 2, 2, fund. 4ᵐ, t. II, p. 319. « Conformis est natura spi-ritus qui disponit ad vitam ipsi luci quantum ad puritatem, et hac ratione nata est reci-pere », *II Sent.*, 2, 2, 1, 2, ad 3ᵐ, t. II, p. 75. Dans le même sens, mais de portée un peu plus générale : « Lux est forma totius orbis primi, et per ejus influentiam fiunt generatio-nes circa partes inferiores », *IV Sent.*, 19, dubit., 3, t. IV, p. 496. Cf. également *II Sent.*, 13, 1, 1, ad 4ᵐ, t. II, p. 313; *IV Sent.*, 49, 2, 1, 3, 1, t. IV, p. 1016; *Itinerarium*, II, 2; éd. min., p. 304; *Breviloquium*, II, 3, 2; éd. min., p. 66.

3. « Lux est illud quo mediante corpus unitur animae et anima regit corpus », *II Sent.*, 15, 1, 3, oppos. 2ᵐ, t. II, p. 379. Accordé par saint Bonaventure : « Quia in corporibus ani-malium praedominantur elementa... activa quantum ad quantitatem virtutis », p. 381. Pour ce qui suit, voir p. 273, note 2. Sur le rôle de la lumière comme intermédiaire entre l'âme et le corps, cf. ch. x.

4. *II Sent.*, 13, 3, 2, ad 3ᵐ, t. II, p. 329.

pense communément lorsqu'on entend prononcer ce nom. Prise dans le
milieu même qu'elle traverse, elle n'est ni une forme substantielle ni
une forme accidentelle, et cela pour la même raison que précédemment.
L'air, dont elle est un *habitus*, la véhicule, mais il ne la supporte pas
comme un sujet matériel supporte sa forme; elle n'a, elle non plus,
d'autre principe que celui dont elle tient son origine : *lumen, quamvis
sit in aere, causatur a corpore luminoso et ab illo principaliter dependet;
nec est in aere sicut in sustinente, sed sicut in deferente.* Mais si nous
considérons cette radiation particulière en tant qu'elle ajoute au corps
lumineux l'éclat sensible qui le rend perceptible à nos yeux, ou qu'elle
confère à la matière à laquelle elle s'incorpore les couleurs qui la
rendent visible et accroissent sa beauté, nous devons la considérer
comme une forme simplement accidentelle. Sensible, capable d'accroissement et de diminution, elle n'est qu'un instrument extérieur de
cette forme lumineuse dont l'essence même ne nous est pas perceptible,
mais que nous saisissons par celle de ses qualités à laquelle notre vue
se trouve adaptée : *lux non sentitur ratione suae essentiae, sed ratione
fulgoris vel coloris eam inseparabiliter concomitantis*[1].

Nous sommes désormais en possession des deux principes constitutifs de l'univers sensible : la matière corporelle et cette lumière qui est
comme le principe général de distinction de toutes les autres formes
corporelles[2]; il nous reste à suivre les déterminations successives que
Dieu leur a conférées pour achever l'œuvre de distinction avant le repos
du septième jour. Les êtres ainsi distingués seront ou bien des créatures simples et insensibles, ou bien des corps mixtes et doués de sensibilité. Parmi les corps simples, les uns serviront de contenant et
d'enveloppe, les autres viendront prendre place dans le lieu circonscrit
par les premiers; examinons d'abord l'enveloppe du monde que l'on
nomme communément « les cieux ».

Pour des raisons théologiques plutôt que physiques, saint Bonaventure place immédiatement au-dessous de l'empyrée un ciel qu'il désigne
par le nom de crystallin. Sur ce point, comme sur plusieurs autres
problèmes du même genre, il distingue la position à laquelle conduit
la raison lorsqu'on l'abandonne à sa pente naturelle de la position que
suggérerait une interprétation littérale des Écritures, et il cherche à
frayer sa voie entre les deux. Pour ceux qui suivent la voie de la raison

1. *II Sent.*, 13, 2, 2, ad 2m, et Concl., t. II, p. 321.
2. Voir p. 268, note 2, fin.

et de la philosophie naturelle : *viam rationis et mundanae philosophiae*, l'enveloppe extérieure de l'univers est le ciel des étoiles fixes, et par conséquent il ne saurait y avoir ni eau ni liquide cristallin au-dessus de lui. Pour ceux au contraire qui s'en tiennent au texte de la Genèse (I, 6), il est clair que le firmament des fixes se trouve entre deux eaux : *Fiat firmamentum in medio aquarum, et dividat aquas ab aquis;* ils admettent donc un ciel des eaux qui entoure la première sphère sidérale et qui tempère par sa fraîcheur la chaleur ardente de l'éther. Saint Bonaventure ne croit pas que l'on puisse atteindre une véritable certitude sur un tel problème, mais il propose cette solution modérée et intermédiaire entre celle de la foi brute et celle de la philosophie pure : puisque l'Écriture le dit, il y a des eaux au-dessus du firmament; mais, comme la raison le suggère, ce ne sont pas là des eaux proprement dites. Comme l'eau, elles sont transparentes et capables de rafraîchir ce qu'elles entourent; mais elles ne sont pas froides en elles-mêmes et surtout elles n'ont pas cette lourdeur de l'eau qui la fait tendre naturellement vers le bas[1].

Si les eaux du crystallin ne sont pas de même nature que celles de l'élément aqueux, on peut dire de la même manière que le feu dont est fait le firmament n'a pas la même nature que celle de l'élément igné. Sur ce point encore nous trouvons les philosophes aux prises avec les théologiens et notre Franciscain cherche à les mettre d'accord pour rétablir la paix. D'après les philosophes il faut admettre une cinquième essence, incorruptible et soustraite à la contrariété des quatre éléments. C'est elle qui exercerait une influence conservatrice et conciliatrice sur tout le reste de la nature. Selon les théologiens, au contraire, il n'existerait que quatre éléments corporels et l'Écriture ne nous autoriserait pas à supposer que le firmament des étoiles fixes puisse avoir une autre nature que celle du feu. Mais saint Bonaventure trouve aisément dans sa physique de la lumière de quoi les départager. Il lui semble absurde d'attribuer au firmament la nature du feu élémentaire, car il n'en a ni le mouvement ni les effets, et le monde a besoin de la quintessence pour que l'univers des corps ne soit pas, lui non plus, acéphale. Mais il lui répugne également de croire que saint Augustin se soit trompé sur ce point. Il suppose donc que le firmament est en effet d'une nature ignée, non pas toutefois en ce sens qu'il aurait la même forme que le feu élé-

---

1. *II Sent.*, 14, 1, 1, 1, Concl., t. II, p. 337. Sur le mouvement de ce ciel, voir *II Sent.*, 14, 2, 1, 3, Concl., t. II, p. 355.

mentaire, mais en ce sens que, comme le feu, il participerait de la nature
de la lumière, d'une manière analogique, principalement sans doute
sous le double rapport de la luminosité et de la pureté[1]. Sa figure est
circulaire, comme il lui convient au quadruple point de vue de la simplicité, de la capacité, de la perfection et de la mobilité[2]. Son mouvement lui vient, ainsi que tout mouvement, de la motion et coopération intime et immédiate de Dieu; mais en même temps que s'exerce
cette action divine, le firmament est mû par une faculté naturelle que
Dieu lui a départie; il y a donc simultanément action de cette vertu
motrice naturelle et coopération immédiate de Dieu. La vertu motrice
du firmament est sa propre forme, et non pas une âme comme l'ont
cru les philosophes païens; quant à savoir si Dieu a préposé des anges
au mouvement et à l'ordre des cieux, c'est ce qu'il n'est ni facile de
prouver ni raisonnable de contredire; cette opinion a de hautes autorités pour elle et elle satisfait également à la raison et à la piété[3].

Telle est l'enveloppe insensible du monde; voyons maintenant quels
êtres insensibles s'y trouvent contenus. Ceux qui s'offrent les premiers
à notre examen sont les luminaires situés par Dieu à l'intérieur du firmament. Pour accorder la thèse des astronomes, qui enseignent l'existence de plusieurs orbes planétaires distincts les uns des autres, avec
celle des théologiens qui soutiennent que tous les astres sont dans le
firmament : *fiant luminaria in firmamento coeli* (Gen., I. 14), saint
Bonaventure admet que le firmament est une sorte de milieu continu,
de nature d'ailleurs corporelle, et que les orbes planétaires ne s'y distinguent les uns des autres que par leur mouvement. La diversité des
mouvements n'est en effet nullement incompatible avec la continuité
de la substance, et c'est ce qu'il est aisé de constater par les courants
qui sillonnent l'air ou l'eau; la continuité du milieu que l'Écriture
nomme le firmament peut donc se concilier avec la distinction des orbes
réclamée par les philosophes[4].

Les astres qui se trouvent sur l'orbe le plus élevé sont les étoiles
fixes; elles sont en effet dépourvues de tout mouvement propre et ne

1. *II Sent.*, 14, 1, 1, 2, Concl., t. II, p. 339-340. Il s'agit ici de saint Augustin. Cf. *II Sent.*,
17, 2, 2, Concl., t. II, p. 422.
2. *II Sent.*, 14, 1, 2, 1, Concl., t. II, p. 342.
3. *II Sent.*, 14, 1, 3, 1 et 2, Concl., t. II, p. 346 et 348-349.
4. *II Sent.*, 14, 2, 1, 1, Concl., t. II, p. 352. Les astres sont formés d'un réceptacle
emprunté à la matière de leur orbe et de la lumière créée le premier jour. Voir *II Sent.*,
14, dub. 3ᵐ, t. II, p. 368.

se meuvent qu'en raison de la rotation du ciel qui les entraîne; leur nombre compense dans une certaine mesure l'uniformité du mouvement de la huitième sphère. Quant aux planètes qui se trouvent situées sur les orbes inférieurs, le problème de leur mouvement est beaucoup plus compliqué. Les astronomes inclinent à leur attribuer un mouvement propre sur des épicycles et des excentriques, afin de rendre raison de l'élévation et de l'abaissement apparents des planètes sur leur sphère. Ils admettent donc un mouvement apparent de la planète sur son épicycle, de l'épicycle sur son excentrique et de l'excentrique même autour de son centre propre, lequel est distinct à son tour du centre du monde. Mais les physiciens préfèrent enseigner avec Aristote que les planètes elles-mêmes sont mues par le mouvement de leurs sphères, comme un clou fixé sur une roue suit le mouvement de cette roue; il leur semble en effet qu'un milieu inaltérable tel que la matière dont le ciel est fait ne peut laisser place à des mouvements comme ceux des planètes qui devraient alors le sillonner; les élévations ou dépressions apparentes des planètes leur semblent donc explicables par les différentes vitesses des sphères, car, lorsqu'un corps céleste en dépasse considérablement un autre, cet autre paraît rétrograder. En présence de ces deux solutions opposées, l'attitude adoptée par saint Bonaventure est fort curieuse. Il a le sentiment très exact du progrès que constitue la théorie des épicycles par rapport à la théorie d'Aristote et d'Averroës; elle permet en effet de rendre compte des apparences sensibles et d'expliquer d'une manière satisfaisante la position des planètes sur leurs orbes; mais il tient plus fermement au principe métaphysique d'un milieu céleste inaltérable qu'à toute hypothèse, si ingénieuse soit-elle, qui n'aurait pour elle que de s'accorder avec les apparences sensibles. La supposition la moins vraie au point de vue des sens peut donc être la plus vraie en réalité[1], et c'est à la théorie d'Aristote et d'Averroës que saint Bonaventure accorde en fin de compte son assentiment.

C'est également d'un point de vue métaphysique et transcendant que

---

1. *II Sent.*, 14, 2, 1, 1, ad 4ᵐ, t. II, p. 352, et 2, Concl., p. 353. Si l'on récapitule le nombre des sphères ou orbes célestes, on arrive à celui de dix, nombre satisfaisant en raison de sa perfection même. Voici comment saint Bonaventure interprète l'histoire du problème : « Caelum... distinguitur a quibusdam philosophis per octo orbes, qui dixerunt octavam sphaeram ultimam esse (*scil.*, les philosophes païens). Alii autem, amplius illuminati in hac materia, ultra octavam sphaeram posuerunt nonam (*scil.*, le crystallin, ou ciel des eaux, qui est au-dessus du firmament ou ciel des fixes). Tertii, perfecte illuminati, venerunt ad perfectam orbium distinctionem, ut ponerent decimam sphaeram (*scil.*, l'empyrée, ciel de lumière et immobile), in qua est quies et vita sempiterna, videlicet caelum

le Docteur Séraphique résout le problème de la nature des astres et de leur influence sur le monde sublunaire. Le soleil, la lune et les autres planètes ne diffèrent pas simplement comme des individus à l'intérieur d'une même espèce, ils sont encore spécifiquement différents, et c'est en raison de cette différence même que leur action sur les corps inférieurs est si diverse. Situés dans une région supérieure et dominante, doués d'une nature plus noble que les autres, riches de vertus éminentes, ils peuvent agir sur notre bas monde; et de même que le mouvement local suppose un premier moteur immobile, le mouvement d'altération selon la qualité doit nécessairement supposer une cause qui altère sans être elle-même altérée. C'est pourquoi les astres, corps faits de matière céleste et dépourvus des qualités qui appartiennent aux éléments ou aux mixtes, doivent être les véritables causes de toutes les altérations qui modifient incessamment les corps inférieurs. Or, si les astres agissent sur notre monde, et s'ils sont spécifiquement différents les uns des autres, ils doivent posséder des facultés différentes comme en possèdent des animaux de diverses espèces. C'est pourquoi, par exemple, la lune, en vertu d'une faculté naturelle et avec le secours de la lumière, exerce particulièrement son action sur l'élément humide, l'augmente par son influence et cause ainsi les marées de l'Océan par le flux qu'occasionne sa présence et le reflux que détermine son absence. Il en est exactement de même pour tous les autres astres, dont chacun possède à la fois l'activité de la lumière et celle de la faculté spécifique par laquelle il se distingue des autres[1]. Cette action ne s'exerce d'ailleurs pas que sur les corps insensibles, elle s'étend aux animaux et même jusqu'aux hommes; mais elle n'agit sur les êtres intelligents et libres qu'en conférant aux corps que les âmes informent une disposition qui les influence sans les déterminer.

empyreum, de quo, etsi Augustinus vix aut nunquam loquatur, Beda tamen et Rabanus ipsum esse expresse testantur », *II Sent.*, 14, 2, 1, 3, Concl., t. II, p. 356. C'est le cristallin qui joue alors le rôle de premier mobile, bien que saint Bonaventure semble disposé à accorder au cristallin un mouvement propre qui le fait avancer d'un degré en cent ans.

1. *II Sent.*, 14, 2, 2, 1 et 2, Concl., t. II, p. 357-361. En ce qui concerne l'efficace de la lumière, voir *Ibid.*, ad 3^m, t. II, p. 361 : « Hoc autem faciunt (*scil.*, luminaria caeli) per virtutem lucis in qua communicant, tum etiam per virtutes proprias, secundum quas agunt in haec inferiora, non ut producant sibi similia, sed ut influendo conservent, regant et intendant rerum inferiorum qualitates et naturas. » Sur la nature de la chaleur, *Ibid.*, ad 4^m.

Contre le déterminisme astrologique, *II Sent.*, 14, 2, 2, 3, t. II, p. 361-365. Toute cette question, dont nous ne donnons ici que la conclusion, est historiquement très intéressante.

Au point où nous sommes parvenus, nous pouvons contempler déjà dans son ensemble l'univers des créatures insensibles. Sous l'empyrée immobile et lumineux qu'habitent les anges, le crystallin tourne régulièrement, entraînant dans sa rotation le firmament des étoiles fixes et les huit orbes planétaires. Or, Dieu nous indique par le récit de la Genèse que cette distinction des luminaires célestes n'a pu se faire sans que la distinction des éléments du monde sublunaire ne s'accomplît également, et en disant : *congregentur aquae quae sub caelo sunt in locum unum et appareat arida* (Gen., I, 9), l'Écriture nous instruit de cet événement. Pour qu'une chose quelconque se mette en mouvement vers son lieu, il faut en effet qu'elle possède son être déjà complet et sa forme propre ; rassembler les eaux qui sont sous le ciel dans un même lieu a donc nécessairement consisté à donner à l'eau sa forme d'élément spécifiquement distinct des autres et en même temps l'inclination vers le lieu qui convenait à sa forme. Et comme le lieu propre de l'eau se trouve autour de la terre, elle n'a pu se rassembler sans découvrir la terre et se dissocier des deux éléments supérieurs, l'air et le feu. En fixant le moment où les eaux inférieures se sont rassemblées, l'Écriture suggère donc la distinction des quatres éléments ; au-dessous de l'orbe de la lune s'étagent dès lors selon l'ordre : le feu, l'air, l'eau et la terre[1] ; la distinction de la nature insensible est achevée, il nous reste à voir l'œuvre divine se parfaire par la distinction des corps mixtes et spécialement des animaux.

1. *II Sent.*, 14, 2, dub. 1ᵐ, t. II, p. 365.

CHAPITRE X.

Les animaux. Les raisons séminales.

En abordant l'étude des êtres animés nous rencontrons dans son domaine propre la notion d'âme, c'est-à-dire d'une forme dont la définition même implique un rapport intime avec la matière qu'elle organise. Et la première question qui se pose est de savoir si Dieu a dû créer des âmes *ex nihilo* lorsqu'il a formé les corps des animaux, ou s'il les a tirées de la puissance de la matière Question fort complexe, parce qu'il est difficile de dire comment Dieu a uni les premières formes animales à leurs corps sans expliquer comment elles s'y unissent actuellement et d'où elles leur viennent. Or, résoudre ce problème c'est trancher la question si controversée des raisons séminales et du lien de la matière à la forme dans l'économie des êtres vivants[1].

Saint Bonaventure se trouve sur ce point en présence de trois solutions. La première est celle que l'on prête communément à Anaxagore et qui suppose que les formes sont déjà présentes, mais à l'état latent, au sein de la matière. Mais l'expression de *latitatio formarum* peut s'interpréter à son tour en deux sens très différents. On admettra, par exemple, qu'Anaxagore considérait les formes comme existant réellement dans la matière et qu'elles s'y trouvaient par conséquent avec leur raison propre de formes, mais dissimulées et d'une manière telle qu'elles ne fussent pas visibles de l'extérieur. Dans une telle hypothèse, la nature serait exactement comparable à un tableau recouvert d'un voile; le tableau existe, les formes et les couleurs s'y trouvent déjà, mais nous ne les apercevons pas. Ou bien l'on admettrait au contraire que les formes ne se trouvent pas dans la matière à l'état de formes

---

1. Voir sur ce point l'excellent *Scholion* des éditeurs de Quaracchi, t. II, p. 199-200, auquel on joindra celui du texte capital des *Sentences*, dist. 18, art. 1, qu. 3, t. II, p. 443-444. Cf. Ziesché, *Die Naturlehre Bonaventuras*, Phil. Jahrb., XXI, Bd., 1908, p. 169-189. Travail précis et utile à consulter.

déjà développées, mais qu'elles y sont en puissance seulement. Ce serait là, comme nous le verrons, la véritable solution du problème, mais ce n'est malheureusement pas en ce sens qu'Anaxagore l'entendait. Si ses interprètes traduisent exactement sa pensée, il enseignait en effet que l'agent particulier ne produit rien de nouveau par son action et que l'efficace de son effort se limite à la découverte des formes qui lui préexistent dans la matière; elle les met au jour, mais elle ne les fait pas. C'est donc bien au premier point de vue qu'il se plaçait[1], et sa doctrine succombe en ce qu'elle suppose une matière informée, à la fois et sous le même rapport, par des formes physiquement incompatibles entre elles. On conçoit qu'elle puisse devenir successivement chaude et froide, on ne conçoit pas qu'elle puisse l'être simultanément.

Une deuxième hypothèse, développée par Avicenne, n'accorde pas plus d'efficace à la cause seconde, mais pour cette raison toute différente que les formes nouvelles apparaissent alors dans la matière en vertu de l'action directe du Créateur. Et ici encore deux interprétations de la même doctrine peuvent être proposées. Ou bien l'on veut dire simplement que Dieu est l'agent principal et, en dernière analyse, la cause ultime de l'apparition des formes, et l'on ne fait alors qu'exprimer la vérité. Ou bien l'on veut dire que Dieu est la cause efficiente totale de l'apparition des formes, que par conséquent chaque forme nouvelle qui apparaît résulte d'une création de Dieu, comme c'est en effet le cas pour l'âme raisonnable, et que l'agent particulier ne fait rien de plus que disposer la matière en vue de son apparition; on aboutit alors à la doctrine d'un Dieu qui serait le *dator formarum*, et c'est bien en ce sens qu'Avicenne l'entendait[2]. Or, une telle conception de l'action naturelle est manifestement inintelligible. Lorsqu'un agent particulier agit, il faut bien que son action produise quelque chose, faute de quoi nous ne pourrions même pas lui donner le nom d'agent. Cherchons donc le minimum d'efficace qu'il soit nécessaire d'attribuer à son action pour qu'elle puisse mériter ce nom; ce sera sans doute celle qu'Avicenne lui-même est contraint de lui reconnaître : disposer la matière en vue de cette forme qu'elle ne produit pas. Mais même alors nous devons admettre que la disposition introduite par la cause seconde dans la matière ne sera pas la même dans tous les cas; elle se diversifiera nécessairement en prévision des formes différentes dont elle a pour but de préparer l'apparition, de telle manière que la simple disposition

1. L'argument se réfère aux textes d'Aristote, *Metaph.*, I, 3, et *Phys.*, I, 4.
2. Avicenne, *Metaphys.*, IX, cap. 5.

en vue de la forme suppose déjà la production d'une forme. Il faut donc dénier toute efficace aux causes secondes ou chercher une autre solution.

La troisième de celles qui s'offrent à notre examen mérite de retenir notre attention, car le principe dont elle s'inspire est incontestablement vrai : si l'on réserve le cas de l'âme humaine, toutes les formes naturelles seraient déjà dans la matière — ce qui va contre Avicenne, — mais elles y seraient en puissance seulement — ce qui va contre Anaxagore. L'efficace de la cause seconde serait donc ici une efficace réelle puisqu'elle consisterait précisément à faire passer les formes de la puissance à l'acte : *et ista est positio quam videtur tenuisse Philosophus, et modo tenent communiter doctores in philosophia et theologia;* mais on peut l'interpréter, elle aussi, en deux sens différents.

Certains disent, en effet, que les formes naturelles sont dans la puissance de la matière en ce sens qu'elle peut les recevoir et que, les recevant, elle coopère en un certain sens à leur production. C'est l'interprétation à laquelle s'arrête notamment saint Thomas d'Aquin et qu'il importe de bien comprendre si l'on veut se représenter exactement l'attitude de saint Bonaventure. Du point de vue thomiste, les formes ne se trouvent pas dans la puissance de la matière en ce sens qu'elles y préexistent, soit toutes formées, soit à demi formées, soit virtuellement; en tant que formes, elles n'y préexistent pas du tout. Dire que les formes sont en puissance dans la matière, c'est dire simplement que la matière qui peut les recevoir existe, et la puissance de cette matière vis-à-vis de la forme se réduit à une capacité purement passive de la recevoir. Purement passive, disons-nous, et qui cependant ne se réduit pas à une pure négation. La matière ne contient rien de la forme avant de l'avoir reçue, mais elle ne lui est pas indifférente, et la preuve en est que n'importe quelle matière ne peut pas recevoir n'importe quelle forme. Le marbre ne possède rien de la forme de la statue, mais il peut la recevoir; l'eau ne possède rien non plus de cette forme, mais elle ne peut même pas la recevoir. Ainsi, il se trouve que certaines matières sont naturellement aptes à recevoir certaines formes, et cette aptitude, positive puisqu'elle se fonde dans leur nature même, mais purement passive puisqu'elles ne possèdent rien qui leur permettre de se conférer ces formes, est aussi ce qui permet à la cause efficiente de les en tirer. Dès lors on conçoit comment une telle doctrine explique l'activité des causes secondes. La matière leur est nécessaire, car si cette matière leur faisait défaut les causes secondes seraient réduites à l'im-

possibilité de faire quoi que ce soit ou à la nécessité de créer leurs
effets *ex nihilo;* mais leur action demeure efficace, parce que la forme
qu'elles font sortir de la matière ne s'y trouvait pas réellement préformée avant d'y avoir été engendrée par la cause efficiente qui la
produit.

Mais on aperçoit en même temps comment la question se pose pour
les philosophes du moyen âge. Le problème de l'éduction de la forme
leur apparaît comme particulièrement difficile à résoudre parce que, si
la forme est déjà donnée dans la matière, l'agent qui nous semble produire quelque chose ne produit en fait absolument rien lorsqu'il paraît
l'en tirer; et si la forme n'est pas encore donnée dans la matière, l'agent
qui paraît la faire sortir de la puissance de cette matière l'y introduit,
au contraire, en vertu d'une sorte de création. Or, l'exposé même que
donne saint Bonaventure de la doctrine albertino-thomiste attire tout
particulièrement l'attention vers le deuxième aspect de la difficulté. La
matière apparaît alors comme un réceptacle doué d'une aptitude
purement passive à recevoir la forme, et comme l'opération de l'agent
ne tombe pas sur une virtualité déjà positive de forme, mais sur un
terrain neutre qui subit sans réagir, toute l'efficace de l'opération se
trouve concentrée dans la forme de l'agent lui-même comme dans son
principe efficient et originel. Au moment où l'on parle de « tirer » une
forme de la matière comme si elle y était déjà, on veut dire en fait
qu'une forme, en vertu du pouvoir naturel qu'elle possède de se multiplier, se propage dans une matière dont elle s'empare : telles, pour
nous en tenir à des exemples familiers, la chandelle dont la flamme en
allume une ou plusieurs autres, ou les images multiples qu'un même
objet engendre par sa seule présence sur la surface de plusieurs miroirs.
En réalité il ne faudrait pas dire alors que les formes ont une matière
dont elles sont tirées, mais un principe qui les y engendre[1], et c'est

---

1. Cf. saint Thomas d'Aquin : « Has ergo virtutes incompletas in materia praeexistentes
rationes seminales dicunt, quia sunt secundum esse completum in materia, sicut virtus
formativa in semine. Hoc autem verum non videtur, quia quamvis formae educantur de
potentia materiae, illa tamen potentia materiae non est activa sed passiva tantum... et ideo
sicut in corporibus simplicibus non dicimus quod sint mota ex se secundum locum, quia
ignis non potest dividi in movens et motum, ita etiam non potest esse alteratum ex se,
quasi aliqua potentia existens in materia aliquo modo agat in ipsam materiam in qua est,
educendo eam in actum... Nec tamen sequitur, si in materia est potentia passiva tantum,
quod non sit generatio naturalis, quia materia coadjuvat ad generationem non agendo, sed
inquantum est habilis ad recipiendum talem actionem, quae etiam habilitas appetitus
materiae dicitur et inchoatio formae... Et ideo concedo quod in materia nulla potentia
activa est sed pure passiva, et quod rationes seminales dicuntur virtutes activae completae

cela même que saint Bonaventure ne peut se résoudre à accepter. Pour une pensée comme la sienne, soucieuse avant tout de respecter les droits de Dieu, et qui aime mieux se tromper au détriment de la créature que de courir le simple risque d'errer au détriment du Créateur, la conception thomiste de l'éduction des formes a le tort d'accorder trop d'efficace à la cause seconde, en supposant que la forme efficiente tire d'elle-même la forme engendrée et la produit en quelque sorte de son propre fonds. C'est pourquoi nous le voyons s'arrêter à une interprétation toute différente, la théorie des raisons séminales, et la développer minutieusement.

De ce dernier point de vue les formes apparaissent comme étant littéralement en puissance dans la matière, ce qui ne signifie pas qu'ici non plus la matière en tant que matière possède aucune des propriétés de la forme en tant que forme, mais qu'il y a dans la matière des germes de formes sur lesquels tombera l'action qui les développera. La matière de saint Thomas est un miroir où peut se propager une lumière ; la matière de saint Bonaventure est un sol qui contient des graines, non des plantes, mais dont les plantes peuvent être par conséquent tirées. Cette solution du problème lui semble capable d'aplanir bien des difficultés inhérentes à l'aristotélisme pur, mais il importe de bien l'entendre et d'éviter toute confusion. Affirmer que la matière concourt vraiment à la production de la forme ne signifie pas que la cause efficiente puisse transmuer de la matière en forme et faire que l'un des deux principes de tout corps sensible devienne le principe opposé. On ne veut rien dire de plus en affirmant une telle doctrine, sinon que la matière a été créée grosse de quelque chose dont l'agent tire la forme. Ce quelque chose n'est pas de la matière, puisque rien ne peut faire que l'un des deux principes devienne l'autre ; ce n'est pas non plus la forme, puisque l'agent n'aurait plus rien à faire s'il la trouvait déjà préexistante à son action ; ce n'est pas davantage une partie de la forme, car on ne concevrait pas plus la production de la partie qui manque par celle qui existe qu'on ne conçoit comment la forme de l'effet pourrait sortir tout entière

in natura cum propriis passivis, ut calor et frigus et forma ignis et virtus solis et hujusmodi ; et dicuntur seminales non propter esse imperfectum quod habeant, sicut virtus formativa in semine, sed quia rerum individuis primo creatis hujusmodi virtutes collatae sunt per opera sex dierum, ut ex eis quasi ex quibusdam seminibus producerentur et multiplicarentur res naturales », *II Sent.*, 18, 1, 2, ad *Respond.* Le désaccord entre les deux philosophes ne porte pas sur la matière, car saint Bonaventure n'admet pas non plus que la matière comme telle soit active, mais sur la présence dans la matière de formes imparfaites, ce que saint Bonaventure admet et que saint Thomas nie.

de celle de la cause. Qu'est-ce donc? C'est un principe qui contient en soi à l'état virtuel ce que sera la forme à l'état actuel. N'en cherchons pas d'autre définition; on pourra dire indifféremment que sa nature consiste à pouvoir être la forme, ou qu'elle est l'essence même de la forme considérée sous un mode d'être encore incomplet; les deux formules sont équivalentes : *illud potest esse forma et fit forma sicut globus rosae fit rosa*[1]; un bouton de rose n'est pas une rose, mais il la contient, et c'est ce qui permet au soleil de l'épanouir.

Envisagée sous cet aspect, la doctrine bonaventurienne de l'éduction des formes satisfait à la première condition du problème : l'agent particulier fait quelque chose en agissant. Il ne faudrait pas croire en effet que la présence d'une raison séminale sur laquelle vient s'appliquer l'action de la cause suffise à la dispenser d'exercer une véritable efficace. La raison séminale est déjà de la nature de la forme, mais, pour développer et conduire à l'acte ce qu'elle contient à l'état d'enveloppement, il faut qu'elle reçoive du dehors ce qui lui manque et que, laissée à ses propres ressources, elle demeurerait éternellement incapable de se conférer. Ajoutons qu'il ne suffit même pas d'une sorte d'excitation extérieure pour la mettre en mouvement et comme d'une impulsion initiale qui ne modifierait pas son être. En pénétrant dans la raison séminale pour l'éveiller, la cause efficiente l'informe positivement, et c'est en lui donnant quelque chose de soi qu'elle la conduit à sa perfection. Cela est si vrai que ce qui est infusé par la cause efficiente devient partie intégrante de l'être de l'effet, de telle sorte que l'effet lui-même contient quelque chose de véritablement nouveau.

Mais, en même temps qu'elle respecte l'efficace de la cause seconde, la doctrine des raisons séminales écarte toute suspicion d'une aptitude créatrice ou quasi créatrice de la cause seconde à engendrer la forme de son propre fonds. Car ce que la cause efficiente confère à son effet n'est pas de l'être, c'est un simple mode d'être. L'essence de ce qui était raison séminale est l'essence même de la forme complètement actualisée, et il le faut bien, car les essences changent par addition d'être comme les nombres par addition d'une unité, de telle sorte que, si la cause ajoutait de l'être à la raison séminale, la forme qui en sort posséderait une autre essence qu'elle et que nous retomberions dans la pseudo-création de la solution précédente[2]. C'est donc un nouveau

1. *II Sent.*, 7, 2, 2, 1, Concl., t. II, p. 198.
2. « Cum satis constet rationem seminalem esse potentiam activam inditam materiae, et illam potentiam activam constet esse essentiam formae, cum ex ea fiat forma mediante

mode d'être que reçoit la raison séminale en passant de la puissance à l'acte ; mode d'être substantiel et non pas simplement accidentel, car avant l'action de la cause il n'y avait qu'une simple virtualité et non une substance ; mais pur mode d'être cependant, car si la cause efficiente avait été capable d'ajouter de l'être à son contenu elle aurait été capable de créer. Or, ni l'animal, ni l'homme, ni même les démons n'en sont capables[1] ; les uns et les autres ne peuvent exercer efficacement leur action sur la nature qu'en s'y soumettant. Il en est d'eux en effet comme d'un cultivateur qui travaille son champ. C'est bien le cultivateur qui produit la moisson et nul ne le conteste ; mais pour la récolter il lui faut d'abord amasser des semences, les confier à la terre qui les fécondera, les arroser avec l'eau de la source, et ainsi nous le voyons exercer une action efficace parce qu'elle utilise les virtualités latentes au sein des choses. Or, l'animal qui se reproduit n'agit pas autrement que l'artisan quant à l'utilisation des raisons séminales ; il n'engendre une forme semblable à la sienne qu'en vertu de celle qu'il a lui-même reçue et de la virtualité de substance qu'il trouve toute prête à se développer. Ce n'est pas d'une question secondaire ou d'un cas d'espèce qu'il peut s'agir ici, le principe délimite les domaines respectifs du Créateur et de la créature : *Deus enim operatur ex nihilo ; natura vero non facit ex nihilo sed ex ente in potentia*[2] ; c'est donc nécessairement un principe absolu.

Pour achever de nous en convaincre, comparons enfin les trois seuls modes de production qu'il nous soit possible de concevoir. On peut distinguer en effet une première faculté qui produirait les choses en agissant de l'extérieur, une deuxième qui les produirait en agissant uniquement de l'intérieur, et une troisième enfin qui les produirait partie de l'intérieur et partie de l'extérieur. Au premier mode de pro-

operatione naturae, quae non producit aliquid ex nihilo ; satis rationabiliter ponitur quod ratio seminalis est essentia formae producendae, differens ab illa secundum esse completum et incompletum, sive secundum esse in potentia et in actu », *II Sent.*, 18, 1, 3, Concl., t. II, p. 440. La première partie de ce texte met au jour les racines métaphysiques de la doctrine et pourquoi Jean Peckham par exemple pouvait réclamer le maintien de la tradition au nom d'un intérêt religieux Cf. également la lettre de R. Kilwardby à Pierre de Conflans, F. Ehrle, *Beiträge z. Geschichte d. mittelalterl. Scholastik*, Archiv. f. Lit. und Kirchengesch, t. V, p. 614-632.

1. *II Sent.*, 7, 2, 2, 2, Concl., t. II, p. 202 : « Dicamus igitur brevius quod has formas, de quibus loquimur (*scil.*, artificiales) daemones possunt vere transmutare, non tamen virtute sua, sed naturae. Unde tantum sunt ministri, non principales agentes, quia, si essent principales agentes, cum non producant per conveniens nomine et specie (*scil.*, formam naturalem) producerent sicut creator et ita essent creatores. » Cf. p. 293, note 5.

2. *II Sent.*, 7, 2, 2, 2, Concl., t. II, p. 202.

duction correspond l'activité de l'artisan ou celle du cultivateur que nous venons de prendre en exemple; son action se borne à mettre des natures différentes en rapport les unes avec les autres, à les faire agir les unes sur les autres ou au contraire à les séparer. La puissance divine, au contraire, est la seule qui corresponde au deuxième mode d'opération, car elle ne produit pas seulement les choses, mais les semences mêmes dont ces choses sont sorties, et par conséquent ce qu'il y a de plus intime en elles. Les natures ou les facultés naturelles, enfin, correspondent au troisième mode d'opération, car elles agissent à la fois de l'extérieur et de l'intérieur. De l'extérieur en ce qu'elles appliquent leur action aux raisons séminales concréées par Dieu à la matière; de l'intérieur en ce qu'elles infusent l'actualité qui détermine les raisons séminales à se développer. Au moment où la nature agit, elle introduit son action jusqu'au cœur même de l'essence et tombe précisément sur la raison séminale que la puissance divine y a préalablement déposée. La cause seconde la présuppose donc, mais ne la crée pas. L'action de la forme naturelle nous apparaît ainsi comme analogue à celle d'une cause adjuvante; elle développe les raisons séminales et conduit les formes à leur perfection, mais le père n'est pas plus le créateur de son fils que le cultivateur ne l'est des moissons qu'il récolte, et nous étions bien fondés à dire que l'un et l'autre actualisent simplement, par l'action naturelle ou artificielle qu'ils exercent, les virtualités confiées par Dieu au réceptacle de la matière lors de la création [1].

1. « Quaedam est virtus quae in productione rerum solum operatur exterius; quaedam quae perfecte operatur interius; quaedam partim interius, partim exterius. Virtus artificis solum exterius operatur, amovendo sive jungendo et applicando unam naturam cum alia. Virtus Dei operatur perfecte interius, quia ipsa primordialia semina, quae sunt intima producit. Virtus vero, quae est partim interius, partim exterius, est virtus naturae, quae exterius est respectu rationum seminalium, sed interius respectu producendorum ex ipsis. Natura enim, dum operatur, immittit virtutem suam usque ad intima passi; et in illa immissione ipsam essentiam formae, quae erat in potentia incompleta, non producit, sed productam a Deo supponit; ipsam tamen adjuvando ad actum perfectum adducit. Solus igitur ille potest seminales illas rationes facere, qui potest creare; quoniam ipsae non sunt ex aliis, sed ex nihilo, et ex ipsis fiunt omnia quae naturaliter producuntur. Igitur nec pater est productor filii, nec agricola segetum; quia licet pater operetur interius, sicut natura, tamen operatur exterius, et circa aliquid et ex aliquo, non ex nihilo, licet non operetur adeo exterius, sicut agricola », II Sent., 7, dub. 3, t. II, p. 206-207. Cf. IV Sent., 43, 1, 4, Concl., t. IV, p. 888. Le principe de la doctrine apparaît à l'état pur dans la déclaration suivante : « Haec igitur est summa positionis, quod agens creatum nullam quiddi-tatem, nec substantialem nec accidentalem omnino producit, sed entem sub una disposi-tione facit esse sub alia », II Sent., 7, 2, 2, 1, ad 6ᵐ, t. II, p. 199. Il s'appliquera donc même aux âmes des animaux : « Prima (scil., positio) dicit quod anima se ipsam multipli-

Nous apercevons dès lors comment cette création elle-même s'est produite. Dès le commencement la matière s'est trouvée riche de toutes les virtualités innées qu'y avait déposées l'action créatrice. Chargée de toutes ces semences, elle est une véritable pépinière, *seminarium inditum*, et depuis le jour même de sa première distinction elle contient naturellement les germes de toutes les formes qui pourront jamais être produites. Sans doute, il leur faudra encore passer de la puissance à l'acte, mais, comme nous venons de l'établir, saint Bonaventure considère que l'acte et la puissance ne sont pas deux essences différentes ; ce ne sont pas deux êtres, ce sont deux manières d'être, et ces deux dispositions différentes ont beau constituer des dispositions substantielles, elles n'en sont pas moins reliées par une continuité réelle qui permet le développement de l'une à partir de l'autre, et il ne faut même pas que la distance qui les sépare soit bien grande, puisque l'action d'une cause créée suffit à la leur faire franchir[1].

Que les choses se soient effectivement passées ainsi, c'est ce que l'Écriture elle-même nous indique. Lorsque nous lisons dans le récit de la Genèse cette parole divine : que les eaux, ou : que la terre produisent des animaux doués de vie, c'est bien de la terre ou des eaux que nous les voyons sortir. Or, pour que les âmes végétatives des animaux puissent s'engendrer de la matière, il fallait nécessairement qu'elles y fussent déjà contenues, et c'est précisément pourquoi nous devons supposer que la matière contenait les puissances actives dont les âmes allaient se développer. Qu'un agent extérieur vienne éveiller les virtualités assoupies, elles vont déployer leurs richesses jusqu'à s'épanouir en âmes animales parfaites ; elles aussi ne feront que s'ouvrir comme le bouton qui s'épanouit en rose[2], mais il faut d'abord un

cat et transfundit, ita tamen quod anima non habeat aliquid ex quo fiat ; et hoc est ponere quod forma naturalis possit aliam formam consimilem ex nihilo producere », *II Sent.*, 15, 1, 1, Concl., t. II, p. 374.

1. « Et ista positio ponit quod in materia sint veritates omnium formarum producendarum naturaliter ; et, cum producitur, nulla quidditas, nulla veritas essentiae inducitur de novo, sed datur ei nova dispositio, ut quod erat in potentia fiat in actu. Differunt enim actus et potentia, non quia dicant diversas quidditates, sed dispositiones diversas ejusdem ; non tamen sunt dispositiones accidentales, sed substantiales. Et hoc non est magnum si est in potentia agentis creati, ut quod est uno modo faciat esse alio modo », *II Sent.*, 7, 2, 2, 1, Concl., t. II, p. 198.

2. « Animae quae sunt pure sensibiles productae sunt ex aliquo seminaliter, sed non materialiter. Seminaliter inquam, quia formae sunt generabiles et corruptibiles per naturam ; et ideo sicut aliae formae naturales non ex nihilo producuntur, sed est aliqua potentia activa in materia, ex qua fiunt tanquam ex seminario ; sic etiam intelligendum est in

bouton. De dire exactement à quel moment les raisons séminales ont été confiées par Dieu à la matière, ce n'est pas chose facile. Lorsqu'il décrit la matière telle que Dieu l'a d'abord créée, saint Bonaventure semble surtout préoccupé de nous la représenter dans toute sa nudité, à peine diversifiée par quelques différences de densité comme par l'attente des formes futures[1], et jamais d'ailleurs il n'a soutenu expressément que les âmes animales aient virtuellement préexisté dans la matière avant l'œuvre de distinction du cinquième jour. Il enseigne au contraire que les premières âmes animales ont été créées dans le *seminarium* des formes virtuelles dont toutes les autres allaient sortir. Mais en même temps, et sans doute à cause du texte de la Genèse que nous avons rappelé, il réserve la possibilité d'une préexistence des premières âmes animales par rapport au cinquième jour. Dans cette seconde hypothèse, le *seminarium* des formes aurait existé dès l'origine sous un mode d'être que nous ne pouvons préciser et n'aurait reçu le cinquième jour que son organisation définitive. Quoi qu'il en soit, la question ne se pose plus. Les raisons séminales sont toutes données et, comme le dit Augustin : *terra praegnans est seminibus, non tantum respectu arborum, sed etiam respectu animalium*[2]*;* il nous reste à déterminer quel peut être leur mode de développement.

animabus sensibilibus, quae sunt formae tantum, cujusmodi sunt in brutis animalibus. Et ideo concedendum est animas sensibiles sive animas brutorum esse ex aliquo, non inquam materialiter sed seminaliter; quia cum anima sensibilis sit forma, non habet materiam partem sui, sed solum fit ex potentia materiae activa, quae ab agente excitatur; et sic proficit, quousque fiat anima, sicut globus proficiendo fit rosa », *II Sent.*, 15, 1, 1, Concl., t. II, p. 374.

1. Voir chapitre précédent, p. 262. De toute façon il ne sera jamais question d'identifier la forme incomplète de la matière dont nous avons parlé avec les raisons séminales, mais de savoir si la matière a eu dès le début cette forme incomplète de la corporéité, plus les raisons séminales sous un mode également imparfait en tant même que raisons séminales.

2. *II Sent.*, 15, 1, 1, Concl., et ad 3^m, t. II, p. 375-376. Saint Augustin a exposé à plusieurs reprises la doctrine des raisons séminales. C'est une interprétation, inspirée du stoïcisme, de textes bibliques connus : *Genèse*, I, 1; I, 29; II, 4, 5; II, 2, 3; *Ecclesi*, 18, 1. Voir entre autres textes : *De vera religione*, 42, 79, P. L., t. 34, col. 158, où se trouve l'expression baconienne déjà signalée : *sylva sylvarum* (bien que la traduction ordinaire « forêt de matériaux » reste possible) : « Si ergo voluptas carnis diligitur, ea ipsa diligentius consideretur; et cum ibi recognita fuerint quorumdam vestigia numerorum, quaerendum est ubi sine tumore sint. Ibi enim magis unum est quod est. Et si tales sunt in ipsa motione vitali, quae in seminibus operatur, magis ibi mirandi sunt quam in corpore. Si enim numeri seminum sicut ipsa semina tumerent, de dimidio grano fici, arbor dimidia nasceretur, neque de animalium seminibus etiam non totis, animalia tota et integra gignerentur, neque tantillum et unum semen vim haberet sui cujusque generis innumerabilem. De uno quippe secundum suam naturam possunt, vel segetes segetum, vel silvae silvarum, vel greges gregum, vel populi populorum per saecula propagari, ut nullum folium

Puisque la raison séminale est l'essence même de la forme considérée sous un mode d'être incomplet, la loi de son développement dépendra du manque dont elle souffre et de la nature des déterminations qu'il lui reste à acquérir. Or, on ne voit guère que deux ordres de succession des formes qui soient concevables et par conséquent que deux modes possibles de leur développement. Une première solution du problème serait celle des métaphysiciens qui soutiennent avec Platon l'existence réelle des universaux et supposent en conséquence que les formes les plus universelles s'emparent d'abord de la matière, chacune des formes plus particulières venant ensuite s'ajouter à elles pour les déterminer. Entendue en ce sens la raison séminale serait incomplète, comme l'est la forme universelle, et se trouverait complétée progressivement comme la forme de l'animal peut l'être par celle du cheval ou celle du cheval à son tour par celle de tel cheval déterminé[1]. Solution qui s'appuie sur des raisons très fortes, car si le particulier est l'actuel, si la matière est le possible et si la forme universelle non encore spécifiée est intermédiaire entre le possible et l'actuel, il paraît naturel que la matière parvienne à sa forme complète au moyen des formes universelles. Ce n'est cependant pas la solution que saint Bonaventure considère comme la mieux fondée.

sit, vel nullus pilus per tam numerosam successionem, cujus non ratio in illo primo et uno semine fuerit. » Expressions très analogues dans : *Sup. Genes. ad litt.*, V, 23, 44-45, t. 34, col. 357, où l'on notera l'expression de « potentialiter » : « Sicut autem in ipso grano invisibiliter erant omnia simul quae per tempora in arborem surgerent, ita ipse mundus cogitandus est, cum Deus simul omnia creavit, habuisse simul omnia quae in illo et cum illo facta sunt, quando factus est dies : non solum cœlum cum sole et luna et sideribus, quorum species manet, motu rotabili, et terram et abyssos..., sed etiam illa quae aqua et terra produxit potentialiter atque causaliter, priusquam per temporum moras ita exorirentur, quomodo nobis jam nota sunt in eis operibus, quae Deus usque nunc operatur. » Cf. également *op. cit.*, IV, 33, 52, t. 34, col. 318; VI, cap. 15, n. 18 à cap. 18, n. 29, t. 34, col. 350, spec. « si omnium futurorum causae mundo sunt insitae ». — *De Trinitate*, III, 8, 13, t. 42, c. 875; texte important et qui explique pourquoi saint Bonaventure pose la question à propos des miracles démoniaques. Remarquer l'expression : « Alia sunt enim haec jam conspicua oculis nostris ex fructibus et animantibus, alia vero illa occulta istorum seminum semina », *Ibid.*, 9, 16, col. 877-878. — On ajoutera à ces textes le pseudo-Augustin, *Dialogus quaest. LXV*, qu. 37, P. L., t. 45, col. 745. — Une source historique intéressante à consulter est Pierre-Jean Olivi, *In II Sent.*, qu. 31, éd. B. Jansen, Quaracchi, 1922, p. 508 et suiv.

Il est assez remarquable d'ailleurs que saint Bonaventure croie la doctrine d'Aristote conforme sur ce point à la doctrine de saint Augustin; il renvoie au *De Generat. animalium*, II, 3, auquel texte les éditeurs ajoutent III, 11. C'est donc bien ici à une idée et non pas à un homme qu'il s'oppose. — Sur les « rationes primordiales, causales, seminales, naturales », *II Sent.*, 18, 1, 2, ad 6m, t. II, p. 438.

1. Voir Averroës, *Metaphys.*, lib. I, text. 18, c. 8, résumé t. II, p. 440, note 6.

L'universalité d'une forme peut en effet s'entendre en deux sens différents. Il peut s'agir d'abord de l'universalité telle que la conçoit le métaphysicien, et on devra l'entendre alors dans le sens même où l'on prend ce terme lorsqu'il s'agit d'une définition. Prise en ce sens, la forme universelle signifie l'essence même de la chose, par exemple la blancheur pour ce qui est blanc et l'humanité pour l'homme ; mais elle signifie en même temps par là même le principe de la connaissance que nous avons des choses, car nous ne pouvons donner un même nom à des êtres différents que s'ils possèdent une essence et participent à une forme commune. Or, il apparaît immédiatement que l'indétermination de l'universel logique et métaphysique ne peut pas être celle de la raison séminale, car pour admettre qu'elle fût telle il nous faudrait renoncer à notre conception du principe d'individuation. Si l'on admet en effet que la matière soit informée successivement par des formes de moins en moins universelles, il faut admettre que la forme plus universelle se trouve particularisée par l'addition d'une forme plus particulière ; il faut continuer à l'affirmer au moment où l'on arrive à l'individu et enseigner alors que l'individuation se fait par une forme de l'individualité. Or, nous avons dû conclure, en étudiant cette question, que l'individuation se fait par l'appropriation réciproque de la matière et de la forme ; il est donc impossible d'admettre les déterminations progressives de la raison séminale par une série de formes surajoutées ; l'individuation est achevée dès la première rencontre de la forme avec la matière, ou elle ne se fera jamais.

Il faut donc admettre une autre sorte d'universalité, qui n'est plus celle que le métaphysicien ou le logicien considèrent, mais celle que le physicien constate lorsqu'il étudie le développement des êtres et surtout celui des êtres organisés. Il existe en effet une sorte d'universalité qui n'est pas *essentielle*, mais, s'il est permis de s'exprimer ainsi, *radicale;* c'est celle qui appartient, non aux essences définies que l'on peut affirmer des particuliers, mais à ces êtres encore indéterminés, dont l'essence est comme le germe, dont plusieurs autres prennent leurs racines et qui sont encore indifférenciés par rapport à ce qui pourra naître d'eux[1]. Ce n'est plus d'une universalité abstraite qu'il s'agit

1. « Formam vero partis, quae in genere non habet esse nisi per reductionem, non est dicere proprie universalem ; potest tamen aliquo modo dici universalis radicatione, cum illa est indifferens ad multa quae possunt fieri ex ipsa ; sicut causa dicitur esse universalis quia potest in multa. Et sic illa potentia activa quae est in materia, quae dicebatur ratio seminalis, potest dici universalis, non proprie, secundum quod universale consideratur a

alors, mais bien des virtualités multiples d'un être réel et concret, encore qu'incomplètement développé. Et c'est précisément par enrichissement physique de son contenu, non par détermination abstraite de sa notion, que la raison séminale va se développer.

L'expérience prouve en effet que l'ordre selon lequel les formes naturelles sortent de la matière ne correspond pas à l'ordre selon lequel les espèces déterminent les genres. La matière reçoit d'abord la forme des éléments; par l'intermédiaire de cette forme élémentaire elle devient capable de recevoir celle du mixte; mais par l'intermédiaire de la forme du mixte elle devient apte à recevoir ensuite la forme du corps organisé, et c'est ainsi, par un développement qui fait toujours appel à des virtualités latentes, que les êtres naturels parviennent progressivement à leur forme parfaite, les formes supérieures se développant dans la matière au moment où les formes inférieures l'ont conduite au degré d'organisation qui leur permettra de s'épanouir[1]. Et de même que la raison séminale est le terme initial du développement de la forme, de même elle est le terme final dans lequel cette forme se résoudra. Elle en vient, et elle y retourne pour en ressortir de nouveau, identique à elle-même sous le rapport de son essence, mais revêtue d'un mode d'être nouveau par la forme qui la tire de la puissance de la matière[2]. Ainsi,

metaphysico, sed large, ut dicat quamdam principii indifferentiam, quam etiam considerat physicus », *II Sent.*, 18, 1, 3, Concl., op. 2ª, t. II, p. 441.

1. « Harum autem duarum positionum quae sit probabilior et verior difficile est videre stanti in communi consideratione (c'est-à-dire pour qui considère le problème à priori et sans le confronter avec les faits); descendenti vero ad particulares operationes naturae, videbitur consideratio physici et metaphysici diversificari, nec posse bene simul sibi correspondere. Aliter enim definitur albedo... aliter a natura producitur. Definitur enim per genus suum, quod est color, et color per genus superius, et sic usque ad summum generis sui. Sed natura in producendo non servat hunc ordinem, sed sic producitur albedo sicut exigit operatio qualitatum elementarium cum virtute luminis. Et ideo positio ultimo dicta communior est, et intelligibilior et sensui vicinior », *II Sent.*, 18, 1, 3, Concl., t. II, p. 442. Comparer saint Thomas, *II Sent.*, 18, 1, 2, Resp., ad *Quidam enim dicunt.* Le texte le plus riche est P.-J. Olivi, *In II Sent.*, qu. 31, éd. B. Jansen, Quaracchi, p. 508 et suiv.

2. « Supponamus nunc quod natura aliquid agat, et illud non agit de nihilo, et cum agat in materiam, oportet quod producat formam. Et cum materia non sit pars formae, nec forma fiat pars materiae, necesse est aliquo modo formas esse in materia antequam producantur; et substantia materiae est praegnans omnibus : ergo rationes seminales omnium formarum sunt in ipsa. Sed ad illud stat resolutio a quo incipit generatio; ergo nulla forma omnino corrumpitur, sed manet in materia post corruptionem, sicut manebat antequam produceretur; et sic dicit Augustinus. Unde formas in materia ante productionem dicit esse quantum ad rationes seminales; dicit etiam resolvi ad materiam sicut ad occultissimos sinus naturae, idem utroque nomine secundum alteram et alteram rationem intelligi volens... Quamvis forma ibi sit aliquo modo post corruptionem, tamen natura non potest producere ad idem esse quod habuit prius. Et ratio hujus est, quia agens naturale agit

jamais définitivement achevée ni définitivement anéantie, la raison séminale reste toujours l'essence imparfaite d'une forme qui peut à chaque
instant se compléter ou le refuge d'une forme complète qui va se corrompre. L'agent naturel trouve devant lui cette essence, il l'éveille, lui
confère l'actualité et peut même déterminer l'épanouissement de formes
de plus en plus parfaites s'il leur offre une matière convenablement
organisée ; mais la forme la plus parfaite épuise bientôt sa vertu et redevient raison séminale ; la forme du mixte qui la soutenait laisse à son
tour les éléments qu'elle unissait se dissocier ; les éléments libérés
peuvent eux-mêmes rentrer momentanément dans l'inaction et assoupir
leurs formes ; toutes sont alors retournées au réceptacle de la nature en
attendant les forces animatrices qui les actualiseront de nouveau. Rien
ne se perd, rien ne se crée, mais tout s'implicite et s'explicite, sans que
ce jeu de perpétuels échanges puisse jamais prendre fin que par la
volonté du Dieu qui l'a réglé.

Nous avons supposé à plusieurs reprises qu'un rapport de convenance

---

influendo et impertiendo aliquid sui, quo mediante perficit illud quod erat in materia. Et
illud quod influitur a parte agentis, fit aliquid de completo esse ipsius producti ; et ideo
necesse est quod natura det aliquid novi quantum ad modum essendi substantialem, qui
est esse in actu. Quamvis enim natura non det novam essentiam, dat tamen novum modum
essendi, non tantum accidentalem, immo etiam substantialem, sicut esse in actu, secundum quem potest res substantialiter numerari et diversificari », *IV Sent.*, 43, 1, 4, Concl.,
t. IV, p. 888. La dernière partie de ce texte est intéressante en ce qu'elle montre que la
doctrine augustinienne des raisons séminales ne conduit pas saint Bonaventure à l'occasion-
nalisme. Sa préoccupation constante est d'assurer à la cause seconde une efficace, mais qui
ne soit pas une création. Elle est également intéressante en ce qu'elle permet de régler une
controverse qui met aux prises certains interprètes de saint Bonaventure. J. Krause, *Die
Lehre des heil. Bonaventura über die Natur der körperlichen und geistigen Wesen und
ihr Verhältnis zum Thomismus* (Paderborn, 1888), soutient que les formes sont présentes
dès l'origine dans la matière (p. 24) ; Ed. Lutz, *Die Psychologie Bonaventuras nach den
Quellen dargestellt* (Beitr. z. Gesch. d. Philos. d. Mittelalters, VI, 4-5, Münster, 1909),
après avoir déclaré qu'ici comme en beaucoup d'autres endroits de la doctrine il est difficile d'arriver à un résultat assuré (p. 34), conclut que toute production naturelle suppose
trois principes dans la philosophie de saint Bonaventure : la matière, la forme en puissance
dans les raisons séminales et la faculté naturelle qui la conduit à l'acte. Or, les deux
interprétations laissent de côté un élément de la solution bonaventurienne. On ne peut pas
dire que les formes soient présentes dans la matière comme le soutient Krause, mais seulement l'essence de la forme sans son actualité. On ne peut pas dire qu'il y ait trois principes de l'opération comme le veut Ed. Lutz, parce que la force naturelle qui actualise une
raison séminale est une forme, et comme l'essence de la raison séminale est celle même de
la forme, il ne reste que les deux principes classiques : la matière et la forme. L'inconsé-
quence que l'on imagine chez saint Bonaventure est donc cette fois encore imaginaire ; on
ne la suppose que faute de concevoir avec lui une puissance qui ne soit pas une passivité
pure ou une simple possibilité logique, mais une essence qui n'atteindra sa forme complète qu'en recevant ce qui lui manque d'une forme déjà actualisée.

unissait la raison séminale au corps dans lequel elle se développait. N'importe quelle forme ne peut pas apparaître dans n'importe quelle matière et le degré d'organisation du support corporel est en raison directe de l'éminence de la forme qu'il reçoit. Ce principe va nous permettre de déterminer la composition élémentaire du corps animal, car si la forme a besoin d'une matière définie pour s'actualiser elle se la donnera ; une finalité interne travaille la nature entière, et avant même que nous n'ayons été conduits à l'établir en thèse générale nous allons le constater dans ce cas particulier. Partout l'inférieur est en vue du supérieur ; la matière est donc en vue de la forme et l'âme animale se donnera le corps dont elle a besoin pour exercer toutes ses opérations. Or, l'animal perçoit les objets extérieurs et il les perçoit notamment par le toucher ; mais le sens du toucher permet de découvrir la présence des quatre qualités sensibles : le chaud, le froid, le sec et l'humide ; ces quatre qualités sensibles ne font à leur tour que manifester la présence des quatre éléments auxquels ils appartiennent : le feu, l'air, la terre et l'eau ; il faut donc nécessairement que ces quatre éléments entrent dans la composition du corps animal si l'âme doit communiquer avec eux par son intermédiaire. Et l'on pourrait établir la même conclusion par d'autres voies. Le corps animal est doué de mouvements divers ; il peut non seulement progresser dans le sens de la longueur, mais aussi se dilater et se contracter ; or, aucun élément ne peut expliquer à lui seul des mouvements aussi différents et leur présence commune dans le corps permet seule d'en rendre raison. Mais les vraies raisons, les plus profondes, se prennent des exigences de l'ordre universel. Plus une forme est spirituelle, plus est grand le nombre des opérations qu'elle peut accomplir ; or, comparée aux formes des mixtes ou aux formes élémentaires, la forme animale correspond à un degré déjà très élevé de spiritualité : *anima sensibilis est valde spiritualis ;* elle doit donc être capable d'accomplir des opérations très diverses, et comme elle ne peut accomplir ces opérations que par l'entremise du corps qui lui est donné pour la servir, il faut nécessairement que ce corps soit capable d'accomplir une multiplicité d'opérations. Mais pour les accomplir il lui faut des facultés ; pour posséder ces facultés il lui faut les natures dont elles dépendent, et pour posséder toutes ces natures il lui faut nécessairement posséder tous les éléments. Déduction physique dont la conclusion est immédiatement évidente par un principe métaphysique : le moins noble et l'antérieur n'est là qu'en vue du plus noble et de l'ultérieur ; les éléments ne sont donnés qu'en vue de la forme du

mixte et, s'ils ne s'ordonnaient les uns et les autres sous la forme supérieure qu'est l'âme sensible, ils n'auraient aucune raison d'exister[1].

S'il est clair que les quatre éléments doivent entrer dans la constitution du corps des animaux, le problème de leur dosage nous apparaît au
contraire comme beaucoup plus compliqué. Les éléments se répartissent
en deux couples de deux éléments opposés : le feu et l'air qui sont les
éléments actifs, la terre et l'eau qui sont les éléments passifs. D'autre
part, on ne peut pas considérer la quantité des éléments à un point de
vue unique, car chacun d'entre eux doit être envisagé dans la quantité
de sa masse et dans l'intensité de ses vertus actives ; tel qui n'est représenté dans un corps animal que sous une quantité minuscule peut com-
penser cette infériorité de masse par une activité extrêmement intense.
Et c'est ce qui nous explique la loi fondamentale qui régit la composition élémentaire des corps animés. Considérés quant à leurs masses, les
animaux nous apparaissent comme constitués avant tout par les deux éléments passifs, la terre et l'eau. Considérés au contraire sous le rapport
de leur activité, les corps animaux nous apparaissent comme constitués
surtout par les deux éléments actifs, l'air et le feu.

La proportion des éléments ainsi combinés ne pouvait être, en effet, le
résultat d'une composition purement mécanique. Si c'est bien la fin qui
contient la raison suffisante des moyens, et si la fin du corps organisé
est l'âme, dont il reçoit la vie, le sens et le mouvement, il fallait nécessairement que les éléments actifs et passifs l'emportassent les uns sur
les autres à ces deux points de vue différents. C'est ce qui peut se vérifier aisément en ce qui concerne la vie. Le corps animal ne serait pas
apte à vivre si les éléments passifs l'emportaient en lui sous le double
rapport de la masse et de l'activité ; il ressemblerait alors au minéral,
massif, solide et incapable de s'animer. Mais le corps serait aussi mal
adapté à la vie si les éléments actifs l'emportaient en lui sous le double
rapport de la quantité de masse et de l'activité, car les éléments actifs
brûleraient immédiatement la matière passive et le corps serait incapable de végéter. C'est pourquoi il fallait que s'établît comme une con-
corde mutuelle et une proportion réciproque, résultant de la prédominance alternée des deux couples d'éléments ; l'âme est une sorte d'harmonie, elle n'exerce ses opérations que dans un corps heureusement
équilibré.

---

1. *II Sent.*, 15, 1, 2. fund. 1-4, t. II, p. 377-378. La conclusion de l'article établit que la
forme du mixte ne suffirait pas, mais qu'il y faut encore celle de l'organisé.

Ce qui est vrai de la vie ne l'est pas moins de la sensation. Le toucher est le sens animal fondamental et premier, et la terre en est l'élément prédominant; si donc la terre n'avait pas prédominé dans le corps sous le rapport de la masse, il n'aurait été capable ni de connaître par le toucher ni d'exercer les sens supérieurs qui en dépendent. Mais il fallait également que le feu prédominât dans le corps quant à sa chaleur pour que l'âme pût y exercer ses opérations sensibles. La chaleur et l'esprit vital sont en effet les instruments de la faculté sensitive de l'âme[1], et, sans leur présence active, l'intermédiaire subtil par lequel les âmes animales entrent en contact avec les choses ferait complètement défaut.

Nous arrivons enfin à la même conclusion en ce qui concerne le mouvement. Sans une prédominance des facultés actives élémentaires sur la masse des éléments passifs, jamais la faculté motrice de l'âme ne pourrait atteindre les membres qu'elle veut mouvoir. C'est pourquoi, selon la parole d'Augustin, le feu pénètre tous les membres pour les mouvoir, et, comme l'expérience le démontre, les sens, la vie et les mouvements s'engourdissent lorsque le corps se refroidit. L'air et le feu confèrent donc aux membres l'agilité et la vigueur; la terre et l'eau confèrent aux membres leur masse et leur solidité, de telle sorte qu'ici encore la prédominance alternée de l'activité des éléments et de leur masse préside à l'harmonie des corps que les âmes animales viennent informer.

Il apparaît en même temps qu'une proportion interne ménage les transitions nécessaires entre l'incorporéité de la forme animale et la grossièreté du corps qu'elle anime. Le principe de continuité ne pouvait se satisfaire d'une juxtaposition brutale entre l'âme de la bête et la terre qu'elle vivifie; or, s'il y a un écart considérable entre la forme animale et la terre, l'écart est beaucoup moindre entre l'élément le plus noble du corps et la faculté de l'âme la plus humble. Leur proximité est même telle qu'elle permettra d'établir une continuité d'ordre non seulement entre le corps de l'animal et son âme, mais même entre le corps humain et l'âme raisonnable dont il est séparé par un écart beaucoup plus considérable encore. En effet, l'organisme animal ne possède pas seulement l'égalité de complexion et la multiplicité des organes qui

---

1. *II Sent.*, 1, 2, 1, 2, ad 2[m], t. II, p. 41. Cf. « cum corpus complexionatum sit natum regi ab anima mediantibus elementis activis », et : « calor enim et spiritus sunt instrumenta virtutis sensitivae », *II Sent.*, 15, 1, 3, Concl., t. II, p. 380.

l'habilitent à recevoir l'âme, il possède également des esprits subtils qui le rendent en quelque sorte semblable à l'âme elle-même. La faculté végétative de l'âme est assez humble et la complexion du corps assez parfaitement tempérée pour que l'esprit vital puisse jouer le rôle d'intermédiaire et de lien entre les deux. De même l'organisation des organes de la vie et des sens est assez harmonieuse et les facultés végétatives ou sensitives de l'âme sont assez modestes pour que les esprits naturels ou animaux soient capables d'établir la liaison entre les organes du corps et les facultés de l'âme qui les utilisent. De même donc que l'eau rapproche la terre de l'air et que l'air rapproche l'eau du feu, de même le feu rapproche, par sa chaleur et les esprits qu'elle dégage, le corps de l'âme qui le vivifie. Ainsi les exigences de la forme à venir s'accordent avec celles de l'ordre universel pour déterminer dans ses moindres détails la structure du corps organisé.

Comment nous représenterons-nous d'autre part la nature exacte et la formation de ces esprits? Nous retrouvons sur cette question le désaccord qui met Augustin aux prises avec Aristote sur la nature des corps célestes. Le philosophe grec affirme que ces corps sont formés d'une quintessence absolument différente par nature de celle des éléments; saint Augustin prétend au contraire que la nature des corps célestes est celle du feu élémentaire[1]. Nous avons vu comment la doctrine bonaventurienne de la lumière permettait de concilier les deux points de vue, et c'est elle encore qui va nous permettre de définir la nature propre des esprits.

Si l'on accordait, en effet, que le feu céleste fût de même nature que le feu élémentaire, il faudrait dire que le corps animal participe à la perfection du corps céleste grâce au feu qu'il contient, et que ce feu constitue la matière même des esprits animaux ou vitaux. Mais si l'on sépare absolument la quintessence dont sont faits les corps célestes de la nature du feu élémentaire, les esprits et le corps animal lui-même ne participeraient en rien à quoi que ce fût en dehors des quatre éléments. Sur ce point, saint Bonaventure prend le parti d'Aristote contre saint Augustin, mais en réservant un terrain neutre sur lequel les doctrines adverses pourraient s'accorder. A prendre les choses en toute rigueur, la nature de la quintessence est radicalement distincte des natures élémentaires; inaltérable, incorruptible, pure de tout mélange, elle ne peut pas entrer dans la composition du corps animal ni par conséquent

1. Voir ch. IX.

y engendrer les esprits. Mais ce que la substance des corps célestes ne
peut faire, leur vertu active le peut. Cette lumière dont nous avons
parlé, qui vient concilier entre eux les éléments et joue à l'égard des
corps le rôle de forme conservatrice, entre en quelque sorte dans la
composition du corps même qu'elle équilibre et achève; on peut donc
la considérer, bien qu'en vérité elle soit de l'ordre des formes, comme
jouant dans le corps le rôle qu'y jouerait un cinquième élément. Et c'est
précisément à cette lumière formelle que les esprits ressemblent le
plus. Surtout chez l'homme, mais aussi chez tous les autres animaux,
nous rencontrons ces corps ténus, analogues à la matière céleste par
leur subtilité et leur nature lumineuse; or, parmi toutes les propriétés
éminentes qui les distinguent des autres corps, les esprits animaux en
possèdent une qui décèle leur véritable origine : ils sont soustraits à la
contrariété qui oppose les uns aux autres les quatre éléments. Propriété
aussi voisine que possible de celles de la lumière et qui ne s'expliquerait pas si les esprits n'étaient rien de plus que l'un quelconque des
éléments ou même le plus subtil d'entre eux. C'est qu'en effet les
esprits ne naissent ni de l'air ni du feu, mais de la complexion bien
équilibrée des quatre corps élémentaires : *consurgunt ex commixtione
elementorum in quadam harmonia et consonantia*[1]. Nés de l'accord et
de la consonance des éléments, ils sont naturellement d'autant plus
purs et d'autant plus proches de la forme lumineuse que la consonance
dont ils naissent est plus parfaite et que le corps où ils s'engendrent
est plus exactement équilibré. Ceux de l'organisme humain sont donc
les plus actifs, les plus purs et les plus nobles, mais ils se rencontrent
à des degrés de perfection différents, engendrés de la même manière,
dans les corps de tous les animaux.

Nous connaissons maintenant la forme des êtres animés; nous en

1. *II Sent.*, 17, 2, 2, Concl., t. II, p. 423. Il y aurait donc trois lumières : la lumière
céleste, forme substantielle conservatrice des corps; la lumière élémentaire rayonnée par le
feu, et, si l'on tient à trouver dans le corps quelque chose d'*analogue* à la lumière céleste,
l'esprit, ou « lux ex aequalitate complexionis generata sive consurgens ». En réalité, cette
lumière n'en est pas une, et il faut bien comprendre que seul l'esprit rend le corps susceptible de recevoir l'âme animale, dans l'ordre des conditions corporelles de son avènement.
Les autres lumières, les vraies, n'y sont pour rien : « Et haec est illa lux, quae facit corpus esse susceptibile vitae; aliae vero minime », *Ibid.*, ad 1ᵐ. De même pour la chaleur. Il
n'y a pas de chaleur céleste dans le corps humain; mais la nature céleste, en introduisant
et conservant la proportion du corps par la forme de la lumière, permet à la chaleur
humaine de se dégager, *Ibid.*, ad 2ᵐ.

Sur la question des intermédiaires, saint Bonaventure s'inspire de saint Augustin, *Sup.
Genes. ad litt.*, III, 4, 6, P. L., t. 34, p. 281. Il emprunte à la même source, III, 6, 8 et

connaissons également la matière ; nous avons déterminé enfin la nature de l'intermédiaire corporel qui sert de trait d'union entre cette matière et cette forme ; il nous reste encore à déterminer la cause finale de leur création. Quelle est la seule cause finale de l'univers considéré dans sa totalité ? C'est ce que l'étude de l'acte créateur nous a permis d'établir avec certitude : Dieu, et Dieu seul, est la cause ultime vers laquelle sont ordonnées toutes choses, comme il est la seule dont toutes choses procèdent. Dieu a tout fait pour sa gloire. Mais il n'existe pas qu'une fin dernière des êtres animés ou inanimés, il en existe encore une fin secondaire et subordonnée, et cette fin n'est autre que l'homme. En affirmant cette thèse, saint Bonaventure ne croit pas céder à un mouvement d'orgueil naïf ni se rendre victime d'un anthropocentrisme irréfléchi. C'est un fait, à ses yeux, que l'homme est la créature la plus parfaite de l'univers. Il l'est en raison de son âme douée d'une volonté libre et d'une connaissance raisonnable. Par son intellect, l'homme s'empare des essences de tous les êtres ; par sa volonté, il domine tous les animaux et toutes les choses pour les utiliser à son gré. Qui prétend contester cette humaine royauté sur la nature doit apporter des faits contradictoires et nous montrer l'équivalent de la science ou de l'industrie des humains. Or, nous avons admis comme principe que le plus parfait est la fin du moins parfait et que ce qui est utilisé n'est là qu'en vue de ce qui l'utilise ; le principe n'a pas été inventé pour justifier la prééminence de l'homme, il n'est, au contraire, invoqué dans la circonstance que pour rendre intelligible le fait de la royauté humaine et nous permettre de l'interpréter. Rien de plus naturel par conséquent que de considérer l'homme comme la fin prochaine des créatures animées ; c'est vers lui que toutes les créatures dépourvues de raison s'ordonnent, et c'est en s'ordonnant sous l'homme, dont la fin immédiate est Dieu, que toutes ces créatures s'ordonnent à leur manière vers Dieu[1].

Fin des êtres naturels, l'homme préside à la création entière, et,

suiv., une curieuse explication de l'origine des poissons et des oiseaux, *Ibid.*, p. 282 et suiv.

1. « Quia enim homo rationis capax est, ideo habet libertatem arbitrii et natus est piscibus dominari ; quia vero per similitudinem natus est in Deum immediate tendere, ideo omnes creaturae irrationales ad ipsum ordinantur, ut mediante ipso in finem ultimum perducantur », *II Sent.*, 15, 2, 1, Concl., t. II, p. 383. « Etiam motus coeli stellati non est nisi propter obsequium hominis viatoris », *II Sent.*, 2, 2, 1, 1, Concl., rat. 4ᵃ, t. II, p. 72. Cf. *II Sent.*, 2, 2, 1, 2, fund. 4, t. II, p. 73. C'est d'ailleurs pourquoi les âmes animales n'ont pas droit à l'immortalité dans le plan divin. Le ciel et les quatre éléments qui entrent dans la composition du céleste séjour sont éternels, les âmes animales qui ne servent qu'à l'homme terrestre ne le sont pas : *II Sent.*, 19, 1, 2, t. II, p. 463.

puisque tout y était en vue de lui, il ne devait être créé que dans un univers complètement prêt pour le recevoir; l'homme a donc été créé le dernier. De même qu'au cinquième jour les poissons ont été créés avant les oiseaux, en raison de leur moindre perfection, de même, le sixième jour, les animaux dépourvus de raison précédèrent la création de l'homme raisonnable. La complexité de son corps, dans la composition duquel tous les éléments sont représentés, supposait l'existence antérieure de tous ses éléments constitutifs; l'éloignement métaphysique de l'âme raisonnable à l'égard du corps qu'elle informe devait être symbolisé par l'éloignement dans le temps qui sépare la création de la matière corporelle au premier jour de la création de l'âme raisonnable au dernier; sa perfection supérieure exigeait enfin qu'il fût produit après tous les autres, parce que la fin couronne l'œuvre[1]. Ainsi les animaux ont été créés dans l'ordre qui convenait; et c'est pourquoi, ayant conduit son œuvre à bonne fin, Dieu se reposa le septième jour. Repos qui n'est tel que pour notre humaine manière d'entendre l'œuvre divine, puisque la création ne lui avait infligé nulle mutation ni causé nulle fatigue; et repos encore qui marque seulement la fin de l'apparition des espèces nouvelles, car Dieu ne cesse jamais d'opérer pour concourir à la succession des êtres et à la multiplication des individus au sein des espèces, et en ce sens il conserve aujourd'hui encore l'univers par la permanence de son action.

1. *II Sent.*, 15, 2, 2, Concl., t. II, p. 384-385. Pour le repos du septième jour, *Ibid.*, 3, p. 386-387.

CHAPITRE XI.

L'âme humaine.

Toute la doctrine bonaventurienne de l'âme humaine est inspirée par la double préoccupation d'interdire qu'elle ne se confonde soit avec le Dieu qui l'a créée, soit avec le corps auquel elle est unie. Il établit donc d'abord qu'elle n'a pas été produite de la substance de Dieu. Considérer qu'il existe un seul et même intellect, que l'on nommerait intellect divin en tant qu'on le considère en lui-même, et intellect humain en tant qu'il devient la forme d'un corps, c'est affirmer une thèse erronée; car si Dieu est bien l'être parfait que nous avons supposé, il ne saurait entrer à titre de principe constitutif dans la composition de quoi que ce soit. Non moins folle et impie serait d'ailleurs la position des manichéens qui considèrent qu'au moins la partie raisonnable de l'âme est faite de la substance de Dieu. Ils admettent, en effet, si nous en croyons Augustin, que l'homme possède deux âmes, l'une qui est inclinée vers le bien et l'autre qui est inclinée vers le mal. Celle qui fait naturellement le bien et serait incapable de faire le mal appartient à la substance divine; celle qui fait le mal et serait incapable de faire le bien appartiendrait, au contraire, à la nature d'un principe mauvais qui s'oppose formellement à Dieu. Mais nous retrouvons ici le même inconvénient que précédemment : Dieu devient la matière d'une créature et se trouve, par conséquent, abaissé au même genre d'être qu'elle, de telle sorte que nous admettons cette notion contradictoire d'une créature qui serait en même temps le créateur.

En réalité, la conception d'un Dieu infini est inconciliable avec celle d'une participation de quoi que ce soit à son être même, car si l'on admettait que la substance divine devînt une partie de la nature humaine, il ne suffirait pas de dire qu'elle lui deviendrait égale, il faudrait aller jusqu'à dire qu'elle lui deviendrait inférieure. Le tout est plus que la partie; ou bien donc, en pareil cas, l'homme se distinguera de Dieu par une forme spécifique que Dieu ne possédera pas lui-même, et il sera, par conséquent, plus que Dieu; ou bien il ne se distinguera de Dieu par aucune forme supplémentaire, et alors il sera Dieu[1]. Il faut donc maintenir que Dieu se comporte à l'égard de la créature comme une cause efficiente, puisqu'il la crée : formelle, en ce sens du moins qu'il en est l'exemplaire premier; finale, puisque les choses n'existent qu'en vue de sa gloire; mais il ne saurait en aucun cas devenir la cause matérielle d'aucune créature si noble qu'elle soit, car rien ne permet à un être participé de devenir l'être même de ce dont il tient l'existence.

Mais cette préoccupation de séparer le fini de l'infini ne s'exprime pas seulement dans la doctrine bonaventurienne par l'application rigoureuse de la création *ex nihilo* au cas de l'âme humaine, elle conditionne encore la conception que se forme le philosophe de la structure même de cette âme; et rien n'est plus instructif que de s'en rendre compte, parce que l'âpreté des luttes doctrinales qui se sont élevées entre l'augustinisme et l'aristotélisme médiéval ne s'expliquerait pas sans la présence latente des hauts intérêts métaphysiques et religieux qui s'y trouvaient engagés. Saint Bonaventure, nous le savons, tient pour la tradition, et il y tient fermement, parce qu'il sait qu'avec elle les droits de Dieu sont inconditionnellement garantis. Les doctrines nouvelles réussiront peut-être à les garantir, mais ce n'est pas sûr, et le moins qu'on en puisse dire est qu'elles les compromettent dans une aventure dont l'issue reste douteuse; comme Arnauld à Descartes, saint Bonaventure dirait volontiers aux aristotéliciens : « A quoi n'exposez-vous pas la chose du monde la plus sacrée! » Tel était le cas pour le rejet des raisons séminales, tel est le cas, et nous l'avons vu, pour la composition hylémorphique des anges, tel est encore le cas pour la composition hylémorphique de l'âme humaine et la doctrine de la pluralité des formes qui en résulte nécessairement.

Du point de vue d'Augustin, et surtout peut-être de Boèce, que saint Bonaventure cite toujours à ce propos, on n'aperçoit que deux espèces d'êtres qui demeurent concevables : l'être par soi et l'être par autrui. Tout le monde le leur concède, mais tout le monde ne tire pas avec eux les conséquences logiques d'une telle distinction. L'être par soi est ce qu'il est; il ne reçoit pas l'intelligence, il l'est; il ne reçoit pas la vie,

---

1. *II Sent.*, 17, 1, 1, fund. 3, et Concl., t. II, p. 411-412; *I Sent.*, 19, 2, un. 3, ad 2^m, t. I, p. 361.

il est sa propre vie. L'être par autrui a l'intelligence et la vie, mais il
ne les est pas; s'il ne les est pas, il doit nécessairement les participer,
donc les avoir reçues; or, pour les recevoir, il lui faut nécessairement
avoir ce principe universel de toute réceptivité, la matière[1]. Ainsi nous
sommes obligés de choisir entre l'une ou l'autre de ces deux conclusions
antinomiques : ou bien tout ce que nous nommons créature n'est pas
nécessairement composé de matière et de forme, et alors la créature peut
être au même sens où nous disons que Dieu est; ou bien la créature ne
peut pas être au même sens que Dieu, et alors il nous faut nécessairement lui attribuer une matière pour qu'elle devienne capable de recevoir ce qu'elle n'est pas. Et l'on ne saurait imaginer aucune solution
intermédiaire, car c'est la notion même d'une forme créée qui serait en
même temps le sujet matériel de ses propriétés que l'on doit considérer
comme contradictoire : si elle est forme sans être par soi tout ce qu'elle
peut être, elle ne le deviendra jamais; il faut donc nécessairement lui
adjoindre une matière pour qu'elle acquière ultérieurement toutes les
déterminations successives qu'elle est capable de devenir. Or, l'âme
humaine se trouve exactement dans ce cas. Elle n'est pas seulement
douée de facultés qui disposent d'une matière extérieure à elle pour
s'exercer, comme la faculté de faire vivre le corps; elle est également
douée de facultés dont les opérations s'exercent à l'intérieur d'elle-
même et qui, par conséquent, requièrent une matière interne pour être
capables de se développer. L'âme ne vivifie pas seulement le corps, elle
vit; ou bien donc elle est sa vie ou elle ne l'est pas. Si elle est sa vie,
elle ne vit pas par participation, mais par essence. Si elle n'est pas sa
vie, elle la reçoit, et il faut nécessairement admettre en elle, à côté du
principe qui la donne, celui qui la reçoit[2]. Boèce a formulé la règle
métaphysique qui préside à toute cette argumentation en disant : *forma
vero quae est sine materia non poterit esse subjectum*[3]; nul accommode-

1. Voir spécialement Boèce, *De Trinitate*, c. 2 : « Reliqua (*scil.*, praeter Deum) enim non
sunt id quod sunt; unumquodque enim habet esse suum ex his ex quibus est, id est ex
partibus suis, et est hoc atque hoc, id est partes suae conjunctae, sed non hoc vel hoc sin-
gulariter, ut cum homo terrenus constet ex anima corporeque, corpus et anima est, non
vel corpus, vel anima. In parte igitur non est id quod est. Quod vero non est ex hoc atque
hoc, sed tantum est hoc, illud vere est id quod est », Patr. lat., t. 64, col. 1250.
2. *II Sent.*, 17, 1, 2, fund. 6, t. II, p. 414.
3. Cité par saint Bonaventure, *I Sent.*, 19, 2, un. 3, fund. 1ᵐ, t. I, p. 360. Voici le texte
de Boèce : « Forma enim est, formae vero subjectae esse non possunt. Nam quod caeterae
formae subjectae accidentibus sunt, ut humanitas, non ita accidentia suscepit eo quod ipsa
est, sed eo quod materia ei subjecta est. Dum enim materia subjecta humanitati suscepit

ment ne sera donc possible lorsqu'il s'agira de l'appliquer au détail des nombreuses questions que ce principe régit.

Remarquons d'abord, en effet, qu'il est exactement complémentaire de la conclusion que nous avons admise touchant la distinction qui sépare l'être de Dieu de l'être créé. Nous avons dit que Dieu ne peut entrer à titre de cause matérielle dans la composition d'aucune créature, mais c'est avant tout parce que Dieu lui-même deviendrait matière en se communiquant. Or, Dieu ne peut recevoir aucun principe matériel, en quelque sens que ce soit, parce que la matière suppose l'inachèvement et la passivité, alors qu'il est lui-même l'achèvement et la perfection[1]. S'il en est ainsi, nous apercevons à découvert le principe unique d'où résultent les deux conclusions : Dieu exclut à priori toute passivité et toute matière, parce qu'il fait tout et ne subit rien, mais inversement, là où il y a passion subie il y a nécessairement matière, car ce qui n'en possède pas ne peut être qu'immuable comme Dieu.

Examinons de ce point de vue la solution différente du même problème proposée par saint Thomas d'Aquin. Pour lui, comme pour saint Bonaventure, l'âme possède une manière d'être qui la distingue radicalement de l'être divin ; car Dieu est son être, alors que l'âme reçoit le sien ; c'est ce que l'on exprime en disant que l'essence de Dieu est identique à son existence, alors que l'essence de l'âme est distincte de la sienne. Or, cette distinction entre la définition immuable à laquelle correspond un être fini et l'être concret qui la réalise pose manifestement sur deux plans infiniment éloignés l'un de l'autre la nature créée et la perfection créatrice. Saint Bonaventure ne le nie pas et il reconnaît volontiers que la distinction classique entre le *quo est* et le *quod est* délivre la doctrine qui la professe du soupçon de confondre la nature avec Dieu. Mais le problème de l'être est inséparable à ses yeux du problème de l'opération des êtres ; il ne suffit pas d'expliquer que la créature possède en soi une composition d'essence et d'existence qui lui interdise de s'identifier à Dieu, il faut expliquer encore par quelle sorte de composition cette créature va pouvoir subir l'action des choses extérieures et réagir à son tour sur elles[2]. Or, il est clair que la distinction

quodlibet accidens, ipsa hoc suscipere videtur humanitas. Forma vero, quae est sine materia, non poterit esse subjectum, nec vero inesse materiae; neque enim esset forma, sed imago », *loc. cit.*

1. *I Sent.*, 19, 2, un 3, Concl., t. I, p. 361.

2. « Quidam enim dixerunt nullam animam, nec rationalem nec brutalem, habere materiam, quia spiritus sunt simplices; animam tamen rationalem dixerunt habere compositio-

de l'essence et de l'existence ne répond pas à cette nouvelle question ; ce n'est pas en tant que passive par rapport à son être que l'âme peut le devenir par rapport aux actions du dehors ; il lui faut donc nécessairement posséder cette composition de matière et de forme que nous avons attribuée aux anges pour des raisons analogues, car le débat n'est pas entre les anges et les hommes, mais entre la créature et Dieu.

En même temps que la composition de matière et de forme explique la mutabilité de l'âme humaine, elle fonde aux yeux de saint Bonaventure sa substantialité et garantit ainsi son aptitude à subsister à part ; les deux points de vue lui semblent pratiquement inséparables, et il lui arrive de nous les proposer simultanément : *cum planum sit animam rationalem posse pati et agere et mutari ab una proprietate in aliam et in se ipsa subsistere.* C'est en effet la présence d'un principe matériel auquel vient s'unir une forme qui permet la constitution d'une substance douée d'un être fixe et capable de subsister au sens plein du mot ; ou bien donc l'âme humaine n'est pas une substance, ou bien elle possède une matière comme elle possède une forme[1], et rien ne nous autorise à supposer une exception en sa faveur. Or, si les deux problèmes de l'opération et de l'être sont difficilement séparables aux yeux de saint Bonaventure, c'est qu'ils se conditionnent réciproquement dans la réalité. Tout ce qui peut naturellement subir l'action d'une cause extérieure et se trouver altéré par elle ne le peut qu'en raison de la matière qui le compose ; c'est donc par sa passivité et sa mutabilité mêmes qu'elle est une substance proprement dite et un *hoc aliquid* qui vient prendre place à titre d'individu subsistant au sein d'un genre déterminé[2]. C'est donc dire une seule et même chose que de dire : l'âme humaine est sujette

nem ex quo est et quod est, quia ipsa est hoc aliquid et nata est per se et in se subsistere. — Sed cum planum sit animam rationalem posse pati et agere et mutari ab una proprietate in aliam et in se ipsa subsistere, non videtur quod illud sufficiat dicere quod in ea sit tantum compositio ex quo est et quod est nisi addatur esse in ea compositio materiae et formae », *II Sent.*, 17, 1, 2, Concl., t. II, p. 414. Il va sans dire qu'ici, comme lorsqu'il s'agissait des anges, la matière en question n'est pas un corps : « Illa autem materia sublevata est supra esse extensionis et supra esse privationis et corruptionis, et ideo dicitur materia spiritualis », *loc. cit.*, p. 415. Sur la solution thomiste du problème, voir : *Le Thomisme*, p. 138-139.

1. « Cum igitur principium a quo est fixa existentia creaturae in se sit principium materiale, concedendum est animam humanam materiam habere », *II Sent.*, 17, 1, 2, Concl., t. II, p. 415. « Quoniam autem ut beatificabilis est immortalis, ideo cum unitur mortali corpori potest ab eo separari, ac per hoc non tantum forma est, sed hoc aliquid », *Breviloquium*, II, 9, 5 ; éd. min., p. 84 ; *II Sent.*, 18, 2, 3, fund. 5, t. II, p. 452.

2. « Omne illud quod secundum sui mutationem est susceptibile contrariorum est hoc aliquid et substantia per se existens in genere, et omne tale compositum est ex materia et

au changement, l'âme humaine est une substance individuelle, l'âme humaine est composée de forme et de matière, et c'est ce qui va nous permettre aussi de définir avec plus de précision les conditions de son individualité.

En étudiant avec saint Bonaventure le problème du principe d'individuation, nous sommes arrivés à cette conclusion que l'individuation n'est pas possible sans la matière, et que cependant ce n'est pas la matière, mais l'union de la forme et de la matière qui constitue l'individu comme tel. D'autre part, il est évidemment difficile d'admettre que l'individuation d'une substance purement spirituelle, immortelle et capable de Dieu telle qu'est l'âme humaine puisse dépendre d'un élément aussi radicalement hétérogène que le corps. Une des racines les plus profondes de l'erreur averroïste concernant l'unité de l'intellect agent se trouve dans cette difficulté; car tout ce qui s'individue et se multiplie en raison d'un principe extrinsèque n'est une substance qu'en vertu de ce principe; or, l'âme humaine ne dépend pas substantiellement du corps, et tous ceux qui croient à son immortalité le reconnaissent; elle ne peut donc pas être susceptible de multiplication. En réalité, cette difficulté tient précisément à ce que l'on veut individuer une forme simple par de la matière corporelle. Et il est clair que le corps intervient en effet dans son individuation, en ce sens que, principe d'indigence et de limitation, il lui impose des limites qui contribuent à la déterminer; mais l'individuation de l'âme comme substance irréductible à d'autres substances spirituelles ne lui vient pas du corps, elle lui vient de ses principes propres, à savoir sa matière spirituelle et sa forme qu'elle a de soi pour les mêmes raisons qui la rendent capable de subsister à part[1].

En cherchant dans l'âme elle-même le fondement de son individualité et de sa subsistance, nous accordons en outre satisfaction aux exigences les plus profondes de la philosophie chrétienne. Rien n'est plus noble que la personne humaine dans l'étendue entière de la nature, et la personne apparaît au moment même où l'âme raisonnable informe la matière. Chaque âme est une image de Dieu, voulue individuellement

forma; sed anima secundum sui mutationem est susceptiva gaudii et tristitiae : ergo anima rationalis composita est ex materia et forma », *II Sent.*, 17, 1, 2, fund. 5, t. II, p. 414.

1. « Ad illud autem quod primo objicitur in contrarium, quod intellectus non dependet a corpore, ergo ab eo non potest individuari, dicendum quod intellectus individuatur secundum corporis indigentiam; non tamen ejus individuatio est a corpore, sed a propriis principiis, materia scilicet et forma sua, quas de se habet sicut in se subsistit », *II Sent.*, 18, 2, 1, ad 1ᵐ, t. II, p. 447.

par Dieu, créée par son souffle et rachetée de la faute originelle au prix de son sang, pénétrée enfin par les ramifications multiples de la grâce qui n'est rien de moins en elle qu'une similitude de Dieu. Comment, dès lors, pourrions-nous supposer que cette individualité si précieuse doive son principe déterminant au non-être et au hasard de la matière corporelle? Le point de vue des averroïstes est cohérent avec lui-même. Ignorant l'immortalité de l'âme, ils affirment l'unité de l'intellect, et l'individuation peut se faire par la matière dans leur système, parce que l'individu comme tel est à leurs yeux dépourvu de valeur. Les âmes humaines, comme les humains, ne sont pas en vue d'elles-mêmes, les uns et les autres n'existent qu'en vue de l'espèce; c'est parce que l'homme en soi ne peut pas se réaliser tout d'un coup et dans une seule essence que les individus, imitations partielles de l'Homme, se relayent dans l'existence pour l'empêcher de disparaître. Mais le philosophe chrétien sait qu'il n'en est pas ainsi, ou, du moins, que cette raison n'est ni la seule ni la plus profonde : la raison principale de la multiplication des âmes est la manifestation de la bonté divine; or, elle se révèle d'autant plus évidemment qu'il y a plus d'âmes auxquelles Dieu puisse distribuer toutes les formes de ses grâces. Et il lui faut, en outre, un nombre d'âmes déterminé pour conduire à son plein achèvement l'architecture de la cité céleste[1]. Ici encore nous sommes donc placés en un centre de perspective qui nous découvre l'unité religieuse des vues philosophiques en apparence les plus indépendantes les unes des autres. Il faut une matière de l'âme pour qu'elle soit une substance, même sans son corps; il faut qu'elle soit une substance en elle-même, parce qu'elle possède une valeur absolue en tant que spirituelle et non en tant qu'unie à son corps; elle possède cette valeur enfin, parce que le nombre des âmes est compté, que chacune d'elles est une pierre de

---

1. « Ad illud quod objicitur, quod multiplicatio numeralis fit propter conservationem speciei; dicendum quod sicut in praecedentibus dictum est, haec non est tota causa nec praecipua, immo principalis ratio est ad manifestationem bonitatis divinae; et haec praecipue est in animabus, quae multae sunt ut eis distribuatur gratiarum Dei multiformitas, et compleatur illius supernae civitatis integritas et numerositas », *II Sent.*, 18, 2, 1, ad 3ᵐ, t. II, p. 447. Le texte auquel renvoie saint Bonaventure s'applique à la fois aux hommes et aux anges : « Et per hoc patet sequens objectum de fine (*scil.*, multiplicationis; ut quia non poterat salvari in uno, ipsa species salvetur in pluribus), quia ille non est finis multiplicationis, sed multiplicationis successivae. Sed ratio potissima multiplicationis in hominibus et in Angelis est divinae potentiae et sapientiae et bonitatis declaratio et collaudatio, quae manifestantur in multitudine et gloriae Beatorum amplificatione, quia amor caritatis exultat in multitudine bonae societatis. Unde credo quod erunt in magno numero et perfectissimo, secundum quod decet illam supernam civitatem, omni decore fulgentem », *II Sent.*, 3, 1, 2, 1, ad 2ᵐ, t. II, p. 104.

l'édifice divin, et que, comme il nous a semblé inexact de concéder à
Aristote la possibilité d'une série infinie de révolutions célestes accidentellement ordonnées dans le passé, de même il nous semble inexact
d'admettre une individuation par le corps, qui serait nécessairement
accidentelle, elle aussi, et ne reconnaîtrait de valeur en soi qu'à l'espèce
dans un univers où chaque âme humaine doit être individuellement perdue ou sauvée. La question de savoir si l'âme n'est pas effectivement
destinée à devenir la forme d'un corps reste entière ; il se peut qu'il
appartienne, et même, ainsi que nous le verrons, il est certain qu'il
appartient à une substance spirituelle de mouvoir un corps ; c'est son
office ; mais ce n'est pas son office principal, pas plus celui de l'âme que
celui de l'ange : *propter hoc non est substantia spiritualis principaliter
facta*[1]. La matière explique bien pourquoi la multiplicité des âmes est
successive, mais elle ne permet pas de comprendre la raison de leur
multiplicité même et moins encore la raison du nombre fixe de cette
multiplicité.

De ces déterminations les plus hautes de l'âme humaine, nous devons
maintenant redescendre vers des propriétés moins nobles, mais qui
achèveront cependant de la définir. En premier lieu, l'âme humaine est
la forme d'un corps organisé, auquel nous la voyons substantiellement
unie. Ici une objection inévitable se dresse devant saint Bonaventure :
comment une âme déjà composée de matière et de forme peut-elle entrer
en composition avec une deuxième matière et constituer une substance
vraiment une en s'y unissant ? Dans un système comme celui de saint
Thomas, cette difficulté ne se rencontre pas, car, ne considérant l'âme
raisonnable que comme une forme dépourvue de matière, il voit naturellement en elle une substance incomplète, qui constitue par son union
avec le corps, autre substance incomplète, un tout par soi et substantiellement un. Ici, rien de pareil. L'âme est déjà une substance, en raison de sa composition hylémorphique, et, à supposer même qu'elle ne
possède pas à elle seule la raison suffisante de toutes ses déterminations, elle ne pourra plus s'unir à quoi que ce soit sans s'y ajouter
comme peut s'ajouter à une substance une autre substance déjà formée.
Saint Bonaventure n'ignorait pas l'objection, mais, pour deux raisons
principales, elle ne l'a pas retenu. La première est que l'intérêt central
du problème de l'individuation réside pour lui, non dans la cause de la
multiplicité numérique, mais dans la cause de la perfection formelle,

---

1. *II Sent.*, 18, 2, 1, ad 6ᵐ, t. II, p. 447.

en vue de laquelle s'effectue la multiplication des formes dans les corps[1];
rien donc ne pourrait le décider à faire dépendre le supérieur de l'inférieur et la personnalité du corps. La deuxième est que la doctrine de la
pluralité des formes lui offre un refuge tout trouvé, en présence des
difficultés de ce genre; nous l'avons déjà rencontrée impliquée dans un
autre problème, mais c'est sous cet aspect enveloppé qu'elle se rencontre effectivement dans la philosophie de saint Bonaventure, et nous
ne la découvririons jamais en elle-même si nous n'entreprenions de
l'en dégager.

On peut dire, en effet, qu'en un certain sens il n'existe pas de théorie de la pluralité des formes dans cette doctrine. Pas une fois saint
Bonaventure n'a entrepris de développer *ex professo*, et pour elle-même,
cette thèse que les composés substantiels donnés dans l'expérience supposent la coexistence d'une pluralité de formes hiérarchisées à l'intérieur du même sujet; mais toutes les explications qu'il donne de la
structure des êtres naturels supposent, impliquent nécessairement la
possibilité de cette coexistence. On peut dire, par conséquent, que la
théorie de la pluralité des formes découle de sa doctrine plutôt qu'elle
ne s'y trouve exposée[2]. C'est ce que l'on constatera sans peine si l'on
se souvient, par exemple, que nous avons attribué à toutes les substances
corporelles, outre leur forme propre, une forme conservatrice et régulatrice qui est la lumière; ces deux formes au moins coexistent donc à
l'intérieur du même sujet. Si l'on objecte que ce ne sont pas là des
formes de même ordre et que, par conséquent, elles ne s'additionnent
pas, nous rappellerons la théorie si caractéristique des raisons séminales.
Dans un univers chargé de formes virtuelles, aucune d'elles ne peut se
développer de la puissance à l'acte sans une forme actuelle qui la parfait et sans une matière appropriée qu'elle puisse parfaire à son tour.
Or, cette matière est appropriée dans la mesure exacte où une forme
antérieure, de perfection moindre, l'a disposée en vue de la forme plus
haute qu'elle est sur le point de recevoir. Que cette forme survienne à

---

1. « Personalis discretio in creatura dicit maximam nobilitatem; sed quod magis nobile
est maxime elongatur a materia et maxime accedit ad formam », *II Sent.*, 3, 1, 2, 3. fund. 3,
t. II, p. 108.

2. Une des idées les plus intéressantes du travail de K. Ziesché, auquel nous avons renvoyé précédemment (*Die Naturlehre Bonaventuras*, Phil. Jahrb., 1908, p. 56-89), est le
souci que manifeste saint Bonaventure d'interpréter l'expérience telle qu'il l'aperçoit. C'est
là certainement un trait caractéristique de sa doctrine et qui lui est commun avec l'école
franciscaine d'Oxford. La démonstration type, selon saint Bonaventure, se fait toujours
en trois temps : « secundum fidem, secundum rationem, secundum sensibilem experientiam. »

son tour, elle usera comme d'une matière de ce composé substantiel dont elle va s'emparer; elle l'informera donc tout entier et respectera si bien son individualité en l'intégrant à une synthèse plus parfaite qu'au moment où cette synthèse se défera les éléments constitutifs qu'elle englobait, matières et formes comprises, réapparaîtront successivement à nos regards. Bien loin donc que la composition de matière et de forme apparaisse à saint Bonaventure comme une raison suffisante pour arrêter l'évolution ultérieure du composé, elle lui semble, au contraire, le ressort même du développement qui le conduira jusqu'à son ultime perfection.

Tel est exactement le cas du composé humain. Dire qu'une substance composée de matière et de forme constitue un être complet et qui ne peut plus concourir à la constitution d'une autre substance complète, c'est généraliser indûment une proposition qui n'est vraie que dans certains cas. Lorsqu'une matière satisfait complètement l'appétit de la forme et que la forme achève intégralement toutes les possibilités de cette matière, la substance ainsi constituée forme un être complet, saturé en quelque sorte, et qui ne contient plus en réserve aucune virtualité de développement. Or, un être de ce genre ne saurait évidemment entrer en composition avec d'autres pour former une nouvelle substance; n'ayant plus de matière disponible pour recevoir ni de forme libre pour donner, son histoire ascendante est achevée, il ne pourra plus que se désagréger. Mais il en va tout autrement lorsque la forme considérée possède en réserve des virtualités que les matières dont elle s'est emparée ne lui ont pas encore permis de développer, ou lorsque la matière déjà organisée contient encore des possibilités d'organisation plus haute; bien que deux substances déjà constituées se trouvent alors en présence, il reste cependant deux appétits à satisfaire et un développement ultérieur à réaliser. L'âme, par exemple, a déjà informé sa matière spirituelle et constitué avec elle une substance véritable au moment où elle va s'emparer du corps; mais sa perfection et sa capacité d'information ne se trouvent pas cependant satisfaites; elle reste capable d'informer plus et d'autres matières que celle qui la constitue dans sa subsistance à part, et de cette capacité non remplie naît un désir inassouvi : l'âme substantielle, composée d'une forme et d'une matière, aspire, en outre, à informer le corps qui deviendra le corps humain[1].

1. « Ad illud quod objicitur, quod compositum ex materia et forma est ens completum, et ita non venit ad constitutionem tertii; dicendum quod hoc non est verum generaliter, sed tunc, quando materia terminat omnem appetitum formae, et forma omnem appetitum

Mais le corps, à son tour, même si nous le supposons déjà organisé indépendamment de l'âme raisonnable, ne se trouve pas non plus sans possibilités nouvelles à réaliser. Les éléments, doués déjà de leurs formes propres, constituent, en quelque sorte, la base de l'édifice entier[1] ; ils se groupent ensuite sous les formes du mixte pour constituer de nouvelles substances ; ces substances mixtes reçoivent, à leur tour, une proportion et un équilibre exceptionnellement justes des formes de la complexion qui s'en emparent[2] ; cette complexion des éléments qui entrent dans la composition du corps permet alors l'organisation des organes distincts dont l'ensemble bien adapté le constitue[3], et c'est alors seulement que l'âme peut venir s'en emparer pour lui conférer son ultime achèvement. Ainsi, la théorie de la pluralité des formes requiert, beaucoup plutôt qu'elle ne l'exclut, l'union de l'âme et du corps pour la formation du composé humain.

materiae ; tunc non est appetitus ad aliquid extra, et ita nec possibilitas ad compositionem, quae praeexigit in componentibus appetitum et inclinationem. Licet autem anima rationalis compositionem habeat ex materia et forma, appetitum tamen habet ad perficiendam corporalem naturam ; sicut corpus organicum ex materia et forma compositum est, et tamen habet appetitum ad suscipiendam animam », *II Sent.*, 17, 1, 2, ad 6m, t. II, p. 415.

1. *II Sent.*, 12, 1, 3, ad 3m, t. II, p. 300

2. C'est l'égalité de proportion qui s'oppose à l'égalité de masse : « Est et alia aequalitas a justitia, et haec aequalitas attenditur in commensuratione miscibilium secundum proportionem debitam et secundum exigentiam formae introducendae. Et haec aequalitas reperitur in his quae miscentur naturaliter, et inter omnia potissime reperitur in homine, quia nobilior debet esse in ejus corpore proportio et harmonia miscibilium, secundum quod disponitur ad nobiliorem formam », *II Sent.*, 17, 2, 3, Concl., t. II, p. 425.

3. « Is est ordo quod forma elementaris unitur animae mediante forma mixtionis, et forma mixtionis disponit ad formam complexionis. Et quia haec, cum est in aequalitate et harmonia, conformatur naturae caelesti, ideo habilis est ad susceptionem nobilissimae influentiae, scilicet vitae. Et sic in unione animae ad corpus rectus servatur ordo », *II Sent.*, 17, 2, 2, ad 6m, t. II, p. 423.

La pluralité des formes se trouve affirmée à l'époque de l'*Hexaëmeron*, où la question est particulièrement brûlante. Ces textes sont si étroitement reliés à leur contexte et si parfaitement d'accord avec tout ce qui précède que leur exactitude ne laisse place à aucun doute : « Observatio justitiae disponit ad eam (*scil.*, sapientiam) habendam, sicut appetitus materiae inclinat ad formam et facit eam habilem ut conjungatur formae mediantibus dispositionibus ; non quod illae dispositiones perimentur, immo magis complentur sive in corpore humano, sive in aliis. Observatio igitur justitiae introducit sapientiam », *In Hexaëm.*, II, 2, t. V, p. 336. Ce dernier trait nous indique bien que l'économie des formes naturelles est construite sur le même plan que l'économie des formes surnaturelles ; or, comme nous le verrons, les dons les plus élevés ne suppriment pas les dons du Saint-Esprit les moins élevés, mais les conduisent à leur perfection : tel par exemple le don de Sagesse par rapport au don de Science ; et les dons à leur tour ne suppriment pas les vertus, puisque sans les trois vertus théologales tout l'édifice de la grâce s'écroulerait par la base. L'ordre de la

Puisque l'union d'une substance spirituelle et d'une substance corporelle est possible, cherchons comment elle peut se réaliser. Le premier point à déterminer est de savoir s'il existe une âme raisonnable par individu ou s'il n'y en a qu'une pour l'espèce humaine tout entière. Certains philosophes soutiennent, en effet, qu'il existe une âme raisonnable unique pour tous les hommes, et ils le soutiennent aussi bien en ce qui concerne l'intellect possible qu'en ce qui concerne l'intellect agent. Deux raisons leur semblent justifier cette thèse : l'immatérialité de l'âme et son incorruptibilité. Nous connaissons déjà la première de ces deux raisons : puisque l'âme est immatérielle et indépendante du corps, elle n'est ni un corps ni une faculté qui ait besoin d'un corps pour agir, elle ne saurait donc être individuée par les corps, et, par conséquent, il n'y en a qu'une. Immatérielle, l'âme est également incorruptible ; elle n'est donc pas semblable aux individus qui se succèdent pour maintenir une espèce dans l'existence, mais peut subsister éternellement sans avoir besoin de se multiplier.

On sait qu'Averroès est le principal défenseur de cette doctrine. On sait également qu'il veut l'imposer à Aristote comme la conséquence nécessaire de son enseignement ; car si le monde est éternel et s'il y avait une âme par homme, une infinité d'âmes devraient avoir déjà existé, ce qui est impossible ; et si les âmes sont individuelles, puisqu'elles sont, en outre, immortelles, elles demeurent inactives et sans raison d'être une fois séparées de leurs corps, ce qui est contraire à la nature des formes spirituelles ; et puisque le monde existe de toute éternité, il doit exister actuellement encore une infinité d'âmes, ce qui est contradictoire, comme l'infini actuel lui-même. Pour éviter ces divers inconvénients, Averroès distingue trois parties dans l'âme humaine : l'intellect possible, l'intellect agent et l'intellect acquis ; deux de ces parties sont éternelles, à savoir l'intellect agent et l'intellect possible ; l'intellect acquis est, au contraire, corruptible et se dissout avec le corps. Cette dernière partie, qu'il nomme encore la troisième âme, ou l'âme générable et corruptible, n'est rien d'autre que l'imagination, c'est-à-dire le réceptacle corporel des formes sensibles que nous avons recueillies au cours de notre expérience et que nous y conservons. Averroès se représente donc, en quelque sorte, la structure de notre

nature symbolise l'ordre de la grâce. C'est à cause de toutes ces résonances surnaturelles que saint Bonaventure porte plus loin la condamnation que nous avons déjà citée : « Unde insanum est dicere, quod ultima forma addatur materiae primae... nulla forma interjecta ».

âme raisonnable, comme analogue à celle de la vue. Chaque fois qu'il
y a vision, il y a une couleur, de la lumière et un œil qui voit ; de même,
dans un intellect qui connaît, il y a des espèces sensibles qui jouent le
même rôle que la couleur dans la vision, l'intellect agent qui joue le
rôle de la lumière et l'intellect possible qui tient la place de l'œil. Et
de même que du concours des trois premiers éléments naît l'acte de
voir, du concours des trois derniers naît l'acte de connaître. Mais de
même aussi que la diversité ou le manque de couleur cause la diversité
ou provoque le manque des sensations visuelles, de même la diversité
des espèces sensibles conservées dans l'imagination cause la diversité
des pensées chez les individus, et leur pénurie peut également causer
le manque d'idées chez plusieurs hommes ou chez le même individu
considéré à des moments différents. Or, il est clair que cette imagination est solidaire du corps ; elle se dissout donc avec lui ; l'intellect
agent et l'intellect possible, au contraire, sont incorruptibles, parce
qu'immatériels, mais, pour cette même raison, ils n'appartiennent pas
à l'individu. Que maintenant l'univers soit éternel, comme le veut Aristote, peu nous importe, car il n'existe jamais simultanément qu'un
nombre fini d'intellects acquis et qu'un unique intellect agent ; la contradiction d'un nombre infini actuellement réalisé nous sera nécessairement épargnée.

Cette doctrine est assurément subtile, et elle peut même paraître, à
certains égards, séduisante, mais elle est fausse, et cela pour trois
ordres de raisons. D'abord, elle est incompatible avec la vérité de la
religion chrétienne, car, s'il n'existe qu'une seule et même âme pour
tous les individus, la rétribution des mérites devient impossible ; après
la mort, en effet, le juste ne recevra rien de plus que l'impie, le bien
restera donc sans récompense et le mal sans châtiment ; mais, s'il en
est ainsi, le monde est désordonné, Dieu est injuste et il faut être insensé
pour s'astreindre à l'effort de faire le bien. Mais elle n'est pas moins
inconciliable avec la raison qu'avec la foi, car l'âme raisonnable, en
tant que raisonnable, est la forme de l'homme en tant qu'homme ; il
faut donc que les individus ne soient pas seulement distincts les uns
des autres par leurs corps, comme des animaux, mais aussi par leurs
âmes et même par la partie intellectuelle de leur âme raisonnable. C'est
pourquoi nous disons que les âmes humaines se diversifient, comme se
diversifient les corps humains qu'elles informent, chacune d'elles se
proportionnant exactement au corps organisé, qu'elle conduit à sa perfection. La doctrine de l'unité de l'intellect est enfin contradictoire

avec le témoignage de l'expérience sensible elle-même. Car c'est un fait que des hommes différents ont des pensées différentes et des sentiments différents, voire même contraires. Or, il ne suffit pas de dire que chaque individu possède des espèces sensibles différentes pour expliquer une telle diversité, et l'on peut même ajouter que, pour un innéiste tel que saint Bonaventure, cette réponse ne présente aucune signification. Supposons accordé que la diversité des espèces sensibles explique la diversité des concepts purement intelligibles que nous en formons par abstraction, il faudra encore expliquer la diversité des pensées humaines qui se forment sans images ou qui sont même d'un ordre transcendant à celui de l'expérience. Averroès concède à Aristote : *quod nihil intelligimus sine phantasmate;* saint Bonaventure ne le lui concède pas. Il y a des réalités spirituelles que nous connaissons par leurs essences, comme les vertus; il y en a même une que nous connaissons sans voir ni son image ni son essence, et c'est Dieu[1]. Nous devons donc nécessairement accorder à chaque homme une âme raisonnable individuelle, qui soit à la fois une substance et la forme du corps humain.

Dans quelles conditions l'âme se trouve-t-elle unie à son corps? Il faut distinguer ici deux problèmes : celui de la création de l'âme au début du monde et celui de l'infusion des âmes à la naissance de chacun des hommes qui sont apparus dans la suite des temps. Concernant le premier point, il importe surtout de savoir que les âmes humaines n'ont pas été créées simultanément au commencement des temps, mais que la première âme a été créée seule, en vue du premier homme, et que les autres âmes sont apparues successivement dans le monde à mesure que naissaient les hommes auxquels elles devaient appartenir. Supposer le contraire reviendrait, en effet, à soutenir que les âmes ont préexisté à leurs corps; mais c'est là une thèse inadmissible. L'âme souffre, en effet, du poids de son corps aussi longtemps qu'elle s'y trouve liée; il lui est donc meilleur de se trouver libre du fardeau de la chair que de lui être assujettie[2]; or, passer d'un état plus parfait à un état moins parfait n'est pas de l'ordre, c'est du désordre. Si donc Dieu et la nature

---

1. *II Sent.*, 18, 2, 1, fund., et Concl., t. II, p. 445-446.

2. Ceci ne contredit aucunement le désir naturel que l'âme peut avoir de son corps, car il lui est naturel précisément dans la mesure où elle est créée pour ce corps et avec lui. Dans l'hypothèse d'âmes préexistantes, un tel désir n'aura aucune raison de se manifester. — Ce raisonnement ne suppose pas non plus que l'union de l'âme et du corps soit la conséquence d'une chute; il rejette au contraire l'hypothèse de la préexistence des âmes parce qu'elle nous contraindrait à admettre que l'union des âmes aux corps se fait par voie de déchéance; l'état dans lequel elles sont créées est inférieur à celui d'âmes libres de corps

se conforment aux exigences de l'ordre dans leur action, il ne convient pas que les âmes aient été créées simultanément et avant la formation de leurs corps pour s'y trouver unies dans la suite; la première âme doit avoir été créée par Dieu dans le corps même d'Adam.

Non seulement, d'ailleurs, les exigences métaphysiques de l'ordre universel nous interdisent d'accepter une telle hypothèse, mais elle nous apparaît encore comme contradictoire avec les constatations de l'expérience et les conclusions de la raison. Si l'état primitif et normal des âmes avait été tel qu'on nous le décrit, leur situation présente ne pourrait être que le résultat d'une déchéance, et non pas simplement d'une déchéance comme celle qui a modifié les rapports établis par Dieu entre notre âme et notre corps, mais d'une chute qui aurait transformé l'ordre universel dans ce qu'il a de plus essentiel, puisque de purs esprits seraient devenus des âmes. Or, s'il en avait été autrefois ainsi, notre âme ne serait pas attachée à son corps par le désir violent qui l'entraîne vers lui et l'y maintient unie; emprisonnée dans la chair, elle ne désirerait que de s'en évader et le fuirait comme une prison, au lieu d'en redouter la perte comme celle d'un compagnon et d'un ami[1]. Mais il y a mieux encore. Si la doctrine de la préexistence des âmes était vraie, la doctrine de la réminiscence le serait également; ayant vu Dieu grâce à notre âme purement intellectuelle, nous serions comme des anges déchus qui se souviendraient de leur science perdue, et même, en admettant alors que le fardeau du corps vînt opprimer notre mémoire, nous ne pourrions cependant pas ne pas en retrouver quelque chose avec de la patience et du temps. Or, nous savons qu'il n'en est pas ainsi; notre âme n'apporte aucune science des choses en venant au monde, et nous ne nous libérons de notre ignorance originelle qu'en apprenant quelle est la nature des choses par la voie laborieuse de l'ex-

---

par exemple, mais c'est du moins leur état normal. Cf. *II Sent.*, 17, 1, 3, Concl., t. II, p. 417, et 18, 2, 2, Concl., t. II, p. 449.

1. Les textes de saint Bonaventure sur ce point ne sont pas moins explicites que ceux de saint Thomas d'Aquin : « Contra rationem et sensibilem experientiam est, quia videmus animam, quantumcumque bonam, nolle a corpore separari... quod mirum esset si ad corpus naturalem aptitudinem et inclinationem non haberet, sicut ad suum sodalem, non sicut ad carcerem », *II Sent.*, 18, 2, 2, Concl., t. II, p. 449. « Quoniam... completio vero naturae requirit ut homo constet simul ex corpore et anima tanquam ex materia et forma, quae mutuum habent appetitum et inclinationem mutuam », *Breviloquium*, VII, 5, 2; éd. min., p. 269. « Deus in productione corpus animae alligavit et naturali et mutuo appetitu invicem copulavit », *Breviloquium*, VII, 7, 4; éd. min., p. 279. Cf. *II Sent.*, 19, 1, 1, ad 6ᵐ, t. II, p. 461; *Soliloquium*, IV, 20-22; éd. min., p. 154.

périence sensible[1]. Il faut donc nécessairement supposer que l'ordre d'apparition des âmes a suivi l'ordre d'apparition des individus.

De même que la première âme humaine a été créée par Dieu pour le premier homme, toutes les âmes qui informent actuellement des corps naissent par voie de création. Ce n'est certes pas là ce qu'ont enseigné tous les philosophes; certains croient, par exemple, que ce sont des Intelligences séparées qui produisent les âmes; d'autres supposent que l'âme est transmise aux enfants par les parents dans l'acte même de la génération; mais aucune solution du problème n'est acceptable, sauf celle qui suppose que, les corps une fois formés, les âmes sont créées par Dieu, introduites par lui dans leurs corps et, du même coup, produites par lui à l'existence.

Dieu devait, en effet, se réserver la création des âmes, en raison de leur dignité et de leur immortalité. En raison de leur dignité, parce que, comme l'âme est l'image de Dieu, qu'elle est immédiatement ordonnée vers lui et capable de trouver en lui son bonheur en l'aimant de toutes ses forces, elle doit recevoir directement de lui son être total pour être tenue de l'aimer totalement. En raison de leur immortalité aussi, car Dieu seul possède en soi une vie inépuisable, et seul, par conséquent, il peut produire le principe d'une vie qui ne s'éteindra jamais. D'ailleurs, il est clair que la production d'une substance incorruptible excède les forces d'une créature. Nous ne produisons jamais de substances autrement qu'en imposant, par une opération naturelle ou artificielle, une forme à une matière soumise au changement; or, en introduisant la mutabilité dans cette substance, nous y introduisons un élément de passivité, de contrariété et, par conséquent, de dissolution. Produire une substance incorruptible signifierait donc produire une substance composée d'une forme et d'une matière inaltérables; or, cette production supposerait une substance soustraite elle-même au changement, et, par conséquent, une telle cause ne pourrait être que Dieu[2].

On demandera sans doute comment se produit cette création de l'âme

1. « Videmus etiam quod nihil novimus nisi ea quae, postquam nati sumus, didicimus; quod non esset si animae nostrae a primordio creatae fuissent et in caelo peccassent; multa enim alia scirent. Quodsi tu dicas quod mole corporis oppressae obliviscuntur, quaero tunc : quare processu temporis non recordantur aliqua...? Alia vero ratio est quia animae nostrae a sua prima origine sunt ignorantes nec noverunt ista quae per sensus addiscunt: non enim addiscere est reminisci, ut probant Sancti et philosophi », II Sent., 18, 2, 2, Concl., t. II, p. 449 et 450.

2. II Sent., 18, 2, 3, Concl., t. II, p. 453.

humaine et surtout si l'acte créateur porte sur la totalité de l'âme, sensitive aussi bien qu'intellectuelle, ou si elle ne porte que sur la partie intellectuelle seulement? Le problème est, en effet, inévitable, si l'on réfléchit que l'âme animale nous est apparue comme une forme déjà très noble sans doute, mais cependant du même ordre que toutes les autres et transmissible par voie de génération. Supposerons-nous, dès lors, que les parents transmettent aux enfants leur âme sensitive et que Dieu leur confère, par voie de création, leur âme intellectuelle, ou devrons-nous admettre, au contraire, que l'âme humaine soit créée tout entière par Dieu?

Pour éclaircir cette difficulté, il faut se souvenir que la sensibilité et la raison de l'homme appartiennent à une seule et même substance qui est celle de l'âme humaine; or, raisonner comme si nous devions d'abord être pourvus d'une âme animale, puis d'une âme raisonnable, serait supposer que nous devions être des animaux avant de devenir des hommes. En réalité, les choses ne se passent pas ainsi, parce que le rapport de l'intelligence à la sensibilité est en nous bien différent; ce ne sont pas là deux substances distinctes qui se complètent en s'ajoutant l'une à l'autre, mais deux facultés différentes d'une seule et même substance. Dans ces conditions, l'hypothèse la plus raisonnable est évidemment de supposer la création de cette substance totale par Dieu. L'homme reçoit du créateur, nous ne dirons pas une forme unique, mais une substance spirituelle unique, dont il tient à la fois la vie, la sensibilité et la connaissance intellectuelle; ajoutons même que l'ordre des opérations n'est pas très difficile à reconstituer.

La semence, par l'intermédiaire de laquelle s'effectue la génération, est un organisme déjà fort complexe et dont la composition permet seule de comprendre comment se produit l'apparition de l'âme. Elle est formée pour une part de l'excédent de nourriture présent dans le corps du père, mais elle n'en est pas totalement formée, car il est évident que, s'il en était ainsi, la génération ne créerait aucun lien de véritable parenté. Il faut donc qu'un élément substantiel et personnel de l'organisme paternel entre comme partie intégrante dans la constitution de la semence, si l'on veut que le père transmette véritablement quelque chose de lui-même à son enfant. Tel est précisément le rôle de cette « humeur radicale » que les médecins s'accordent à reconnaître comme le principe actif de l'évolution organique. Pour comprendre comment elle peut se transmettre de père en fils, et cela depuis le premier homme jusqu'à chacun de ceux qui vivent encore actuellement ou vivront dans l'avenir, il suffit de se la représenter comme une sorte de levain qui se trouverait parfaitement mélangé à la masse totale d'une certaine pâte. Tout ce que l'on pourrait faire de cette pâte contiendrait en soi quelque chose de ce levain, et si l'on en mélangeait une partie à une masse de pâte plus considérable encore elle la ferait fermenter à son tour, si bien qu'en continuant de la sorte on pourrait obtenir une quantité presque innombrable de pains fermentés au moyen d'une petite quantité du levain primitif. De même aussi tous les corps étaient préformés dans le corps d'Adam, et il passe quelque chose du sien dans le corps que chaque enfant reçoit de son père, car la raison séminale primitive suffit à les organiser tous, pourvu qu'elle trouve une matière où se multiplier[1].

Dès lors, on peut se représenter l'infusion de l'âme dans le corps humain de la manière suivante. Par l'acte de la génération, la semence transmet à l'enfant, non seulement une sorte de matière prélevée sur l'excédent alimentaire du père, mais encore de la chaleur vitale et quelques esprits vitaux; elle lui transmet même quelque chose de la vertu de l'âme, une sorte de faculté qui, de concours avec la chaleur et les esprits vitaux, suffit à rendre l'embryon capable de se développer et même de sentir, en attendant qu'il reçoive de Dieu sa forme humaine. Cette sensibilité n'est encore que d'un ordre inférieur et ne se confond pas avec celle dont l'homme sera doué; elle règne, en effet, dans l'embryon jusqu'au moment où il possédera son âme, correspond, par conséquent, à l'état d'un organisme insuffisamment développé pour que sa forme ultime s'en empare et se réduit à une faculté de sentir dépendante d'une faculté motrice d'organisation. Tout se passe, en somme, comme si la semence portait avec soi une force motrice analogue à celle de la pierre que l'on vient de lancer; l'énergie vitale de l'âme du père est dans la semence comme la force du moteur dans la pierre; et c'est aussi pourquoi la force organisatrice de la semence s'éteint lorsqu'elle est arrivée à son terme, son opération s'achevant alors comme s'achève le mouvement d'une pierre qui tombe, lorsque la force motrice qui la porte se trouve épuisée. A ce moment enfin apparaît l'âme sensitive proprement dite. Le moment en est venu, parce que le corps animal possède le degré d'organisation qui convient pour que l'âme puisse y exercer ses opérations; si donc il s'agit d'un animal, l'âme sensitive se développe alors brusquement de la raison séminale incluse dans la

1. *II Sent.*, 30, 3, 1, Concl., t. II, p. 730-731.

matière où elle sommeillait; s'il s'agit d'un homme, elle est infusée du dehors à l'embryon par l'action créatrice de Dieu dans l'acte même qui lui confère l'âme raisonnable et l'élève à la dignité d'homme[1]. On ne peut donc pas dire qu'avant sa formation parfaite l'homme soit un animal; il est d'abord l'embryon d'un homme, puis un homme; à chaque moment de son histoire, il reste possible d'assigner en lui quelque force interne qui le porte au-dessus de la pure animalité.

L'âme humaine une fois infusée dans le corps, quelle place y occupe-t-elle? Saint Bonaventure connaît la doctrine exposée par Chalcidius dans son commentaire du Timée; l'âme résiderait, quant à son essence, dans une partie déterminée du corps humain, mais elle serait capable d'exercer de là son influence dans la totalité du corps, de même qu'une araignée perçoit du centre de sa toile le moindre choc causé par un insecte sur l'une quelconque de ses extrémités. Ce siège de l'âme serait d'ailleurs le cœur, organe situé au milieu du corps, d'où proviennent les sensations et les mouvements et dont toute lésion détermine la séparation de l'âme et du corps. Une telle solution s'impose d'ailleurs comme d'elle-même à des esprits qui ne disposent que des ressources de la raison; ne pouvant comprendre qu'une essence limitée puisse être simultanément et tout entière présente dans chacune des parties du corps, et n'étant contraints de le croire par aucune obligation de foi, ils ont naturellement accepté la solution la plus simple et localisé l'essence de l'âme dans un organe déterminé.

Saint Augustin, au contraire, enseigne que l'âme est présente tout entière dans le corps entier et dans chacune de ses parties. Il le constate expérimentalement, parce que l'âme perçoit aussi rapidement les parties du corps les plus éloignées que les plus proches; et il le prouve par la raison, car l'âme est la forme du corps tout entier, donc elle doit être présente dans chacune de ses parties, et elle est une forme simple, donc elle ne peut être que tout entière dans chacune de ses parties. Nous avons donc ici une raison en faveur de notre thèse, alors que les philosophes anciens n'avaient qu'une absence de raison de la concevoir. Restent à déterminer les conditions auxquelles une information de ce genre serait possible. Or, il existe des formes qui actualisent leur matière corporelle, mais en s'étendant avec elle et en en devenant dépendantes; ces formes sont dans le tout, puisqu'elles l'informent, mais elles ne se communiquent à toutes ses parties qu'en se fragmen-

---

1. *II Sent.*, 31, 1. 1, Concl., et ad 4ᵐ, t. II, p. 742.

tant pour se répartir entre elles. D'autres formes s'étendent avec la matière qu'elles actualisent, mais n'en dépendent pas; elles sont donc dans le tout et dans chacune de ses parties, mais pas tout entières. Le feu est une forme du premier genre; chaque partie du feu est du feu et chauffe; l'âme animale est une forme du second genre : aucune partie de l'animal n'est un animal, et cependant elle vit. L'âme humaine représente enfin un troisième genre de formes : à titre de substance supérieure qui actualise le corps, elle est présente dans chacune de ses parties; inétendue, elle ne communique pas aux parties la perfection du tout; indépendante, elle ne leur communique pas même son opéra-tion, puisque nous voyons que nulle partie du corps ne connaît; mais elle fait de chaque partie, en tant que telle, une partie d'un corps humain véritable et lui en confère la dignité[1].

Nous n'avons pu décrire les caractères distinctifs de l'âme humaine sans faire intervenir l'une de ses prérogatives les plus éminentes : l'im-mortalité; il nous faut maintenant légitimer l'usage que nous en avons fait en établissant les raisons qui permettent de la lui attribuer. Saint Bonaventure n'ignore pas qu'un très grand nombre de preuves ont été invoquées en faveur de l'immortalité de l'âme, et lui-même en relate de fort différentes. L'ordre de l'univers comporte une place pour un corps incorruptible, le ciel; pour des intelligences libres de tout corps et qui sont également incorruptibles, les anges; il doit donc contenir une place pour une substance incorruptible, qui ne soit pas un corps, mais soit cependant unie à un corps : l'âme humaine. Les exigences de la justice divine, nous l'avons déjà noté, supposent également une survie de l'âme qui permette à Dieu de rétablir l'équilibre faussé par le péché en récompensant les justes et punissant les impies. Plus profondément encore, on peut dire que la présence de la justice divine dans l'âme humaine est pour elle, dès cette vie, le gage le plus sûr de l'immorta-lité. Toutes les religions et toutes les philosophies s'accordent, en effet, à reconnaître qu'un homme doit sacrifier sa vie plutôt que de trahir la loi de la vérité ou la règle de la justice; or, cette justice que l'âme porte en elle et pour laquelle elle meurt périrait avec elle si le moment où elle se sépare du corps devait être celui de son anéantissement; supposition qui fait violence à la conscience morale et que notre pensée ne peut supporter. Notons enfin que la considération des facultés mêmes de l'âme humaine nous conduit nécessairement à la même conclusion. Il

1. *I Sent.*, 8, 2, un., 3, Concl., t. I, p. 171; ad 1ᵐ, p. 171.

n'existe pas de faculté corporelle et corruptible qui soit capable de
réfléchir sur elle-même, de se connaître et de s'aimer, et n'est-ce pas
le signe le plus évident de l'incorruptibilité de l'âme qu'elle voie ses
facultés de connaître s'élever et se fortifier dans la mesure même où
elle se sépare de son corps en le mortifiant? Indépendante de la chair
dans son opération comme dans son être, l'âme raisonnable connaît
sans le secours du corps, reste jeune et même croît en sagesse pendant
le temps que son corps vieillit et tombe en décrépitude; elle en est
donc bien indépendante et ne saurait se corrompre avec lui.

Toutes ces preuves, saint Bonaventure les connaît et les fait siennes,
mais elles ne sont point les preuves spécifiquement bonaventuriennes;
d'autres méritent ses préférences, celles-là ne recueillent que son assentiment. Considérant l'âme humaine comme une substance composée de
matière et de forme, il ne peut lui attribuer cette incorruptibilité qu'on
lui reconnaît communément à titre de substance simple; elle ne ressemble pas à l'âme platonicienne, que sa parenté avec la simplicité des
idées rend inaccessible à la corruption; elle ressemble beaucoup plus
aux dieux que fabrique le démiurge du Timée et qui doivent leur indes-
tructibilité à la volonté dont ils tiennent les proportions de leur mélange
parfait. La forme dont l'âme est composée est, en effet, destinée à jouir
de la béatitude divine; faite à l'image de Dieu, elle en porte la ressemblance expresse et, par conséquent, elle ne saurait être condamnée à
périr. Quoi de moins semblable à l'incorruptible que le corruptible?
Mais la matière de l'âme n'est pas indigne de la forme qui l'actualise, et
c'est la perfection de sa forme elle-même qui rejaillit sur elle pour
l'ennoblir. Unie à une forme dont la dignité est telle que l'âme tout
entière s'en trouve gratifiée de la ressemblance divine, la matière est
attirée vers elle et conjointe à elle par un appétit si violent de sa perfection que son désir de la forme s'en trouve totalement satisfait et ras-
sasié. Une matière spirituelle n'attend plus rien de la forme, lorsque
celle qui la parfait porte l'image expresse de Dieu. Et comme Dieu ne
veut pas dissoudre ce dont l'union est si parfaite, il conserve l'âme dans
l'être par le même acte d'amour qui le lui a conféré[1].

Possible, inévitable même en raison de la structure de l'âme, son
immortalité est nécessaire, d'une nécessité plus métaphysique encore
en raison de sa fin. L'expérience humaine la plus évidente est le désir

1. *II Sent.*, 19, 1, 1, Concl., t. II, p. 460. Le texte même du Timée, traduit par Chalcidius, se trouve cité : « Quod bona ratione junctum est, dissolvi velle non est Dei », éd.
Wrobel, p. 43.

de bonheur dont nous sommes tous travaillés; nul ne songe à la nier, et il faudrait avoir perdu la raison pour contester que nous voulions tous être heureux. Or, saint Bonaventure, qui situe ce désir de la béatitude à la base de toute sa mystique et, par conséquent, de toute sa philosophie, ne peut se représenter le bonheur que comme la possession définitive, et qui se sait définitive, du bien le plus parfait. Ce n'est pas être heureux que de posséder un bien dont on sait qu'il faudra le perdre, ou même simplement que l'on n'est pas certain de conserver. L'âme humaine ne peut donc pas être considérée comme véritablement capable d'être heureuse si nous ne la supposons pas capable d'atteindre un état définitif où le bien vers lequel elle aspire lui appartiendra dans des conditions telles qu'il ne puisse jamais lui être enlevé. Or, cette stabilité exige évidemment l'immortalité de l'âme; exigence métaphysique tirée de la fin la plus profonde dès lors et la plus rigoureusement absolue de toutes, car c'est la fin qui impose sa nécessité aux moyens[1]; nous ne saurions la contester sans ébranler le principe même qui régit l'ordre de l'univers et confère à la vie humaine son intelligibilité.

Cette doctrine bonaventurienne de l'âme n'a pas toujours été jugée plus favorablement ni mieux comprise que le reste de la doctrine, et il était d'ailleurs impossible qu'il en fût autrement. Si c'est bien l'attitude première et même, comme on est allé jusqu'à le dire, la méthode de saint Bonaventure que d'être partagé entre l'augustinisme moribond de son temps et l'autorité sans cesse grandissante d'Aristote[2], on conçoit que son flottement continuel entre deux doctrines inconciliables l'ait conduit sur chaque problème à des compromis malheureux. En ce qui concerne plus particulièrement la nature de l'âme humaine, il ne pouvait manifestement qu'hésiter entre des formules différentes dont les unes le rapprochaient d'Augustin pendant que les autres le rapprochaient d'Aristote, quitte à les concilier au moyen d'éléments chrétiens ou néo-platoniciens[3].

En réalité, ce flottement existe surtout dans la pensée d'interprètes qui, présupposant l'incohérence initiale de la doctrine, la retrouvent

---

1. Saint Bonaventure s'inspire ici de saint Augustin, *De Trinitate*, XIII, 7, 10 et suiv.; *De civit. Dei*, VIII, 8; XIV, 25; XIX, 1.

2. « Freilich gelingt Bonaventura diese Synthese aus mancherlei Gründen selten in befriedigender Weise », Ed. Lutz, *Die Psychologie Bonaventuras*, p. 7.

3. « Definition und nähere Bestimmung über das Wesen der menschlichen Seele finden sich meist nur zerstreut und stuckweise in den Schriften Bonaventuras, ohne irgendwelche sich daran anknüpfende, weitere Erklärungen oder erläuternde Ausführungen... Es lehnt sich Bonaventura, wie bereits eingehend angedeutet, je nachdem er es für gut findet,

nécessairement partout. Nous avouons, pour notre part, ne pas bien
voir quelle confusion saint Bonaventure aurait commise entre Platon et
Aristote; sans doute il a intégré à sa doctrine la formule aristotélicienne
de l'âme comme acte et entéléchie du corps organisé[1], mais cette formule, qui constitue la définition même de l'âme aux yeux des aristotéliciens, ne définit dans le système de saint Bonaventure que la plus
modeste de ses fonctions. Dans son essence même, elle reste avant tout
pour lui cette substance spirituelle dont la composition hylémorphique
assure la subsistance, l'indépendance à l'égard du corps et l'immortalité. Être réel et qui trouve en soi de quoi se suffire, elle agit parce que
forme, et d'abord forme de sa propre matière, à laquelle elle se trouve
unie de manière à constituer avec elle un composé parfait. En tant que
telle, cette forme nous apparaît comme douée des facultés qui con-
viennent à une substance purement spirituelle : elle est, elle vit, elle
connaît, elle est libre. Mais son désir n'est pas totalement satisfait par
cette première matière; un appétit consubstantiel à son essence même
l'entraîne, en outre, vers une matière corporelle convenablement organisée pour achever d'y déployer toutes ses facultés; et c'est comme telle
aussi que l'âme nous apparaît sous l'aspect de cette forme et perfection
du corps organisé décrite par Aristote, dont l'une des facultés principales consiste à mouvoir le corps humain. Les définitions qui semblent
d'abord se juxtaposer ou même s'orienter alternativement vers des
directions contraires[2] reçoivent donc leur sens plein lorsqu'on voit en
elles différents aspects d'un même édifice et qu'on les éclaire à la lumière
des principes qui régissent toute la doctrine. L'âme de saint Bonaventure tient substantiellement au corps qu'elle informe, mais elle n'en
dépend pas assez pour devenir solidaire de sa destinée ni pour qu'il
réussisse à la séparer de Dieu. C'est qu'en réalité l'union de l'âme et du
corps se fait ici par un mouvement de haut en bas qui rappelle celui de

---

bald mehr an Augustin, bald mehr an Aristoteles an », Ed. Lutz, *op. cit.*, p. 8-9. On consultera, au contraire, avec fruit les pages consacrées par K. Ziesché à cette question, *op.
cit.*, p. 164-169.

1. Il la cite, *II Sent.*, 18, 2, 1, fund. 1ᵐ, t. II, p. 445; contrairement à ce qu'affirme
Ed. Lutz, la définition d'Aristote ne se trouve pas parmi les objections rejetées par saint
Bonaventure, mais parmi les fondements concédés par lui, *op. cit.*, p. 9; c'est à ses yeux
un argument décisif contre l'unité de l'intellect agent.

2. « Anima non tantum est forma, immo etiam est hoc aliquid », *loc. cit.* « De anima
igitur rationali haec in summa tenenda sunt, secundum sacram doctrinam, scilicet quod
ipsa anima est forma ens, intelligens, libertate utens », *Breviloquium*, II, 9, 1; éd. min.,
p. 82. « Anima rationalis est actus et entelecheia corporis humani », *II Sent.*, 18, 2, 1,
fund. 1ᵐ, t. II, p. 445.

la grâce descendant de Dieu dans l'âme pour la vivifier; dans les deux cas, c'est une forme créée qui vient s'emparer d'une substance infé- rieure, la réformer du dedans et la conduire à sa perfection[1]; dans les deux cas aussi, les opérations accomplies par cette forme dans la subs- tance dont elle s'empare, et dont c'est son essence même que de s'em- parer, n'altèrent en rien sa transcendance et ne la font pas déchoir de sa supériorité. Telle encore la lumière assimilant les formes des corps qu'elle pénètre ou, comme nous allons le constater, la connaissance de Dieu, que l'illumination imprime sur notre âme comme une forme qui la rend meilleure et plus parfaite[2]; c'est donc bien le mouvement le plus authentique et le plus constant de la pensée bonaventurienne que nous voyons aboutir à cette théorie de l'âme humaine, et l'on ne saurait la considérer comme le résultat accidentel d'un effort hésitant entre l'aristotélisme et le platonisme sans fermer les yeux sur l'économie du système tout entier.

1. « Quomodo enim actus verus reformationis et vivificationis erit in anima, nisi sit ali- qua forma complens, a qua anima informetur... Unde inter omnia corporalia maxime assi- milatur gratiae Dei luminis influentia », *II Sent.*, 26, un. 2, Concl., t. II, p. 636. Dans les objections de la même question se trouve citée la formule d'Augustin : « Sicut corpus vivit anima, ita anima vivit Deo », voir références, *ibid.*, p. 633, note 5.

2. *I Sent.*, 3, 1, 1, 1, ad 5m, t. I, p. 70.

CHAPITRE XII.

L'illumination intellectuelle.

Il n'est pas de domaine métaphysique où la pensée de saint Bonaventure soit plus consciente d'elle-même ni plus complètement élaborée, par rapport au problème qu'elle pose, que la théorie de la connaissance. Il n'en est peut-être pas non plus où l'on ait apporté plus de mauvaise grâce à l'accepter telle qu'elle s'offre à nous, avec l'orientation mystique générale et les précisions de détail qui lui confèrent son originalité[1]. On voudra bien se souvenir d'abord que la théorie de la connaissance dont nous allons analyser le contenu n'est pas une pièce isolable de l'ensemble du système auquel elle appartient. Sans doute, saint Bonaventure entend bien résoudre pour lui-même le problème qu'il se pose et satisfaire à toutes les données qu'il comporte; comme le feront plus tard les philosophies critiques, sa doctrine part du fait de la science humaine et se demande à quelles conditions une telle science est possible. Mais en même temps que saint Bonaventure fonde la science, il

---

1. En ce qui concerne la connaissance sensible : « Il semble que Bonaventure, enlevé trop tôt à ses études philosophiques, n'ait jamais achevé sa théorie de la connaissance sensible. Les exposés qu'il en donne sont flous; peut-être l'idée même qu'il en avait manquait-elle de fermeté », Menesson, *La connaissance de Dieu chez saint Bonaventure*, Revue de philosophie, juillet 1910, p. 12. Sur la connaissance en général : « Ueberhaupt gilt hier dasselbe, was wir von der Seelenlehre Bonaventuras im allgemeinen sagten. Auch von einer systematisch ausgebildeten Erkenntnislehre lässt sich bei Bonaventura nicht reden », Ed. Lutz, *op. cit.*, p. 191. M. B. Landry, interprétant nos propres textes un peu comme il a parfois interprété ceux de Duns Scot, nous fait dire que l'augustinisme du XIIIᵉ siècle « consiste dans une attitude mystique plutôt que dans un système plus ou moins complet de thèses définies », *Duns Scot*, Paris, 1922, p. 337. Nous avons simplement cherché à montrer dans les pages dont il est ici question que le thomisme prépare l'étude de la nature au sens positif moderne, alors que l'augustinisme, en raison de son orientation mystique, s'intéresse aux choses surtout en tant que symboles religieux. Rien n'empêche cependant une mystique symboliste de s'organiser en un système de thèses définies; saint Bonaventure en est la preuve et par conséquent, non seulement la notion de l'augustinisme que l'on nous prête n'est pas « très exacte », mais elle nous paraît contredite par le système bonaventurien tout entier.

situe la science et le savant dans un système métaphysique où ils reçoivent une place définie, de telle sorte que le problème de la connaissance n'est pas moins conditionné par le reste de la doctrine qu'il ne la conditionne à son tour. La résoudre, ce n'est pas seulement fonder la science, c'est encore aborder le troisième et dernier point de toute métaphysique chrétienne ; après l'émanation et l'exemplarisme, la consommation : *scilicet illuminari per radios spirituales et reduci ad summum*[1].

I. — LES SENS ET L'IMAGINATION.

Le premier problème à résoudre, lorsqu'on aborde avec saint Bonaventure l'analyse de la connaissance humaine, est la détermination du rapport exact qui unit l'âme à ses facultés ; c'est pour avoir négligé ce point ou l'avoir mal interprété que des historiens cependant très attentifs ont méconnu l'unité de la doctrine qu'ils étudiaient. Sa pensée demeure en effet sur ce point sous l'influence dominante de saint Augustin et le problème qu'Augustin s'était posé peut être considéré comme essentiellement théologique. Lorsque nous formulons la question du rapport de l'âme à ses facultés, c'est une question purement philosophique et même psychologique dont il s'agit pour nous de découvrir la réponse ; pour saint Augustin, au contraire, il s'agit essentiellement de décrire la structure de l'âme humaine d'une manière telle qu'elle apparaisse comme l'image de la Trinité. Dieu est un en trois personnes, nous le croyons par la foi ; l'âme humaine est l'image de Dieu, nous le savons par l'Écriture ; l'âme humaine doit donc être à sa manière une et triple et le rapport de son essence à ses facultés doit imiter en quelque sorte le rapport de l'unité divine aux trois personnes de la Trinité. S'il en est ainsi, nous ne sommes pas devant ce problème comme devant une question d'ordre purement empirique et dont l'observation seule dictera la solution ; nous l'abordons avec une hypothèse directrice, dont la vérité nous est connue d'ailleurs et qu'il reste simplement à vérifier : les facultés de l'âme ne peuvent être ni identiques à la substance de l'âme,

---

1. M. M. Limeni (*Rivista di filosofia neoscolastica*, XIV, p. 340, 1922) pense que les scolastiques n'ont pas eu « nemmanco implicitamente » la préoccupation du problème de la connaissance. Il nous semble, au contraire, que tout l'augustinisme est un effort conscient pour expliquer comment l'homme atteint des certitudes sans en contenir la raison suffisante. Ce qui n'existe pas au moyen âge, c'est le problème « critique » au sens strictement kantien de l'expression ; mais le problème de la connaissance y fut systématiquement approfondi. — Citation, *In Hexaëm.*, I, 17, t. V, p. 332.

car Dieu est un en trois personnes distinctes; ni séparées de l'âme au point d'en devenir indépendantes, car les trois personnes distinctes demeurent cependant un seul Dieu. Telle est l'attitude adoptée par saint Augustin dans les livres subtils du *De Trinitate*, telle aussi l'attitude de saint Bonaventure, son fidèle disciple; mais sa doctrine est beaucoup plus ferme sur ce point que celle de son maître, parce qu'il doit prendre position contre des doctrines adverses que saint Augustin n'avait pas connues.

D'une part, en effet, il trouvait devant lui des théologiens et des mystiques plus augustiniens que saint Augustin lui-même, et qui affirmaient l'unité de l'essence de l'âme au point de ne plus voir dans ses opérations les plus diverses que les différentes relations de son essence aux divers objets; Alcher de Clairvaux, par exemple, interprétant dans leur sens le plus littéral certaines formules augustiniennes, semble ne trouver d'autre distinction entre l'âme et ses facultés que celle qui sépare un même organe de ses différentes fonctions[1]. Mais il connaissait d'autre part une école philosophique dont les représentants considéraient les facultés comme de simples propriétés inhérentes à l'âme et, pour tout dire, des accidents. Tel était par exemple Hugues de Saint-Victor, qui se trouve cité comme défenseur de cette thèse, et qui soutenait effectivement que la connaissance et l'amour, c'est-à-dire l'intelligence et la volonté, ne sont pas véritablement l'âme elle-même, mais des formes qui s'ajoutent à l'âme comme à une substance déjà complètement constituée[2]. Tel était surtout saint Thomas d'Aquin, qui définissait au même

---

1. « Anima... secundum sui operis officium variis nuncupatur nominibus. Dicitur namque anima, dum vegetat; spiritus, dum contemplatur; sensus, dum sentit; animus, dum sapit; dum intelligit, mens; dum discernit, ratio; dum recordatur, memoria; dum consentit voluntas. Ista tamen non differunt in substantia quemadmodum in nominibus; quoniam omnia ista una anima est : proprietates quidem diversae, sed essentia una », *De spiritu et anima*, inter : S. Augustini Opera; Migne, Patr. lat., t. 40, col. 788. Il semble d'ailleurs que l'on ait forcé les termes d'Alcher de Clairvaux pour concrétiser une solution du problème que l'on voulait rejeter. Et en somme saint Bonaventure, qui ne nomme ici personne, semble viser surtout une interprétation possible d'Augustin puisqu'il ajoute : « Et si tu dicas quod ille liber non est Augustini, per hoc non evaditur, quia hoc ipsum in libro de Trinitate dicit de potentiis animae, quod sunt una essentia, una vita », *II Sent*, 24, 1, 2, 1, Concl., t. II, p. 560. Cf. ad 1m : « Et hunc modum loquendi... », p. 561.

2. Hugues de Saint-Victor, *De Sacramentis*, I, 3, 25 : « Videt enim (ratio) quoniam quae in mente sunt non vere idem sunt quod est ipsa mens. Separantur enim a mente haec aliquando; et cum adfuerint recedunt, et redeunt iterum cum abierint et variantur circa ipsam, nec vere sunt idem cum ipsa, sed quasi affectiones quaedam et formae ipsius, quibus non sit *hoc aliquid* esse, sed adesse tantum ei quod est *hoc aliquid* », Patr. lat., t. 176, col. 297. Le terme d'accidents est employé quelques lignes plus loin.

moment cette attitude en la précisant jusque dans ses moindres détails. A ses yeux, les facultés de l'âme ne peuvent être que des accidents, si du moins l'on prend le terme d'accident dans le sens où il s'oppose au terme de substance; car il est manifestement absurde de soutenir que l'intelligence, la volonté et la sensibilité sont autant de substances autonomes dont l'addition constituerait l'essence même de l'âme; or, ce qui n'est pas substance est accident; les facultés sont donc des accidents. Mais en même temps saint Thomas se rend compte de ce fait que les facultés ne sont pas des accidents du type ordinaire, car il est habituellement possible de considérer une substance à part de ses accidents, et nous ne pouvons prétendre ici que l'âme puisse exister un seul moment sans son intelligence ou sa volonté. Il introduit donc une distinction nouvelle pour éviter cette difficulté : en tant que l'accident s'oppose à la substance, une faculté est un accident, mais en tant que l'accident s'oppose aux prédicaments, comme le genre, l'espèce, l'individu, le propre et la différence, elle se range dans la classe du propre[1]. Ainsi, du point de vue thomiste, les facultés sont des accidents qui sont aussi des propres, c'est-à-dire, en un mot, des propriétés; accidents, elles sont réellement distinctes de leur sujet; propriétés, elles en sont pratiquement inséparables; ce sont, comme le dit ailleurs saint Thomas, des intermédiaires entre la substance et l'accident.

Saint Bonaventure incline plutôt vers une solution moyenne, qu'il tient d'Alexandre de Halès, et qu'il estime plus conforme à la pensée authentique d'Augustin en même temps que plus aisée à mettre d'accord avec les données de l'expérience psychologique. Il lui semble d'abord évident, en effet, que la raison et la volonté sont en nous des facultés différentes. Lorsque nous nous observons nous-mêmes pour saisir comme dans une sorte d'expérience la diversité et l'accord de nos facultés, il nous apparaît bien que nous nous adressons à des instruments différents selon que nous voulons connaître et selon que nous voulons aimer. Pour celui qui se place au point de vue de l'usage des facultés, il apparaît même immédiatement qu'il y a plus de différence entre l'intelligence et la volonté qu'entre l'intelligence et la mémoire ou

---

1. Voir surtout De spiritualibus creaturis, qu. un., art. 11, ad Resp. Cf. Sum. theol., I, 77, 1, ad 5ᵐ : « Et hoc modo potentiae animae possunt dici mediae inter substantiam et accidens, quasi proprietates animae naturales. » Le tout ainsi constitué est un totum potentiale, c'est-à-dire la totalité de ce qui ne peut pas se diviser quant à sa substance, mais peut se diviser quant à ses facultés d'agir. Voir I Sent., 3, 4, 2, ad 1ᵐ; Sum. theol., I, 77, 1, ad 1ᵐ; Quodlib., X, 3, 5, ad Resp.

l'irascible et le concupiscible. La mémoire et l'intelligence portent en effet sur le même objet, l'une le conservant ou le présentant à l'intelligence, l'autre le confiant à la mémoire après l'avoir acquis ou le jugeant lorsque la mémoire le lui présente. De même aussi le concupiscible et l'irascible sont tournés vers le même bien, l'un pour l'acquérir, l'autre pour le conserver et le défendre. Or, puisque l'une et l'autre opération sont également nécessaires pour conduire à son achèvement l'acte de connaître et l'acte de vouloir, on considère plutôt la mémoire et l'intelligence, ou l'irascible et le concupiscible, comme deux fonctions différentes d'une même faculté que comme des facultés différentes. Si l'on veut prendre un exemple matériel assez grossier, mais commode, on pourra comparer l'âme à un ouvrier qui possède des outils différents pour des travaux nettement différents, comme une hache pour couper et un marteau pour assembler; ce qui ne l'empêche pas de faire avec chacun de ces outils, outre la besogne à laquelle il est spécialement destiné, bien des opérations auxquelles leur forme se prête secondairement.

Interprétons cette expérience en termes abstraits. Nous dirons que les facultés de l'âme les plus importantes, comme l'intelligence et la volonté, ne sont pas tellement identiques à l'âme qu'on puisse les considérer comme ses principes intrinsèques et essentiels, mais qu'elles n'en sont cependant pas si différentes qu'elles puissent être rangées dans un autre genre comme le seraient de simples accidents. A prendre les choses en toute rigueur, les facultés de l'âme n'ont pas une autre essence que la substance même de l'âme; elles ne peuvent donc ni différer de l'âme, ni différer les unes des autres comme différeraient des essences distinctes. D'autre part, elles ne sont pas entièrement identiques entre elles ni à la substance de l'âme, puisque nous avons recours à chacune d'elles selon les cas comme à un instrument différent; il nous faut donc supposer qu'elles diffèrent suffisamment les unes des autres pour qu'on ne puisse les considérer comme constituant une faculté unique, et que cependant elles ne sont pas suffisamment distinctes pour qu'on en fasse autant d'essences différentes. Elles sont, comme le dit saint Bonaventure, distinctes en tant que facultés, mais unes comme facultés diverses d'une même substance, et c'est par conséquent, sans qu'elles soient des substances, au genre de la substance que tout le positif de leur être doit se réduire ou se ramener[1].

1. « Potentiae animae nec adeo sunt idem ipsi animae, sicut sunt ejus principia intrin-

Que faut-il entendre par cette dernière expression? Saint Bonaventure en fait très fréquemment usage, et pour l'appliquer à des cas fort différents; mais, quel que soit le cas auquel il l'applique, *réduire* signifie toujours pour lui : assigner le genre de substance sous lequel vient se ranger un être qui n'est pas lui-même une substance. Il distingue d'ailleurs cinq cas de réduction : la réduction des principes de la substance à la substance, tels les principes essentiels comme la matière et la forme, ou les principes intégrants qui sont les parties de la substance et qui, sans être des substances, appartiennent cependant à la substance; la réduction des compléments de la substance à la substance, comme l'acte premier ou second, la vie et l'être par exemple, qui ne sont ni la substance ni intelligibles hors d'une substance; la réduction des opérations aux substances, soit qu'elles produisent, comme la génération se réduit à la substance engendrée, soit par lesquelles elles sont produites, et c'est en ce sens que les facultés se rattachent à leur substance; la réduction des images à la substance qui en est l'origine, telles les espèces rayonnées par les objets, et qui ne sont pas ces choses, mais dans le genre de ces choses; la réduction enfin des privations aux habitus par rapport auxquels elles se définissent[1]. Dans chacun de ces cas nous avons à expliquer et à classer une réalité qui n'est pas capable de subsister à part et ne se suffit pas à elle-même, mais que l'on doit cependant distinguer de la substance à laquelle on la rattache, parce qu'elle ne l'est pas, tout en en dépendant.

Déjà nous venons de signaler au passage quelle place exacte occupent les facultés de l'âme parmi ces multiples genres de réduction; elles sont des *viae*, c'est-à-dire des organes de transition et de transmission par où l'efficace de la substance atteint ses divers objets; elles sont même des instruments immédiats, c'est-à-dire qui ne supposent pas l'interposition d'autres instruments entre eux et la substance pour trouver leur complète explication. Si nous supposons par exemple qu'un homme soit doué d'agilité à la course, nous devons le supposer d'abord doué de la faculté de courir, et nous pouvons même nous représenter cette faculté sans lui attribuer l'agilité; l'agilité n'est donc qu'un pur accident et

seca et essentialia (*scil.*, la matière et la forme qui la constituent), nec adeo diversae, ut cedant in aliud genus, sicut accidentia, sed in genere substantiae sunt per reductionem », *II Sent.*, 24, 1, 2, 1, Concl., t. II, p. 560. « Ideo dicuntur esse una essentia propter hoc quod in una essentia radicantur et adeo adhaerent illi intrinsecus, ut non cedant in aliud genus », ad 1ᵐ, p. 561.

1. *Ibid.*, ad 8ᵐ, p 562-563.

qui n'est pas requis par une substance. Si nous supposons d'autre part
un homme doué de la faculté de raisonner, il nous faut d'abord admettre
une substance, puis une faculté de penser et enfin une faculté de raisonner, c'est-à-dire un habitus de la science logique relié par l'intellect
à la substance ; ce n'est pas encore là cette réduction immédiate que
nous cherchons. Supposons maintenant une âme humaine, considérée
en elle-même, c'est-à-dire dans sa substance et abstraction faite de tout
accident, nous allons voir trois facultés en sortir immédiatement : la
mémoire, l'intelligence et la volonté. Il suffit en effet que l'âme soit
une âme, c'est-à-dire une substance spirituelle, présente et conjointe à
elle-même, pour qu'elle possède la faculté de se souvenir d'elle-même,
de se connaître et de s'aimer. C'est pourquoi nous pouvons les considérer comme se réduisant au genre de l'âme et consubstantielles à elle :
*istae potentiae sunt animae consubstantiales et sunt in eodem genere per
reductionem*[1] ; elles sont quelque chose « qui en sort », c'est-à-dire qui
n'est ni elle ni autre chose qu'elle, et un peu comme l'image d'un
homme dans un miroir, qui n'est ni cet homme ni quelque chose
d'autre que lui puisqu'elle ne serait rien sans lui ; elles sont, pourrait-on
dire, les promotions immédiates de la substance, et l'on ne saurait ni
les y confondre ni les en séparer.

Au premier abord, saint Bonaventure semble ne se distinguer ici de
saint Thomas que par une nuance ; et, de fait, si l'on se place au point
de vue théologique, tous deux sont d'accord pour nier énergiquement
que l'âme soit ses facultés au sens où nous disons que Dieu est ses attributs ; tous deux sont d'accord aussi pour nier que l'âme soit en aucun
cas séparable de l'une quelconque de ses facultés. Mais un fait sur lequel
il importe de réfléchir est que, malgré cet accord fondamental, saint
Bonaventure n'accepte en aucun sens l'épithète d'accident qu'accepte
en un sens saint Thomas pour définir la relation de l'âme à ses facultés.
Pour un thomiste, si l'on fait abstraction de tous les accidents de l'âme,
elle ne peut ni se souvenir d'elle-même, ni se connaître, ni s'aimer ;
pour un bonaventurien, si l'on fait abstraction de tous les accidents de
l'âme, elle se connaît, s'aime et se souvient. Point de grande impor-

---

1. *I Sent.*, 3, 2, 1, 3, Concl., t. I, p. 86. Cf. : « Prima enim agendi potentia, quae egressum dicitur habere ab ipsa substantia, ad idem genus reducitur, quae non adeo elongatur
ab ipsa substantia, ut dicat aliam essentiam completam », *II Sent.*, 24, 1, 2, 1, ad 8ᵐ, t. II,
p. 562 ; *In Hexaëm.*, II, 26, t. V, p. 340 : « Virtus etiam non est substantiae accidentalis. »
Sur les différentes manières de classer les facultés, voir *II Sent.*, 24, 1, 2, 3, Concl., t. II,
p. 566.

tance, car il signifie que, du point de vue de l'aristotélisme chrétien, l'âme ne contient dans son essence prise à part les conditions suffisantes d'aucun de ses actes, alors qu'elle suffit à les expliquer et à les produire du point de vue de l'augustinisme tel que saint Bonaventure l'interprétait. C'est donc qu'il n'y a pas dans sa doctrine de l'âme cette distinction métaphysique par laquelle saint Thomas interdit à l'âme, cette forme la plus humble de toutes les formes intelligibles, de tirer d'elle-même ses opérations et leur contenu ; passant immédiatement de sa substance aux actes qui en sortent, elle se fournit de l'intelligible et du bien en même temps que de l'intellect pour le connaître et du vouloir pour l'aimer ; nous aurons à nous en souvenir lorsqu'il nous faudra déterminer l'origine de nos principes premiers[1].

En second lieu, nous devons tenir compte de ce fait que, dans les deux doctrines, la conception du rapport de l'âme à ses facultés détermine la conception du rapport de ces facultés entre elles. Le raisonnement qui vaut pour l'intellect et la volonté vaut également pour les facultés de sentir et de végéter. Saint Thomas admet donc une distinction réelle des facultés de végéter, de mouvoir, de sentir, de vouloir et de connaître au sein de l'âme humaine ; saint Bonaventure, au contraire, ne pourra jamais vouloir dire exactement la même chose que saint Thomas lorsqu'il prétendra introduire entre ces diverses facultés cette même distinction. Dans l'âme raisonnable elle-même, il ne distinguera que deux facultés, celle de vouloir et celle de connaître[2] ; dans l'ensemble des activités exercées par l'âme, il distinguera la végétative, la sensitive et la raisonnable, qui se subdivise donc à son tour en intellect et en volonté. Mais il suffit de se souvenir que les facultés ne sont pas à ses yeux des accidents de l'âme pour soupçonner que la distinction des facultés entre elles ne peut pas être plus radicale que ne l'est la distinction de l'âme et de ses facultés. C'est ce dont saint Bonaventure semble avoir eu conscience au moins une fois lorsqu'il s'est demandé si le connaître, le sentir et le vivre ne sortiraient pas plutôt des « natures » incluses dans l'âme que des « facultés » de l'âme ; des natures, c'est-à-

---

1. *In Hexaëm.*, II, 24-25, t. V, p. 340. C'est pourquoi saint Bonaventure dit ailleurs de cette question que : « Praedicta quaestio plus contineat curiositatis quam utilitatis, propter hoc quod, sive una pars teneatur, sive altera, nullum praejudicium nec fidei nec moribus generatur. » Nous avons ici un excellent exemple de la manière dont ces deux philosophies chrétiennes s'accordent comme chrétiennes et se distinguent comme philosophies.

2. *II Sent.*, 25, 1, un. 2, Concl., t. II, p. 596. « Potentiae animae rationalis sufficienter dividuntur per cognitivam et motivam et omnes actus animae per has potentias ... exerceri possunt. » Le texte ne vise pas les facultés de sentir, mais le libre arbitre.

dire de l'âme elle-même en tant que des opérations diverses sortent de
sa substance pour animer les organes dans lesquels elle opère. Les
facultés ne sont donc pas l'essence ni la substance de l'âme, car elles
en sortent, et même elles en sortent au sens actif du verbe sortir : *virtus egreditur substantiam, quia operatur in objectum quod est extra;*
sorties de la substance pour agir hors d'elle, les vertus de l'âme ne
sont plus elle : *si ergo virtus est ubi operatur, et operatur extra substantiam cujuslibet, ergo egreditur extra substantiam.* Mais en même temps
cette vertu ou faculté ne se comporte pas comme un être distinct de
l'âme qui l'exerce, car c'est bien l'âme qui agit immédiatement par elle
et en elle, et il n'y aurait rien de plus à détruire que l'âme pour les
réduire à néant : *immediate egrediuntur a substantia... unde istae potentiae sunt animae consubstantiales.* Saint Bonaventure l'enseigne expressément, non seulement en ce qui concerne l'intellect et la volonté, mais
encore en ce qui concerne la faculté d'engendrer : *naturalis potentia
quae naturaliter egreditur a substantia et immediate, sicut potentia
generandi.* C'est pourquoi les promotions de l'âme dans les sujets où
elles opèrent, si elles ne tendent jamais à se confondre entre facultés
de même degré, tendent toujours à rentrer les unes dans les autres en
allant des inférieures aux supérieures et à se rejoindre par le sommet
de l'âme dont elles sont également issues[1]. C'est ce que nous allons
constater en analysant la doctrine bonaventurienne de notre faculté de
sentir.

En un certain sens, en effet, saint Bonaventure parle de la faculté
sensitive de l'âme à peu près dans les termes mêmes que l'on rencontre
habituellement chez saint Thomas. C'est, à ses yeux, une véritable
potentia, donc une faculté, et même une faculté réellement distincte de
la raison. Un texte de son *Commentaire sur les sentences* expose même
sa pensée avec une précision telle qu'il ne puisse rester place pour aucun
doute. Sentir peut signifier trois choses différentes : ou bien constater
la présence d'une chose, c'est-à-dire en connaître l'existence, et c'est
l'œuvre de la pensée; ou bien connaître la nature particulière d'une
chose donnée, et c'est encore l'œuvre de la pensée; ou bien enfin, au
sens aristotélicien et propre de l'expression, recevoir par un organe corporel, et indépendamment de la matière de l'objet, l'espèce sensible qui
existe cependant dans sa matière. Or, en ce troisième et véritable sens,

---

1. « Potentiae animae non sunt accidentales. Tamen argumentum non valet, quia fortassis rationale, sensibile, vegetabile non accipiuntur a potentiis, sed a diversis naturis reper-
tis in anima », *I Sent.*, 3, 2, 1, 3, ad 6ᵐ, t. I, p. 87; *Ibid.*, fund. 5, 6, et Concl.

la faculté de sentir est réellement distincte de la faculté de connaître, car elle est inséparable d'un organe corporel, alors que l'intellect en est au contraire indépendant et séparé[1]. Mais il reste à déterminer ce que saint Bonaventure entend par cette sensation distincte de la connaissance intellectuelle, jusqu'à quel point il dissocie la faculté de sentir de la faculté de connaître et jusqu'à quel point peut-être il vide la sensation de son contenu cognitif pour pouvoir la poser ainsi en dehors de la pensée.

Considérons le *processus* entier de la sensation depuis l'objet qui la provoque jusqu'à l'âme qui la perçoit. Nous possédons cinq sens, nombre qui se justifie par la correspondance nécessaire entre le microcosme qu'est l'homme et le macrocosme au centre duquel il se trouve placé. Par ces cinq sens, comme par cinq portes ouvertes sur le domaine sensible, pénètrent en effet dans son âme les connaissances des cinq principaux corps du monde. Par la vue entrent les corps célestes, tous ceux qui sont lumineux et ceux enfin qui ne sont que colorés ; c'est le sens le plus parfait. Par le toucher, l'âme entre en contact avec les corps solides et terrestres, qui sont les moins nobles de tous. Trois sens intermédiaires livrent un passage aux trois corps de nature intermédiaire : le goût aux liquides, l'ouïe aux impressions aériennes, l'odorat aux vapeurs qui résultent d'un mélange de l'air, du chaud et de l'humidité[2]. Il y a donc cinq sens, et il ne peut y en avoir que cinq parce que ce nombre est nécessaire et suffisant pour que toutes les classes de sensibles se trouvent perçues.

Si nous considérons les cinq sens quant à la manière dont les différents corps agissent sur eux, nous les répartirons en deux groupes : ceux qui entrent en relation directe et immédiate avec l'objet lui-même et ceux qui n'en subissent l'action que médiatement. Le premier groupe est constitué par le toucher, dont l'immédiateté est évidente, et par la vue, que saint Bonaventure considère comme immédiate, sans doute parce que l'espèce lumineuse agit instantanément et sans avoir à traverser le milieu ; elle peut donc prendre place dans la même classe que

1. *Breviloquium*, II, 9, 5 ; éd. min., p. 85. Cf. *II Sent.*, 8, 1, 3, 2, ad 4ᵐ, t. II, p. 222 : « Primis duobus modis non differt sensus ab intellectu re sed ratione tantum... Tertio vero modo differt potentia sensitiva ab intellectiva re et ratione, et illo tertio modo sensus est potentia alligata corpori. » — « Aliquando secundum naturam ipsarum potentiarum, ut cum dividuntur potentiae animae in vegetabilem, sensibilem et rationalem, vel ipsa rationalis in intellectivam et affectivam », *II Sent.*, 24, 1, 2, 3, t. II, p. 566.

2. *Breviloquium*, II, 9, 5 ; éd. min., p. 85 ; *Itinerarium*, II, 3 ; éd. min., p. 305. L'origine de ces considérations est : saint Augustin, *Sup. Genes. ad litt.*, III, 5, 7, et XII, 16, 32.

le toucher, puisqu'elle constitue comme une sorte de toucher à distance où rien ne vient séparer l'organe de l'objet. Le deuxième groupe recueille tous les sens que nous avons nommés « intermédiaires », c'est-à-dire l'ouïe, l'odorat et le goût; leur action suppose une sorte de dissociation qui engendre des espèces dont le parcours dans le milieu est un parcours réel, si bref soit-il, et par conséquent ils n'agissent pas par une action véritablement immédiate comme font les deux précédents. La première classe de sensations nous fait connaître des propriétés absolues des corps : la couleur et la résistance qu'offre au toucher leur poids ou leur surface; la deuxième classe nous fait connaître des propriétés que les objets peuvent produire, mais qu'ils ne possèdent pas nécessairement. Ajoutons enfin que les deux premiers sens appartiennent à la perfection essentielle de l'âme humaine et continueront par conséquent à s'exercer après la résurrection des corps; les trois derniers, sauf peut-être l'ouïe, n'ont d'autre rôle que de permettre à l'âme considérée dans son état actuel de déployer plus complètement son activité, et nous pouvons supposer qu'ils n'auront par conséquent plus lieu d'exister après la résurrection[1].

Supposons maintenant le cas le plus compliqué. Un objet sensible, qui se trouve séparé de l'organe par une distance quelconque, agit cependant sur cet organe; comment le *processus* peut-il s'expliquer? Souvenons-nous d'abord de ce que nous avons établi déjà en étudiant la nature des corps sensibles[2]; tous participent à la forme de la lumière qui leur confère à la fois leur achèvement et leur activité. Or, la nature de la lumière, nous le savons également, est telle qu'elle ne peut pas ne pas se multiplier pourvu seulement qu'elle trouve une matière dans laquelle elle puisse se diffuser. Si donc nous considérons le cas des sensations visuelles, le problème du mode d'action du corps sur l'organe nous apparaîtra comme résolu; toute substance lumineuse est radioactive en tant même que lumineuse, et par conséquent il suffit de la poser en présence d'un organe approprié pour qu'elle agisse immédiatement sur lui. Mais nous comprenons en même temps comment peut s'effectuer la génération des autres espèces. Tout objet considéré sous sa

---

1. *IV Sent.*, 49, 2, 1, 3, 1, t. IV, p. 1016.

2. Ch. IX. Cf. « Et hoc est mirabile quomodo talis species generatur; quia non est de materia aeris, quia, cum non dicat essentiam, sed modum essendi, sufficit ut habeat principium originativum, medium inter principium materiale et principium effectivum. Unde Deus dedit virtutem hanc cuilibet rei, ut gignat similitudinem suam et ex naturali fecunditate », *In Hexaëm.*, XI, 23, t. V, p. 383.

forme parfaite et dans son être complet contient nécessairement de la
lumière puisque c'est la forme lumineuse qui seule l'achève ; il doit donc
se trouver doué, lui aussi, de cette vertu radioactive qui permet au corps
lumineux d'imposer sa forme à distance ; mais en même temps il ne doit
exercer cette vertu que proportionnellement à la quantité et à la pureté
de la lumière qu'il contient. C'est ce qui se produit en effet. Que nous
le percevions ou non, chaque corps considéré dans son état de perfection engendre continuellement autour de soi un rayonnement qui permettra d'en déceler la présence ou d'en connaître la nature dès qu'un
organe sensible sera là pour le recevoir. Cette radiation n'est pas une
forme, car elle émane de l'objet tout entier et exprime l'objet tout
entier, forme et matière comprises ; elle n'est pas non plus de la
matière, car si elle était matérielle l'élément formel dont elle est issue
ne s'y trouverait pas représenté ; elle est précisément un de ces êtres
qui ne peuvent s'expliquer que *per reductionem*, et c'est pourquoi saint
Bonaventure la nomme une ressemblance. Ressemblance, elle s'offre
d'abord à nous comme n'ayant pas d'autre droit à l'existence que celui
qu'elle tient de son origine ; elle n'existe pas en soi, mais se réduit, au
point de vue de l'être, à celui de son principe ; et cependant, précisément parce qu'elle émane de tout l'objet et lui ressemble, elle l'exprime,
le représente et permet de le connaître[1]. Ce sont donc les similitudes,
dites encore espèces, continuellement rayonnées par tout objet complet

---

1. « Haec autem sensibilia exteriora sunt quae primo ingrediuntur in animam per por-
tas quinque sensuum. Intrant inquam non per substantias suas, sed per similitudines suas,
primo generatas in medio et de medio in organo exteriori et de organo exteriori in interiori. Et de hoc in potentia apprehensiva et sic generatio speciei in medio et de medio in
organo et conversio potentiae apprehensivae super illam facit apprehensionem omnium
eorum, quae exterius anima apprehendit », *Itinerarium*, II, 4 ; éd. min., p. 305-306. « Nullum enim sensibile movet potentiam cognitivam, nisi mediante similitudine, quae egreditur ab objecto, sicut proles a parente ; et hoc generaliter (c'est-à-dire dans tous les cas),
realiter (soit réellement, comme dans le toucher ou le goût), vel exemplariter (comme dans
la vue) est necesse in omni sensu. Illa autem similitudo non facit completionem in actu
sentiendi, nisi uniatur cum organo et virtute ; et cum unitur, nova fit perceptio, et per
illam perceptionem fit reductio ad objectum mediante similitudine illa. Et licet non semper objectum sentiatur, semper tamen, quantum est de se, gignit similitudinem, cum est
in sua completione », *De reduct. art.*, 8 ; éd. min., p. 374. Sur le rapport de l'espèce à
l'organe et à la faculté de l'âme, voir plus loin p. 341, note 1. Ajoutons que ce dernier trait
ne vise pas, comme le croit Ed. Lutz, *op. cit.*, p. 93 : « Sinneseindrücken, welche nicht
mit Bewusstsein verbunden sind », mais le rayonnement continu du corps lui-même, qui
engendre ou non des impressions sensibles selon qu'un organe les reçoit ou non. Sur la
réduction de l'espèce à son principe, cf. : « Si autem sunt similitudines, sic sunt in genere
per reductionem et reducuntur ad idem genus, sub quo continentur illa quorum sunt simi-

dans le milieu qui l'entoure, qui déterminent la connaissance sensible que nous pouvons acquérir de cet objet.

Comment le contact entre l'espèce sensible et l'âme peut-il s'effectuer? Deux interprétations opposées de cette opération fondamentale s'offrent au choix de saint Bonaventure. La première est celle de saint Augustin qui, en fidèle platonicien, maintient absolument la transcendance complète de l'âme sur le corps et, corrélativement, l'impossibilité absolue pour le corps d'agir sur l'âme. C'est un principe infrangible que le supérieur ne peut rien recevoir ni subir de l'inférieur; il est donc contradictoire de supposer que, par un procédé quelconque, un corps puisse introduire quelque chose dans un esprit ni même simplement agir sur lui. Comment dès lors peut-on se représenter l'acte de sentir? Il faut nécessairement admettre que le corps extérieur agit sur l'organe et que par conséquent notre corps en subit l'action, mais notre âme ne subit ni l'action du corps extérieur ni celle du nôtre, c'est elle, au contraire, qui entre alors en action et lit dans la passion subie par notre corps la nature de l'objet perçu. La sensation, telle que saint Augustin se la représente, est donc essentiellement passive de la part du corps, mais essentiellement active de la part de l'âme, qui tire elle-même et de sa propre substance l'étoffe dont sont faites ses sensations[1]. Saint Thomas d'Aquin, au contraire, a parfaitement vu quel platonisme radical entraînait Augustin jusqu'à cette conséquence et comment son aristotélisme le dispensait d'y adhérer. Le principe même de la doctrine n'est pas en cause : l'inférieur ne peut agir sur le supérieur; et c'est d'ailleurs au nom de ce même principe qu'Aristote et saint Thomas dénient aux corps sensibles le pouvoir d'agir directement sur l'intellect. Mais il s'agit de savoir s'il n'existe pas une faculté de l'âme qui se trouve précisément au même degré d'être que le corps sensible, et peut-être même en un degré relativement inférieur, de telle sorte qu'une action du corps sur cette faculté devienne intelligible. Or, tel est le cas de la faculté de sentir ou de former des images sensibles; opération du composé humain, liée à l'existence d'organes corporels qui sont naturellement en puissance par rapport aux formes des objets, elle n'est pas d'un niveau d'être plus intelligible que ne le sont ces objets eux-mêmes, et elle

litudines, ut patet in similitudine albedinis et coloris, quae quidem non est albedo, sed ut albedo, non est color, sed ut color », *II Sent.*, 24, 1, 2, 1, t. II, p. 563. Voir aussi *I Sent.*, 9, 1, 1, Concl., t. I, p. 181; *Itinerarium*, II, 7; éd. min., p. 308.

1. Saint Augustin, *De musica*, VI, 5, 10; Patr. lat., t. 32, col. 1169; *De quantitate animae*, XXV, 48, col. 1063, et XXX, 60, col. 1069; *De Gen. ad litt.*, XII, 16, 33, t. 34, col. 467.

manque des formes qu'ils peuvent lui conférer. Rien que de compréhensible dès lors dans l'action exercée par des objets sensibles sur une
faculté de sentir à laquelle ils sont égaux, et même en un certain sens
supérieurs; le principe est sauf : l'agent reste supérieur au patient[1].

Mais nous savons déjà que saint Bonaventure n'admet exactement ni
l'interprétation aristotélicienne, ni l'interprétation augustinienne des
rapports de l'âme et du corps. Il ne concède pas à Aristote que l'âme
soit suffisamment définie comme forme du corps organisé; c'est une
partie de sa définition, mais non pas sa définition même; il lui sera donc
impossible de concéder à saint Thomas l'existence d'une faculté de
l'âme qui soit complètement passive au regard des objets extérieurs.
Supposons, en effet, qu'une faculté de l'âme se trouve liée au corps de
telle manière qu'elle forme avec lui un véritable composé, nous pourrons bien concevoir que l'âme subisse une action de la part des objets
sensibles, comme le veut saint Thomas et pour la même raison que lui,
mais nous ne pourrons pas oublier cependant que l'âme demeure une
substance connaissante et illuminée de Dieu, donc agissante comme telle
dans chacune de ses facultés et qui, dans aucun cas, ne peut se contenter de subir passivement les actions que le milieu extérieur exerce sur
ses facultés les plus basses. D'autre part, saint Bonaventure engage
l'âme plus profondément dans la matière que ne l'avait fait saint Augustin, en ce sens qu'à ses yeux l'âme informe vraiment la matière corporelle après avoir informé déjà sa propre matière spirituelle. Or, si vraiment, et ne serait-ce qu'entre autres choses l'âme est forme du corps, il
faut nécessairement qu'elle descende au niveau du sensible en tant que
forme, et que par conséquent elle puisse subir son action. C'est pourquoi, bien loin de manquer de fermeté comme on l'a cru, sa théorie de
la connaissance sensible s'adapte de la manière la plus précise à sa
théorie de l'union de l'âme et du corps.

Saint Bonaventure distingue en effet trois éléments dans toute sensation. Le premier est celui que nous avons déjà analysé : l'objet extérieur agit, médiatement ou immédiatement, sur un organe sensible. Le
deuxième élément consiste dans l'action exercée par l'espèce sensible
sur la faculté même de sentir, et c'est ici que la doctrine bonaventurienne se sépare de celle d'Augustin. Dès le *Commentaire sur les sentences*, saint Bonaventure a marqué fortement ce point, et jamais, pas

1. Voir un texte parfaitement lucide de saint Thomas, *Sum. theol.*, I, 84, 6, ad 2[m]. Il vise
les textes précédents d'Augustin dans la *Qu. de Veritate*, X, 6, ad 5[m], et *Sum. theol.*,
loc. cit.

même dans les opuscules mystiques de son âge mûr, il n'est revenu sur
la solution qu'il avait autrefois adoptée; l'âme se trouve ramenée au
degré du sensible par une de ses fonctions et susceptible par conséquent
d'en subir l'influence dans l'une de ses opérations. La perception d'un
objet ne se produit que si l'espèce sensible rayonnée par cet objet s'unit
à la fois à l'organe sensitif et à la faculté de sentir : *nisi uniatur cum
organo et virtute, et cum unitur, nova fit perceptio*[1]. Mais en même
temps que la faculté de sentir subit l'action de l'objet elle réagit sur
lui, et c'est ici que saint Bonaventure atténue la passivité de la sensation aristotélicienne. Incapable de tirer de soi le contenu même de la
sensation, le sens juge ce contenu, et comme nos facultés ne sont pas
distinctes de l'âme au point où des accidents le sont de leur substance,
la vertu sensitive de l'âme reste capable de discerner et de juger au
moment même où nous la voyons subir l'action des objets. Ainsi, de
même qu'elle est une substance simple qui pénètre de haut dans un
corps qu'elle informe sans s'y emprisonner, l'âme est une intelligence
qui peut subir l'action du sensible en tant qu'elle informe ce corps,
mais sans se laisser submerger par lui. Les deux théories de l'union de
l'âme et du corps et du rapport de l'âme à ses facultés concourent ici à
définir la nature de la sensation : inétendue, indépendante et simple,
l'âme enveloppe chaque partie du corps et l'organe sensitif lui-même,
de telle manière qu'elle lui soit présente et qu'il ne la contienne pas;
promotion immédiate de l'âme, chaque faculté, même cette forme inférieure de la faculté de connaître qu'est l'aptitude à sentir, demeure
étroitement associée aux formes supérieures de l'activité spirituelle qui
ne cessent d'agir sur elle et de la féconder.

Cette continuité se laisse si clairement discerner qu'il semble moins
s'agir ici de deux facultés proprement dites, comme le sont celles de vouloir et de connaître, que de deux opérations situées à des degrés différents d'une même faculté. Nous avons dit que saint Bonaventure oppose
la sensibilité à l'intellection comme une faculté à une faculté, et rien
n'est plus exact; mais nous sommes désormais en mesure de marquer
le point où elles diffèrent et, par là même, de laisser libre tout le terrain sur lequel elles pourront ensuite se rencontrer. La sensation est
un état spécifiquement distinct de l'intellection, et la faculté de sentir
est réellement distincte de la faculté de connaître, en tant précisément
que l'opération sensitive implique une passion subie par le composé.

1. Voir texte cité, p. 321, note 1. Cf. *II Sent.*, 24, 2, 2, 1, Concl., t. II, p. 578.

C'est là précisément ce qui marque la frontière entre les deux domaines, et rien ne peut faire par conséquent qu'une sensation devienne jamais de l'intellection. Mais en même temps, puisque nous admettons que la faculté de sentir, en tant même que faculté de sentir, réagit activement sur l'impression qu'elle vient de subir et la juge, elle va se révéler faculté sensitive d'une âme raisonnable, spécifiquement différente de celle que possèdent par exemple les animaux privés de raison[1]. Non pas que cette réaction du sens sur l'impression subie ne soit pas elle-même proprement sensitive ou puisse être attribuée à un acte d'intellection : c'est le composé qui reçoit l'action du dehors et c'est le composé qui la juge ; mais il ne la juge pas comme il le ferait s'il n'était pas le prolongement, dans le corps, d'une substance spirituelle qui n'en dépend pas, et, en un mot, si la sensation de l'homme n'était la sensation d'un être doué de raison.

Considérons en effet le jugement que porte le sens sur l'impression que lui-même et son organe viennent de subir. Tout d'abord, il nous apparaît que si l'élément passif de la sensation se trouve principalement du côté du corps et l'élément actif principalement du côté de l'âme, c'est cependant l'âme et non le corps qui perçoit. Nous disons, et c'est avec raison, que l'œil voit ; mais nous n'avons le droit de le dire que parce que l'âme exerce au moyen de l'œil sa faculté de voir, de telle sorte que c'est l'âme qui confère au corps la faculté de sentir : *actum sentiendi dicitur communicare animam corpori*[2] ; en d'autres termes encore, nous devons nous représenter les différents sens comme autant de ramifications d'une âme unique dont les vertus parviennent jusqu'à chacun d'eux par l'intermédiaire du sens commun. C'est pourquoi la psychologie de saint Bonaventure, au lieu de peser sur les caractères

---

1. « Ad illud quod objicitur, quod recipit et judicat, dicendum, quod cum ista duo sint in sensu, videlicet receptio et judicium, receptio est principaliter ratione organi, sed judicium ratione virtutis. In sensu autem corporeo sic est receptio in organo, quod sit receptio pariter et in virtute, et sic est judicium virtutis illius in organo, quod non praeter organum : et ideo tam receptio quam judicium est totius conjuncti », *II Sent.*, 8, 1, 3, 2, ad 7ᵐ, t. II, p. 223. — « Cum duo concurrant ad actum intelligendi et sentiendi, videlicet recipere et judicare, in sentiendo receptio speciei est a corpore, sed judicium est a virtute ; et in intelligendo utrumque est a virtute intellectiva, videlicet ab intellectu possibili et agente. Et propterea intellectus dicitur vis non alligata materiae », *II Sent.*, 25, 2, un., 6, Concl., t. II, p. 623.

2. *II Sent.*, *loc. cit.* La même thèse est formulée dans un autre passage où saint Bonaventure combat d'ailleurs les conséquences fausses que certains en avaient tirées : « Omnes sensitivae exteriores (*scil.*, vires) uniuntur in origine et in sensu communi et distinguuntur in organis », *IVᵉ Sent.*, 50, 1, 2, 1, 1, Concl., t. IV, p. 1045.

qui définissent les facultés inférieures de l'âme comme telles, pour les maintenir à leur place et les empêcher de remonter, insiste au contraire sur la continuité qui les relie aux facultés supérieures et les compénètre de leur influence. Dès l'acte même par lequel l'âme perçoit, la spécification de la sensation dans sa classe propre apparaît comme impliquant un véritable discernement. Si donc cette doctrine n'accorde pas à saint Augustin que l'âme forme elle-même de sa propre substance le contenu de la sensation, elle enseigne du moins que la perception de la qualité sensible ne s'explique pas suffisamment par une simple passion de la faculté de sentir, mais requiert un mouvement de cette faculté par lequel elle se tourne vers l'espèce sensible : *conversio potentiae apprehensivae super illam* [1], et par suite une sorte de jugement spontané signifiant que la qualité perçue est du blanc, du noir ou l'une quelconque des autres qualités qu'il nous est possible de percevoir.

Mais l'activité de l'âme sensitive ne s'arrête pas là. Notre perception peut apparaître au premier abord comme une qualité simple, elle se décompose en réalité à l'analyse et nous permet de discerner l'action d'une série de facultés échelonnées en profondeur dont chacune lui confère quelque chose de ce qu'elle est. En premier lieu, les sensations particulières nous apparaissent, à l'intérieur de chaque ordre sensible, comme comparables entre elles et constituant par leur ressemblance même une classe définie de sensations. Prise en soi et absolument, la vue a pour objet propre la lumière, mais elle perçoit comme un objet presque aussi immédiat le blanc et le noir, et elle perçoit même les choses ou les personnes concrètes à titre d'objets plus éloignés [2]. Or, entre la perception des objets et la sensation particulière d'une qualité sensible prise à part vient s'interposer la faculté de comparer entre elles les sensations de même ordre. Le toucher, par exemple, peut percevoir la forme complexe d'un corps ou seulement l'aspect d'une de ses faces, mais il peut également appréhender le nombre et la division des parties qui la composent. On peut même dire qu'il n'y a pas de sensation tactile dans laquelle la perception d'une surface composée de plusieurs parties ne se trouve impliquée, et qu'en général aucun sens par-

---

1. Voir le premier texte cité, p. 321, note 1, et le « judicium » des textes cités, p. 325, note 1. Cf. également : « ... dijudicatio, qua non solum dijudicatur, utrum hoc sit album, vel nigrum, quia hoc pertinet ad sensum particularem », *Itinerarium*, II, 6; éd. min., p. 307. Le caractère actif de la sensation est fortement marqué dans un texte du *Commentaire :* « In potentia sensitiva... activa potentia est ex parte animae, passiva ex organo », *IV Sent.*, 50, 2, 1, 1, Concl.

2. *III Sent.*, 23, 1, 3, Concl., t. III, p. 479.

ticulier ne peut appréhender pleinement son objet s'il n'appelle à son secours cette faculté comparative supérieure qui vient le compléter. C'est le sens commun qui joue ce nouveau rôle[1]; et il en joue encore un troisième qui va nous éclairer définitivement sur sa véritable nature. Non seulement l'homme perçoit, mais il sait qu'il perçoit; il voit et il sait qu'il voit. Or, le sens lui-même, bien différent en cela des facultés intellectuelles, n'est pas capable de revenir sur sa propre opération pour l'appréhender; il faut donc qu'une faculté supérieure intervienne cette fois encore[2] pour conférer à l'âme la conscience réfléchie de sa faculté de sentir. Mais il apparaît en même temps que si la conscience que nous avons de percevoir se confond dans notre expérience interne avec notre perception même, ce n'est pas seulement la faculté de sentir, c'est la faculté de connaître qui se trouve impliquée dans chacune de ces perceptions. Par l'intermédiaire de ce sens commun, tronc unique à partir duquel l'âme répartit ses facultés entre les organes, un véritable courant de pensée descend jusqu'à l'acte le plus humble de nos sens pour l'enrichir et le compléter.

C'est ce que nous apercevrons plus clairement enfin en achevant l'analyse de la perception sensible. Les sensations ne nous sont pas données seulement comme spécifiques, utiles ou nuisibles et conscientes d'elles-mêmes, elles nous sont encore données, et toujours dans le même acte, comme agréables ou pénibles. Or, leur caractère affectif peut revêtir à son tour une infinité de nuances différentes dont les principales sont cependant au nombre de trois, selon les trois principaux genres de rapport qui peuvent s'établir entre l'organe sensible et son objet. Certaines sensations sont belles, d'autres sont agréables, d'autres enfin sont saines; toutes nous plaisent en raison de la proportion ou convenance qui règne entre elles et nous, mais comme c'est l'espèce sensible qui cause la sensation, et comme trois termes interviennent dans la définition de l'espèce sensible, trois rapports différents peuvent s'établir entre le sens et son objet. Si l'on analyse le sens du terme espèce, on constatera d'abord qu'il implique la notion d'image et par conséquent de forme; or, l'espèce n'est précisément une image qu'en tant qu'elle tient de la forme de l'objet la ressemblance qu'elle en véhicule jusqu'à l'organe; et c'est à ce premier point de vue qu'elle peut s'accorder avec notre faculté de sentir. La beauté d'une forme se résout

---

1. *IV Sent.*, 12, 1, dub. 1. En tant que réceptacle des sensations de divers ordres, il prend le nom de fantaisie, *II Sent.*, 7, 2. 1, 1, ad 2ᵐ, t. II, p. 190.

2. *I Sent.*, 17, 1, un. 2, Concl., t. I, p. 297.

en effet dans un rapport numérique; elle suppose un certain ordre des parties selon les lois du nombre, complété par d'autres qualités sensibles que nous allons définir, mais dont l'accord avec le rythme interne de notre faculté de sentir constitue la condition fondamentale de toute impression de beauté[1]. En deuxième lieu, on observera que l'espèce n'est pas seulement en rapport avec la forme originelle qui lui confère son aspect, elle l'est encore avec le milieu qu'elle traverse en raison de la vitesse du mouvement dont elle est animée. Si ce mouvement est trop violent pour le sens qui la reçoit ou s'il est au contraire doué d'une force insuffisante, la perception se trouvera douloureuse ou languissante; s'il y a au contraire proportion exacte entre la structure de l'organe et la force du choc subi au contact de l'objet, la perception sera agréable. Cette deuxième qualité affective peut évidemment compléter la première et se confondre en quelque sorte avec elle, ainsi qu'il arrive lorsque nous jouissons de la beauté des formes peintes sur un tableau et de l'agrément de son coloris. Reste enfin une troisième proportion possible entre certaines espèces et certains organes. Il arrive en effet que le rapport du sens à l'objet soit de nature en quelque sorte vitale; plus qu'une curiosité désintéressée, c'est une attente et comme un besoin du corps qui le tourne vers l'espèce rayonnée par l'objet. En pareil cas, l'accord entre l'organe et l'objet consiste en ce que l'espèce comble une indigence, la remplit, la nourrit et lui apporte en quelque manière le salut : c'est ce qui se produit principalement à l'occasion des plaisirs du goût et du toucher dont les actes sont étroitement liés aux besoins de notre vie, et c'est pourquoi nous leur devons des impressions saines, salubres, ainsi, d'ailleurs, que les impressions de malsain et de nuisible qui remplacent les premières lorsqu'il y a disproportion entre le sens et l'objet. Or, ici encore, c'est le sens interne ou sens commun qui constate ces rapports et combine les impressions que nous en éprouvons[2]; mais il ne peut les constater sans faire intervenir une sorte d'aptitude à compter et à discerner, un instinct du rythme et du nombre, une perception confuse de la loi numérique à laquelle obéissent la forme de

---

1. *Itinerarium.*, II, 5; éd. min., p. 306-307, et 10, p. 311. Se réfère à saint Augustin, *De musica*, lib. VI, t. 32, c. 1162 et suiv.

2. « Dijudicatio, qua non solum dijudicatur... utrum sit salubre, vel nocivum, quia hoc pertinet ad sensum interiorem », *Itinerarium*, II, 6; éd. min., p. 307. Le caractère nettement intérieur du sens commun dans la doctrine de saint Bonaventure se trouve confirmé par le texte cité p. 341, note 2; il n'exclut pas cependant sa dépendance à l'égard d'un organe; voir texte suivant.

l'objet, le mouvement de son espèce sensible et sa propre structure qui lui permet de les percevoir ; dès son degré le plus humble, et par son caractère affectif même, la sensation est donc pénétrée de rationalité.

Continuons à rentrer de l'extérieur vers l'intérieur de l'âme. Voici les espèces sensibles imprimées dans l'organe du sens, perçues par la faculté de sentir, jugées et caractérisées par elle ; elles sont devenues jusqu'à un certain point indépendantes de leur objet et commencent à vivre d'une vie propre. Recueillies par le sens commun, elles se conservent, en effet, dans l'imagination, la *virtus imaginaria*, sorte de trésor et de conservatoire des espèces sensibles[1]. Purement passive, à la différence des deux sens externe et interne qui jugent les impressions, elle tient simplement leurs espèces en réserve pour que l'intellect puisse se tourner vers elles et les ressusciter lorsqu'il en aura besoin. La nécessité de son concours à toute représentation imaginative est manifeste. Nous ne pouvons évoquer aucune image devant notre pensée si nous n'avons préalablement perçu l'objet sensible auquel elle correspond ; ainsi, pour ne prendre qu'un exemple, nous n'imaginons pas Dieu. D'autre part, si elle reçoit les espèces sensibles tout élaborées et les garde telles qu'elle les a reçues, elle n'est pas capable non plus de les ressusciter par elle-même. Puisqu'elle ne fait que conserver son contenu, l'imagination n'est pas autre chose que cette faculté générale que possède l'âme d'être toujours présente à elle-même et que l'on nomme mémoire. Il ne faut donc pas raisonner comme s'il y avait une mémoire des images profondément distincte de l'imagination elle-même ; peut-être serait-on dans la note juste en disant simplement que la mémoire retient, avec une signification un peu plus active du terme retenir, ce que l'imagination ne fait que conserver[2]. Par contre, la mémoire se

---

1. « Et hujus signum est, quia nunquam facit (*scil.* daemon) hominem aliquid sentire, cujus imaginem non habeat in interiori organo virtutis imaginariae. Nunquam enim caecos naturaliter facit somniare de coloribus, nec surdos de sonis, nec eis talia repraesentat in vigilia vel in somnis », *II Sent.*, 8, 2, un. 3, Concl., t. II, p. 229. — « Quia vero imaginaria (*scil.* imaginatio) est earum rerum quarum imagines in interiori sensu exprimuntur », *I Sent.*, 16, un. 2, ad 4m, t. I, p. 282.

2. « Dicendum quod actum memoriae contingit accipere per modum habitus, et iste est retinere speciem et esse dicitur per modum habitus, quia continue tenet et dicit magis statum sive conservationem quam actionem », *II Sent.*, 7, 2, 1, 2, Concl., et ad 3, t. II, p. 193. C'est pourquoi la mémoire, considérée comme faculté purement conservatrice, apparaît chez saint Bonaventure comme suivant la distinction des objets : le sensible passé, l'intelligible passé, l'intelligible intemporel, *I Sent.*, 3, 2, 1, 1, ad 3m, t. I, p. 81 ; *Itinerarium*, III, 2 ; éd. min., p. 315.

distingue nettement de cette imagination purement passive en tant qu'elle est capable de réminiscence, c'est-à-dire de rappeler à la conscience, par un acte propre, les espèces que l'imagination conserve et qu'elle-même y retient[1]. En ce second sens, elle nous apparaît comme une faculté volontaire, car il est en notre pouvoir d'évoquer nos souvenirs ou de les laisser dormir dans l'état de repos où ils se trouvent; et elle diffère même si bien de l'imagination pure que ces deux manières, l'une passive, l'autre active de se souvenir, engendrent deux manières, l'une passive, l'autre active d'oublier. On peut oublier par oblitération naturelle des espèces; il se produit alors une sorte d'effacement et comme d'usure des impressions reçues ; mais on peut oublier aussi volontairement, canceller du livre de sa mémoire ce qui s'y trouvait consigné et l'annuler par une décision volontaire. Or, il apparaît du même coup que plus nous pénétrons profondément dans l'analyse de notre connaissance sensible, plus nous sommes obligés de la relier à notre connaissance intellectuelle. Si nous ne pouvons rien imaginer sans les espèces, nous faisons constamment appel à notre volonté, faculté libre et par conséquent rationnelle, pour tirer les espèces de l'oubli et les évoquer. C'est donc vers l'intellect lui-même que nous devons naturellement nous tourner si nous voulons, non seulement connaître sa structure propre, mais encore découvrir la racine profonde des opérations sensitives dont chacune nous ramène inévitablement vers lui.

II. — L'intellect humain.

Nos opérations cognitives peuvent être distinguées soit en tant qu'elles supposent des facultés de l'âme spécifiquement différentes les unes des autres, encore qu'étroitement apparentées et unies; soit par rapport aux offices divers que l'âme remplit en connaissant; soit enfin quant aux objets vers lesquels l'âme se tourne pour les connaître. C'est le premier mode de classification que nous avons suivi en distinguant les facultés de végéter, de sentir, de penser et, dans la faculté de penser, celle de connaître et celle d'aimer. C'est aussi la seule classification qui porte véritablement sur des facultés. Les distinctions que nous allons

---

1. « Est alius actus memoriae, qui est meminisse, sive recordari. Primus quidem actus naturalis est et non subest voluntati, nec penes illud attenditur meritum vel demeritum. Secundus vero actus potest ordinari ad bonum et ad ejus oppositum scilicet ad malum ». II Sent., 7, 2, 1, 2, Concl., t. II, p. 193.

introduire désormais à l'intérieur de la première ne correspondront pas à des subdivisions de ses divers éléments et ne sauraient avoir pour effet ni de la compléter ni de la remanier. L'intellect, par exemple, reste la faculté qu'il est, soit qu'il se tourne vers les choses, soit qu'il se tourne vers lui-même, soit enfin qu'il se tourne vers Dieu; il ne change pas non plus de nature du fait qu'il fonctionne comme raison ou qu'il en accomplit les offices supérieurs plutôt que les offices inférieurs[1]. Mais comme l'objet qui informe une faculté de connaitre ou l'office auquel elle s'emploie actuellement ne sont pas sans modifier l'aspect sous lequel elle se présente, nous pourrons, après avoir considéré l'intellect humain en tant que faculté de l'âme et à part, le considérer ensuite à des points de vue divers et même lui attribuer des noms différents, selon que nous le verrons changer d'office ou de contenu.

Saint Bonaventure considère comme allant de soi et passée dans l'usage la distinction de l'intellect possible et de l'intellect agent, mais il considère comme une question qui demeure ouverte celle de savoir en quel sens on doit entendre cette distinction. Une première manière de

---

1. C'est ce que l'on ne doit pas oublier avant de déclarer contradictoires les multiples classifications de nos facultés qui se rencontrent chez saint Bonaventure. Il n'y a en réalité qu'une classification des facultés; toutes les autres correspondent à des points de vue différents sur les facultés ainsi distinguées. Nous donnons en entier le texte fondamental sur ce point : « Unde notandum est quod multis modis consueverunt auctores divisionem potentiarum animae accipere. Aliquando secundum naturam ipsarum potentiarum, ut cum dividuntur potentiae animae in vegetabilem, sensibilem et rationalem, vel ipsa rationalis in intellectivam et affectivam. — Aliquando vero secundum officia, ut cum dividitur ratio in superiorem et inferiorem. — Aliquando secundum status, ut cum dividitur intellectus in speculativum et practicum: intellectus enim speculativus secundum alium statum efficitur practicus, videlicet dum conjungitur voluntati et operi in dictando et regendo. — Aliquando vero fit divisio potentiarum secundum aspectus, sicut dividitur potentia cognitiva in rationem, intellectum et intelligentiam, secundum quod aspicit ad inferius, ad par et ad superius. — Aliquando vero secundum actus, sicut fit divisio in inventivam et judicativam; invenire enim et judicare sunt actus potentiae cognitivae ad invicem ordinati. — Aliquando vero fit divisio potentiarum animae secundum modos movendi: et sic est illa, quae est per naturalem et deliberativam. Omnibus his modis diversitatis utuntur auctores in divisione potentiarum animae, et in solo primo modo dividendi attenditur proprie potentiarum diversificatio », II Sent., 24, 1, 2, 3, Concl., t. II, p. 566. C'est donc une grave erreur que de chercher à faire rentrer dans le même ordre une classification de facultés et des classifications différentes qui, bien loin de prolonger la première, ne se remplacent même pas entre elles. On notera par exemple, pour écarter la confusion la plus fréquente, que la célèbre classification de l'Itinerarium en six degrés de l'âme ne correspond pas à six facultés, comme le croit Ed. Lutz, op. cit., p. 105, mais à six aspects différents de la même faculté (divisio potentiarum secundum aspectus) considérée selon qu'elle se tourne successivement vers des objets différents. On verra plus loin quel contresens radical cette erreur introduit dans l'interprétation de l'Itinerarium.

l'interpréter serait celle des philosophes arabes, et notamment d'Avicenne, qui situent l'intellect agent dans une substance et l'intellect possible dans une autre. L'intellect agent appartiendrait, en effet, à une Intelligence séparée, et spécialement à la dixième Intelligence, celle qui meut la sphère céleste immédiatement supérieure à la Terre. Mais un tel point de vue est inacceptable pour saint Bonaventure, parce qu'il compromet un des fondements les plus nécessaires de son système : il n'y a rien entre l'âme et Dieu, et l'âme humaine est d'un degré de perfection si éminent qu'aucune substance créée n'a le pouvoir de l'illuminer ni de lui conférer sa perfection propre. Bien plus même, comme il sera démontré plus loin, la pensée humaine bénéficie d'une illumination immédiate de Dieu ; ce n'est donc pas une Intelligence, ou un Ange, qui peut constituer l'élément actif et fécond de son intellect.

Il est vrai que cette réponse même suggère une autre solution, bien différente en apparence, mais qui n'en aboutirait pas moins à situer l'intellect agent dans une substance distincte de l'âme humaine. Si l'illumination nous vient de Dieu, pourquoi ne dirions-nous pas que Dieu lui-même joue, par rapport à l'âme humaine, le rôle de l'intellect agent? Bien des textes de l'Écriture ou des Pères semblent nous suggérer, nous imposer presque une conception de ce genre. D'abord les célèbres paroles de Jean (I, 9) : *erat lux vera quae illuminat omnem hominem venientem in hunc mundum ;* puis les passages si nombreux où saint Augustin rappelle de toutes les manières que Dieu est la lumière qui nous illumine, la vérité qui nous dirige, le maître qui nous instruit. C'est pourquoi certains augustiniens contemporains de saint Bonaventure admettaient que la conception d'un Dieu intellect agent fût acceptable, à condition de la prendre dans un bon sens. On disait volontiers, par exemple, qu'en raison de la lumière dont il nous éclaire, c'est Dieu qui est le véritable *dator formarum ;* doctrine qui n'a rien en soi que de catholique, mais qui diminue jusqu'à l'excès l'activité propre de la pensée humaine. Notre âme a reçu de Dieu le pouvoir de connaître, comme d'autres créatures en ont reçu le pouvoir d'accomplir d'autres opérations ; or, bien que Dieu reste toujours le principal ouvrier dans l'opération de chaque créature, il a cependant conféré à chacune d'elles une faculté d'agir qui lui est propre et qui lui permet de se considérer légitimement comme le véritable auteur de son action. Nous devons croire sans aucun doute qu'il en est de même en ce qui concerne notre faculté de connaître, et, pour qu'il en soit réellement ainsi, il faut nécessairement que nous ne possédions pas seulement un intellect possible, mais

encore un intellect agent qui soit bien à nous et qui fasse partie de la
substance de notre âme au même titre que le précédent[1]. Nous ne pouvons donc admettre en aucun sens que l'intellect agent et l'intellect
possible appartiennent à deux sujets différents.

Une autre solution du problème, et qui semblerait, au premier abord,
de nature à séduire saint Bonaventure, consisterait à identifier l'intellect possible avec la matière de l'âme et l'intellect agent avec sa forme.
Rien de plus logique, semble-t-il, dès lors qu'on admet la composition
hylémorphique de l'âme humaine, et nous pouvons ajouter que cette
interprétation de la difficulté rendrait beaucoup plus aisé à comprendre
comment, dans le système même de saint Bonaventure, l'illumination
divine peut informer l'intellect humain. Mais nous rencontrons ici l'un
des traits les plus caractéristiques de la doctrine bonaventurienne et
qui va lui rendre inacceptable cette solution si séduisante du problème
posé. Toute philosophie augustinienne conserve de son origine le respect de la spontanéité de l'intellect. Sans doute elle peut l'entendre de
bien des manières différentes et en varier considérablement l'expression, mais jamais une philosophie qui demeure véritablement fidèle à
l'inspiration première de saint Augustin ne se résigne à reconnaître
qu'il puisse exister un élément de passivité pure dans l'âme humaine ;
nous avons vu saint Bonaventure compléter l'action subie par le sens au
moyen d'une réaction du sens sur l'impression reçue, nous allons le
voir ici refuser de définir l'intellect possible comme une absolue passivité. Or, on le remarquera, c'est ce qu'il faudrait admettre si l'on voulait confondre l'intellect possible avec la matière de l'âme. Et il faudrait
même ajouter que n'importe quel être composé de matière et de forme
pourrait se voir attribuer un intellect possible, puisqu'il ne s'agirait
plus alors que d'une pure réceptivité. Si l'intellect possible est absolument indéterminé, toute matière est intellect possible dans la mesure
même où elle est indéterminée, ce qui est évidemment absurde. Enfin,
chose qui ne l'est pas moins, l'intellect possible lui-même ne mérite
plus le nom d'intellect s'il est considéré comme matière et, par conséquent, comme passivité pure ; car, en tant qu'il est purement possible,
il ne connaît pas et ne possède aucune faculté de connaître ; il est

---

1. On remarquera que ce problème n'est qu'un cas particulier du problème de l'éduction
des formes et que les critiques dirigées par Averroès contre Avicenne rallient les suffrages
de tous les scolastiques sur ce point; voir *II Sent.*, 7, 2, 2, 1, Concl., t. II, p. 198, et note 3.
La théorie du « dator formarum » supprime toute efficacité de l'intellect humain, aussi
bien que de la cause seconde en général.

comme serait un organe corporel considéré à part de la faculté de connaître qui l'informe; or, un œil n'est pas une vue; une puissance purement passive de ce genre ne serait pas davantage un intellect.

On pourrait soutenir enfin une solution plus radicale et plus simple
encore, mais en un sens tout différent : l'intellect humain serait une
seule et même faculté de l'âme, considérée tantôt en soi et absolument,
tantôt par rapport à une autre substance et en un sens relatif. Pris en
soi, l'intellect serait un intellect agent; considéré en tant qu'uni à un
corps et dépendant des espèces sensibles pour l'exercice de son opération, il serait un intellect possible. Cette interprétation de la distinction cherchée peut d'ailleurs se réclamer de certains textes d'Aristote,
comme ceux où le Philosophe déclare que l'intellect agent est toujours
en acte, l'intellect possible étant, au contraire, quelquefois en acte,
mais d'autres fois en puissance seulement; l'âme, en effet, semblerait
ne tenir le manque d'actualité dont elle souffre souvent que de son union
avec un corps qui la trouble et l'épuise. Mais des difficultés d'ordre
théologique retiennent saint Bonaventure d'admettre une solution que
Guillaume d'Auvergne paraît avoir soutenue et que nombre de philosophes devaient admettre au cours du siècle suivant. L'âme séparée de
son corps continue de connaître; elle possède donc un intellect agent
et même un intellect possible, alors qu'elle ne possède plus son corps
terrestre et que son corps ne lui pas été rendu glorieux; nous devons
donc en conclure que l'union de l'âme avec son corps n'est pas la raison
suffisante de la passivité de l'intellect.

Il nous faut donc chercher une distinction de l'intellect agent et de
l'intellect possible qui tienne compte simultanément de toutes ces données. Or, il n'est pas impossible peut-être de les concilier si l'on s'en
tient fermement à ce qu'exige une distinction de cet ordre, et si l'on
décide de la concevoir telle qu'elle doit être pour résoudre les difficultés définies qu'elle est destinée à lever. Tout d'abord, on accordera
nécessairement qu'il existe une certaine relation entre l'intellect agent
et la forme d'une part, l'intellect possible et la matière d'autre part;
leurs noms mêmes nous indiquent, en effet, que l'un d'eux participe de
l'activité des formes, alors que l'autre souffre de la passivité qui définit
la matière. Mais ce serait excéder les limites qui nous sont fixées par
les données du problème que de faire de l'intellect agent une forme
pure et de l'intellect possible une matière pure, ainsi qu'on nous le
proposait. L'intellect agent n'est pas tout en acte, même abstraction
faite de la possibilité de son être créé; il n'est pas actualité pure, même

si nous ne le considérons que dans l'ordre du connaître. Et, en effet, nous constatons que l'intellect agent demeure impuissant à élaborer la connaissance des choses extérieures tant qu'il n'a pas à sa disposition les espèces que tient en réserve l'imagination; son actualité n'est donc pas telle qu'elle se suffise à elle-même, puisqu'elle ne trouve un contenu que lorsque ses facultés de sentir lui ont apporté la détermination qu'elle attend. Sans doute on objectera avec saint Thomas que toute la passivité de la connaissance humaine doit être inscrite au compte de l'intellect possible seul, de telle manière que l'intellect agent fasse tout et ne subisse rien, tandis que l'intellect possible subit tout et ne fait rien. Mais il reste cependant que, du point de vue de saint Bonaventure, un acte qui ne contient pas en soi-même les conditions suffisantes de son exercice n'est pas pleinement en acte; lié pour l'accomplissement de son opération à un intellect possible, il contracte lui-même une certaine possibilité dans la mesure exacte où il en dépend.

La terminologie bonaventurienne peut donc rester aristotélicienne; elle modifie profondément la conception généralement reçue de l'intellect agent: mais elle modifie plus profondément encore la conception de l'intellect possible et se révèle de plus en plus inconciliable avec celle de saint Thomas à mesure qu'elle avance plus loin dans sa propre direction. Pas plus que l'intellect agent n'est actualité pure, l'intellect possible n'est pure possibilité. Alors que dans la doctrine thomiste l'intellect possible ne fait que recevoir les espèces, abstraites de sensibles en intelligibles par l'intellect agent, et de les conserver à titre d'habitus, c'est l'intellect possible qui, dans la doctrine de saint Bonaventure, se tourne vers l'intelligible que contient l'espèce sensible, l'en extrait grâce à la vertu que lui confère l'intellect agent et le juge. Le trait saillant de cette solution du problème réside en ce que l'impossibilité pour aucun des deux intellects d'exercer son activité sans le concours effectif de l'autre les rend en quelque sorte dépendants l'un de l'autre, participant l'un de la passivité, l'autre de l'activité de l'autre, et moins semblables à deux facultés même complémentaires qu'à deux mouvements conjugués et réciproques au sein d'une seule et même opération[1].

1. « Alius vero modus intelligendi est, ut dicatur, quod intellectus agens et possibilis sint duae intellectus differentiae, datae uni substantiae, quae respiciunt totum compositum. Appropriatur autem intellectus agens formae et possibilis materiae, quia intellectus possibilis ordinatur ad suscipiendum, intellectus agens ordinatur ad abstrahendum; nec intellectus possibilis est pure passivus; habet enim supra speciem existentem in phantasmate se convertere, et convertendo per auxilium intellectus agentis illam suscipere, et de ea

Tels sont, en effet, les deux points essentiels sur lesquels il importe de ne pas se méprendre si l'on veut interpréter exactement la pensée de saint Bonaventure. En premier lieu, nous devons nous souvenir qu'en un sens l'intellect possible abstrait l'intelligible du sensible en vertu de l'influence supérieure qu'exerce sur lui l'intellect agent. Sans doute, ce n'est pas lui qui est l'intellect agent, puisqu'il n'est pas capable d'abstraire l'intelligible par ses propres lumières et que, pris en soi, il ne peut que le recevoir; mais il se tourne du moins vers lui et, une fois tourné vers lui, il reçoit de l'intellect agent le pouvoir de l'abstraire et de le juger. La formule exacte de sa passivité est bien la suivante : *non potest sua conversione nec speciem abstrahere nec de specie judicare nisi adjutorio ipsius agentis;* c'est donc lui qui le fait sans le faire de lui-même. Et corrélativement, c'est l'information de l'intellect possible par l'intelligible qu'abstrait la vertu de l'intellect agent qui permet à l'intellect agent lui-même d'achever son opération. L'indépendance des deux aspects du même acte est telle que l'intellect agent finit d'agir grâce à la collaboration qu'il rend l'intellect possible capable de lui apporter. Il ne faut donc pas s'étonner si les formules de saint Bonaventure ne semblent pas toujours décrire l'opération exactement de la même manière; ses formules peuvent varier sans cesser d'être exactes, parce qu'elles peuvent légitimement présenter les choses sous deux aspects différents et qu'elles ne peuvent même présenter à la fois que l'un des deux aspects inséparables dans la réalité. C'est donc le fond des choses qui nous est décrit lorsque nous lisons dans un texte que l'intellect agent abstrait et que l'intellect possible reçoit; mais c'est la vérité complémentaire de la première que nous rencontrons lorsque nous lisons dans un autre texte que, grâce à la vertu de l'intellect agent, l'intellect possible abstrait l'intelligible de sa matière et que l'informa-

judicare. Similiter nec intellectus agens est omnino in actu; non enim potest intelligere aliud a se, nisi adjuvetur a specie, quae abstracta a phantasmate intellectui habet uniri. Unde nec possibilis intelligit sine agente, nec agens sine possibili. Et iste modus dicendi verus est », *II Sent.*, 24, 1, 2, 4, Concl., t. II, p. 569. — « Intellectus possibilis non est pure passivus, sicut supra ostensum est; habet enim potentiam se convertendi; nec tamen est adeo activus, sicut agens, quia non potest sua conversione nec speciem abstrahere, nec de specie judicare nisi adjutorio ipsius agentis. Similiter nec ipse intellectus agens operationem intelligendi potest perficere, nisi formetur acies intellectus possibilis ab ipso intelligibili, ex qua formatione est in pleniori actualitate, respectu ejus quod debet cognoscere, quam erat prius, cum carebat specie », *Ibid.*, ad 5ᵐ, t. II, p. 571. Sur le sens de « judicare » dans ces textes, voir plus loin, p. 384, note 1. C'est l'équivalent augustinien de l'abstraction aristotélicienne, et c'est à quoi pense saint Bonaventure quand il parle d'abstraction.

tion de l'intellect possible par l'espèce intelligible rend à son tour l'intellect agent plus actuel au regard de l'objet à connaître qu'il ne l'était avant d'en avoir l'espèce intelligible à contempler.

En second lieu, il est clair que dans la doctrine de saint Bonaventure l'intellect agent et l'intellect possible ne sont pas deux facultés réellement distinctes l'une de l'autre. Elles ne sauraient l'être, puisque le caractère résolument actif ou passif que saint Thomas reconnaît à chacune d'elles et qui fonde à ses yeux la réalité de leur distinction cède ici la place à une sorte d'interaction qui fonde, au contraire, leur interdépendance quant à l'exercice de l'opération même par laquelle chacune d'elles se définit. Or, il est tout à fait remarquable que son attitude lui soit dictée sur ce point par le souci persistant d'interdire à l'erreur d'Avicenne l'accès de la philosophie chrétienne. Dès le *Commentaire sur les Sentences*, nous le voyons rejeter la thèse à laquelle s'arrêtera saint Thomas, parce qu'à ses yeux un intellect agent qui serait, même dans l'homme, purement agent, constituerait encore une sorte de succédané de l'intellect agent séparé d'Avicenne; ce serait comme une Intelligence indépendante en présence d'une intelligence subordonnée et qui en dépendrait. Et c'est précisément pour ne pas transporter à l'intérieur de l'âme humaine ce dualisme de la connaissance qu'il vient de condamner en principe que saint Bonaventure substitue aux deux facultés réellement distinctes de l'aristotélisme chrétien ou, comme il le dit fortement, à ces deux substances, deux simples différences de fonctions au sein d'une même substance et deux aspects corrélatifs d'une même opération[1].

Telle étant la structure de notre faculté de connaître, il nous reste à en déterminer le contenu. D'où nos connaissances nous viennent-elles et quelle position devrons-nous adopter devant le conflit qui met aux prises l'empirisme des aristotéliciens et l'innéisme des platoniciens?

1. « Et ita cum cogitamus de intellectu agente et possibili, non debemus cogitare quasi de duabus substantiis, vel quasi de duabus potentiis ita separatis, quod una sine alia habeat operationem suam perficere, et aliquid intelligat intellectus agens sine possibili, et aliquid cognoscat intellectus agens, quod tamen homo, cujus est ille intellectus, ignoret. Haec enim vana sunt et frivola, ut aliquid sciat intellectus meus quod ego nesciam; sed sic cogitandae sunt esse illae duae differentiae, quod in unam operationem completam intelligendi veniant inseparabiliter, sicut lumen et diaphanum veniunt in abstractionem coloris. — Nec sunt hic sequenda communiter verba philosophorum, quia pro magna parte decepti sunt in influentia intelligentiae super animam, quam non admittit fides catholica », *II Sent.*, 24, 1, 2, 4, ad 5ᵐ, t. II, p. 571. Cette préoccupation reparaît dans les derniers textes de saint Bonaventure, *In Hexaëm.*, VII, 2, t. V, p. 365; *De donis S. S.*, IV, 2, t. V, p. 474.

Saint Bonaventure estime que l'erreur commune des adversaires en présence fut peut-être de considérer l'une des deux solutions du problème comme nécessairement exclusive de l'autre, et que la vérité consisterait peut-être simplement à déterminer dans quel cas, ou par rapport à quelle classe d'objets, chacune des deux solutions se trouve fondée en raison.

Considérons d'abord le cas des objets sensibles. Ici, c'est Aristote qui a raison, et saint Bonaventure ne cesse de le répéter. Il est exact que notre âme soit à l'origine comme une sorte de table rase sur laquelle absolument rien n'est écrit, et le plus profond philosophe pourrait méditer indéfiniment dans l'abstrait sans jamais réussir à concevoir l'idée du moindre objet sensible avant de l'avoir effectivement perçu. Notre connaissance commence par les sens, et si nous devons nous élever à la perception des intelligibles il est indispensable que, d'une façon quelconque, nous recevions du sensible une première excitation[1]. Supposer que l'homme possède du moins une connaissance générale et confuse des choses que l'expérience viendrait tout au plus déterminer n'est pas plus admissible que de lui attribuer la connaissance innée des choses particulières. S'il en était ainsi, l'homme pourrait, en effet, connaître beaucoup plus facilement les essences des choses et leurs lois de composition en approfondissant le contenu de sa propre pensée qu'en perdant son temps à leur demander un secret qu'il possède déjà[2]. En réalité, nous n'acquérons la science des êtres que par la voie des sens et de l'expérience et la règle d'Aristote vaut pour le domaine entier du monde sensible, sans aucune exception.

Si nous n'accordons à l'intellect humain aucune connaissance innée du sensible, ne lui accorderons-nous pas du moins la connaissance innée des premiers principes? Ce minimum d'innéisme semble si peu de chose que certains historiens n'ont même pas cru pouvoir le refuser à saint Thomas[3]. Or, saint Thomas ne l'a pas accepté, et le plus curieux est

---

1. *I Sent.*, 16, un. 2, fund. 1ᵐ, t. I, p. 281.

2. « Intellectus vero humanus, quando creatur est sicut tabula rasa, et ita in omnimoda possibilitate », *II Sent.*, 3, 2, 2, 1, fund. 5ᵐ, t. II, p. 118. — « Homo enim, cum nascitur, non habet cognitionem nec speciem singularium, nec communem, nec propriam ; sola tamen directione aspectus super res cognoscit omnia visibilia et recipit simul cognitionem certam et speciem, quia denudatus erat a forma recepti. Quod si haberet species, multo melius posset, dirigendo aspectum ad res mundanas, eas cognoscere, non suscipiendo species, cum jam habeat, sed ex directione, et applicare et appropriare et componere et distincte nosse », *Ibid.*, ad 4ᵐ.

3. Voir, par exemple, J. Durantel, *Le retour à Dieu*, p. 46, 156-157, etc., malgré les textes

que, s'il l'avait accepté, il aurait été moins aristotélicien que saint Bonaventure lui-même sur ce point critique du problème de la connaissance. Car c'est un fait que saint Bonaventure ne veut même pas discuter la thèse platonicienne d'une complète innéité des principes premiers; elle lui apparaît comme condamnée par le fait extraordinaire qu'elle ait réussi à faire contre elle l'union d'Aristote et de saint Augustin. Il n'examinera donc pas la thèse d'une connaissance des principes que l'union de l'âme avec le corps aurait ensuite opprimée et refoulée dans l'oubli, mais, cette thèse extrême écartée, trois autres demeurent soutenables, qui, toutes, reconnaissent la présence d'un élément inné dans l'acquisition des principes. La difficulté consiste précisément à faire sa part exacte à cet élément.

Certains philosophes ont soutenu que les principes sont innés dans l'intellect agent, mais acquis par rapport à l'intellect possible; c'est ce deuxième intellect seul qui serait créé nu de toute connaissance et pareil à une table rase sur laquelle rien n'est écrit. Nous reconnaissons dans cette doctrine celle de la connaissance confuse des universaux que nous venons de critiquer, et elle reviendrait d'ailleurs manifestement à nier la conception bonaventurienne de l'intellect en définissant l'intellect agent par l'habitus même des principes. Saint Bonaventure la rejette formellement, car si l'intellect agent possédait la connaissance habituelle et innée des principes, pourquoi ne serait-il pas capable de la communiquer à l'intellect possible sans le secours des sens inférieurs? En outre, si l'intellect agent possédait naturellement cette connaissance, l'âme ne serait pas ignorante, mais savante, dès l'instant même de sa création, ce qui nous paraît manifestement contraire à l'expérience quotidienne. Enfin, une telle doctrine paraît contradictoire avec les termes mêmes dans lesquels elle s'exprime, car il est difficile de comprendre comment des espèces intelligibles pourraient être conservées dans un intellect agent si, comme son nom l'indique, sa fonction propre est bien de produire et non pas de conserver.

Une autre solution du problème, plus proche celle-là de la vérité, consisterait à soutenir que les principes sont innés en un certain sens et acquis en un autre. Innés en ce sens que nous en aurions la connaissance sous leur forme générale et en tant que principes, mais acquis quant à la connaissance particulière de ce qu'ils impliquent et à la

formels de saint Thomas, *Cont. Gent.*, II, 78, et *De anima*, qu. un., art. 5 ad *Respondeo*. L'innéité de la lumière naturelle ne doit pas être confondue avec l'innéité de son contenu.

découverte des conclusions que nous pouvons en tirer. Mais cette position paraît non moins inacceptable que la précédente, et cela pour deux raisons qui semblent au premier abord de pure autorité, mais qui nous rappellent en fait deux préoccupations profondes de saint Bonaventure. Tout d'abord, cette interprétation du problème a contre elle les démonstrations d'Aristote, qui prouvent, dans les *Seconds Analytiques* (lib. II, c. 18), que la connaissance des premiers principes ne nous est pas innée : *quod cognitio principiorum non est nobis innata.* Comme, en effet, la vérité des principes est évidente et que cependant nous les ignorons en fait avant d'avoir connu les objets auxquels ils s'appliquent, il résulterait de leur innéité qu'ils nous seraient simultanément évidents et inconnus ; et il en résulterait encore que ces principes ne seraient pas des principes, puisque, étant à la fois connus et ignorés, la connaissance qui provoquerait leur manifestation première jouerait à leur égard le rôle de principe. Mais en un autre sens cette solution a contre elle la vérité profonde du système augustinien, car, si l'on y prend garde, une âme qui posséderait en soi la connaissance innée des principes pourrait se passer de Dieu dans l'exercice de ses facultés. L'innéisme peut être platonicien, il ne peut pas être augustinien ; l'enfant que l'on interroge convenablement et qui répond juste sur les principes de la géométrie n'est, aux yeux de Platon, qu'une mémoire qui se souvient, alors qu'aux yeux de saint Augustin et de saint Bonaventure il voit dans une sorte de lumière spirituelle et divine les vérités qu'il croit retrouver dans son âme et tirer de l'oubli.

Reste une dernière interprétation du problème, celle que saint Bonaventure acceptera. Cette fois encore on pourra dire que les premiers principes sont en un certain sens innés et en un autre sens acquis, non seulement en ce qui concerne la connaissance particulière de leurs conclusions, mais même en ce qui concerne leur connaissance universelle et comme principes. De même, en effet, que pour tout acte de vision deux éléments sont nécessaires, la présence de l'objet visible et la lumière par laquelle nous le voyons, de même les principes premiers nous sont innés en ce sens que la lumière naturelle au moyen de laquelle nous les acquérons est innée, mais ils nous sont cependant acquis en ce sens que nous devons acquérir par le moyen de l'expérience sensible les espèces sans lesquelles nous ne pourrions jamais les former. Tout le monde est d'accord sur ce point. Les principes, ainsi que leur nom même l'indique, sont les premières connaissances que forme notre intellect, et il les forme avec une aisance si spontanée dès son premier

contact avec les choses que nous avons peine à ne pas les imaginer
comme virtuellement préformés dans la pensée qui les énonce. En réalité, l'intellect ne les formerait jamais si l'expérience sensible ne lui
fournissait un contenu qui lui permît de les concevoir et de les formuler[1]. Il faut percevoir des objets pour concevoir ce qu'est un tout et
savoir que le tout est plus grand que la partie ; il faut connaître un père
et une mère pour découvrir même cette évidence morale première et
immédiate que l'homme doit respecter ses parents et leur obéir. La
certitude et le caractère primitif de ces connaissances tiennent uniquement à ce qu'elles ne sont ni médiates ni, par conséquent, déduites de
connaissances antérieures, mais formées par le concours direct de la
lumière naturelle et des espèces sensibles[2] : *quia lumen illud sufficit
ad illa cognoscenda, post receptionem specierum, sine aliqua persua-
sione superaddita.* Dire qu'elles sont en une certaine manière innées
est donc une formule qui ne doit engendrer aucune illusion ; ce n'est
pas leur contenu qui est inné, ni clairement ni confusément, mais l'instrument qui permet de les acquérir, et l'on pourrait formuler aussi bien
la pensée de saint Bonaventure en disant : innéité de l'intellect, acquisition des principes, ou encore : il y a de l'inné dans notre acquisition
des principes, mais les principes eux-mêmes ne le sont pas.

1. « Anima autem nostra habet supra se quoddam lumen naturae signatum, per quod
habilis est ad cognoscenda prima principia, sed illud solum non sufficit, quia secundum
Philosophum, « principia cognoscimus in quantum terminos cognoscimus ». Quando enim
scio quid totum, quid pars, statim scio quod omne totum majus est sua parte », *In
Hexaëm.*, VIII, 13, t. V, p. 496. — « Uno modo, ut intellectus agens dicatur habitus quidam constitutus ex omnibus intelligibilibus... Sed iste modus dicendi verbis Philosophi
non consonat, qui dicit animam esse creatam sicut tabulam rasam, nec habere cognitionem
habituum sibi innatam, sed acquirere mediante sensu et experientia », *II Sent.*, 24, 1, 2,
4, Concl., t. II, p. 569. C'est donc la conception de l'intellect agent comme habitus des
principes qui se trouve ici expressément rejetée. Saint Bonaventure vise en particulier
Boèce, *De consol. philos.*, lib. V, metr. 3. — Application aux principes de la morale :
« Habitum etiam innatum dicit (*scil.* conscientia) respectu luminis directivi; habitum
nihilominus acquisitum respectu speciei ipsius cognoscibilis. Naturale enim habeo lumen,
quod sufficit ad cognoscendum quod parentes sunt honorandi, et quod proximi non sunt
laedendi; non tamen habeo naturaliter mihi impressam speciem patris vel speciem proximi »,
II Sent., 39, 1, 2, Concl., t. II, p. 903.

2. « Omnes enim in hoc concordant quod potentiae cognitivae sit lumen inditum, quod
vocatur naturale judicatorium; species autem et similitudines rerum acquiruntur in nobis
mediante sensu, sicut expresse dicit Philosophus in multis locis; et hoc etiam experientia
docet », *II Sent.*, p. 903. Voir tout ce texte, fort précis, où se trouve affirmé l'accord
d'Aristote et d'Augustin, et le fait que les principes sont innés, en ce sens que nous possédons de naissance la lumière qui nous permettra de les acquérir, mais acquis en ce sens
qu'elle ne les contient pas en soi et les acquiert en même temps que les espèces sensibles.
C'est exactement ce qu'enseigne saint Thomas sur cette question.

Si nous étions actuellement placés au point de perspective thomiste, nous pourrions considérer le problème comme complètement et définitivement résolu; mais du point de vue bonaventurien, il ne l'est que pour le domaine de la connaissance sensible, et nous devons le poser à nouveau pour toutes les autres catégories d'objets connus. Le fait que nous ne possédons aucune connaissance innée ni des choses sensibles ni des objets qui s'y rapportent ne nous autorise pas à conclure que nous ne possédons aucune connaissance innée d'aucun être ni d'aucun principe. Remarquons, en effet, que les espèces représentatives ne sont des intermédiaires nécessaires que dans l'ordre du sensible, pour cette simple raison qu'elles n'ont de sens que dans l'ordre du sensible. L'espèce image est l'irradiation d'un objet corporel extérieur à l'âme et qui, en raison de sa corporéité même, ne lui est pas directement accessible. Opaque à la pensée à cause de son corps, il ne devient connaissable que grâce à sa faculté la plus haute, presque spirituelle, puisque d'essence lumineuse, de rayonner autour de soi l'image sensible qu'un intellect va transfigurer en intelligible. Mais lorsqu'il s'agit d'un objet incorporel, nous sommes d'emblée dans le domaine de l'intelligible, et, par conséquent, la simple présence de l'objet doit suffire pour que notre intellect soit capable de s'en emparer. Là où nulle cloison corporelle ne vient s'interposer entre l'intelligible et l'âme, nulle image n'a plus aucune raison d'être; la chimie mentale qui n'avait d'autre fonction que de faire de l'intelligible avec du sensible devient inutile et l'intellect saisit directement l'objet connu.

C'est ce que saint Bonaventure affirme expressément à l'occasion de deux objets qu'il cite presque toujours ensemble comme exemples manifestes de connaissances innées : les vertus de l'âme et Dieu. Considérons d'abord le premier cas. Il est clair que celui qui possède une vertu, comme la charité par exemple, n'a besoin de rien d'autre que d'elle-même pour savoir ce qu'elle est. Il l'a; elle est quelque chose de l'âme; donc elle est de l'intelligible, et par conséquent il la connaît. Mais envisageons le problème beaucoup plus compliqué de la connaissance d'une vertu morale par une âme qui ne la possède pas; comment lui serait-il possible de l'acquérir? Sans aucun doute, ce ne sera pas au moyen d'une perception directe et comme intuitive, puisque l'objet à percevoir est absent. Ce ne sera pas non plus au moyen d'une espèce sensible, puisqu'une vertu morale telle que la charité ne peut tomber sous les prises du sens. Il va donc nous falloir nécessairement admettre d'autres espèces que les espèces sensibles, espèces qui ne seront pas

des images, puisque la charité n'est pas imaginable, mais qui seront
cependant des moyens de connaître, puisque l'homme qui ne possède
pas encore la charité la désire et sait déjà par conséquent ce qu'elle est.
Désignons donc par le terme d'espèce tout ce qui nous est un moyen de
connaître, et nous en distinguerons de trois sortes : les espèces images,
celles qui nous permettent de connaître le sensible et dont notre âme
ne possède naturellement aucune, ainsi que nous l'avons établi ; les
espèces infuses, qui sont non pas l'essence, mais la participation des
vertus mêmes dont nous expérimentons la présence dans notre âme
lorsque nous les possédons ; les espèces innées enfin, qui sont des
moyens de connaître sans être des moyens d'imaginer, telle cette ressemblance imprimée par Dieu sur notre âme sous forme de lumière
naturelle ou l'inclination de notre volonté vers le bien. Or, si nous considérons ce dernier genre d'espèces, nous constaterons sans peine qu'il
est une source très féconde de connaissances indépendantes du sensible.
La faculté de connaître implique à elle seule la connaissance de la
norme du connaître; la rectitude du vrai; la faculté de vouloir implique
à elle seule la connaissance de l'inclination qui la porte vers le bien,
l'amour ; or, par le fait même que nous possédons cette double connaissance infuse de nos deux facultés naturelles et de la « direction » qui
en est inséparable, nous pouvons former une connaissance nouvelle qui
sera celle de la charité. Qu'est-ce en effet que la charité? La droiture
de l'amour ou, si l'on veut, le mouvement d'une volonté qui tend vers
un bien garanti par l'intellect; tenant la droiture par la connaissance et
l'amour par la volonté, nous tenons du même coup tous les éléments
nécessaires pour connaître ce qu'est la charité, et, par conséquent, c'est
bien une connaissance innée que nous en possédons[1].

Considérons, d'autre part, une idée telle que l'idée de Dieu. Il est

1. « Cognitione experientiae non cognoscitur caritas nisi ab habente; cognitione vero
speculationis certum est cognosci caritatem etiam a non habente. Modus autem hujus
cognitionis non potest esse per caritatis essentiam, nec per similitudinem a sensibus acquisitam : ergo necesse est quod sit per similitudinem infusam vel innatam... Species autem
innata potest esse dupliciter : aut similitudo tantum, sicut species lapidis, aut ita similitudo quod etiam quaedam veritas in se ipsa. Prima species est sicut pictura, et ab hac
creata est anima nuda. Secunda species est impressio aliqua summae veritatis in anima,
sicut verbi gratia animae a conditione sua datum est lumen quoddam directivum et quaedam directio naturalis; data est etiam ei affectio voluntatis. Cognoscit igitur anima quid
sit rectitudo et quid affectio, et ita quid rectitudo affectionis; et cum caritas sit hoc,
cognoscit caritatem per quamdam veritatem, quae tamen veritas est similitudo caritatis;
et tunc recte habet rationem similitudinis dum accipitur ab intellectu; habet tamen rationem veritatis prout est in anima », *I Sent.*, 17, 1, un. 4, Concl., t. I, p. 301 ; cf. *De scientia Christi*, IV, ad 23^m, t. V, p. 19.

clair, ici encore, que l'intuition de l'essence divine nous est refusée ; et même la difficulté sera plus considérable que lorsqu'il s'agissait de la connaissance d'une vertu, car celui qui ne possède pas la charité la possédera peut-être un jour, au lieu que nul homme en cette vie n'a vu ni ne verra jamais Dieu. Mais il est également clair que l'idée de Dieu ne peut être considérée comme une de ces images formées par la pensée au contact des choses sensibles. Ou bien donc il nous faudra soutenir que notre intellect est dépourvu de toute connaissance de Dieu, ou bien nous devrons admettre qu'elle préexiste au sein même de notre âme, comme une sorte d'empreinte laissée sur nous par le Créateur et que nous suffisons par nous-mêmes à la former[1].

Nous comprendrons mieux encore la nature de cette innéité si nous posons à l'occasion des connaissances de ce genre le problème que nous nous sommes déjà posé à l'occasion des connaissances sensibles : comment acquérons-nous les principes premiers qui s'y rapportent? Déduisons d'abord la conclusion de ce qui précède : nous possédons une connaissance innée lorsque nous pouvons l'acquérir par une simple réflexion sur des facultés qui nous sont naturelles ou infuses. Dès lors, le cas des principes premiers se trouve réglé d'avance pour ce qui concerne l'ordre de l'intelligible. Il n'existe pas de principes innés dans l'ordre du sensible parce que nous manquons des espèces innées qui nous seraient nécessaires pour les former ; mais puisque nous avons des espèces innées dans l'ordre de l'intelligible, notre intellect est naturellement en possession de toutes les conditions requises pour les former. Nous appellerons par conséquent principes innés les premières connaissances que l'intellect humain peut appréhender dès qu'il se tourne vers les espèces innées qu'il contient. Revenons maintenant à nos exemples ; nous verrons l'interprétation s'en préciser et s'en développer.

L'intellect humain se tourne vers lui-même et réfléchit sur ce qu'il est ; il se perçoit connaissant par une lumière naturelle qui tend vers le vrai et aimant par une volonté qui tend vers le bien ; combinant ces deux données, il conçoit une volonté qui aimerait l'objet approuvé par l'entendement ; or, en « concevant », il vient d'engendrer ce qu'en-

---

1. « Quod si tu dicas quod hoc (scil. homines habere diversas cogitationes) venit ex diversitate specierum existentium in imaginatione, hoc nihil est, quia non solummodo diversificantur in his intelligibilibus quae extrahuntur a sensu, immo etiam in his quae sunt supra omnem imaginationem, sicut sunt virtutes, quae intelliguntur per suam essentiam, non per speciem imaginariam, sicut etiam est ipse Deus, quem quidam diligunt, quidam contemnunt », II Sent., 18, 2, 1, Concl., t. II p. 447.

gendre naturellement tout acte de pensée, une ressemblance[1] ou,
comme nous disons en langage moderne, une conception de l'esprit;
et comme cette conception se trouve dans une pensée, elle est, par
définition même, la ressemblance d'un objet conçu par la pensée; or,
c'est là précisément la définition de la vérité : *habet rationem similitu-*
dinis dum accipitur ab intellectu, habet tamen rationem veritatis prout
est in anima. Mais du même coup l'intellect vient de s'enrichir d'un
contenu positif au moyen des seules ressources de l'âme et, par conséquent, il va pouvoir fonctionner comme faculté des principes en s'appliquant à ce nouveau contenu. De telle sorte que, si nous demandons
maintenant comment des principes innés sont possibles, nous répondrons qu'ils le sont parce que les connaissances sur lesquelles ils portent
sont elles-mêmes des connaissances innées. L'âme humaine connaît
Dieu simplement en réfléchissant sur elle-même, puisqu'elle est faite à
l'image de Dieu; la connaissance par laquelle elle connaît, la volonté
par laquelle elle aime, la mémoire par laquelle elle se saisit et se possède elle-même tendent vers Dieu, le supposent et l'impliquent nécessairement; l'innéité de la connaissance qu'elle en a consiste donc dans
le pouvoir qu'elle possède de la former sans demander au monde extérieur de nouvelles ressources[2]. L'âme humaine possède également la
connaissance innée des vertus dont elle peut former la définition en
s'analysant elle-même et, par conséquent, elle possède par voie d'observation directe et de réflexion la connaissance de tout ce qu'elle est.

---

1. Voir, sur ce point, ch. IV, p. 146.

2. « Est enim certum (*scil.* Deum esse) ipsi comprehendenti, quia cognitio hujus veri
innata est menti rationali, in quantum tenet rationem imaginis, ratione cujus insertus est
sibi naturalis appetitus et notitia et memoria illius ad cujus imaginem facta est, in quem
naturaliter tendit, ut in illo possit beatificari », *De myst. Trinit.*, I, 1, Concl., t. V, p. 49.
C'est pourquoi le désir naturel de Dieu peut devenir une preuve de l'existence de Dieu
selon saint Bonaventure et ne le peut pas selon saint Thomas. Cf. ce texte important : « Ex
his patet responsio ad illam quaestionem, qua quaeritur utrum omnis cognitio sit a sensu.
Dicendum est quod non. Necessario enim oportet ponere quod anima novit Deum et se
ipsam et quae sunt in se ipsa, sine adminiculo sensuum exteriorum. Unde si aliquando
dicat Philosophus quod nihil est in intellectu quod prius non fuerit in sensu, et quod omnis
cognitio habet ortum a sensu, intelligendum est de illis quae quidem habent esse in anima
per similitudinem abstractam; et illa dicuntur esse in anima ad modum scripturae. Et
propterea valde notabiliter dicit Philosophus, quod in anima nihil scriptum est, non quia
nulla sit in ea notitia, sed quia nulla est in ea pictura vel similitudo abstracta. Et hoc est
quod dicit Augustinus in libro *De civitate Dei* : « Inseruit nobis Deus naturale judicato-
« rium, ubi quid sit lucis, quid tenebrarum, cognoscitur in libro lucis, qui veritas est, quia
« veritas in corde hominum naturaliter est impressa », *II Sent.*, 39, 1, 2, Concl., t. II,
p. 904. Le texte de saint Augustin, *De civ. Dei*, XI, 27, 2.

Dès lors, nous devons dire que l'âme humaine possédera naturellement
la connaissance innée de tous les principes qui se rapportent soit à
elle-même, soit à Dieu[1]; elle ne peut trouver que dans les choses la
science des choses, mais c'est en elle-même qu'elle trouvera la science
de la morale; l'intellect sait donc d'une science innée qu'il faut aimer
Dieu et qu'il faut le craindre parce qu'il est un intellect et qu'il contient
en soi les trois idées de l'amour, de la crainte et de Dieu.

III. — LA CERTITUDE ET LES RAISONS ÉTERNELLES.

Après avoir défini la nature de l'intellect, il reste à le considérer
dans son fonctionnement même, c'est-à-dire en tant qu'il appréhende
successivement des objets situés sur des plans de perfection différents.
La distinction des deux problèmes est essentielle chez saint Bonaventure, car chacun d'eux détermine une classification des opérations de
l'âme que l'on ne peut confondre avec l'autre sans s'engager dans
d'inextricables difficultés. La classification des facultés, une fois établie,
reste définitivement acquise; saint Bonaventure a toujours admis qu'il
existe quatre facultés de l'âme et qu'il n'en existe pas d'autres : la végé-

---

1. « Si qua autem sunt cognoscibilia quae quidem cognoscantur per sui essentiam, non
per speciem, respectu talium poterit dici conscientia esse habitus simpliciter innatus,
utpote respectu hujus quod est Deum amare et Deum timere. Deus enim non cognoscitur
per similitudinem a sensu acceptam, immo Dei notitia naturaliter est nobis inserta, sicut
dicit Augustinus (sans doute pour J. Damascène). Quid autem sit amor et timor, non cognoscit homo per similitudinem exterius acceptam, sed per essentiam; hujusmodi enim affectus
essentialiter sunt in anima », *II Sent.*, 39, 1, 2, Concl., t. II, p. 904. — Il résulte de là que
l'existence de Dieu est un *principe premier*, et nous comprenons maintenant en quel sens
exact saint Bonaventure présentait cette connaissance comme un « verum indubitabile ».
Lui-même l'a d'ailleurs expliqué : « Ad illud quod objicitur quod nullus cognoscit principia
nisi cognoscat terminos, dicendum quod verum est; sed quorumdam terminorum notitia
est occulta, quorumdam vero manifesta. Et rursus, de significato termini potest haberi
notitia plena, plenior et plenissima. Secundum hoc intelligendum quod potest sciri quid
est Deus perfecte et plene et per modum comprehensivum, et sic non cognoscitur nisi a
solo Deo; vel clare et perspicue et sic cognoscitur a Beatis; vel ex parte et in aenigmate,
et sic cognoscitur quod Deus est primum et summum principium omnium mundanorum;
et istud, quantum est de se, potest esse omnibus manifestum; quia cum quilibet sciat se
non semper fuisse, scit se habere principium, pari ratione et de aliis; et quia haec notitia
omnibus se offert, et, hac cognita, scitur Deum esse, ideo est indubitabile omnibus quantum est de se », *De myst. Trinit.*, I, 1, ad 13ᵐ, t. V, p. 51. La réponse est dirigée contre
l'objection aristotélicienne : « Nullus scit hoc principium : omne totum est majus sua
parte, nisi cognoscat quid sit totum; ergo nullus scit Deum esse nisi sciat quid sit Deus »,
Ibid., p. 49. On notera que le « quantum est de se » ne s'oppose pas au « notum quoad
nos » de saint Thomas; il signifie simplement que pour l'intellect humain tel qu'il est
l'existence de Dieu est un principe premier, s'il raisonne bien.

tative, la sensitive et, dans l'âme raisonnable, l'intellect et la volonté. Mais si nous considérons, par exemple, l'intellect, il va nous apparaître comme accomplissant des fonctions différentes, selon qu'il se tournera vers des objets plus ou moins intelligibles. L'objet réagit en quelque sorte sur la faculté qui le perçoit et le colore de sa nuance propre, comme fait une couleur dont le reflet éclaire le visage qui la regarde. Réaction fugitive parfois, mais qui a d'autres fois pour résultat d'éveiller dans la faculté de connaître, ou de porter à leur maximum d'intensité, des énergies latentes ou dont l'action ne s'exerçait que faiblement. C'est ce qui permet de comprendre le plan réel de l'*Itinerarium mentis in Deum*. Bien des lecteurs se trouvent déçus et même découragés, parce qu'ils éprouvent l'impression d'une classification des facultés arbitrairement choisie pour les besoins de la cause ; mais les difficultés disparaissent lorsqu'on observe qu'il s'agit en réalité des diverses attitudes qu'une même faculté peut adopter à l'égard du réel. Ce sont des *officia* d'un même intellect qui se trouvent en cause ; le premier tourne l'âme vers le sensible, c'est-à-dire d'abord vers les « choses » sensibles (ch. i), puis vers la « faculté » de sentir (ch. ii) ; le second tourne l'âme vers l'intelligible humain, c'est-à-dire d'abord vers ses facultés naturelles (ch. iii), puis vers ses facultés réformées par la grâce (ch. iv) ; le troisième tourne l'âme vers de l'intelligible transcendant au degré humain, c'est-à-dire d'abord vers l'idée d'Être (ch. v), puis vers l'idée de Bien (ch. vi). Le dernier degré, celui de la joie passive et infuse par l'extase, se trouve par définition hors de la ligne de connaissance, puisque, comme nous le verrons, ce n'est plus alors de connaître qu'il s'agit. Ce sont donc bien les diverses modalités de l'activité intellectuelle que nous allons étudier en déterminant quelles sont, à chacun de ses degrés, les conditions de son fonctionnement.

Une première discrimination, très générale, correspond aux deux attitudes initiales entre lesquelles une âme raisonnable telle que l'âme humaine peut toujours opter : se tourner vers le haut, se tourner vers le bas. Problème fondamental, qui s'est posé pour l'humanité tout entière dans la personne du premier homme et qui continue de se poser pour chacun de nous lorsque nous déterminons la nature des objets qu'il nous convient de connaître. Ce problème, on le remarquera, ne concerne d'ailleurs pas exclusivement notre faculté de connaître, mais bien l'âme raisonnable tout entière, avec ses deux facultés de connaître et de vouloir. C'est l'âme qui se tourne vers le haut ou se laisse courber vers le bas, et, en se redressant ou en s'inclinant, elle redresse ou

incline son pouvoir d'aimer avec son pouvoir de connaître[1]. C'est pourquoi la première distinction des offices ou fonctions de la connaissance
porte toujours chez saint Bonaventure le nom de l'âme plutôt que le
nom de l'intellect; c'est la distinction de la raison supérieure et de la
raison inférieure, c'est-à-dire de notre âme raisonnable, considérée en
tant qu'elle cherche au-dessus ou au-dessous d'elle les objets qu'il lui
convient de connaître ou d'aimer.

Si la raison supérieure ne se distingue pas de la raison inférieure
comme une faculté d'une faculté[2], il reste donc qu'elle s'en distingue
comme un office ou une fonction peut se distinguer d'un autre office ou
d'une autre fonction. Mais comment expliquer à son tour cette différence entre les deux offices de notre âme raisonnable? Précisément au
moyen de l'influence qu'elle subit de la part de ses objets; elle n'y
trouve que ce qu'elle y cherche, et la dignité des réponses qu'elle en
reçoit est proportionnelle au niveau des questions qu'elle leur pose.
Or, il est clair que si l'âme se tourne vers des objets purement intelligibles elle se trouve informée par eux des propriétés inséparables de
leur nature; elle devient semblable à eux pendant le temps même qu'elle
les pense, et c'est ce que l'on exprime en disant que le fait de contempler un certain objet engendre dans l'âme qui le contemple une certaine
disposition. Si, par exemple, l'âme raisonnable se tourne vers les objets
extérieurs et sensibles, elle reçoit de ces nouveaux objets une disposition en quelque sorte charnelle, qui la débilite et l'amollit, la rendant
pareille à ce qu'ils sont, muable, contingente et incertaine comme eux.
Or, cette diversité des objets, qui fonde celle des dispositions, conditionne par le fait même celle des fonctions. C'est toujours la même raison qui opère, mais, en tant qu'elle considère l'intelligible, elle devient
supérieure à ce qu'elle est en tant qu'elle considère le sensible; dans le
premier cas, c'est une raison virile; dans le second cas, c'est, au contraire, comme une raison efféminée, et c'est pourquoi l'on donne les
noms de supérieure et d'inférieure à ces deux fonctions de la raison[3].

1. Cette notion d'une possibilité de redressement ou d'inclination de l'âme s'exprime souvent par le terme de « courbure » ou « incurvation » de l'homme, *Breviloquium*, V, 2, 3;
éd. min., p. 168; *Itinerarium*, I, 7, p. 297; *De reductione art. ad theol.*, 25, p. 384.

2. « Ratio (dividitur) in superiorem portionem et inferiorem; quae potius nominat
diversa officia quam diversas potentias », *Breviloquium*, II, 9, 7; éd. min., p. 86; *II Sent.*,
24, 1, 2, 2, Concl., t. II, p. 564. Ce dernier texte est intéressant parce qu'il note que l'expression d'*aspectus* serait ici insuffisante; la vraie distinction est celle des offices ou fonctions, qui s'explique à son tour par celle des dispositions.

3. « Diversitas autem officiorum similiter non venit ex diversitate naturarum, sed ex

Supposons maintenant que, de ces deux fonctions de l'âme raisonnable, nous considérions à part celle de la faculté de connaître en tant qu'elle se tourne vers les objets supérieurs, il nous apparaîtra bientôt que ce n'est pas tant la diversité spécifique des objets vers lesquels elle se tourne qui la qualifie comme raison supérieure, mais bien la disposition interne primitive qui fait qu'elle cherche toujours le même objet supérieur dans les êtres les plus différents. Nous avons eu déjà l'occasion, et nous en retrouverons d'autres, de constater que les mêmes choses pouvaient être envisagées tantôt comme des choses et tantôt comme des signes ; que l'âme humaine elle-même constituait un objet de connaissance différent selon qu'on la considérait comme une réalité qui se suffit à elle-même ou comme l'image obscurcie d'un Dieu transcendant. Lorsque nous disons par conséquent que l'âme reçoit des dispositions différentes selon les objets divers qu'elle envisage, nous ne voulons pas dire seulement : selon qu'elle envisage les choses, elle-même ou l'idée de Dieu, mais aussi et même surtout : selon qu'elle cherche le supérieur ou l'inférieur dans les objets les plus différents. La raison inférieure peut considérer les mêmes objets que la raison supérieure ; elle reste inférieure parce qu'elle ne les considère que dans ce qu'ils ont de bas ; c'est ainsi que l'âme humaine est toujours une image de Dieu, mais n'apparaît pas nécessairement telle à celui qui ne s'efforce pas de le voir. De là résulte la possibilité d'une nouvelle subdivision des opérations de l'âme, moins profonde encore que celle des dispositions, celle des *aspectus*. Les aspects de l'âme correspondent aux divers actes par lesquels une seule et même faculté, l'intellect, animée d'une seule et même disposition, celle de la raison supérieure, examine successivement, au point de vue de leur signification la plus haute, les objets de degrés les plus différents[1]. Tel est le sens exact de

diversitate dispositionum. Quia enim haec fortis est et illa debilis, haec intelligens et consulens divinam voluntatem, illa vero opere exsequens ; ideo haec regit et illa regitur, et ex hoc illa superior et ista inferior appellatur. Et sic patet quod superior portio rationis et inferior, etsi aliquo modo recte condividantur, tamen diversae potentiae non sunt — ista enim membra, videlicet superius et inferius, essentiam potentiae non variant — sed dispositiones et officia ; et hoc insinuant ipsa nomina », *II Sent.*, 24, 1, 2, 2, Concl., t. II, p. 564.

1. C'est ce qui ressort de la comparaison des deux textes suivants : « Dicendum quod divisio rationis in superiorem portionem et inferiorem non est adeo per diversa membra, ut haec et illa sit potentia alia et alia... ; nec est per membra ita convenientia ut non sit in eis differentia nisi solum secundum aspectus. Est enim differentia in eis secundum dispositiones et secundum officia », *II Sent.*, *loc. cit.*, p. 564. Or, ce sont bien des *aspectus* que les pseudo-facultés de l'*Itinerarium* : « Secundum hunc triplicem progressum mens nostra habet tres aspectus principales. Unus est ad corporalia exteriora, secundum quem vocatur

la dialectique de l'*Itinerarium* que nous avons rappelée et telle est aussi, par conséquent, la signification précise des distinctions mentales sous lesquelles on a vainement cherché une hiérarchie de facultés auxquelles saint Bonaventure n'a jamais pensé[1].

animalitas seu sensualitas; alius intra se est et in se, secundum quem dicitur spiritus; tertius supra se, secundum quem dicitur mens », I, 4; éd. min., p. 296. Ces trois *aspectus* se dédoublent en six *gradus*, comme on verra plus loin.

1. Pour permettre au lecteur de se retrouver plus aisément dans les classifications de saint Bonaventure, nous donnons ici quelques-unes des plus fréquentes, et qui serviront de points de repère pour situer les autres :

Trinité créatrice.

Père. Fils. Esprit.

Verbe créateur (Gen., I, 3).	*Gradus expressionis.*	*Esse rerum.*
Fiat (vespera).	Vestigium.	In materia.
Fecit (mane).	Imago.	In intelligentia.
Factum est (meridies).	Similitudo.	In arte aeterna.
Dependentia creaturae.	*Conformitas rerum.*	*Oculus triplex.*
Principium creativum (omnis effectus).	Configurari principio (unitas, veritas, bonitas).	Oculus carnis (viget).
Objectum motivum (omnis intellectus).	Capere objectum motivum (memoria, intelligentia, voluntas).	Oculus rationis (caligatus).
Donum inhabitativum (spiritus justus).	Configurari dono (fides, spes, caritas).	Oculus contemplationis (excaecatus).
Cognitio rerum.	*Itinerarium.*	*Aspectus.*
In proprio genere.	Transire.	Sensualitas.
In se.	Deduci.	Spiritus.
In arte aeterna.	Ingredi.	Mens.

Parvenu à ce point, chacun des trois aspects se dédouble, selon qu'il considère les objets tels qu'ils apparaissent au miroir qui les reflète (per speculum) ou tels qu'ils sont dans ce miroir lui-même pendant qu'il les reflète (in speculo). D'où les six degrés des facultés de l'âme tels qu'ils lui apparaissent lorsque sa pensée les parcourt, et qui correspondent à la classification du *De spiritu et anima*, cap. 10, 14 et 38. A cette classification s'accolent ensuite toutes les correspondances que fournit le nombre six (cf. ch. VII, p. 224).

Gradus potentiarum
animae.

Sensualitas $\begin{cases} \text{per spec.} = \text{sensus.} \\ \text{in spec.} = \text{imaginatio.} \end{cases}$

Spiritus $\begin{cases} \text{per spec.} = \text{ratio.} \\ \text{in spec.} = \text{intellectus.} \end{cases}$

Mens $\begin{cases} \text{per spec.} = \text{intelligentia.} \\ \text{in spec.} = \text{apex mentis} \\ \quad\quad\quad \text{(ou synderesis).} \end{cases}$

Pour la définition de « mens », voir *II Sent.*, 25, 1, un. 2, Concl., t. II, p. 596. Il est remarquable que la classification des facultés proprement dites de l'âme raisonnable (végétative, sensitive, intellect, volonté) ne rentre pas dans ces classifications ternaires ou ter-

Mais s'il en est bien ainsi, le problème de la connaissance ne saurait consister à définir simplement la structure de notre faculté de connaître, il suppose encore la détermination des conditions de fait auxquelles cette faculté doit satisfaire pour être capable de fonctionner effectivement. Et cette détermination elle-même suppose que l'on tienne compte avant tout des conditions définies dans lesquelles se trouve le sujet connaissant par rapport à l'objet connu. Or, l'objet propre de la connaissance intellectuelle, c'est la vérité; c'est donc aussi des caractères distinctifs de la vérité que nous devons partir si nous voulons savoir à quelles conditions une connaissance humaine est possible; lorsqu'il s'agit non plus de la psychologie, mais de la théorie de la connaissance, le véritable point de départ de la recherche et le centre fixe de référence pour la pensée du philosophe ne peut être que la définition de la vérité.

Dès le moment où il aborde ce problème, la première observation qui s'impose au philosophe est l'impossibilité où il se trouve de définir la vérité à part. On ne peut pas dire ce qu'est la vérité, on peut dire seulement ce qu'est la vérité d'un être ou ce qu'est la vérité d'une connaissance, et encore il est clair que la vérité d'une connaissance se fonde toujours sur la vérité d'un être. Pris en lui-même, un être est ce qu'il est, et son être pensé par nous comme étant sans être connu par nous est son essence. Sans doute son essence ne peut être posée que par un acte de pensée, mais autre chose est attribuer l'être par un acte de pensée, autre chose définir cet être tel qu'il apparaît à une pensée. L'être

naires dédoublées. Il faut donc se garder, lorsque le nom d'une faculté se rencontre dans un texte où il est question d'aspects, de fonctions ou de degrés, de toujours lui donner une valeur de faculté; ou, s'il s'agit de deux facultés et d'un troisième terme, de conclure que ce troisième terme représente aussi une faculté; exemple : « Memoria, intelligentia, voluntas »; la mémoire n'est pas une faculté. De même encore se méfier des passages où saint Bonaventure parle de « vires animae », et qui contiennent les facultés ou aspects dont il a besoin pour le sujet qu'il traite; exemple : *De triplici via*, I, 4, 19; éd. min., p. 14. De même enfin, dans la dernière classification du tableau précédent, on découvre deux degrés de la seule faculté sensitive (sensus, imaginatio) et quatre degrés du seul intellect (ratio, intellectus, intelligentia, synderesis); lorsque plus loin nous rencontrons ce texte : « Qui igitur vult in Deum ascendere necesse est ut... naturales potentias supradictas exerceat » (p. 298), il ne faut donc pas conclure qu'il y ait six facultés de l'âme, mais ces deux facultés hiérarchisées en six degrés. L'intention initiale de l'*Itinerarium* est donc de nous faire assister à l'exploration des trois modes fondamentaux d'existence des choses par un intellect considéré à tous les degrés de son fonctionnement et assisté, en outre, des secours de la grâce sous toutes leurs formes. Exemple concret de ce dernier cas, I, 10; éd. min., p. 299, où l'on voit une enquête menée simultanément par deux degrés de l'intellect (ratio, intelligentia) et une vertu (fides), le tout travaillant sur les données de la première faculté cognitive (sensualitas) à ses deux degrés (sensus, imaginatio).

posé par la pensée comme existant et rapporté à soi seul, voilà l'essence, mais l'essence de l'être saisie par une pensée et conçue, au sens fort de l'expression, par cette pensée, c'est la vérité. La vérité, prise dans son acception première, est donc une condition de l'être et ne peut se déterminer que par rapport à lui[1].

S'il en est ainsi, toute vérité se définira au moyen de deux termes, un terme d'être et un terme de connaissance. Que l'un des deux termes fasse défaut, il ne peut plus y avoir place pour une vérité; car s'il n'y a pas d'essence, il n'y a rien à connaître; mais s'il n'y a pas conception de cette essence et représentation engendrée dans une pensée, il n'y a rien de connu. Allons plus loin; la nature même de toute vérité requiert par définition que les deux termes exigibles soient présents dans leur absolue intégrité; car si l'essence est instable, mouvante, l'être qui se trouve requis pour qu'il y ait vérité fait défaut dans la mesure même où l'essence n'est pas complètement réalisée; mais si la conception de l'essence n'est pas adéquate à l'essence même, il reste de l'être qui n'est pas représenté dans la connaissance et, par là même, il manque un fragment de vérité. De là cette définition classique de la vérité, l'adéquation de l'intellect et de son objet[2]; la définition est connue, elle est universellement acceptée, mais on n'en tire pas toujours avec toute la rigueur souhaitable toutes les conséquences qu'elle implique.

Puisque nous cherchons à définir la vérité dans son essence même, nous ne pouvons faire aucune concession sur aucun des deux termes considérés. La vérité comme telle s'évanouit dans la mesure même où font défaut soit l'être qui la fonde, soit la conception qui l'exprime; c'est ce que l'on peut formuler autrement en disant que la vérité suppose nécessairement deux conditions, l'immutabilité de l'objet connu et l'infaillibilité de la connaissance qui l'appréhende : *cognitio certitudinalis esse non potest, nisi sit ex parte scibilis immutabilitas, et infallibilitas ex parte scientis*[3]. Si la déduction à priori de cette conclusion semble trop formelle et ne suffit pas à satisfaire la pensée, que l'on considère simplement l'état d'incertitude dans lequel se trouvent en fait les sciences humaines et l'on verra qu'il dépend d'abord de l'instabilité de leurs objets. Quelles sont les principales sciences? La méde-

---

1. *I Sent.*, 8, 1, 1, 1, ad 4ᵐ, t. I, p. 152. C'est vrai même en ce qui concerne Dieu, mais par une simple distinction de raison.
2. *Breviloquium*, VI, 8, 2; éd. min., p. 227; *I Sent.*, 40, 2, 1, ad 1ᵐ, t. I, p. 707.
3. *De scientia Christi*, IV, Concl., t. V, p. 23; *Sermo IV de rebus theol.*, 6, t. V, p. 568.

cine, le droit, l'astrologie et la théologie. Les conclusions des médecins
portent souvent à faux, car ils ont à raisonner sur des propriétés du
corps dont certaines sont naturelles, alors que d'autres sont accidentelles ; les propriétés naturelles sont en petit nombre et stables, mais
les autres sont innombrables, changeantes et, déterminant des modifi-
cations incessantes dans la complexion du malade, font qu'aucune prescription ne reste valable pour l'instant suivant. Les jugements des
juristes sont souvent contournés, parce que l'intention première du
juge est de trancher rapidement une cause au nom de la vérité et du
droit, qui sont des termes absolus et stables, mais l'amour du gain s'en
mêlant, on se rabat du vrai sur le vraisemblable, les procès traînent en
longueur et la sentence qui les conclut se trouve caduque pour avoir
pris en considération de vaines vraisemblances au lieu d'une solide
vérité[1]. De même encore les astrologues se trompent continuellement,
car la matière de leurs jugements est intermédiaire, elle aussi, entre la
permanence du mouvement des astres, qui serait un excellent objet de
science, et la mutabilité des événements qui se passent dans le monde
sublunaire, de telle sorte que jamais aucune de leurs prédictions ne se
réalise à coup sûr. Ajoutons enfin que les théologiens eux-mêmes ne
sont pas à l'abri de l'erreur. Sans doute leur objet propre est l'éternel,
puisque leur science porte d'abord sur le divin ; mais il leur faut aussi
prendre en considération le temporel pour prescrire à l'homme et juger
sa conduite en face d'un être immuable tel que Dieu. C'est ici que s'introduit dans la théologie l'élément changeant et particulier ; intentions
humaines, affections, circonstances temporelles ou locales en nombre
infini viennent continuellement modifier la nature des actes accomplis
et les faire passer d'un genre dans un autre ; nul ne sait qui est digne
d'amour ou de haine et les juges des âmes se trompent parfois comme
se trompent les juges des corps[2].

Ce qui est vrai de la nature de l'objet connu ne l'est pas moins de
l'intellect humain qui le connaît, et le moindre effort de notre part pour
le juger sincèrement suffit à nous en convaincre. Notre intellect est en
voie de continuel changement, passant perpétuellement d'un objet à
l'autre sans jamais parvenir à se fixer sur une même pensée ; les conclusions auxquelles il parvient sont aussi instables que lui, sujettes
sans cesse à révision et se substituant les unes aux autres sans jamais le

1. Sur les juristes, *In Hexaëm.*, V, 21, t. V, p. 357.
2. *Sermo II de reb. theol.*, 5, t. V, p. 540.

satisfaire pleinement ; cette curiosité même qui l'entraîne vers le savoir
est en même temps la cause décisive de son échec, puisqu'il est de son
essence même, comme curiosité, de chasser indéfiniment l'esprit d'un
problème vers l'autre ou de l'enfoncer indéfiniment dans l'interminable
exploration du plus misérable des objets : *si per multos annos vivere,
adhuc naturam unius festucae, seu muscae, seu minimae creaturae de
mundo ad plenum cognoscere non valeres*[1]. Allons au fond du problème : notre connaissance est ce que peut être la connaissance de
l'être que nous sommes ; elle en porte tous les caractères distinctifs,
périssable, incertaine et vaine comme nous ; mêlée de beaucoup de
doute et de beaucoup d'ignorance, elle est moins une science qu'une
image de science[2] ; il nous faut donc renoncer à toute certitude ou en
chercher le fondement ailleurs que dans les objets de ce monde et
dans la connaissance humaine qui peut les appréhender.

Cette démarche initiale de saint Bonaventure est à la fois ce qui nous
explique la suspicion générale qu'il semble avoir jetée sur tous les produits de la raison humaine et ce qui nous permet de comprendre quel
était à ses yeux le sens profond de la connaissance dans les raisons
éternelles. De saint Augustin à Pascal, le thème chrétien de la misère
de l'homme sans Dieu passe par la philosophie bonaventurienne, et
c'est lui qui se développe ici en une critique de notre faculté de connaître, comme il se déploie ailleurs en critiques de notre faculté de
vouloir et de notre faculté d'agir : *nam quod judicia nostra sint di-
recta, imperia tranquillata, desideria consummata, impossibile est dum
sumus in hac vita*[3]. C'est donc l'insuffisance de l'homme à saisir sa fin
dans quelque ordre que ce soit qui se manifeste sous la forme de son
impuissance à saisir le vrai comme elle se manifeste ailleurs dans son
incapacité de se maîtriser soi-même ou d'imposer aux autres son pouvoir. Or, il ne suffira pas de constater ici qu'une connaissance de la
vérité qui soit pleinement fondée excède en cette vie les ressources de
l'homme abandonné à ses propres forces, il faut ajouter encore que la
certitude parfaite du jugement, pas plus que la tranquillité du pouvoir ni
la paix complète des désirs n'appartiennent à l'ordre terrestre. L'exigence de l'homme est absolue ; il veut Dieu ; il n'aura pas Dieu ici-bas,

---

1. *Sermo II de reb. theol.*, 7, p. 541.

2. « Quamvis praesens scientia hominis magis possit dici similitudo scientiae quam
scientia, quia multae dubietati et multae ignorantiae est permixta », *Comm. in Sap.*,
c. VIII, t. VI, p. 162.

3. *Sermo II de reb. theol.*, 4, t. V, p. 540.

et par conséquent son exigence ne pourra jamais être satisfaite aussi longtemps qu'il vivra. C'est donc d'une impossibilité de principe qu'il s'agit et nous pouvons être assurés d'avance que la misère de notre connaissance ne sera jamais guérie pour l'homme voyageur, même par un remède divin. Mais il y a plus encore. Non seulement l'idéal de notre connaissance ne sera jamais satisfait ici-bas, puisque c'est Dieu que nous voulons voir et que la vue nous en est refusée, mais encore aucune partie de la connaissance que nous pouvons ici-bas acquérir ne se suffit à elle-même et ne peut nous satisfaire plénièrement. Nous aurons peut-être, nous aurons même assurément des certitudes partielles fondées sur la connaissance claire des principes créés; mais nous aspirons ici encore à connaître le principe premier dont ils dérivent et dont la vue serait seule capable de légitimer totalement la connaissance que nous en avons. L'exigence de l'homme reste absolue et saint Bonaventure transpose en lui donnant son sens fort la célèbre formule d'Aristote : l'âme est née pour tout connaître. Tout, c'est Dieu; si donc on allait jusqu'à dire que nous ne savons rien en cette vie d'une science plénière, on ne s'exprimerait peut-être pas trop inexactement[1]. Formule devant laquelle ont parfois hésité les mieux intentionnés de ses interprètes et qui ne fait cependant que mettre à nu l'une des aspirations les plus profondes de sa vie intérieure; si Dieu existe et si nous devons le voir un jour, il ne se peut pas que nous connaissions quoi que ce soit sans le voir comme nous le connaîtrons lorsqu'il nous sera donné de le voir en Dieu; l'écart infranchissable qui sépare nécessairement la science humaine la mieux fondée de la vue du fondement même de la science mesure exactement ce qui lui manque pour nous satisfaire plénièrement.

Ainsi, la science parfaite ne s'achèvera jamais qu'en Dieu, mais notre humble science humaine ne se constituerait même pas telle qu'elle est sans lui. Réfléchissons en effet aux causes essentielles que nous avons assignées à son incertitude, elles ne nous expliquent pas seulement que nous ne puissions rien connaître d'une certitude intégrale, elles nous rendent même à peu près incompréhensible que nous puissions acquérir des certitudes, quelles qu'elles soient. Dès lors que toute vérité, fût-elle fragmentaire, suppose un objet immuable et une

---

1. « Si tamen diceretur, quod nihil in hac vita scitur plenarie, non esset magnum inconveniens », *De scientia Christi*, IV, ad 22, t. V, p. 26. Voir, pour la suite, les réflexions de MM. Menesson, *op. cit.*, Revue de philos., août 1910, p. 115, note 1; Couailhac, *Doctrina de idaeis*, cap. II, p. 33.

science infaillible, nous sommes fatalement condamnés à ne connaître absolument aucune vérité, puisque rien n'est immuable dans les données de notre expérience et que notre intellect demeure perpétuellement mobile et incertain. Or, c'est un fait d'expérience que nous possédons des certitudes; même non plénières, elles portent cependant sur des objets tels que leur seule présence dans une pensée comme la nôtre demeure un mystère incompréhensible, et elles s'imposent à nous avec une évidence telle que leur nécessité ne se comprend pas dans un intellect aussi radicalement contingent que l'intellect humain. Là se trouve l'expérience décisive, cruciale pourrait-on dire, qui décide de l'orientation définitive de la doctrine chez saint Bonaventure comme chez saint Augustin. La théorie de l'illumination et de la connaissance dans les raisons éternelles apparaissait aux tenants de la tradition augustinienne, tels que Jean Peckham ou Mathieu d'Aquasparta, comme un dépôt sacré à la sauvegarde duquel le sentiment religieux se trouvait passionnément intéressé. De même que la doctrine des raisons séminales est supérieure à celle de la génération de la forme parce qu'elle accorde moins à l'efficace de la créature, de même la doctrine des raisons éternelles est plus religieuse, au sens affectif de l'expression, que celle qui concède à l'intellect humain la faculté d'engendrer les concepts au seul contact du sensible. Et, d'autre part, l'augustinisme se trouve continuellement partagé entre deux tendances dont l'unité foncière est aisément perceptible, mais dont l'accord doctrinal est malaisé à réaliser ; il faut que l'homme ne puisse rien sans Dieu et que, par conséquent, l'action de Dieu soit partout présente dans l'homme; mais elle doit y être partout visible sans que Dieu lui-même ne le soit; car l'intervention perpétuelle de Dieu en l'homme est requise par la misère profonde de l'homme, alors que si l'homme voyait Dieu sa fin serait immédiatement atteinte et sa misère effacée. Transportons cette intuition fondamentale dans le domaine de la connaissance, les conditions générales auxquelles la solution devra satisfaire nous en apparaissent comme posées d'avance : l'homme ne peut connaître aucune vérité sans Dieu, mais ne peut pas voir Dieu. C'est précisément cette action de présence au sein de la pensée d'une énergie transcendante, dont la source doit lui demeurer cachée, que la doctrine bonaventurienne des raisons éternelles est destinée à nous expliquer.

Sur le fait même d'une illumination divine, aucune difficulté ne peut s'élever. D'accord pour le fond avec saint Thomas, saint Bonaventure enseigne constamment que notre intellect lui-même est une lumière

venue de Dieu, grâce au secours de laquelle nous connaissons toutes
choses. On remarquera cependant l'insistance particulière avec laquelle
cette thèse est formulée dans la doctrine bonaventurienne, où elle joue
le rôle d'une sorte de thème conducteur, partout présent et sans cesse
rappelé ; on notera ensuite le caractère absolu de la thèse dans les formules de l'Écriture qui l'expriment et que saint Bonaventure se plaît à
répéter. A ce point de vue, le texte de l'Épître de Jacques occupe une
position privilégiée : *omne datum optimum et omne donum perfectum
desursum est descendens a Patre luminum* (I, 17) ; non seulement saint
Bonaventure le cite, mais on peut dire que certains de ses opuscules
les plus importants sont entièrement consacrés à le commenter[1] ; et,
d'autre part, la généralité du terme qui désigne ici le contenu de l'illumination convient admirablement à la pensée de saint Bonaventure, car
l'illumination intellectuelle n'est à ses yeux qu'un cas particulier de
l'illumination générale qui comprend, en même temps que la science,
les dons de la grâce avec leurs vertus et leurs fruits[2].

La difficulté commence au moment où il s'agit de définir le contenu
de cette illumination intellectuelle ; c'est une difficulté réelle, mais elle
n'est pas telle qu'on l'imagine, à condition seulement de ne jamais
perdre de vue le problème dont nous cherchons la solution. L'homme
se demande à quelles conditions une vérité deviendra pour lui chose
possible, et la première qui lui semble requise est un objet immuable à
connaître ; où trouvera-t-il cet objet ? Les choses ne peuvent exister que
sous trois modes d'existence différents, en elles-mêmes, dans notre
pensée qui se les représente, ou en Dieu qui possède éternellement
leurs idées. Chercher un objet immuable dans leur être propre, c'est
évidemment se condamner à un échec certain ; nous avons constaté ce
qu'il entre d'accidentel et de contingence dans chacun d'eux, nous
savons qu'ils n'ont pas toujours existé et sont condamnés à périr ; inutile par conséquent de s'obstiner dans une telle entreprise, l'expérience
sensible comme telle ne saurait offrir à la pensée humaine une matière
à vérité. Chercher un objet immuable dans la représentation que notre
pensée se forme des choses, c'est encore tenter l'impossible. Nous
avons observé déjà que l'instabilité de notre faculté de connaître exclut

1. *De red. art. ad theol.*, 1 et 5 ; éd. min., p. 365 et 372 ; *Breviloquium*, prol. 2 ; éd.
min., p. 8 ; *Itinerarium*, prol. 1 ; éd. min., p. 289.
2. « Non videt oculus nisi a luce spiritualissima illustretur », *In Joann.*, I, 12, t. VI,
p. 249. — « Anima multiformem habet claritatem, et ab una transcendit in aliam », *De
donis S. S.*, IV, 2, t. V, p. 474.

toute permanence d'une certitude quelconque dans notre esprit, mais
admettrait-on encore une stabilité de l'intellect humain, qu'en réalité il
ne possède pas, nous ne serions guère plus avancés. La vérité que nous
cherchons n'est pas une vérité relativement immuable et nous ne pouvons nous satisfaire de la pensée qu'elle est immuable pour nous; rien
dans la définition que nous en avons posée ne nous autorise à introduire une restriction aussi grave et tout, au contraire, nous l'interdit.
L'immutabilité en soi doit nécessairement être absolue, et si nous atteignons dans notre pensée des immutabilités qui ne durent qu'aussi
longtemps que nous c'est que l'immuable absolu ne s'y rencontre pas.
La vérité qui est en nous, considérée précisément en tant que nôtre,
participe inévitablement aux vicissitudes du sujet particulier qui la supporte; elle a été créée par Dieu lorsque notre âme raisonnable est venue
animer notre corps, elle est donc passée à ce moment du non-être à
l'être; la voilà faillible et contingente comme nous. Que nous reste-t-il
comme ultime ressource? L'être de l'objet en tant qu'il subsiste dans la
pensée de Dieu[1]. La question de savoir si les idées divines ou les raisons éternelles nous sont accessibles, la question surtout de savoir
comment on peut concevoir qu'elles nous soient accessibles n'est aucunement résolue pas cette constatation; mais nous savons du moins que,
d'une manière ou de l'autre, nous devons voir la vérité dans les raisons éternelles pour que notre pensée puisse réellement atteindre la
vérité.

Cherchons donc maintenant s'il est possible de concevoir un contact
quelconque entre la vérité divine et la pensée humaine. Pour que ce
contact permette de résoudre le problème du fondement de la certitude
il doit satisfaire à deux conditions; d'abord, il ne doit pas être tel que la

---

1. « Quod autem mens nostra in certitudinali cognitione aliquo modo attingat illas regu-
las et incommutabiles rationes, requirit necessario nobilitas cognitionis... Nobilitas, inquam,
cognitionis, quia cognitio certitudinalis esse non potest, nisi sit ex parte scibilis immutabilitas, et infallibilitas ex parte scientis. Veritas autem creata non est immutabilis simpliciter, sed ex suppositione, similiter nec lux creaturae est omnino infallibilis ex propria
virtute, cum utraque sit creata et prodierit de non esse in esse. Si ergo ad plenam cognitionem fit recursus ad veritatem omnino immutabilem et stabilem et ad lucem omnino
infallibilem, necesse est quod in hujusmodi cognitione recurratur ad artem supernam ut ad
lucem et veritatem : lucem inquam dantem infallibilitatem scienti, et veritatem dantem
immutabilitatem scibili. Unde cum res habeant esse in mente, in proprio genere et in
aeterna arte, non sufficit ipsi animae ad certitudinalem scientiam veritas rerum secundum
quod esse habent in se, vel secundum quod esse habent in proprio genere, quia utrobique
sunt mutabiles, nisi aliquo modo attingat eas, in quantum sunt in arte aeterna », *De scientia Christi*, IV, Concl., t. V, p. 23; cf. *Itinerarium*, III, 3; éd. min., p. 319.

connaissance de la vérité divine se substitue en nous à la connaissance des choses, car ce ne serait plus une science des choses que nous aurions, mais de leurs idées; ensuite, que cette connaissance nous fasse cependant atteindre ce qu'il y a d'infaillible dans la lumière de Dieu et d'immuable dans sa vérité, faute de quoi le double critérium de la certitude nous échapperait encore et avec lui nous échapperait pour toujours la vérité. Examinons successivement ces deux aspects du problème.

Une première hypothèse possible consisterait à supposer que la lumière divine soit la cause totale et unique de notre connaissance du vrai; mais elle ne tient manifestement nul compte des conditions réelles de notre science humaine. Si c'est dans la vérité de Dieu et en elle seule que nous connaissons tout, nous connaissons tout dans le Verbe; mais alors aussi nous nions radicalement toutes les limitations qui définissent dans ce qu'il a de spécifique notre mode humain de connaître. La connaissance de cette vie devient d'abord identique à ce que sera notre connaissance dans l'au-delà, puisque nous apercevons tout en Dieu et l'on ne conçoit même plus que le problème du fondement de la certitude puisse se poser; le voyant, nous n'avons pas à le chercher. Notre science cesse du même coup d'être une science des choses; car les choses possèdent leur être propre en dehors de celui qu'elles ont dans les idées de Dieu, et c'est cet être des choses dans leur genre propre qui constitue l'objet même de notre science; si donc nous les voyons, non en elles, mais seulement en Dieu, ce n'est pas elles que nous voyons; notre science devient une science des idées et laisse échapper son objet. Mais bien d'autres inconvénients analogues suivraient nécessairement de la même position; la science des choses deviendrait en réalité un don de Sagesse avec l'expérience extatique dont il s'accompagne; surnaturelle dans la totalité de son principe constitutif, notre connaissance n'appartiendrait pas à l'ordre de la nature, mais à l'ordre de la grâce; la raison ne ferait qu'un avec la révélation; toutes conséquences manifestement contraires aux faits et qui nous interdisent de nous en tenir à cette supposition.

Qu'on le remarque d'ailleurs, c'est au momment où l'on prétend fonder le plus solidement la certitude en en rapportant uniquement à Dieu le principe qu'on ouvre la voie qui conduit au scepticisme. La première Académie est bien la mère de la deuxième. Poser avec Platon que l'on ne peut rien connaître de science certaine si ce n'est dans le monde archétype et intelligible, c'est poser simplement que nous ne possédons aucune certitude; car le monde des idées pures nous est fermé; contenu dans l'éternelle pensée de Dieu, il ne se dévoile qu'à ceux dont l'intellect est capable de voir Dieu, comme sont les anges ou les bienheureux. Il n'est donc pas exagéré de dire que le platonisme pur est l'origine du scepticisme; il rend la science impossible sous prétexte de la mieux fonder[1].

Supposons maintenant que notre pensée n'atteigne aucunement les idées divines, mais qu'il se produise seulement en nous une sorte de concours divin, une simple influence des raisons éternelles, nous constaterons que, si le sujet connaissant n'atteint pas les raisons éternelles elles-mêmes, mais seulement leur influence, toute certitude humaine devient également impossible. La raison d'être de cette assertion capitale dans la doctrine de saint Bonaventure est que le seul fondement de l'être et du connaître étant Dieu, on ne peut atteindre aucune connaissance si l'on n'atteint pas Dieu; c'est en ce sens qu'il cite constamment les textes augustiniens et qu'il les a toujours interprétés. Si nous atteignons du certain nous atteignons de l'immuable et du nécessaire; or, notre pensée est contingente; il y a donc dans notre pensée du transcendant à notre pensée; mais il n'y a rien au-dessus de notre pensée que Dieu et sa vérité, c'est donc bien elle qui est là, et c'est nécessairement par elle, puisque ce n'est pas par nous, que nous connaissons. Or, il en est de même pour toutes les autres perfections de notre connaissance; nous jugeons des choses à l'aide de lois que nous ne fabriquons pas, mais auxquelles, au contraire, nous nous soumettons et qui nous jugent; nous atteignons de l'éternel, nous qui sommes passagers; de l'infini, nous qui sommes finis; nous ne pouvons donc explorer le contenu de notre pensée sans y découvrir un donné qui vient d'ailleurs et de plus haut; nous ne contenons pas dans notre essence la raison suffisante des caractères qui font de notre connaissance une vérité[2]. Mais, s'il en est bien ainsi, nous ne pourrions jamais résoudre le problème de la certitude en invoquant une simple influence des raisons éternelles sur notre pensée. Distincte des raisons éternelles elles-mêmes, cette influence ne serait pas Dieu; elle serait donc créée; mais, créée dans

1. Saint Augustin, *Cont. Academicos*, II, 5, 11 et suiv.; *Patr. lat.*, t. 32, c. 924 et suiv. Cité par saint Bonaventure, *De scientia Christi*, IV, Concl., t. V, p. 23.

2. Saint Augustin, *De libero arbitrio*, II, c. 9-15, n. 25-39, t. 32, col. 1253 et suiv.; *De vera religione*, c. 30, n. 54-59, t. 34, col. 145; *De magistro*, c. 11 et suiv., n. 38, t. 32, c. 1215; *De musica*, VI, 12, 35 et suiv., t. 32, col. 1182; *De Trinitate*, VIII, 3, 4 et suiv. et 6, 9, t. 42, c. 949 et 953. Allégués par saint Bonaventure, *loc. cit.*, rat. 17 et suiv., p. 19; cf. *Itinerarium*, III, 3; éd. min., p. 317-318.

notre pensée et pour notre pensée, elle participerait au sort du contingent, puisqu'elle requerrait une cause extérieure ; du temporel, puisqu'elle n'aurait pas toujours existé ; du muable, puisqu'elle subirait les
vicissitudes de notre pensée elle-même. Les exigences de la vérité sont
absolues, puisque ses caractères distinctifs sont ceux de Dieu ; nul ne
l'atteindra qui n'atteigne Dieu.

C'est donc en toute sincérité que saint Bonaventure constate le
double échec de Platon et d'Aristote dans leur tentative pour résoudre
le problème et qu'il leur préfère saint Augustin. Platon, nous l'avons
vu, condamne la pensée humaine au scepticisme en lui assignant pour
objet propre un objet inaccessible ; mais Aristote et les aristotéliciens
rendent impossible l'achèvement de la science en déclarant inaccessible
le seul principe qui puisse en assurer le fondement. Ce qui manque au
platonisme, c'est une science des choses qui porte véritablement sur les
choses ; ce qui manque à l'aristotélisme, c'est une sagesse, c'est-à-dire
la connaissance des premiers principes et des premières causes ; l'une
des deux doctrines ne nous laisse pas d'objet, l'autre nous rend impossible d'en achever l'exploration [1]. Saint Augustin seul a mesuré toute
l'étendue de ce grave problème, en a saisi toutes les données d'une
seule prise et les a fait tenir toutes dans une solution ; mais il n'a su le
faire que parce que sa raison bénéficiait des lumières de la grâce et
c'est sur elle encore que nous devons compter si nous voulons en retrouver la véritable interprétation.

Pour bien l'entendre, il faut d'abord se souvenir que nous ne devons
rien admettre de créé entre Dieu et nous, à peine de renoncer à toute
certitude. On s'est efforcé de gloser cette assertion de saint Bonaventure. Il nous déclare expressément que l'homme ne peut acquérir de connaissance certaine sans le concours des raisons éternelles, et
non pas considérées en tant que saisies par sa pensée, mais en tant

1. « Unde quia Plato totam cognitionem certitudinalem convertit ad mundum intelligi-
bilem sive idealem, ideo merito reprehensus fuit ab Aristotele, non quia male diceret ideas
esse et aeternas rationes, cum eum in hoc laudet Augustinus ; sed quia despecto mundo
sensibili, totam certitudinem cognitionis reducere voluit ad illas ideas ; et hoc ponendo,
licet videretur stabilire viam sapientiae, quae procedit secundum rationes aeternas, des-
truebat tamen viam scientiae, quae procedit secundum rationes creatas ; quam viam Aristoteles e contrario stabiliebat, illa superiore neglecta. Et ideo videtur, quod inter philosophos datus sit Platoni sermo sapientiae, Aristoteli vero sermo scientiae. Ille enim
principaliter aspiciebat ad superiora, hic vero principaliter ad inferiora. Uterque autem
sermo, scilicet sapientiae et scientiae, per Spiritum Sanctum datus est Augustino, tanquam
praecipuo expositori totius Scripturae, satis excellenter, sicut ex scriptis ejus apparet »,
Sermo IV de reb. theol., 18-19, t. V, p. 572 ; cf. *De scientia Christi, loc. cit.*, p. 23.

qu'elles résident au-dessus de lui dans l'éternelle vérité de Dieu : *quod mens in certitudinali cognitione per incommutabiles et aeternas leges habeat regulari, non tanquam per habitum suae mentis, sed tanquam per eas quae sunt supra se in veritate aeterna.* Tel de ses interprètes[1] estime prudent de suggérer que saint Bonaventure ne parle pas ici de l'influence active de Dieu prise en elle-même, mais seulement de l'effet créé de cette influence divine dans notre pensée. Or, une telle distinction semble vaine, car elle suppose le problème posé par saint Bonaventure tout autre qu'il n'est. La question n'est pas de savoir si c'est l'influence de Dieu ou l'effet qui en résulte qui fonde en nous la certitude, mais si c'est Dieu lui-même, ou une influence créée par Dieu, donc intérieure à notre pensée, qui en constitue l'ultime fondement. Or, la réponse du Docteur Séraphique est absolument formelle : l'influence de Dieu ne suffirait pas, et c'est une solution que l'on ne peut accepter sans soutenir que tout l'enseignement d'Augustin est faux. Une influence de ce genre ne pourrait d'ailleurs être que générale ou spéciale. Générale, elle rentrerait dans le concours que Dieu prête à toutes les opérations des créatures; on ne pourrait pas dire qu'il soit le donateur de la sagesse plus qu'il n'est le fécondateur de la terre; nous connaîtrions la vérité en raison de la même influence qui fait germer les semences ou qui nous procure de l'argent. Spéciale, elle rentrerait dans l'ordre de la grâce et serait un principe créé de même nature qu'elle; toute connaissance deviendrait innée ou infuse, aucune ne serait acquise; les aveugles connaîtraient les couleurs aussi bien que les clairvoyants; ceux qui ne savent pas seraient aussi instruits que ceux qui savent; toutes conséquences absurdes et qui ne nous laissent d'autre ressource que de fonder notre science sur les idées mêmes de Dieu[2].

1. *Loc. cit.*, p. 23, note 3 du *Scholiaste* de Quaracchi.
2. « Et ideo dicere quod mens nostra in cognoscendo non extendat se ultra influentiam lucis increatae, est dicere Augustinum deceptum fuisse, cum auctoritates ipsius exponendo non sit facile ad istum sensum trahere; et hoc valde absurdum est dicere de tanto Patre et Doctore maxime authentico inter omnes expositores sacrae scripturae. Praeterea illa lucis influentia aut est generalis, quantum Deus influit in omnibus creaturis, aut est specialis, sicut Deus influit per gratiam. Si est generalis, ergo Deus non magis debet dici dator sapientiae quam fecundator terrae, nec magis ab eo diceretur esse scientia quam pecunia; si specialis, cujusmodi est in gratia, ergo secundum hoc omnis cognitio est infusa, et nulla est acquisita, vel innata; quae omnia sunt absurda », *De scientia Christi, loc. cit.*, p. 23. Pour la même raison, l'intermédiaire ne pourrait être un ange : « Quia, cum illae regulae sint incoarctabiles, quia mentibus omnium se offerunt, tunc sequeretur quod lux creata esset incoarctibilis et esset actus purus, quod absit; et qui hoc dicit enervat fontem sapientiae et facit idolum, ut Angelum Deum, et plus quam qui lapidem Deum facit », *In Hexaëm.*, II, 10, t. V, p. 338; *I Sent.*, 3, 1, 3, ad 1^m, t. I, p. 75.

On peut dès lors se demander si le problème posé comporte encore une solution. Nous ne pouvons ni voir Dieu, ni voir la vérité sans le concours immédiat des idées de Dieu qui sont Dieu. Répondre que nous voyons peut-être les idées divines sans voir Dieu lui-même serait une manifeste absurdité; car Dieu est un infini, mais un infini parfaitement simple, et par conséquent voir quelque chose de Dieu serait voir tout Dieu[1]. Alléguer que notre connaissance se rattache aux idées divines par intermédiaire, c'est trancher le lien qui lui permet de participer à l'unique source de nécessité et de vérité. Il nous reste donc à désespérer de trouver un fondement de la certitude, à moins que l'on ne puisse concevoir une action directe des idées divines sur notre pensée qui n'impliquerait cependant à aucun degré la perception de ces idées, et telle est aussi l'interprétation que saint Bonaventure nous propose de la doctrine de saint Augustin.

Nous admettrons en premier lieu que cette action directe et immédiate des raisons éternelles sur notre âme est une action régulatrice : *ad certitudinalem cognitionem necessario requiritur ratio aeterna ut regulans;* en quoi consiste cette fonction? Elle a pour fin de nous rendre la connaissance du vrai possible en fixant sous une loi inéluctable l'incertitude toujours glissante de notre pensée. La règle est toujours quelque chose qui retient et maintient; elle est par essence un principe de fixité. Or, nous savons que le propre de notre intellect est précisément de participer à la mutabilité de notre être; c'est donc l'immutabilité même de l'essence divine qui confère à certaines de nos connaissances le caractère transcendant de nécessité que nous leur avons reconnu. Ainsi les essences appréhendées par notre pensée n'exercent sur elle la contrainte inéluctable qui la soumet à leur contenu que parce que la nécessité de l'idée divine se communique en quelque manière à elles. On comprend dès lors, et la présence de ces règles absolues dans une pensée•qu'elles jugent et qui leur obéit, et la manière surprenante dont il les trouve toujours à sa portée sans jamais pouvoir en être cause. La pensée humaine se fixe sous la nécessité de l'acte éternel par lequel Dieu se pense lui-même et connaît toutes ses participations possibles. Mais en même temps que les raisons éternelles lient la pensée humaine elles la meuvent en la dirigeant vers elle : *ut regulans et motiva.* Que l'on tente seulement de se représenter par l'imagination ce que serait une pensée incapable d'appréhender les essences et les principes, ce

1. *II Sent.*, 23, 2, 3, Concl., t. II, p. 544-545.

ne serait évidemment pas une pensée, mais une sensibilité purement animale. Or, ce sont précisément les raisons éternelles qui recueillent et ordonnent la multiplicité de nos expériences sensibles en les dirigeant vers les centres fixes que sont les premiers principes simples ou universaux et les premiers principes complexes de la science ou de la morale[1].

La première conséquence de ce fait est que nulle certitude humaine n'est possible sans la collaboration immédiate de Dieu à l'acte par lequel nous connaissons. Puisque toutes connaissances dépendent des principes et que les principes germent en nous sous l'action régulatrice et motrice des idées divines, il résulte de là que les certitudes en apparence les mieux capables de se suffire à elles-mêmes rejoignent nécessairement par l'intermédiaire des principes premiers les raisons éternelles et leur fondement divin. C'est ce qu'expriment dans la doctrine bonaventurienne les termes techniques de *reductio* ou de *resolutio*. Réduire ou résoudre la vérité d'un jugement quelconque, c'est le ramener de conditions en conditions jusqu'aux raisons éternelles qui le fondent, et chaque fois que la réduction ou résolution d'un jugement se poursuit jusqu'au bout elle conduit l'intellect à constater que sa nécessité requiert la collaboration immédiate de Dieu pour l'énonciation des principes premiers dont elle tient sa nécessité : *in judicando deliberativa nostra pertingit ad divinas leges si plena resolutione resolvat*[2]. Sans doute, l'absence de cette réduction ne nous empêche pas d'éprouver l'impression d'une évidence et d'une certitude, mais autre chose est appréhender une vérité en elle-même, autre chose ramener son évidence aux conditions qui la justifient; dans le premier sens, les vérités particulières se suffisent à elles-mêmes; dans le second sens, elles

1. « Animae a conditione sua datum est lumen quoddam directivum et quaedam directio naturalis; data est etiam ei affectio voluntatis », *I Sent.*, 17, 1, un. 4, Concl., t. I, p. 301. — « Haec (*scil.* Sapientia) igitur apparet immutabilis in regulis divinarum legum, quae nos ligant. Regulae istae mentibus rationalibus insplendentes sunt omnes illi modi per quos mens cognoscit et judicat id quod aliter esse non potest, utpote quod summum principium summe venerandum, quod summo vero summe credendum et assentiendum; quod summum bonum summe desiderandum et diligendum. — Et haec sunt in prima tabula (*scil.* decalogi), et in his apparet sapientia, quod ita certa sunt, quod aliter esse non possunt », *In Hexaëm.*, II, 9, t. V, p. 338. — « Hae (*scil.* regulae) enim radicantur in luce aeterna et ducunt in eam, sed non propter hoc ipsa videtur », *Ibid.*, 10. C'est pourquoi l'on ne peut dire avec M. Palhoriès, *op. cit.*, p. 50, que chez saint Bonaventure l'illumination n'est qu'une métaphore qui ne renseigne pas sur le mode de cette illumination, car elle prend un sens précis lorsqu'on la compare à l'efficace « movens et regulans » de la lumière; cf. p. 273, note 2.

2. *Itinerarium*, III, 4; éd. min., p. 320.

exigent que la pensée qui les formule soit capable d'assigner la série
entière de leurs antécédents et, par conséquent, de les ramener jusqu'à
Dieu.

Le meilleur exemple que l'on puisse citer pour faire comprendre cette
doctrine est l'idée d'être, et c'est aussi l'exemple le plus instructif en ce
qui concerne la conception bonaventurienne des preuves de l'existence
de Dieu. Tout objet conçu par la pensée est conçu comme un certain
être, et il nous est absolument impossible de nous représenter quoi que
ce soit autrement que comme quelque chose qui est. Si l'on y prend
garde, cette nécessité de la loi qui régit ici notre pensée nous avertit
déjà suffisamment que nous sommes en présence d'un principe premier ; principe simple sans doute, mais que l'intellect forme cependant
de manière immédiate au contact de l'expérience interne ou externe.
C'est ce que l'on reconnaît mieux encore si l'on réfléchit à ce fait que,
non seulement tous les objets, mais encore toutes les idées viennent se
ranger sous l'idée d'être ; on ne la conçoit au moyen d'aucune autre et
on conçoit toutes les autres au moyen de celle-là. Ce qui n'est pas de
l'être donné ne nous apparaît que comme de l'être possible et le néant
lui-même n'est pas autre chose pour la pensée qu'une simple absence
d'être. On peut donc dire avec raison que l'être est le premier principe
élaboré par l'intellect et par conséquent l'idée première au moyen de
laquelle il pense tout le reste : *esse igitur est quod primo cadit in intellectu*[1]. Mais l'idée d'être est un principe, nous ne pouvons pas lui assigner comme contenu les caractères des êtres particuliers que nous pensons par son moyen ; c'est elle qui les explique et non pas eux qui la
définissent. L'être que pense le principe est antérieur à la limitation,
au non-être, à la contingence, à la mutabilité ; nécessaire et infaillible
comme le sont tous les principes, cette première conception de l'intellect le place donc devant la notion de l'être absolu, même s'il ne s'en
aperçoit pas. Aussi voyons-nous saint Bonaventure compléter immédiatement sa formule par une addition significative : *esse igitur est quod
primo cadit in intellectu, et illud esse est quod est purus actus.* Dès
lors, la nécessité de la réduction des jugements jusqu'à Dieu s'impose
comme une évidence et l'on peut presque dire qu'elle est impliquée
dans le moindre de nos jugements. Mais ici ce n'est plus de Dieu en
tant qu'idée, c'est de Dieu en tant qu'être et par tout son être que
l'action régulatrice et motrice détermine la formation dans l'intellect de

---

1. *Itinerarium*, V, 3 ; éd. min., p. 333 et note 2.

l'idée d'être qui le représente. Étrange aveuglement de notre pensée qui ne considère pas ce qu'elle voit avant tout le reste et ce sans quoi elle ne peut rien connaître[1]; l'intellect qui conduit jusqu'au bout la résolution d'une connaissance quelconque s'aperçoit qu'on ne peut rien connaître sans connaître Dieu[2].

C'est qu'aussi bien la présence des raisons éternelles n'est pas seulement requise pour expliquer la fixité de la plus humble connaissance, elle est en quelque sorte impliquée dans l'opération même par laquelle nous la formons. Ce point auquel on prête généralement peu d'attention

1. « Mira igitur est caecitas intellectus, qui non considerat illud quod prius videt et sine quo nihil potest cognoscere. Sed sicut oculus intentus in varias colorum differentias lucem, per quam videt caetera, non videt, et si videt non advertit; sic oculus mentis nostrae, intentus in entia particularia et universalia, ipsum esse extra omne genus (*scil.* le principe premier incomplexe par lequel elle pense tous les êtres), licet primo occurrat menti, et per ipsum alia, tamen non advertit », *Itinerarium*, V, 4; éd. min., p. 334.

2. Ce point est un de ceux qui ont suscité le plus de malentendus. M. Menesson, dans le louable dessein de ne pas défigurer la pensée de saint Bonaventure, soutient que l'*Itinera-rium* accorde à l'homme la connaissance immédiate de Dieu. « Et si l'on opposait à cette conclusion quelques textes tirés des *Sentences* (t. II, p. 123), il faudrait dire que Bonaventure avait bien pris dans les disputes parisiennes une formation scolastique et même une certaine apparence de péripatétisme, mais que, revenu à la vie active et à la prière, il reprit les voies mystiques, les sublimes intuitions qu'il affectionnait davantage. Et quand il nous expose le fruit de ses méditations, nous n'avons pas le droit de nous refuser à l'écouter, comme si nous possédions déjà toute sa doctrine philosophique; moins encore celui de tourmenter ses paroles pour les mettre d'accord avec l'idée que nous nous étions faite de son système. Il est possible que Bonaventure ait repoussé la connaissance immédiate de Dieu dans les *Sentences;* il paraît indiscutable qu'il l'ait admise dans l'*Itinera-rium mentis in Deum* », *op. cit.*, Rev. de philos., 1910, p. 125. Ce que l'on peut opposer à cette conclusion, c'est d'abord qu'il est non pas possible, mais certain que le *Commen-taire* refuse à l'homme toute vision naturelle de Dieu; *II Sent.*, 4, 2, 2, ad 2ᵐ et 4ᵐ, t. II, p. 123, et 23, 2, 3, Concl., ad *Secundus autem modus*, p. 544 (cf. Ephr. Longpré, *op. cit.*, p. 58). C'est ensuite que le *Commentaire* enseigne bien avant l'*Itinerarium* cette thèse que l'on explique par une poussée mystique, dont l'action incontestable sur l'architecture des écrits bonaventuriens ne touche pas les principes de la doctrine : « Quantum ad intellectum *apprehendentem*, non potest intelligi aliquid sine aliquo quod est ei ratio intelligendi, sicut Deus praeter deitatem et homo praeter humanitatem; potest tamen intelligi effectus non intellecta causa et inferius non intellecto superiori... Alio modo contingit aliquid intelligere praeter alterum intellectu *resolvente;* et iste intellectus considerat ea quae sunt rei essentialia, sicut potest intelligi subjectum sine propria passione. Et hoc potest esse dupliciter : aut intellectu resolvente plene et perfecte, aut intellectu deficiente et resolvente semiplene. Intellectu resolvente semiplene potest intelligi aliquid esse, non intellecto primo ente. Intellectu autem resolvente perfecte, non potest intelligi aliquid, primo ente non intellecto », *I Sent.*, 28, dub. 1, t. I, p. 504; cf. *II Sent.*, 1, 2, dub. 2, t. II, p. 52. — Enfin, on tiendra compte de ce fait qu'il est singulier de considérer que l'*Itinerarium* accorde à l'homme qui n'est pas encore parvenu à l'extase une vue de Dieu que, comme nous le constaterons plus loin, l'extase même lui refusera. C'est d'un principe premier qu'il s'agit ici et non de l'Être dont le concours nous permet de le constituer.

est peut-être celui qui nous ouvre la perspective la plus profonde sur la
conception bonaventurienne de l'intellect agent. Dès l'époque du *Commentaire*, en effet, le Docteur Séraphique emploie le terme aristotélicien d'*abstractio* pour désigner l'opération par laquelle l'intellect élabore en intelligible les données sensibles de la connaissance ; mais dès
ce moment aussi nous le voyons employer indifféremment au même
usage l'expression aristotélicienne *abstrahere* et l'expression augustinienne *judicare*[1]. Or, il est clair que si l'abstraction bonaventurienne
coïncide avec le jugement augustinien, elle va nous apparaître comme
une opération bien différente de l'acte simple par lequel l'intellect agent
d'Aristote informe l'intellect possible de l'espèce sensible qu'il vient
de rendre intelligible. L'asbtraction de saint Bonaventure contiendra
nécessairement, quoique à l'état d'implication, un jugement qui déga-
gera l'universel du particulier et qui, faisant intervenir le nécessaire et
l'immuable en posant l'universel, supposera par le fait même l'intervention des raisons éternelles et de Dieu. C'est d'ailleurs, si l'on y prend
garde, ce que confirme expressément l'*Itinerarium*. La connaissance débute par une perception qui implique un premier jugement de la faculté
de sentir ; elle se prolonge par un jugement du sens commun qui caractérise l'objet comme sain ou nuisible ; mais elle s'achève par un troisième
jugement qui déclare pourquoi la perception sensible nous plaît ou nous
déplaît. Or, porter un tel jugement, c'est simplement transformer du
sensible en intelligible et mettre à la place d'une perception l'idée d'un
objet. L'impression de beauté, de salubrité ou de plaisir que nous avons
ressentie en le percevant s'explique dès le moment même où son idée se
forme en nous, car il n'est capable de causer ces impressions qu'en
raison de la proportion de ses parties et de la proportion du tout à l'organe qui le perçoit. Qui dit proportion ou égalité se place d'emblée
hors des grandeurs, des dimensions, des successions et des mouvements ; l'idée du corps est donc bien une idée parce qu'elle résulte
d'une abstraction, mais cette abstraction résulte elle-même d'un discernement de l'esprit qui met à part l'élément local, temporel et mobile
de la perception sensible pour n'en retenir que l'immuable, le non-spa-
tial, l'intemporel et par conséquent le spirituel : *dijudicatio igitur est
actio quae speciem sensibilem, sensibiliter per sensus acceptam, introire
facit depurando et abstrahendo in potentiam intellectivam*[2]. Dès lors,

1. Voir les textes cités, même chapitre, p. 351, note 1.
2. *Itinerarium*, II, 6 ; éd. min., p. 308.

c'est bien la formation même de l'idée générale qui suppose l'action des raisons éternelles. Jamais une pensée finie, appliquant ses seules ressources à du sensible, ne pourrait en tirer de l'intelligible, c'est-à-dire de l'immuable et du nécessaire que ne contiennent ni cette pensée ni son objet[1].

Ainsi l'action immédiate des raisons éternelles est le fondement de tout ce que notre connaissance contient de vérité[2]; mais il reste à déterminer selon quel mode défini s'exerce en nous cette action. Le point essentiel à fixer est que les raisons éternelles agissent en nous, comme la lumière divine elle-même, par mode de présence et non à titre d'objets connus. Saint Bonaventure connaît fort bien une doctrine analogue à celle que l'on désigne communément par le nom d'ontologisme. Si nous en croyons le résumé assez précis qu'il nous en donne, ses partisans soutenaient qu'il n'y a pas de différence de nature entre la manière dont les bienheureux voient Dieu dans le ciel, celle dont nous voyons Dieu dans notre état de nature déchue et dont Adam voyait Dieu dans l'état d'innocence, mais seulement des différences de degré fondées sur la liberté relative de l'âme à l'égard de son corps dans chacun de ces divers états; mais saint Bonaventure rejette formellement cette doctrine

1. « Si enim dijudicatio habet fieri per rationem abstrahentem a loco, tempore et mutabilitate, ac per hoc a dimensione, successione et transmutatione, per rationem immutabilem et incircumscriptibilem et interminabilem; nihil autem est omnino immutabile, incircumscriptibile et interminabile nisi quod est aeternum : omne autem quod est aeternum est Deus vel in Deo; si ergo omnia quaecumque certius dijudicamus, per hujusmodi rationem dijudicamus, patet quod ipse est ratio omnium rerum et regula infallibilis et lux veritatis, in qua cuncta relucent infallibiliter, indelebiliter, indubitanter, irrefragabiliter, indijudicabiliter, incommutabiliter, incoarctabiliter, interminabiliter, indivisibiliter et intellectualiter », *Itinerarium*, II, 9; éd. min., p. 309-310: cf. *In Hexaëm.*, XII, 5, t. V, p. 385; *De scientia Christi*, IV, fund. 23, t. V, p. 19.

2. M. Palhoriès, *op. cit.*, p. 50, aperçoit ici « un point faible et une certaine incohérence dans la théorie du saint Docteur », parce qu'il nous interdit de concevoir l'action directrice de Dieu « comme une simple action de l'intelligence divine sur la nôtre » et refuse cependant que Dieu nous soit présent par son essence même. L'incohérence de saint Bonaventure se « réduit » à celle de l'interprétation que l'on en propose, car 1° sa doctrine ne nie pas l'action de l'intelligence divine sur la nôtre, mais nie, au contraire, que cette action se ramène à celle d'une *influence*, soit immédiate, mais générale (concours divin), soit spéciale, mais médiate et créée (grâce divine); c'est donc bien d'une action immédiate qu'il s'agit; 2° saint Bonaventure ne nie pas que Dieu nous soit présent, mais bien qu'il nous soit connaissable par son essence, ce qui est tout différent. L'action immédiate en nous d'un être purement intelligible qui nous est intimement présent est une thèse qui n'a rien que de métaphysiquement cohérent, et c'est même son immédiateté qui fait nier à saint Bonaventure cette thèse atténuée : « Ex hoc non sequitur quod in veritate vel in rationibus, sed quod a rationibus videamus », *De scientia Christi*, fund. 3ᵐ, t. V, p. 17. C'est que *in eo vivimus, movemur et sumus*.

qui ne se trouve vraie que dans les cas rarissimes de rapt analogues à celui dont fut un jour favorisé saint Paul[1]. La lumière divine est donc pour nous un moyen de connaître et non un objet de connaissance; l'expression bonaventurienne qui caractérise le mieux ce rapport d'une source de connaissance à la pensée qu'elle féconde sans se laisser percevoir est peut-être l'image un peu étrange d'*objectum fontanum*[2]. C'est un objet que l'on ne découvre pas, mais dont on est contraint d'affirmer l'existence, parce qu'elle est requise pour expliquer les effets qui en découlent; on l'affirme comme on affirme l'existence de la source profonde, quoique invisible, dont les eaux abondantes se déversent actuellement sous nos yeux. Cette appréhension indirecte par la pensée d'un objet qui nous échappe, mais dont la présence est en quelque sorte impliquée dans celle des effets qui en découlent, reçoit dans la doctrine de saint Bonaventure le nom de *contuitus*. Une intuition serait précisément la vue directe de Dieu qui nous est refusée; une contuition, au sens propre, n'est que l'appréhension dans un effet perçu de la présence d'une cause dont l'intuition nous fait défaut; la lumière divine ne peut donc être immédiatement perçue, bien qu'elle agisse sur nous immédiatement[3]; entre elle et nous, des intermédiaires s'introduisent dans l'ordre de la connaissance qui n'existent ni dans celui de l'influence ni dans celui de l'être, et c'est pourquoi, malgré tous nos efforts, nous n'atteignons que des contuitions de Dieu, dans les choses, dans notre âme, ou dans les principes transcendants que nous appréhendons. *Haec lux est inaccessibilis, et tamen proxima animae etiam plus quam ipsa sibi. Est etiam inalligabi-*

---

1. « Unde si quae auctoritates id dicere inveniantur, quod Deus in praesenti ab homine videtur et cernitur, non sunt intelligendae, quod videtur in sua essentia, sed quod in aliquo effectu interiori cognoscitur, sicut jam melius patebit », *II Sent.*, 23, 2, 3, Concl., t. II, p. 544. D'après le texte de saint Bonaventure, il se pourrait d'ailleurs que cette vision divine fût limitée par la théorie visée aux états extatiques : « A purgatis mentibus, mentibus purgatissimis cernitur. » Elle se réclamait d'Augustin, *De Trinitate*, VIII, 8, 12, t. 42, col. 957; I, 2, 4, c. 822, et VIII, 2, 3, c. 948.

2. « Primo ergo anima videt se... in luce aeterna tanquam in objecto fontano », *In Hexaëm.*, V, 33, t. V, p. 359. — « Item quod vidit, id est, videre fecit... in luce increatā tanquam in objecto fontano », *Ibid.*, VI, 1, p. 360.

3. Cf., au sens propre du terme : « Spectacula nobis ad contuendum Deum proposita », *Itinerarium*, II, 11; éd. min., p. 312. — « Dum haec igitur percipit et consurgit ad divinum contuitum », *In Hexaëm.*, V, 33, t. V, p. 359. C'est ce caractère indirect de la contuition qui nécessite l'introduction du moyen de connaître dans lequel nous saisissons Dieu sans le voir : « Inter mentem et Deum non cadit medium in ratione causae efficientis, vel influentis, cadit tamen medium manuductionis », *II Sent.*, 3, 2, 2, 2, ad 6ᵐ, t. II, p. 124.

lis et tamen summe intima[1]; toujours présente, toujours agissante, moteur et règle des moindres opérations de notre pensée, elle nous demeure cependant transcendante et inaccessible, parce qu'elle ne se transforme jamais ici-bas en objet connu.

Résumons les conclusions de cette enquête. L'intellect humain n'est que l'un des êtres dont l'ensemble constitue la création et qui tous réclament la coopération de Dieu en proportion même de ce qu'ils sont. Simple vestige de Dieu, la créature corporelle ne requiert son concours qu'à titre de créateur et de conservateur; ressemblance expresse de Dieu, assimilable à lui par une sorte de surnaturalisation qui la transfigure, l'âme humaine requiert de Dieu la grâce qui, par sa qualité divine, pourra seule la rendre agréable à lui; mais entre les deux vient se placer l'âme de l'homme considérée comme image et qui requiert à ce titre une coopération divine plus intime que celle de la création continuée, quoique moins intime que celle de la grâce. Telle est précisément le rôle que joue à l'égard de la connaissance l'illumination divine par les raisons éternelles. Elle ne soutient pas seulement comme une cause, elle ne transfigure pas du dedans comme une grâce, mais elle meut du dedans comme une force cachée. Cette force a pour point d'application l'image, donc l'âme humaine considérée en tant que représentative de Dieu; mais nous savons qu'elle n'en est représentative que dans la mesure où elle se tourne vers lui et agit comme raison supérieure; l'illumination des raisons éternelles est donc une force motrice qui s'applique à l'aspect supérieur de l'intellect humain[2]. Puisque c'est à titre d'image de soi que Dieu illumine l'âme et qu'il est connaturel à l'âme d'être l'image de Dieu, on peut dire que les raisons éternelles l'illuminent toujours. Mais comme, d'autre part, cette qualité connaturelle est susceptible de passer successivement par tous les degrés de perfection, l'illumination des raisons éternelles subit le sort de l'image et passe à son tour par des degrés exactement proportionnels à ceux de ses variations. Inséparable de l'âme, puisque c'est être image de Dieu que d'être âme, elle n'est jamais pleine et distincte parce que l'âme n'est jamais ici-bas parfaitement déiforme, c'est-à-dire la pleine et dis-

---

1. *In Hexaëm.*, XII, 11, t. V, p. 386.

2. « Cum enim spiritus rationalis habeat superiorem portionem rationis et inferiorem, sicut ad plenum judicium rationis deliberativum in agendis non sufficit portio inferior sine superiori, sic et ad plenum rationis judicium in speculandis. Haec autem portio superior est illa, in qua est imago Dei, quae et aeternis regulis inhaerescit et per eas quidquid definit certitudinaliter judicat et definit; et hoc competit ei in quantum est imago Dei », *De scientia Christi*, IV, Concl., t. V, p. 24; cf. *Ibid.*, ad 7[m], p. 25.

tincte image de Dieu. Si l'homme était demeuré dans l'état d'innocence
où Dieu l'avait créé, il serait encore une image non déformée par la
faute et pourrait atteindre les raisons éternelles, en partie seulement,
puisqu'il ne les verrait comme nous que dans le miroir de son âme et
des choses, mais avec une pleine netteté. Dans l'état de misère où nous
sommes actuellement plongés, les raisons éternelles nous demeurent
encore accessibles, puisque nous ne cessons pas d'être des hommes,
mais elles ne nous le sont qu'en partie, et, en outre, sous des signes
énigmatiques, parce que nous sommes des âmes déformées par le péché.
Cette description de l'illumination par les raisons éternelles contient
aussi la seule réponse complète que la philosophie puisse apporter au
problème du fondement de la certitude : toute connaissance certaine
requiert que l'intellect atteigne une raison éternelle ou idée divine,
non à titre d'objet connu, mais à titre de moteur et de régulateur de la
connaissance; non pas seule, mais appréhendée par contuition dans les
principes élaborés par l'intellect et dans les essences créées qui la supposent sans la laisser voir[1]; non pas dans toute sa clarté, mais dans le
signe énigmatique et obscur de la substance corporelle ou spirituelle
sous laquelle nous la devinons[2]. Les deux conditions que nous nous
étions imposées pour résoudre le problème de la certitude se trouvent
intégralement respectées : la vérité divine communique à notre connaissance quelque chose de son infaillibilité et de sa nécessité, sans
que cependant la moindre intuition de l'essence divine vienne nous
transformer dès cette vie en citoyens de l'au-delà[3].

1. *De scientia Christi*, ad 15ᵐ, p. 25; ad 18ᵐ, p. 26.
2. « Ad certitudinalem cognitionem necessario requiritur ratio aeterna ut regulans et ratio
motiva, non quidem ut sola et in sua omnimoda claritate, sed cum ratione creata, et ut ex
parte a nobis contuita secundum statum viae », *De scientia Christi*, IV, Concl., t. V, p. 23;
cf. *Ibid.*, p. 24, ad *Quoniam igitur*, et *II Sent.*, 23, 2, 3, Concl., ad *Et ideo est quartus
modus*, t. II, p. 544-545; *In Hexaëm.*, II, 9-10, t. V, p. 337-338; *De donis SS.*, VIII, 15,
ad *Sed inde est...*, t. V, p. 496-497; *Itinerarium*, II, 9, et III, 3; éd. min., p. 309 et p. 318.
3. *De scientia Christi, loc. cit.*, ad 20ᵐ, p. 26, et ad 22ᵐ, ibid.

CHAPITRE XIII.

L'illumination morale.

L'intuition nous livre de la manière la plus immédiate la distinction qui sépare un acte de connaître d'un acte de vouloir[1]. Appréhender une essence à titre d'objet contemplé n'est pas saisir un bien à titre d'objet possédé; ce n'est donc pas la différence entre l'intellect et la volonté, ni même l'essence de la volonté prise en soi, qui peuvent ici réserver des difficultés aux philosophes, mais bien plutôt les aspects multiples et souvent difficiles à discerner que revêt l'activité volontaire, selon qu'elle s'exerce à l'état pur ou qu'elle entre en composition avec les facultés les plus hautes de la connaissance pour engendrer la liberté et la moralité. Qui dit volonté dit, en effet, tendance, appétit, ou, comme le répète volontiers saint Bonaventure avec l'Écriture et saint Augustin, poids; elle est essentiellement un entraînement de l'âme vers quelque chose. Mais cet entraînement peut être de nature bien différente en raison des objets vers lesquels il se porte ou des modes selon lesquels il s'en empare; en nous situant immédiatement au cœur de l'activité volontaire la plus complexe, celle du libre arbitre, nous serons à même de discerner l'apport naturel de l'appétit des caractères que lui confère son accord avec la raison.

Le libre arbitre ne se rencontre que chez les substances raisonnables, car son nom même implique à la fois liberté et arbitrage, deux opérations qui sont essentiellement inséparables de la raison. La liberté, en effet, est le contraire de la servitude; une faculté ne peut donc être considérée comme libre que si rien ne l'asservit. Or, l'acte de volonté n'est affranchi de toute servitude que s'il est maître de soi-même, c'est-à-dire capable de s'exercer ou non selon qu'il lui plaît ou non de le faire, et s'il peut choisir ses objets sans être déterminé du dehors à se fixer sur

---

1. « Intuenti usum potentiarum... », *loc. cit.*, t. II, p. 560. Cf. *Ibid.*, ad 3ᵐ, p. 561.

tel ou tel d'entre eux. Considérons d'abord le rapport qui relie la liberté du vouloir au choix des objets. Si la volonté est essentiellement un désir, nous ne pourrons considérer comme maître de ses objets qu'un désir capable de se porter à son gré vers toutes les sortes de désirable. Ne serait-ce pas, en effet, une servitude pour lui que de se trouver exclu à priori de toute une catégorie d'objets et peut-être même de la plus haute? Or tout être vivant désire d'abord ce qui lui est nécessaire ou utile pour vivre; il désire en outre ce qui lui est agréable, en raison d'une sorte d'harmonie entre les objets qu'il perçoit et les sens qui lui permettent de les percevoir; mais il reste une troisième sorte d'objets désirables, supérieure aux précédentes, et qui se trouve constituée par l'honnête ou, comme nous dirions à peu près aujourd'hui, par l'ordre des valeurs. Un bien, ou une valeur, n'est pas seulement du désirable par rapport à notre corps, comme c'est le cas de l'agréable ou de l'utile; c'est du désirable en soi et pour soi, de l'immatériel et de l'intelligible, donc un objet saisissable par le seul intellect et qui n'est accessible qu'à un être doué de raison. La raison est la condition nécessairement requise pour qu'un appétit jouisse de la faculté de choisir entre toutes les sortes d'objets qu'il soit possible de désirer.

Elle l'est également pour que cet appétit soit maître de l'exercice de son acte propre, c'est-à-dire libre de désirer ou de ne pas désirer ses objets. Chez un être raisonnable la volonté ne se montre pas seulement capable d'agir sur tel ou tel de ses membres, de mettre en mouvement, par exemple, ou de retenir sa main ou son pied, elle est encore capable de se mettre elle-même en mouvement ou de s'arrêter comme il lui plaît. Bien souvent la volonté se met à détester ce qu'auparavant elle aimait, ou à aimer, au contraire, ce qu'elle avait jusqu'alors détesté, la maîtrise qu'elle possède d'elle-même lui permettant de changer le sens de ses propres opérations aussi librement que de changer ses objets. Il n'en est pas ainsi chez les animaux. Certains d'entre eux, surtout ceux que l'homme a entraînés et dressés à le faire, manifestent une certaine maîtrise de leurs actes extérieurs : ils se retiennent de faire un mouvement ou d'accomplir un acte qu'ils désirent d'accomplir; mais le désir même qu'ils en éprouvent est soustrait à leur juridiction. Ce qu'un animal aime, il ne peut pas ne pas l'aimer, bien que la crainte d'un châtiment le retienne peut-être de le prendre; et c'est pourquoi Jean Damascène dit des animaux que : *magis aguntur quam agant*[1]. Incapables de

1. *De fide orthodoxa*, II, 27.

réprimer leur acte propre, ils ne sont pas libres à cet égard ; cette nouvelle servitude, ajoutée à la limitation qui met les objets les plus désirables hors de leurs atteintes, achève de les exclure de la liberté.

Considérons maintenant le deuxième élément d'une telle opération, l'arbitrage. Arbitrer, c'est juger ; or, porter un jugement est le fait d'une raison complète, capable de discerner entre le juste et l'injuste, entre le propre de chacun et ce qui appartient à autrui. Mais aucune faculté ne peut savoir ce qui est juste et injuste, si ce n'est celle-là seule qui participe à la raison et se trouve capable de connaître la justice suprême, de laquelle découle toute règle du droit. Cette faculté ne peut évidemment appartenir qu'à une substance faite à l'image de Dieu, telle que la raison humaine. Nulle substance, en effet, ne discerne ce qui lui appartient en propre de ce qui appartient à autrui, à moins qu'elle ne se connaisse elle-même ainsi que son acte propre. Or, une faculté liée à la matière et qui en dépend dans l'exercice de son opération n'est jamais capable ni de se connaître elle-même ni de réfléchir sur ce qu'elle est. Si donc toutes les facultés de l'âme sont liées à la matière et dépendantes du corps, sauf la raison, elle seule sera capable de réfléchir sur elle-même ; elle seule possédera pleine capacité de juger et d'arbitrer pour discerner le juste de l'injuste ou ce qui lui appartient en propre de ce qui appartient à autrui. Que l'on se place au point de vue des conditions requises soit pour un acte d'arbitrage, soit pour un acte de liberté, le libre arbitre nous apparaît donc également comme un privilège réservé aux êtres doués de raison[1].

Devons-nous le considérer comme une faculté supplémentaire qui viendrait s'ajouter à notre vouloir et à notre intellect, ou n'est-il qu'un aspect défini de leur activité ? Rien ne nous oblige, ni même ne nous autorise, à faire du libre arbitre une faculté séparée. Pour que la volonté soit véritablement maîtresse de ses actes il suffit qu'elle veuille vouloir ; pour que l'intellect soit capable de juger son objet, il suffit de lui attribuer la connaissance de sa connaissance ; or, l'expérience nous fait connaître que ces deux facultés sont effectivement capables de réfléchir sur elles-mêmes et de prendre leurs propres actes pour objets[2] ; elles satisfont donc par elles-mêmes à toutes les conditions requises pour l'exercice d'un libre arbitre, telles que nous les avons précédemment définies. Mais il résulte en même temps de là que le libre arbitre est constitué,

1. *II Sent.*, 25, 1, un. 1, Concl., et ad 3m, 4m, t. II, p. 593-594.
2. *II Sent.*, 25, 1, un. 2, Concl., t. II, p. 596, et 3, Concl., p. 599.

dans son essence même, par l'accord de l'intellect et de la volonté ; n'étant rien de réel en dehors d'eux, il ne peut être qu'eux-mêmes et se ramène nécessairement à un certain mode défini de leur collaboration : *consensus rationis et voluntatis*. Si l'âme ne possédait que la raison, elle serait capable de réfléchir sur son acte grâce à l'immatérialité de l'intellect, mais elle ne serait pas capable de se mouvoir ou de se commander. Si elle ne possédait au contraire que le désir sans la raison, elle pourrait se mouvoir et se commander, mais comme elle serait incapable de réfléchir sur son acte pour le juger, elle serait incapable de se refréner et ne posséderait par conséquent pas la maîtrise de soi-même. De même donc que l'union de leurs efforts engendre en quelque sorte chez deux hommes la force de porter un bloc de pierre que chacun d'eux, pris à part, serait incapable de soulever ; de même que l'accord du père et de la mère pour organiser la vie d'une famille engendre comme une faculté commune qui réussit à introduire l'ordre là où l'effort de chacun d'eux serait impuissant ; de même encore que de la collaboration de la main et de l'œil résulte la faculté d'écrire, bien que ni la main ni l'œil pris en soi n'en puissent être capables : ainsi, de la collaboration de la raison et de la volonté, naît une sorte de faculté, qui n'est autre que la liberté même, c'est-à-dire la maîtrise et la libre disposition des actes que l'homme veut accomplir. On entendra donc ici par ce terme de faculté, non pas seulement ni peut-être même tant un pouvoir d'agir pris en lui-même qu'une sorte de perfection de l'âme raisonnable et de domination qu'elle exerce elle-même sur elle-même pour se mouvoir, se retenir ou se diriger dans l'exercice de ses opérations ou le choix de ses objets[1].

S'il en est ainsi, le libre arbitre ne peut trouver place dans les aptitudes de l'âme humaine que parmi les habitus[2] ; facilité ou aisance de

---

1. Le libre arbitre contient la raison et la volonté à titre de *totum potentiale*. exactement de la même manière que, selon saint Thomas, l'âme contient ses facultés, *II Sent.*, 25, 1, un. 3 ad 6m, t. II, p. 600, et 4, Concl., p. 601.

2. « Non enim dicitur liberum arbitrium esse potentia facilis, sed facultas potentiarum. Quemadmodum autem, cum dico potentiam facilem, dico potentiam habilitatam, sic, cum dico facultatem potentiae, dico habitum ejusdem. Quoniam igitur liberum arbitrium secundum propriam suam assignationem facultas rationis et voluntatis recte esse dicitur ; tunc est quod liberum arbitrium principaliter dicit habitum et complectitur rationem et voluntatem, non tanquam una potentia ex eis constituta, sed tanquam unus habitus, qui quidem recte dicitur facultas et dominium, qui consurgit ex conjunctione utriusque et potens est super actus utriusque potentiae, per se et in se consideratae, sicut arbitraria potestas in duabus personis regimen habet super actus utriusque in se consideratae », *II Sent.*, 25, 1, un. 4, Concl., t. II, p. 601.

l'activité intellectuelle et volontaire, il ressemble beaucoup plus à une disposition permanente de l'âme qu'à un instrument distinct dont elle userait pour déployer son activité. Et cependant le libre arbitre n'est pas rien ; il n'est même pas un simple accident de l'âme raisonnable comme le sont beaucoup de ses habitus ; il prend racine dans l'essence même de l'âme, et c'est ce qu'il importe de bien comprendre si l'on veut concevoir exactement ce qu'il est. Une faculté de l'âme peut être considérée comme capable d'accomplir un certain acte en des sens bien différents. En un premier sens, on peut dire qu'elle en est capable par elle-même, c'est-à-dire que son essence constitue la raison nécessaire et suffisante de l'acte qu'elle accomplit ; telle la pensée nous apparaît comme capable de se souvenir d'elle-même ou de se connaître, et, en ce sens, la mémoire ou la connaissance que notre pensée possède d'elle-même ne sont que plusieurs noms différents pour la désigner. En un deuxième sens, on dit qu'une faculté se rend capable d'accomplir un certain acte au moyen d'un habitus qui vient s'ajouter à son essence, mais qu'elle possède à titre de propriété ; tel l'intellect humain, qui ne suffit pas à connaître les figures géométriques en tant qu'intellect pris à l'état nu, mais qui s'en rend capable en ajoutant à son essence cet accident qu'est la science géométrique. On peut concevoir enfin une troisième sorte d'habitus, celui qui résulte précisément du concours de deux facultés. Ce terme signifie alors que, sans recevoir aucune détermination nouvelle qui s'ajouterait à son essence, une faculté devient capable d'une opération qu'elle ne saurait accomplir à elle seule en s'unissant à une autre faculté. Tel est précisément cet habitus très spécial qu'on nomme le libre arbitre. L'âme raisonnable peut agir librement sans posséder ni une faculté spéciale d'être libre, ni même une détermination complémentaire qui la rende capable d'agir librement ; sa faculté de connaître, sans habitus surajouté, et par le seul fait de sa conjonction avec l'appétit, devient capable de consentir et d'accomplir son acte d'élection[1]. Nous pouvons donc considérer que cet habitus ou cette *facultas potentiarum* que nous nommons libre arbitre, sans ajouter

---

1. « Consensus enim dicit concordiam aliquorum duorum, et ita concursum actuum rationis et voluntatis in unum. Eligere etiam includit in se rationis judicium et voluntatis appetitum ; et ita quemadmodum consentire et eligere, etsi unus actus esse videatur, tamen diversos actus in se includit, sic liberum arbitrium etsi videatur una potentia, tamen diversas in se potentias complectitur, ita quod ex concursu illarum se invicem adjuvantium resultat in nobis regimen potestatis perfectae », *II Sent.*, 25, 1, un. 3, ad 5^m, t. II, p 599.

quoi que ce soit à l'essence même de l'âme, ne se réduit cependant pas à une simple dénomination extrinsèque ni à une distinction de raison. Elle n'est ni un être, ni un mot, mais une relation. Lorsque nous prenons la raison en elle-même, puis cette même raison associée ou jointe à la volonté, nous n'ajoutons rien à l'essence de la raison en elle-même, mais seulement sa conjonction avec une faculté distincte de ce qu'elle est. Il en est de cette association comme de celle d'un groupe d'hommes qui s'unissent pour tirer un vaisseau; la force de chacun d'eux confère à la force des autres une efficacité qui ne leur appartient pas en propre et qui ne s'ajoute pas à la leur, puisque leur force se retrouvera ce qu'elle est lorsque, la tâche faite, le groupe se sera dispersé; et cependant l'union de ces forces individuelles engendre une efficace dont le mouvement même du vaisseau prouve irréfutablement la réalité[1]. C'est pourquoi, bien que le libre arbitre produise l'impression qu'il est un accident parce qu'il est un habitus, il n'est cependant pas en réalité un accident surajouté à une faculté. De plus, bien qu'il soit véritablement un habitus, comme il n'est pas l'habitus d'une faculté prise à part, mais considérée dans sa relation avec une autre, il peut être un, quoique relatif à deux facultés. Il n'est donc comparable ni à ces habitus surajoutés à l'âme que confère la grâce, ni à ces habitus innés que possèdent naturellement les facultés; mais il est bien, comme nous le laissions prévoir, une domination réelle de la raison et de la volonté sur leurs propres actes, née de leur collaboration pour une œuvre commune et dont l'unité pousse dans la substance de l'âme des racines profondes, puisqu'elle s'explique par l'unité des deux facultés dans une même substance et l'impossibilité absolue de les séparer.

Si le libre arbitre se fonde sur l'inséparabilité de deux facultés entre

---

1. « Aliqua vero potentia facilis est ad aliquem actum per se ipsam, non tamen sola, sed cum alia; et sic potentia rationalis, sine aliquo habitu superaddito, ex sola conjunctione sui cum appetitu nata est in actum consentiendi et intelligendi exire..... Non est habitus superadditus per gratiae infusionem, vel per innatam dispositionem, sed potius dicitur esse habitus, quo ratio et voluntas suis actibus dominantur; qui quidem est in eis ex sua naturali origine, pro eo quod naturaliter istae duae potentiae in eadem substantia sunt radicatae, nec contingit unam ab altera separari », *II Sent.*, 25, 1. un. 5, Concl., t. II, p. 603. Dans cette collaboration, la connaissance intellectuelle prépare l'acte et le rend possible en lui fournissant son objet; mais la volonté l'achève et l'accomplit en élisant l'objet ou le rejetant; c'est pourquoi le libre arbitre est principalement volontaire : « Et sic patet quod libertas arbitrii sive facultas quae dicitur liberum arbitrium, in ratione inchoatur et in voluntate consummatur. Et quoniam penes illud principaliter residet, penes quod consummatur, ideo principaliter libertas arbitrii et dominium in voluntate consistit », *II Sent.*, 25, 1, un. 6, Concl., t. II, p. 605.

elles et par rapport à l'âme, on peut conclure immédiatement que le libre arbitre est inséparable de l'âme raisonnable, bien que l'exercice même du libre arbitre puisse quelquefois lui demeurer interdit. Remarquons, en effet, que le libre arbitre est en soi une perfection indestructible de la volonté et qui lui est en quelque sorte coessentielle. Le moyen le plus direct de s'en assurer est de se demander si Dieu lui-même pourrait contraindre le libre arbitre et le déterminer à son acte par une violence exercée du dehors. Il va de soi que si l'on demande simplement : Dieu peut-il contraindre l'homme à vouloir quelque chose en annihilant momentanément sa liberté, la réponse affirmative ne laissera place à aucun doute ; la puissance de Dieu est telle qu'il peut le faire si bon lui semble, et rien ne lui interdirait de dépouiller une âme de la perfection qu'il lui a conférée. Mais si l'on prétendait que Dieu fût capable de contraindre un libre arbitre sans le priver de sa liberté et par conséquent sans le dépouiller de sa nature propre, on affirmerait une proposition qui serait non seulement fausse, mais même inintelligible, parce qu'elle impliquerait une contradiction. Dès lors, en effet, qu'un libre arbitre est libre, s'il veut quelque chose, il le veut librement, et dès lors qu'il est volontaire, s'il veut quelque chose, il le veut volontairement et de son propre mouvement. Or, si l'on admet pour un instant l'hypothèse absurde d'un libre arbitre qui serait contraint, on suppose que, voulant quelque chose, il la veut servilement, malgré soi, et, pour ainsi dire, malgré la volonté qu'il en a. Dire que le libre arbitre est contraint, c'est donc dire en somme que l'acte du libre arbitre est, à la fois et sous le même rapport, libre et servile, volontaire et non volontaire. Si donc ce qui enferme en soi la contradiction est impossible même à la puissance divine, puisque le contradictoire est du non-être, nous pouvons conclure avec assurance qu'il est impossible à Dieu même de contraindre une liberté et qu'il serait par conséquent plus déraisonnable encore d'attribuer un tel pouvoir à l'un quelconque des êtres créés[1].

Dès lors, on n'exagérerait peut-être rien en disant que le libre arbitre de l'homme, intangible et absolu dans son essence propre, n'est pas moindre que celui de Dieu lui-même. Sans doute, si l'on considère dans le libre arbitre l'acte total, y compris la collaboration de l'intellect qui discerne les objets ou du corps qui exécute les décisions prises, il y a une distance infinie entre le libre arbitre tel qu'il se rencontre en l'homme et tel qu'on peut l'attribuer à Dieu. De même, il est clair que

1. *II Sent.*, 25, 2, un. 4 et 5. Concl., t. II, p. 616 et 619.

si la liberté humaine répugne par essence à toute contrainte, elle reste
soumise néanmoins à toutes les influences divines ou humaines qui l'inclinent sans la nécessiter, chose qu'il est impossible, ne fût-ce que
d'imaginer, lorsqu'il s'agit de Dieu. Mais si nous considérons à part
dans le libre arbitre la faculté de vouloir, en vertu de laquelle il est
libre, elle se présente à nous comme si essentiellement intangible
qu'elle ne peut pas être en nous moins pleine qu'elle n'est en Dieu;
saint Bernard l'avait dit, saint Bonaventure le répète et Descartes le
redira à son tour[1] : ce sont l'ignorance ou l'impuissance conjointes au
vouloir, non le vouloir même, qui se trouvent inférieurs dans la créature à ce qu'ils sont dans le Créateur. Or, supprimer la volonté libre
dans un être humain, ce serait évidemment supprimer son humanité
même; pour retrancher de son âme une faculté qui en est inséparable,
c'est son âme tout entière qu'il faudrait retrancher; l'homme jouit donc
comme d'un bien inaliénable de sa liberté.

Ce n'est pas à dire cependant que l'exercice de sa liberté soit affranchi de toutes limites ni qu'elle se suffise complètement à elle-même; le
libre arbitre est ce qu'il y a de plus puissant au-dessous de Dieu[2], mais
il est au-dessous de Dieu, et nous pouvons trouver dans la dépendance
de la substance même de l'homme la raison qui fonde la dépendance de
son opération. Saint Paul avait dit (*Rom.*, 8, 20) que la créature souffre
d'une vanité et comme d'un vide intérieurs dont elle ne peut combler le
manque. Et en effet, créée de rien, elle ne possède l'être que par la

---

1. Saint Bernard : « Manet ergo libertas voluntatis. ubi etiam fit captivitas mentis, tam
plena quidem in malis quam in bonis, sed in bonis ordinatior; tam integra quoque pro
suo modo in creatura quam in Creatore, sed in illo potentior », *De gratia et libero arbitrio*, cap. IV, 9. — S. Bonaventure : « Liberum arbitrium in omnibus in quibus est, aequaliter se habet, sicut dicunt auctoritates Bernardi et ostendunt rationes ad hoc inductae,
pro eo quod in omni in quo ponitur, simpliciter et universaliter omnem excludit coactio-
nem. Propterea dicit Bernardus, quod ita plena est arbitrii libertas in creatura suo modo,
sicut in Creatore; quod etsi non possit intelligi veraciter esse dictum de aliquo, quod dicitur per positionem, potest tamen intelligi de eo quod dicitur per omnimodam privationem »,
II Sent., 25, 2, un. 1, Concl., t. II, p. 611. « Et pro tanto dicit Bernardus, quod libertas
voluntatis est ita plena suo modo in creatura sicut in Creatore, et quod in omnibus reperitur aequaliter », *Ibid.*, 5, p. 617; *Breviloquium*, V, 3, 1; éd. min., p. 170; Descartes,
IV Medit., éd. Adam-Tannery, t. VII, p. 56-67. Descartes insiste d'ailleurs sur le caractère
positif et comme infini de cette liberté humaine, alors que saint Bonaventure insiste sur
l'impossibilité en quelque sorte négative d'introduire du plus ou moins dans une simple
« absence » de contrainte; cf. 2m et 3m fund., p. 610. — Sur la manière dont le corps peut
gêner l'usage de notre libre arbitre, voir saint Bonaventure, *II Sent.*, 25, 2, un. 6, Concl.,
t. II, p. 621-623.

2. *Breviloquium*, V, 3, 1; éd. min., p. 170.

volonté du Créateur qui l'a sortie du néant; incapable de se donner
l'être, elle l'est également de se conserver dans la durée et retomberait
au néant sans le secours de Dieu[1]; or, son opération suit son être et sa
durée, parce que son opération, dans la mesure exacte où elle est droite,
est de l'être. Puis donc que Dieu est la cause primordiale absolue, son
influence doit s'exercer sur les causes secondes de manière à rendre
raison des moindres parcelles d'être qu'il soit possible de leur attribuer. Or, une faculté d'agir ou de vouloir, si déficiente et fautive qu'on
puisse la supposer, est cependant quelque chose, et son action se maintient dans l'être au-dessus du néant dans la mesure même où cette
action s'exerce comme elle doit s'exercer. Si minime donc que puisse
être l'opération d'une cause seconde, il faut nécessairement que la coopération d'une cause première la soutienne, comme il faut que l'être
déficient qui l'accomplit se trouve soutenu par l'actualité pure de
Dieu[2]; mais qu'y a-t-il de bon et d'être dans nos opérations volontaires,
c'est ce que nous avons maintenant à déterminer.

La volonté est bonne en raison de sa fin, c'est-à-dire non seulement
que la bonté de sa fin se communique à elle, mais encore qu'elle devient
bonne par le mouvement même qui l'ordonne vers l'excellence de sa
fin. Pour que la volonté soit ordonnée comme elle doit l'être, il faut
donc d'abord que sa fin soit bonne et ensuite qu'elle soit voulue comme
elle doit l'être par la volonté. La bonté de la fin réside en premier lieu
dans sa perfection intrinsèque; plus elle sera élevée en dignité dans
l'ordre de l'être, plus aussi elle sera éminente et ultime dans l'ordre de
la fin. Mais elle réside aussi, et corrélativement, dans son aptitude plus
ou moins grande à se comporter comme fin à l'égard de notre volonté;
tout ce qui est bon en soi ne l'est pas nécessairement à l'égard de n'importe quoi, et la preuve en est qu'un moindre bien, si bon soit-il, n'est
pas une fin pour un bien plus élevé que lui. Si, d'autre part, nous considérons la disposition par laquelle la volonté s'ordonne vers son bien,
nous distinguerons en elle son aptitude même à se tourner vers lui de
l'acte effectif par lequel elle le veut et le saisit[3]. Que ces quatre conditions se trouvent satisfaites, l'acte considéré sera parfaitement bon;
mais que l'une d'entre elles vienne à faire défaut, quelque chose man-

1. *II Sent.*, 37, 1, 2, Concl., t. II, p. 865.
2. *II Sent.*, 37, 1, 1, Concl., t. II, p. 862. En vertu du même principe, ce qu'il y a de
déficient et de non-être dans nos actions ne vient pas de Dieu, 37, 2, 1-3, p. 869-875. —
Cf. *II Sent.*, 41, 1, 2, Concl., t. II, p. 941.
3. *II Sent.*, 38, 1, 1, Concl., t. II, p. 882.

quera nécessairement à la valeur morale de l'acte; c'est ce que l'on peut constater sans peine en réfléchissant sur quelques exemples particuliers. Se nourrir est bon en soi, mais ce n'est pas un bien ultime dans l'ordre des fins; mentir est un mal en soi, on aura donc beau l'ordonner vers une fin aussi haute qu'on le voudra, jamais un mensonge ne sera une excellente action; et il en est ainsi dans tous les cas du même genre : la perfection de l'objet concourt avec la rectitude de l'intention pour constituer la valeur propre de l'acte considéré.

Quelle sera donc la fin par excellence de toute volonté vraiment bonne? On ne risquerait pas d'errer en disant que c'est Dieu, mais il est préférable de dire que c'est la charité ou l'amour. Nous avons dit, en effet, que l'objet de la volonté est bon dans la mesure où il se comporte à son égard comme une fin capable de terminer son désir; or, l'amour seul peut satisfaire totalement la volonté. Une fin peut être pour la volonté ce par quoi elle se satisfait ou ce en quoi elle se satisfait; et ce par quoi elle se satisfait peut la satisfaire momentanément ou pour toujours. Or, la seule fin dans laquelle notre volonté trouve sa complète satisfaction est la charité ou l'amour incréé, c'est-à-dire Dieu. De même l'amour créé et consommé, c'est-à-dire l'amour par lequel la volonté humaine saisira cet objet dans l'au-delà et pour toujours, est l'amour de Dieu. Enfin, l'amour créé, pris sous sa forme initiale et incomplète, tel qu'il inaugure et prépare ici-bas la béatitude éternelle, n'est autre encore que la charité par laquelle notre volonté se repose en Dieu dans l'instant présent. De même, en effet, que les corps ne trouvent pas leur repos aussi longtemps que le poids qui les entraîne ne les a pas conduits jusqu'à leur lieu naturel, de même l'âme ne peut se reposer en Dieu, qui est son lieu naturel et son ultime destination, que si l'amour l'y conduit en lui faisant saisir le bien sous sa raison même de bien. Or, le bien considéré en tant que bien est à la fois fin de la volonté et objet de son amour; on a donc raison de considérer l'amour comme méritant par excellence le nom de fin[1].

Notre fin est la jouissance de Dieu; c'est par la charité ou amour que nous avons Dieu, c'est donc l'amour qui constitue notre fin. Il résulte de là que nous ne pouvons avoir qu'une seule fin principale et que

---

1. « Omnis bona voluntas ad hoc ordinatur ut homo fruatur Deo, et ad hoc quod habeat Deum; sed nos non truimur Deo nec habemus ipsum nisi per caritatem; ergo habere caritatem non est aliud quam habere Deum : si ergo omnis bona voluntas est ordinata ad hoc quod habeat Deum, videtur quod finis omnis bonae voluntatis sit ipsa caritas », *II Sent.*, 38, 1, 2, fund. 3m, t. II, p. 883. Cf. Concl., p. 884.

toutes les autres ne mériteront leur nom de fins que dans la mesure où elles se subordonneront à celle-là. Saint Bonaventure illustre cette conclusion par un exemple qui ne manque pas de pittoresque. C'était une coutume reçue dans beaucoup d'églises au moyen âge que de donner quelque menue monnaie à ceux qui venaient dire matines pour les engager à venir plus volontiers. Or, on peut interpréter de trois manières bien différentes le geste de celui qui se rend à l'église *ad percipiendas distributiones*. Son intention principale peut être l'honneur et la gloire de Dieu; le fidèle se rend à l'office pour y chanter les laudes et il se dit que l'argent qu'on lui donnera lui permettra de faire l'aumône ou d'accomplir quelque devoir qui soit agréable à Dieu. Mais un autre fidèle peut aller à l'église dans l'intention de plaire à Dieu, sans penser en même temps qu'il peut utiliser à des fins pieuses la monnaie qu'on lui donnera. Un troisième enfin peut aller à l'église dans l'intention de plaire à Dieu, comme faisait le précédent, mais aussi dans l'intention positive de gagner quelque argent pour le joindre à celui qu'il possède déjà et en repaître son avarice. Le premier poursuivra plusieurs fins en apparence, mais elles seront toutes bonnes, parce qu'elles s'ordonneront toutes en vue de la fin principale qui est Dieu; le second poursuivra réellement deux fins, mais la deuxième n'empêchera pas l'excellence de la première, parce que c'est un simple péché véniel que d'acquérir de l'argent sans en rapporter l'usage à Dieu; le troisième poursuivra également deux fins, mais de telle manière que sa volonté soit complètement mauvaise, car ces deux fins sont contradictoires et nul ne peut servir deux maîtres; c'est d'une hypocrisie qui se trompe elle-même que d'aller honorer Dieu dans le lieu même où l'on se rend pour assouvir sa passion[1]. Il est donc possible à la volonté de poursuivre simultanément plusieurs fins, mais non pas plusieurs fins principales; si la fin principale est bonne, toutes les fins subordonnées le sont; si une fin mauvaise se trouve voulue pour elle-même, elle devient par là même fin principale et contamine de sa malice toutes les autres fins.

Il convient cependant de marquer ici une différence importante entre le cas où la fin de la volonté est bonne et le cas où elle est mauvaise. La fin de toutes les bonnes volontés est nécessairement unique, soit que l'on considère les volontés de plusieurs hommes désirant le même objet, soit que l'on considère une même volonté désirant différents objets. C'est qu'en effet l'amour est générosité; ce n'est jamais son bien propre

1. *II Sent.*, 38, 1, 3, Concl., t. II, p. 886.

qu'il cherche, mais le bien commun ; il faut donc nécessairement que
plusieurs hommes, mus par une même charité, se trouvent désirer finalement le même bien. D'autre part, comme le désirable le plus totalement désirable contient par définition la totalité du bien, il faut nécessairement que les volitions les plus diverses d'une même volonté, si
elles sont bonnes, aboutissent à une même fin pour s'y reposer. Inversement, l'imperfection de l'objet et de la volonté qui le veut condamnent
à la dispersion les volitions qui se portent vers des fins mauvaises.
L'amour passionné des créatures cherche toujours son bien propre et
n'est tourné que vers soi ; c'est pourquoi, lors même que deux êtres
s'unissent pour accomplir un même acte, chacun ne cherche que sa fin
propre, comme font le débauché et la courtisane, dont l'un cherche son
plaisir et l'autre de l'argent. Que si nous considérons, d'autre part, les
divers désirs d'un même individu, nous constaterons encore que ces
désirs se diversifient selon la diversité de leurs fins : la luxure poursuit
la jouissance ; l'avarice poursuit l'abondance et l'orgueil poursuit la
domination ; or, ces diverses satisfactions ne peuvent se rencontrer dans
la même créature ; il faut donc nécessairement que la volonté mauvaise
les poursuive dans des créatures distinctes et s'assigne par conséquent
une multiplicité de fins[1]. Dans le domaine de l'amour comme dans celui
de la connaissance, le bien est principe d'ordre et d'unité comme le mal
est principe de multiplicité et de dispersion.

L'acte par lequel un être doué d'activité s'ordonne vers son objet
reçoit le nom d'intention. Une opération quelconque suppose toujours
une intention, mais la nature de l'intention varie selon les différents
appétits auxquels on l'attribue. Il existe en effet trois sortes d'appétits :
l'appétit naturel, l'appétit sensitif et l'appétit raisonnable, dont chacun
possède son régime propre et dont le régime peut être à bon droit considéré comme une intention ; on nomme cependant intention, au sens
propre du terme, le seul régime de l'appétit raisonnable[2]. La raison en
est que le régime de l'appétit naturel, tel que celui qui meut le feu vers
le haut ou la pierre vers le bas, consiste plutôt à être dirigé qu'à diriger ; celui qui meut l'appétit raisonnable consiste au contraire à diriger,
au sens fort de l'expression, puisqu'il dispose de l'exercice de ses

---

1. *II Sent.*, 38, 1, 4, Concl., t. II, p. 888.
2. « Sicut triplex est appetitus, videlicet naturalis, sensualis sive animalis et rationalis, et
quilibet istorum appetituum habet suum regimen, non absurde regimen cujuslibet istorum
trium appellatur intentio ; maxime tamen proprie intentio vocatur regimen appetitus rationalis », *II Sent.*, 38, 2, 1, Concl., t. II, p. 891.

actes et du choix de ses objets; celui qui meut les animaux semble être
en quelque sorte intermédiaire entre les deux précédents. C'est pourquoi les corps bruts se meuvent par pure nécessité; les êtres raisonnables par pure liberté; les animaux par une sorte d'impétuosité qui
est inférieure à la liberté et supérieure à la nécessité; ils ne peuvent, en
effet, maîtriser complètement leurs actes, mais ils peuvent les faire porter sur des objets différents. Ainsi la règle directrice des opérations se
rencontre au sens propre chez l'homme doué d'une âme raisonnable;
en un sens moins propre chez les animaux; en un sens tout à fait
impropre dans les corps inanimés, et il faut dire la même chose de l'intention.

Considérons l'intention proprement dite, telle qu'elle se développe
dans une âme douée de raison. Lorsqu'on emploie ce terme dans son
sens actif le plus fort, *intendo hoc*, il désigne l'acte d'une faculté qui se
tourne vers quelque chose comme vers l'objet dans lequel elle veut se
reposer. Avoir l'intention de la béatitude, c'est diriger sa volonté vers
elle pour l'y fixer; un tel acte implique nécessairement : la connaissance de son objet, une conversion de la volonté vers lui et la complaisance d'un désir satisfait qui s'y arrête. Le terme d'intention inclut donc
à la fois un acte de la raison et un acte de la volonté; comme le consentement du libre arbitre désigne par un seul mot le concours de deux
actes également indispensables, l'intention implique les actes conjoints
de deux facultés distinctes pour accomplir une opération qu'aucune de
ces deux facultés ne saurait mener à bien sans la collaboration de
l'autre[1]. Ainsi, pour reprendre une comparaison dont nous avons précédemment usé, de même que l'ordre de la famille dépend tout entier
de l'accord du père et de la mère de famille, de même toute l'économie
des actions qu'il faut accomplir dans l'intérieur de l'âme repose sur
l'accord de la volonté et de la raison, l'exercice des actes dépendant surtout du consentement et leur direction de l'intention. Pour représenter
à son tour cette dernière au moyen d'une comparaison, nous dirons que,
comme la marche en ligne droite suppose le concours de la vue qui
montre la route et des jambes qui progressent, ainsi dans l'acte d'intention se trouvent simultanément inclus l'acte de la volonté et l'acte
de la raison, l'une voyant, l'autre tendant; l'une attendant le secours
de la vertu de foi, l'autre attendant le secours de la vertu de charité.

Avec l'intention, nous atteignons presque le point où nous dispose-

1. *II Sent.*, 38, 2, 2, Concl., t. II, p. 893.

rons complètement de tous les éléments qui permettent d'apprécier la
moralité des actes, mais il nous en reste un dernier, et le plus important de tous, à déterminer : la conscience morale. Parmi toutes les fonctions que nous avons attribuées à l'intellect et qui en varient les aspects
sans en diviser l'essence, il en est deux qui divisent à elles seules la
totalité de ses opérations : sa fonction spéculative et sa fonction pratique. Nous le savons déjà, ce ne sont pas là deux intellects, mais le
même intellect qui prend le nom de spéculatif lorsqu'il se dirige vers
des objets à connaître reçoit le nom de pratique lorsqu'il énonce les
règles qui doivent présider à l'accomplissement des actions[1]. Or, la
conscience, prise au sens propre de l'expression, n'est pas autre
chose qu'un habitus de l'intellect pratique, exactement correspondant,
pour l'ordre de l'action, à ce qu'est la science, habitus de l'intellect
spéculatif, pour l'ordre de la connaissance. C'est un habitus de notre
faculté de connaître, mais différent de la science spéculative ; il ne rend
pas l'intellect capable de connaître un ordre déterminé de vérités,
comme l'habitus de la science logique le met en état de déduire les conclusions incluses dans les principes ; il rend notre intellect capable
d'énoncer les principes auxquels doivent se conformer nos actions. En
ce sens, l'intellect muni de l'habitus des principes directeurs de la conduite peut être considéré comme une source de mouvement, non qu'il
le produise à titre de cause efficiente, mais parce qu'il dicte l'action et
incline la volonté en lui prescrivant son objet. C'est pourquoi cet habitus ne prend pas le nom de science, mais celui de conscience, signifiant par là qu'il ne confère pas son ultime détermination à la faculté de
connaître prise en elle-même, mais en tant qu'elle est en quelque sorte
unie aux facultés de vouloir et d'opérer. Ainsi, nous n'attribuons pas à
la conscience l'énonciation d'un principe tel que : le tout est plus grand
que la partie, ou autres semblables ; mais nous disons bien que c'est la
conscience qui nous commande d'adorer Dieu et nous prescrit toutes les
autres règles du même genre. La conscience, comme la science, appar-

---

1. « Philosophus, sicut in capitulo *De Movente* patet, tertio de Anima (c. VII, 9 et suiv.),
differentiam assignat inter practicum intellectum et appetitum, nec unquam dicit intellectum fieri appetitum ; sed bene dicit intellectum speculativum fieri practicum, quia ille
idem intellectus et illa eadem potentia, quae dirigit in considerando, postmodum regulat in
operando. Voluntas autem non est intellectus practicus, sed est appetitus ratiocinativus ; et
ideo non sequitur ex hoc, quod sola extensione ratio fiat voluntas, vel quod intellectus
fiat affectus », *II Sent.*, 24, 1, 2, 1, ad 2ᵐ ; t. II, p. 561. Cf. *II Sent.*, 39, 1, 1, Concl.,
t. II, p. 899 ; *I Sent.*, proem., 3, Concl., t. I, p. 13.

tient donc à l'intellect et relève de la faculté de connaître, non en tant qu'elle contemple ses objets de connaissance, mais en tant qu'elle promulgue les principes de l'action[1].

Nous avons examiné déjà, en étudiant l'acquisition des principes par l'intellect spéculatif, la manière dont se formulent en nous ces premières règles de notre pensée et de notre activité[2]; il nous reste à déterminer seulement l'étendue de l'autorité que notre conscience exerce sur la volonté. Si l'on considère en effet l'un quelconque des préceptes édictés par elle, il nous apparaîtra nécessairement soit comme conforme, soit comme indifférent, soit comme contraire à la loi de Dieu. Dans les cas où la conscience édicte une règle conforme à la loi divine, elle oblige absolument et universellement la volonté, car la loi de Dieu est absolue et la conscience montre à l'homme qu'il se trouve lié par elle. Dans les cas où ce que la conscience prescrit est indifférent à la loi divine, l'homme est tenu de l'observer aussi longtemps que sa conscience lui en impose l'obligation, mais cette obligation n'est pas perpétuelle; une simple réflexion sur la légitimité de cette exigence suffit à faire comprendre qu'elle n'est pas fondée, que la règle prescrite est étrangère à la loi de Dieu et que, par conséquent, la conscience ne saurait nous en faire un devoir : tel l'homme qui croit nécessaire à son salut de ramasser un brin de paille; il est tenu de le faire aussi longtemps qu'il le croit, mais il n'est pas tenu de le croire et peut se dispenser à la fois de sa croyance et de l'obligation qui en résulte. Dans les cas où la voix de la conscience prescrit un acte contraire à la loi divine, la conscience n'oblige aucunement à l'action, mais elle oblige l'homme à la réformer. Aussi longtemps, en effet, qu'elle impose à la volonté sa règle d'erreur, elle place l'homme dans une situation telle qu'il lui devient impossible de faire son salut, puisque, soit que la volonté suive les ordres de sa conscience erronée, soit qu'elle les contredise, elle se trouve également en état de péché mortel. Si donc l'homme fait ce que sa conscience lui dit de faire, et si ce que sa conscience lui dicte est contraire à la loi de Dieu, il pèche mortellement, car c'est un péché mortel que d'agir contre la loi de Dieu; si, d'autre part, il fait le contraire de ce que sa conscience lui prescrit et de ce qu'il considère, quoique à tort, comme obligatoire, il pèche encore mortellement, non que son

1. « Conscientia se tenet ex parte potentiae cognitivae, licet non se teneat secundum quod est speculativa, sed secundum quod est practica », *II Sent.*, 39, 1, 1, Concl., t. II, p. 899.

2. Voir ch. xii, p. 354.

acte en lui-même soit mauvais, mais parce qu'il l'accomplit dans une
mauvaise intention[1]; c'est mépriser Dieu que de mépriser sa conscience
et d'accomplir un acte agréable à Dieu dans l'intention de lui déplaire.
La conscience détermine donc toujours une obligation pour l'âme raisonnable : obligation de la suivre si la conscience est bonne, obligation
de la réformer si la conscience est mauvaise; mais elle n'entraîne pas
toujours une obligation d'agir conformément à ce qu'elle ordonne,
car l'homme n'est tenu de faire que ce que sa conscience droite lui
prescrit.

Résumons les résultats que nous avons obtenus en déterminant les
conditions de l'acte moral : de même que l'intellect spéculatif consiste
en une lumière naturelle innée qui engendre l'habitus des principes de
la connaissance, de même l'intellect comme pratique use de cette même
lumière naturelle pour engendrer l'habitus des principes de l'action;
l'habitus des principes spéculatifs engendre à son tour l'habitus de la
science et l'habitus des principes de l'action engendre enfin celui de
la conscience. Avons-nous assigné toutes les conditions de l'acte?
Non, car tous les habitus qui précèdent appartiennent à l'ordre de
l'intellect et laissent entièrement dépourvue la volonté; c'est donc
vers les conditions de son exercice que nous devons nous tourner.

Comme l'intellect, la volonté se définit d'abord par un don naturel
inné et se détermine ensuite par un habitus acquis. Le don naturel inné
qui la guide reçoit communément le nom de syndérèse; c'est là, dans
cette fine pointe de la volonté, que réside ce poids dont nous avons parlé
et qui la dirige spontanément vers ce qu'elle doit désirer. La syndérèse
n'est pas la cause de tous les mouvements et de toutes les inclinations
de notre volonté en général, mais seulement des inclinations qui la

---

1. *II Sent.*, 39, 1, 3, Concl., t. II, p. 906. Saint Bonaventure juge la conscience à la fois
selon son intention et selon sa situation de fait au regard de la loi divine. La mauvaise
intention suffit à causer le péché mortel, mais une conscience mauvaise, si elle suffit à lier
la volonté, ne suffit pas à légitimer l'acte : et c'est pourquoi la situation de l'homme dont
la conscience est mauvaise est sans issue, sauf un effort heureux pour la redresser. On se
demandera comment une conscience erronée pourra se juger elle-même? Voici la réponse :
« Patet etiam quod nemo ex conscientia perplexus est nisi ad tempus, videlicet quamdiu
conscientia manet; non tamen est perplexus simpliciter, pro eo quod debet illam cons-
cientiam deponere; et si nescit per se de illa judicare, pro eo quod nescit legem Dei, debet
sapientiores consulere, vel per orationem se ad Deum convertere, si humanum consilium
deest. Alioquin, si negligens est, verificatur in eo quod dicit Apostolus : qui ignorat igno-
rabitur. Patet etiam quod plus standum est praecepto praelati quam conscientiae, maxime
quando praelatus praecipit quod potest et debet praecipere », *Ibid.*, ad 4ᵐ, p. 907. — Sur
les actes indifférents, voir : *II Sent.*, 41, 1, 3, Concl., t. II, p. 943-945.

portent vers le bien que nous devons désirer pour lui-même indépendamment des avantages ou des commodités égoïstes que nous pourrions en
retirer. On pourrait donc dire de ce poids qu'il est le stimulant de la
volonté vers le bien : *synderesis dicit illud quod stimulat ad bonum*[1],
comme on peut dire de la lumière naturelle qu'elle est le stimulant de
notre intellect vers la vérité; sans jamais s'immiscer dans nos facultés
de désirer ou d'agir, elle les meut, les surveille, les dirige et les redresse, comme la lumière naturelle guide toutes les opérations de notre
intellect et les domine pour les mieux surveiller. Son action peut être
empêchée pour un temps si la violence des désirs ou l'endurcissement
de l'obstination lui imposent momentanément silence; elle peut même
se trouver définitivement empêchée si la volonté se trouve pour toujours
fixée dans le mal, comme c'est le cas pour la volonté des damnés; mais,
réduite momentanément ou pour toujours à l'impuissance, elle n'est
pas réduite au silence. Ce qu'elle ne peut imposer à la volonté elle le
dresse devant le regard de la conscience et se transforme en un remords
qui ne se tait jamais[2]. La syndérèse est située dans la partie la plus
haute de la portion supérieure de l'âme; elle en est l'impulsion première vers le bien, donc inséparable, essentielle, indestructible et
infaillible; comme un cavalier bien en selle, elle est toujours sur l'âme
où elle doit être et la dirige où elle doit aller; elle ne tombe qu'avec
l'âme, dont la chute l'entraîne comme celle du cheval entraîne celle de
son cavalier.

Supposons maintenant un acte quelconque dont nous ayons à juger
la moralité; le premier point de vue que nous devions adopter sur cet
acte est celui de l'intention qui l'a dicté. Cette intention peut être considérée d'abord en elle-même, c'est-à-dire dans la qualité et comme dans

1. *II Sent.*, 39, **2**, 1, Concl., t. II, p. 910. Pour le parallélisme avec l'intellect : « Sicut
intellectus indiget lumine ad judicandum, ita affectus indiget calore quodam et pondere
spirituali ad recte amandum : ergo sicut in parte animae cognitivae est quoddam naturale
judicatorium, quod quidem est conscientia, ita in parte animae affectiva erit pondus ad
bonum dirigens et inclinans; hoc autem non est nisi synderesis », *ibid.*, fund. 4; t. II,
p. 908. — Pour le rapport de l'une et l'autre avec la loi naturelle, ou collection des préceptes du droit naturel : « Alio modo lex naturalis vocatur collectio praeceptorum juris
naturalis, et sic nominat objectum synderesis et conscientiae, unius sicut dictantis, et alterius sicut inclinantis. Nam conscientia dictat et synderesis appetit vel refugit. Et utroque
istorum modorum invenitur lex naturalis in diversis locis; hoc tamen ultimo modo accipitur magis proprie. Et sic, ut proprie loquamur, synderesis dicit potentiam affectivam in
quantum naturaliter habilis est ad bonum et ad bonum tendit; conscientia vero dicit habitum intellectus practici; lex vero naturalis dicit objectum utriusque », *Ibid.*, ad 4m, p. 911.

2. *II Sent.*, 39, 2, 2, Concl., t. II, p. 912. Pour ce qui suit : 3, Concl., p. 914, et dub. 2,
p. 916-917.

la direction du mouvement qui l'oriente vers le bien ou vers le mal ;
c'est alors la subordination même de l'acte à sa fin qui lui confère sa
qualité morale et, comme nous l'avons déjà marqué, cette soumission
au bien détermine dès le principe ce que vaudra l'acte lui-même. Cependant, nous avons également constaté que, si un acte accompli dans une
mauvaise intention n'est jamais bon, il ne suffit pas qu'un acte soit
accompli dans une bonne intention pour qu'il ne soit pas mauvais.
C'est qu'en effet la qualité de l'objet voulu concourt à définir la valeur
d'un acte avec la qualité du mouvement qui le veut ; une bonne intention n'est pas seulement une intention bonne, mais encore l'intention
d'un véritable bien. On n'accomplit pas un acte moralement bon lorsqu'on ment pour libérer un innocent ou vole pour nourrir un pauvre : il
suffit donc que l'intention du bien soit absente pour que l'acte soit condamnable, mais il ne suffit pas que l'intention du bien soit présente pour
que l'acte soit moralement louable : *quia plura exiguntur ad construen-
dum quam ad destruendum*[1]. On doit dire plus encore. Puisque, en
effet, nous parlons d'actes, c'est que l'intention seule ne suffit pas. Les
préceptes de la loi divine tels que notre conscience les découvre en elle-
même ou dans la révélation ne nous obligent pas simplement à vouloir,
mais bien à faire certaines choses. Si donc celui qui a la bonne intention d'accomplir un acte méritoire n'a pas la force ni les moyens de
l'accomplir, sa bonne volonté suffit à lui valoir le mérite qu'il se
propose d'acquérir ; mais si, possédant la capacité d'agir, il se dispense d'agir et se contente d'en avoir l'intention, celle-ci ne suffit
pas à fonder le mérite. En un mot, toutes les fois que les œuvres sont
possibles elles sont strictement requises pour conférer à la bonne
volonté son caractère de moralité[2].

Telles étant les conditions de l'activité humaine et la structure même
de notre faculté d'agir, nous devons poser à son égard la question que
nous avons déjà posée à l'égard de notre faculté de connaître : quelles
sont les déterminations requises pour que tout ce mécanisme fonctionne
comme il doit fonctionner? La description complète des opérations
accomplies par le vouloir humain et la constatation de leur parallélisme
avec celles du connaître nous ont déjà conduits à requérir la nécessité
d'une ultime détermination qui rende la volonté capable de vouloir efficacement le bien et de le réaliser, comme les sciences sues par l'intel-

---

1. *II Sent.*, 40, 1, 1, Concl., t. II, p. 921. L'absence d'intention ne rendrait par conséquent pas un acte immoral, mais seulement amoral, *Ibid.*, ad 6ᵐ, p. 922.
2. *II Sent.*, 40, 1, 3, Concl., t. II, p. 925.

lect le rendent capable de découvrir effectivement les vérités. Cette ultime détermination de la volonté se nomme la vertu. Mais la correspondance de l'ordre du bien à l'ordre du vrai nous avertit ici d'un inévitable problème et nous en fait même présager la solution : l'homme que nous avons reconnu incapable de saisir le vrai par ses seules forces serait-il capable de faire le bien sans le concours immédiat de Dieu? Ou devrons-nous admettre au contraire, comme il semble immédiatement vraisemblable, qu'à l'illumination divine des sciences correspond une illumination divine des vertus? C'est là le problème capital de la morale bonaventurienne, celui dont la solution met la morale en plein accord avec la science en les reliant l'une et l'autre à l'origine commune des illuminations.

Qu'un philosophe tel qu'Aristote n'ait pas su résoudre correctement ce haut problème, c'est ce dont nous ne saurions nous étonner désormais ; la cécité métaphysique dont il souffrait lui cachait nécessairement toutes les sources profondes de notre vie intérieure ; mais ce qu'Aristote ne pouvait faire, d'autres philosophes l'ont fait même sans le secours de la révélation. Il est absurde, a dit Plotin, de supposer que les exemplaires de toutes choses soient en Dieu et que l'on n'y retrouve pas les exemplaires des vertus ; Philon, Macrobe, d'autres encore ont connu la vérité et nous n'aurons sur ce premier point qu'à recueillir leur enseignement[1].

Plotin enseigne, en effet, que la pensée divine contient en elle-même les quatre vertus cardinales dont toutes les autres dérivent par ordre[2]. La pensée divine, prise en elle-même et dans l'éclat de sa lumière, n'est autre que la prudence ; considérée dans la perfection de sa pureté, elle constitue l'essence même de la tempérance ; envisagée dans l'efficace qui lui revient à titre de sagesse et de principe des opérations, elle est force ; comme règle des êtres et de leurs actions, elle est enfin justice. Or, de même que l'immutabilité et la nécessité de nos certitudes ne trouve pas dans notre pensée sa raison suffisante, de même ces quatre

---

1. « Dico ergo quod illa lux aeterna est exemplar omnium, et quod mens elevata, ut mens aliorum nobilium philosophorum antiquorum ad hoc pervenit. In illa ergo primo occurrunt animae exemplaria virtutum », *In Hexaëm.*, VI, 6, t. V, p. 361. — « Hae sunt quatuor virtutes exemplares, de quibus tota sacra scriptura agit ; et Aristoteles nihil de his sensit, sed antiqui et nobiles philosophi », *Ibid.*, 10, p. 362.

2. Plotin, *Ennéades*, I, 6 (éd. Creuzer, p. 11-12) ; cité par saint Bonaventure d'après Macrobe, *Somnium Scipionis*, I, 8. Et Philon, d'après saint Jérôme, *De viris illustribus*, 11. Cf. Philon, *Commentaire allégorique des Saintes-Lois*, éd. E. Bréhier, 1909, p. 31 et suiv. ; dans saint Bonaventure, *In Hexaëm.*, VI, 32, t. V, p. 364. La source scripturaire est : *Sap.*, VIII, 7.

perfections de nos actions, dans la mesure infiniment modeste où elles les possèdent, ne trouvent pas leur raison suffisante dans notre volonté. L'incertitude et la faillibilité de notre intellect contaminent les conclusions de notre intellect pratique aussi bien que celles de notre intellect spéculatif ; le désordre d'une volonté flottante, sollicitée en des sens divers par les impressions de la sensibilité ou les désirs de la chair, n'est pas de nature à expliquer ce qu'il peut y avoir de nécessaire et d'universel dans les lois édictées par la conscience morale ou mises en œuvre par nos vertus. C'est donc que les archétypes divins agissent sur notre âme dans l'ordre de l'action comme dans l'ordre de la connaissance : *haec imprimuntur in anima per illam lucem exemplarem et descendunt in cognitivam, in affectivam, in operativam*[1]. La pureté de l'être divin communique à nos facultés de connaître, d'aimer et d'agir la pureté de la tempérance ; sa beauté leur communique la sérénité de la prudence ; la permanence stable de son être leur communique la constance de la force ; la rectitude suprême de l'acte par lequel il se donne leur communique la douceur de la justice ; ainsi les quatre vertus cardinales, considérées à leur source même, ne sont d'abord en nous que les marques laissées par Dieu sur notre volonté pour la rendre capable du bien, comme le nécessaire et l'immuable ne sont en nous que les marques laissées par Dieu sur notre intellect pour le rendre capable de la vérité.

Ces quatre vertus reçoivent le nom de cardinales, d'abord parce qu'elles seules peuvent introduire l'âme à toutes les autres vertus et que la plupart des autres vertus s'y ramènent : ainsi la patience et diverses vertus dépendent de la force ; l'humilité et l'obéissance se ramènent à la justice, et il en est de même du reste[2] ; mais ensuite et surtout parce qu'elles orientent toutes nos facultés d'agir et sont par la même comme les quatre points cardinaux de notre univers moral. Puisque, en effet, nous requérons l'illumination des vertus pour mettre nos facultés à même d'accomplir la tâche que la loi divine leur impose, nous devons supposer autant de vertus qu'il est nécessaire pour que nos facultés d'agir s'ordonnent comme elles doivent s'ordonner à l'égard de nous-mêmes et de notre prochain[3]. Or, l'homme possède deux facultés principales dont le bon exercice constitue le premier et le plus important

---

1. *In Hexaëm.*, VI, 10, t. V, p. 362.
2. *III Sent.*, 33, un. 4, ad 4ᵐ, t. III, p. 721 ; *In Hexaëm.*, VI, 11, t. V, p. 362.
3. *III Sent.*, 33, un. 1, Concl., t. III, p. 712.

de ses devoirs envers lui-même, celle de connaître et celle de désirer ; il lui faut donc d'abord une vertu qui règle l'exercice de sa faculté de connaître : la prudence ; et il lui faut ensuite deux vertus qui règlent les deux fonctions principales de sa faculté de vouloir : la tempérance, au moyen de laquelle il règle ses désirs ; la force, au moyen de laquelle il règle sa faculté de se défendre ou d'attaquer ; reste une vertu pour les actions de l'homme relatives à son prochain : la justice, et nous obtenons ainsi une activité complètement munie des déterminations nécessaires au bon ordre de ses opérations[1].

L'illumination des vertus s'effectue selon la même voie que celle des vérités et tend vers la même fin. Comme un rayon jailli du soleil divin, elle pénètre dans l'hémisphère de notre pensée et ramène l'âme à son origine. Utilisant ici encore un symbole emprunté aux lois de la perspective, saint Bonaventure compare sa marche à celle du rayon qui tombe perpendiculairement sur une surface brillante et remonte directement vers la source lumineuse dont il provient[2] ; mais la certitude de l'origine divine des vertus ne nous renseigne pas sur la manière dont elles s'établissent dans notre âme et, sur ce point comme sur le problème de la certitude, nous trouvons les philosophes profondément divisés.

Il importe de remarquer d'abord que tous les philosophes s'accordent au moins sur deux conclusions importantes. En premier lieu, nul ne conteste que l'âme n'apporte en naissant les facultés naturelles qui lui permettront d'acquérir les vertus ; en deuxième lieu, chacun constate par expérience que l'exercice développe ses aptitudes naturelles et la rend plus capable d'agir comme sa conscience lui prescrit de le faire. L'acquisition des vertus cardinales et de toutes celles qui en dépendent est donc au premier chef une opération qui ne relève que de la nature, et la preuve en est que bien des hommes dépourvus des lumières de la révélation comme du secours de la grâce ont été cependant capables de les acquérir. La question n'est plus ici de savoir si, en fait, celui qui les

---

1. *III Sent.*, 33, un. 5, Concl., et ad 2ᵐ, t. III, p. 720-721. Voir leur correspondance symbolique aux points cardinaux dans : *In Hexaëm.*, VI, 15-18, t. V. p. 363. et à tous les autres quaternaires, 20-23, p. 363. — Sur la prudence, *De donis S. S.*, VIII, 7-11, t. V, p. 495-496.

2. *In Hexaëm.*, VI, 24, t. V, p. 363 : « Hae virtutes fluunt a luce aeterna in hemisphaerium nostrae mentis et reducunt animam in suam originem, sicut radius perpendicularis sive directus eadem via revertitur qua incessit. Et haec est beatitudo. Unde primo sunt politicae, secundo purgatoriae, tertio animi jam purgati. Politicae sunt in actione, purgatoriae in contemplatione, animi jam purgati in lucis visione. » Ce symbolisme a pour saint Bonaventure une valeur profonde à cause de l'analogie intime qui apparente la lumière à la grâce ; cf. c. XIV, p. 428.

acquiert en est ou non rendu capable par la participation de son âme
aux archétypes divins de ces mêmes vertus ; il s'agit de savoir si, cette
participation qui complète l'apport de nos facultés naturelles une fois
accordée, des secours nouveaux et surnaturels sont en outre requis pour
leur acquisition. Or, le parallélisme de l'ordre de la connaissance et de
l'ordre du vouloir nous apprend immédiatement que non. L'intellect et
sa lumière sont incontestablement en nous la marque laissée par Dieu
sur son ouvrage, et c'est pour cela même que nous sommes capables
d'acquérir par leur moyen l'habitus des sciences qui nous sont nécessaires. De même aussi notre volonté apporte avec elle une inclination
d'origine divine et comme les germes des vertus morales qui représente-
ront en elle les perfections de Dieu. Dans l'un comme dans l'autre cas,
l'homme ne se trouve d'ailleurs capable que d'une science des choses
inférieures ou d'une vertu en quelque sorte temporelle ; dans les deux
cas encore il ne connaît ni le fondement ultime de sa science ni l'assise
profonde de sa vertu, mais on ne peut nier cependant que ce progrès
de fait ne lui soit naturellement accessible et qu'il ne l'ait très souvent
accompli[1]. Ajoutons que l'acquisition des habitus de la volonté ne semble
en rien plus difficile que celle des habitus de la connaissance, car nous
constatons que même des créatures dépouvues de raison semblent les
posséder naturellement. Tels animaux excellent en générosité, tels
autres en prudence, d'autres en douceur, d'autres encore l'emportent
par la force ; à moins donc que l'on ne veuille contester la supériorité
de l'homme sur les animaux, on accordera sans doute qu'il ne puisse
posséder ces mêmes vertus naturellement innées ; à plus forte raison,
qu'il ne soit naturellement capable de les acquérir.

Mais le problème de l'acquisition des vertus morales une fois résolu,
celui de leur valeur subsiste dans son entier ; les vertus naturelles ainsi
acquises par l'habitude sont-elles complètes, et, complètes ou non, sont-
elles méritoires : ce sont là deux questions que le théologien enseigne
au philosophe à ne pas négliger. Or, dans l'ordre de la vertu comme

1. « Item, multi habent et habuerunt hujusmodi virtutes cardinales et consuetudinales,
qui nunquam crediderunt in Christum nec sunt membra ejus ; si ergo vera gratia per Christum habet derivari in ejus membra, videtur ergo quod cardinales virtutes acquiri possint
per humanam industriam. — Item sicut intellectus perficitur et dirigitur et rectificatur per
habitum scientiae, sic et affectus per habitum virtutis ; sed quamvis intellectus noster propria virtute non possit venire in cognitionem aeternorum, tamen per ea quae naturaliter
habet, potest venire in cognitionem istorum inferiorum ; ergo pari ratione, quamvis affectus
non possit habere virtutes, quae elevent ipsum ad superna, videtur tamen quod possit
habere virtutes dirigentes ipsum et rectificantes circa ista inferiora. Sed cardinales virtutes
sunt hujusmodi ; ergo, etc. », *III Sent.*, 33, un. 5, fund. 4-5, t. III, p. 722.

dans celui de la science, le naturel pur est toujours possible, mais il
n'est jamais suffisant; il est illégitime en tant que séparé. La vertu sans
grâce est comme une science sans révélation : caduque, pleine d'incertitudes et vaine; et c'est pourquoi, adoptant dans le domaine de l'action
la même attitude que dans le domaine de la connaissance, saint Bonaventure fait tomber sur la vertu naturelle en tant que telle la grâce qu'il
avait fait tomber sur la science en tant que telle, pour les féconder
l'une et l'autre et les conduire à leur complet achèvement.

La première constatation qui s'impose, en effet, lorsqu'on envisage le
problème sous ce nouvel aspect, est que les vertus morales et naturelles
sont complètement vaines si Dieu ne vient les recueillir et les transfigurer par le don gratuit des vertus théologiques[1]; elles nous rendent
capables d'accomplir des actes moraux, et c'est à l'habitude qu'elles le
doivent; mais elles nous laissent incapables d'acquérir le moindre mérite,
parce que le mérite est un don de Dieu et qu'il nous vient non de la
nature, mais de la grâce. Or, la manière dont la grâce informe la nature
pour la compléter est ici particulièrement instructive. Les vertus
morales, telles que les philosophes les définissent, tiennent à notre
âme par une racine naturelle, la rectitude innée de la volonté qui nous
confère une aptitude au moins imparfaite à accomplir le bien. Cette disposition innée se développe ensuite grâce à l'exercice et à la répétition
de ses actes, d'où les vertus cardinales naturelles que nous avons dési-
gnées. Mais il peut se produire alors, si la grâce introduite en nous par
les trois vertus théologales vient informer notre âme, que ces mêmes
vertus cardinales naturelles se trouvent confirmées, pleinement développées et menées jusqu'à leur perfection par ce don divin[2]. Les vertus de

---

1. « Ad illud ergo quod objicitur, quod philosophorum non est liberum arbitrium cognoscere, dicendum quod de libero arbitrio est loqui dupliciter : aut secundum quod est principium operum moralium, aut secundum quod est principium operum gratuitorum. Et
primo modo est de consideratione philosophorum, illorum maxime, qui versati sunt circa
mores componendos, quorum liberum arbitrium est principium secundum regulam et dic-
tamen juris naturalis quod est unicuique impressum. Secundo modo est de consideratione
theologorum, quia sic habet aspectum ad divinam gratiam, cujus gratiae cognitio est per
fidem catholicam, sine qua omnia opera hominum vana sunt, etsi etiam videantur laudabi-
lia; et in hac consideratione defecit philosophorum peritia », II Sent., 25, 1, dub. 1ᵐ,
t. II, p. 607.
2. « Nec solum ex assuefactione ducitur illa habilitas semiplena (scil., naturalis) ad complementum, sed etiam per gratiae adjutorium. Nam cum ipsa gratia sit animae rectifica-
tiva, rectitudo superveniens naturae rectitudinem qualemcumque prius existentem amplificat et amplificando confirmat. Ex utraque etiam causa virtus politica potest suscipere
complementum, videlicet quando concurrit divinae gratiae adjutorium et bonae consuetu-
dinis exercitium, per quae duo virtus cardinalis radicata in natura ducitur ad complemen-

prudence, de force, de tempérance et de justice, si du moins nous les considérons sous leur forme complète, tiennent donc leur être de deux causes bien différentes : la nature humaine et la coutume d'une part, la libéralité divine et la grâce d'autre part ; le même habitus qui doit à la nature son origine reçoit ici de Dieu son achèvement. Tel un cheval doit à la forme et à la vigueur naturelle de ses membres son aptitude à porter et à conduire un cavalier ; le dressage et l'habitude développent en lui cette aptitude naturelle et lui confèrent les qualités d'un bon cheval de selle ; mais son cavalier est la seule cause qui permette à ces qualités d'obtenir leur plein développement. C'est lui dont l'intelligence et l'art, s'ajoutant au naturel et aux habitudes acquises du cheval, sauront le guider et le modérer pour le conduire au but qu'il faut atteindre. On pourrait aller plus loin encore. La grâce n'est pas seulement capable de parfaire et d'achever nos vertus naturelles, elle est capable de les faire surgir là même où leur racine naturelle existe seule et où leurs habitus font encore complètement défaut : *gratia existens in ipsa anima potest facere germinare habitus virtutum*[1]. Comme la pluie pénétrant dans le sol où reposent les graines en fait germer des plantes et les conduit jusqu'à leur pleine fructification, ainsi la grâce descendant au sein de l'âme éveille les raisons séminales des vertus qui dorment encore en elle et leur fait porter tous leurs fruits. Dès lors, rendues méritoires par la grâce qui les informe, ordonnées les unes envers les autres et rapportées toutes à leur fin par la charité qui les entraîne et les relie[2], les vertus achèvent de déterminer la volonté de l'homme et l'habilitent pour collaborer avec un intellect illuminé par la foi.

tum perfectum. Et sic virtus cardinalis, in quantum est politica, ortum habens a natura, ducitur ad quoddam complementum ex assuefactione subsequente, ad majus complementum ducitur ex gratia superveniente, sed ad perfectum complementum ducitur ex utraque causa concurrente, videlicet gratia et assuefactione », *III Sent.*, 33, un. 5, Concl., t. III, p. 723.

1. « Ipsa enim gratia adveniens in animam carentem habitibus virtutum, se habet quasi originale principium illorum quantum ad esse primum. Unde sicut pluvia infusa terrae habenti in se seminarium facit eam germinare donec veniat ad fructum completum, sic intelligendum est de gratia respectu habituum ipsarum virtutum quantum ad ipsorum esse primum », *III Sent.*, 23, 2, 5, Concl., t. III, p. 498 ; *Ibid.*, fund. 3ᵐ, p. 497 ; pour le parallélisme avec les raisons séminales, ad 6ᵐ, p. 500.

2. « Et caritas ipsa est radix, forma et finis virtutum, jungens omnes cum ultimo fine et legans omnia ad invicem simul et ordinate ; ideo ipsa est pondus inclinationis ordinatae et vinculum colligationis perfectae, ordinem quidem servans respectu diligendorum diversorum quantum ad affectum pariter et effectum, unitatem autem habens in habitu quantum ad unum finem et unum principale dilectum quod est ratio diligendi respectu omnium aliorum, quae per amoris vinculum nata sunt colligari in unum Christum quantum ad caput et corpus, quod universitatem continet salvandorum », *Breviloquium*, V, 8, 5 ; éd. min.,

Que l'on compare maintenant cette doctrine bonaventurienne de l'illumination morale avec les doctrines correspondantes de l'illumination intellectuelle et de l'éduction des formes, on ne pourra qu'être frappé de l'étroite parenté qui les unit. Et si nous doutions encore de l'unité profonde qui relie les thèses capitales de cette philosophie, saint Thomas d'Aquin lui-même se chargerait de nous la démontrer. Deux fois au moins cet admirable stratège, qui pouvait définir jusque dans leurs moindres détails sa position philosophique et celle de ses adversaires, s'est élevé jusqu'au point central d'où le dissentiment entre le platonisme et l'aristotélisme chrétiens apparaît dans toute son ampleur : *in tribus eadem opinionum diversitas invenitur : scilicet in eductione formarum in esse, in acquisitione virtutum et in acquisitione scientiarum*[1]. Dans les trois cas, en effet, il s'agit de savoir si le principe de l'opération considérée est une virtualité qui se développe du dedans, ou une faculté efficiente et constructrice qui saisit un donné extérieur afin de l'interpréter et de l'utiliser. La forme thomiste engendre dans la matière une forme qu'elle lui impose et que cette matière subit; la forme bonaventurienne éveille au sein de la matière une forme en puissance que cette matière contenait déjà. L'intellect thomiste fait de l'intelligible avec du sensible et cause les principes premiers qui seront à leur tour ses instruments pour construire l'édifice entier de la science; l'intellect bonaventurien trouve en soi de l'intelligible qu'il n'a pas fait avec du sensible, mais reçu d'un dedans qui lui est plus intérieur que son propre intérieur. La volonté thomiste acquiert des vertus naturelles qui, en tant précisément que naturelles, ne doivent leur développement qu'à l'exercice et l'habitude; la volonté bonaventurienne attend de la grâce qu'elle s'applique à ces mêmes vertus, en tant précisément que naturelles, pour les achever.

Mais on peut se demander si ce triple dissentiment ne serait pas justiciable à son tour d'une même explication et fonction d'une seule cause. La nature thomiste n'a rien qu'elle ne tienne de Dieu, mais une fois constituée par Dieu et assistée par lui elle contient en elle-même la raison suffisante de toutes ses opérations. La nature bonaventurienne, au contraire, n'a pas reçu de Dieu une mise de fonds suffisante pour que

---

p. 194. — Sur l'analogie de la double information par la grâce et la charité avec la pluralité des formes, voir *III Sent.*, 27, 1, 3, ad 1ᵐ, t. III, p. 598. — Sur l'amour source de toutes les joies : « Sine amore nullae sunt deliciae », *I Sent.*, 10, 1, 2, Concl., t. I, p. 197.

1. Saint Thomas d'Aquin, *Qu. disp. de Veritate*, qu. XI, art. 1, ad *Resp.* Cf. *Qu. disp. de virtutibus*, qu. un. 8, ad *Resp.*

l'influence divine générale puisse rendre raison de ses opérations les plus hautes. La tendance de saint Bonaventure à chercher au dedans un donné et comme un apport inné de l'être qui agit ne s'explique donc aucunement par un désir de glorifier et d'élever l'excellence de la créature ; au contraire, c'est parce que la forme n'a pas en soi de quoi créer la forme qu'il la lui fait trouver préformée dans la raison séminale ; c'est parce que l'intellect n'a pas en soi de quoi faire de l'intelligible qu'il lui fait emprunter à Dieu l'immuable et le nécessaire ; c'est parce que la volonté n'a pas en soi le principe des quatre vertus cardinales qu'il les fait imprimer sur elle par leurs archétypes divins. L'âme bonaventurienne est donc innéiste dans la mesure même où elle se sent insuffisante, et si elle rentre en elle-même, ce n'est pas pour s'affirmer comme cause de ce qu'elle y trouve mais pour trouver Dieu à l'origine première de ce qu'elle fait. Le Dieu de saint Thomas n'a plus qu'à « mouvoir » la nature comme nature, et c'est pourquoi cette dernière le cherche par un intellect inné qui travaille sur un donné du dehors ; le Dieu de saint Bonaventure « achève » continuellement la nature comme nature, et c'est pourquoi cette dernière le cherche par un intellect qui marche à la rencontre de cette action divine vers le dedans. L'âme thomiste, en raison de sa suffisance même, ne peut remonter plus haut qu'elle-même dans sa propre direction ; sa perfection la ferme par le fond, et quand elle y cherche Dieu, c'est elle qu'elle trouve, elle qui fait de la forme, de la vérité, de la vertu. L'âme bonaventurienne, en raison de son insuffisance même, est comme ouverte par le fond ; elle constate donc sinon Dieu, du moins l'action directe de Dieu qui passe par toutes les lacunes dont elle souffre, et c'est lui qu'elle rejoint comme raison suffisante immédiate de ce qu'il y a de forme, d'intelligible et de perfection dans les opérations qu'elle accomplit. Les preuves de l'existence de Dieu traduisaient à leur manière cette différence primitive des deux doctrines, saint Thomas faisant cheminer ses cinq voies à travers le monde sensible et aucune ne rejoignant Dieu directement par la pensée, saint Bonaventure rejoignant Dieu directement par la pensée et ne demandant au sensible qu'un point de départ pour rentrer vers le dedans où la présence de l'action de Dieu atteste son existence ; c'est donc par l'étude du rapport de la nature à la grâce que le dernier mot de la pensée bonaventurienne nous sera livré.

CHAPITRE XIV.

La nature, la grâce et la béatitude.

On n'a sans doute pas oublié que saint Bonaventure avait commencé par réduire à trois problèmes essentiels le contenu total de la métaphysique : l'émanation, l'exemplarisme et le retour à Dieu par l'illumination. En fait, il n'est peut-être pas impossible d'aller plus loin encore dans la voie de la simplification ; l'exemplarisme ne nous décrit, en effet, la nature et le rôle des idées divines que pour nous faire mieux comprendre comment s'est effectuée la création ; les trois problèmes se ramènent donc en réalité à deux. Et même, s'il en est vraiment ainsi, la philosophie tout entière n'est au fond que le développement indéfiniment ramifié d'un seul et même problème : quel est le sens de la vie humaine? D'où venons-nous, où allons-nous, et par quelles voies? Et toutes les réponses de la philosophie à ce problème central ne sont que des variations sur une seule et même réponse : « Seigneur, je viens de vous et c'est par vous que je reviens vers vous. » Devant la stérile confusion des sciences particulières, on ne se douterait guère que la philosophie tout entière se réduise à la considération exclusive d'un problème aussi vital et aussi simple ; mais la vaine curiosité des hommes est insatiable et il y a longtemps que Salomon en a fait l'expérience. Après avoir tenté de tout apprendre, le Sage constate que plus il apprenait, moins il savait ; le seul résultat de ses longs efforts est la certitude que l'homme, et l'homme seul, est responsable de la misère intellectuelle dont il souffre : « Je n'ai appris qu'une chose, c'est que Dieu a créé l'homme tel qu'il devait être et que c'est lui qui s'est embarrassé dans une infinité de difficultés[1]. »

1. « Sic dicat quilibet : Domine exivi a te summo, venio ad te summum et per te summum », *In Hexaëm.*, 1, 17, t. V, p. 332. Pour ce qui suit : *Eccles.*, VII, 30 : « Solummodo hoc inveni, quod fecerit Deus hominem rectum, et ipse se infinitis miscuerit quaestionibus. » Ce texte est cité par saint Bonaventure, *II Sent.*, prooem., t. II, p. 3, c'est-à-dire

Considérons d'abord la rectitude primitive de l'homme sortant des mains du Créateur ; nous verrons ainsi de quel bien nous sommes déchus et vers quel bien nous devons tendre pour nous y fixer définitivement. L'homme primitif jouissait pleinement d'une triple intégrité : celle de l'intelligence, celle de la volonté et celle des facultés qui lui permettaient d'accomplir sa volonté. Envisagé quant à son intelligence, Adam se trouvait doué d'une connaissance parfaitement droite. Le vrai, si nous nous référons à la définition qu'en donne saint Anselme, est une rectitude perceptible par l'âme seule ; ce qui signifie que la pensée de Dieu est la mesure de toutes choses, que les choses sont vraies en tant qu'elles se conforment à la pensée que Dieu en a, et que notre pensée se trouve vraie à son tour en tant qu'elle se conforme à la nature des choses et au modèle divin que les choses elles-mêmes reproduisent. Or, la pensée d'Adam se trouvait mise d'emblée en possession de cette double rectitude. Puisque tout avait été fait pour lui, qu'il était capable d'imposer immédiatement aux êtres les noms qui leur convenaient et que tout avait été soumis à son gouvernement, il devait nécessairement connaître la nature de toutes choses. Adam savait tout sans avoir jamais rien appris. L'empirisme qui nous condamne à user des sens, de la mémoire et de l'expérience pour acquérir la connaissance des êtres est une méthode accommodée à notre nature déchue, mais l'ordre d'acquisition de la connaissance qui convenait à l'homme primitif était beaucoup plus simple et plus direct. Disposant par mode de connaissance innée d'une science plénière des choses, Adam ne pouvait plus guère que constater par l'expérience sensible l'accord des faits avec la connaissance qu'il en possédait déjà, ou se rendre de plus en plus maître de ses connaissances innées et plus prompt à bien juger des choses en réfléchissant à la science qu'il en avait[1]. Tout s'étalait donc à découvert sous ses yeux et il lisait à livre ouvert le livre de la nature ; idéal parfait d'une science totale que l'homme s'efforce de reconstruire au milieu des ténèbres dont il est aveuglé : voir les choses en elles-mêmes, les voir dans sa propre pensée, les voir enfin dans l'art divin et les idées dont elles tiennent leur origine[2]. Nous reconnaissons cet idéal : saint

---

au moment même où il va examiner à son tour les problèmes fondamentaux de la philosophie. Cf. *In Hexaëm.*, XIX, 3, t. V, p. 420.

1 *II Sent.*, prooem., t. II, p. 4, et 23, 2, 1 ; t. II, p. 537-538.

2. « Est igitur spiritus rationalis medius inter primam et ultimam (*scil.*, conformitatem divinam), ita quod primam (vestigium) habet inferius ; secundam (imaginem) interius ; tertiam (similitudinem) superius. Et ideo in statu innocentiae, cum imago non erat vitiata,

Bonaventure n'a jamais conçu d'autre idéal de la connaissance que de rendre à l'homme déchu quelque chose de la science d'Adam.

La volonté de l'homme sortant des mains de Dieu n'était pas moins droite que son intelligence. De même que la rectitude de la connaissance qui fonde le vrai consiste dans la conformité de l'intelligence à la pensée divine, de même la rectitude de la volonté qui fonde le bien consiste dans sa conformité à la perfection de Dieu. Or, la conformité de l'intelligence à son objet s'acquiert par la connaissance, mais la conformité de la volonté s'acquiert par l'amour. Aimer, c'est se transformer à la ressemblance de ce que l'on aime, se conformer à lui, devenir, par un effort de tout soi-même, comme un autre lui. Saint Bonaventure cite volontiers la parole que le mystique Hugues de Saint-Victor adresse à son âme : *Scio, anima mea, quod dum aliquid diligis, in ejus similitudinem transformaris*[1]. Si donc l'objet auquel l'âme s'attache est le bien, elle se conforme à lui en l'aimant et devient bonne par le fait même de son amour : *qui enim diligit bonitatem rectus est*. Telle la volonté d'Adam au lendemain de la création ; usant de tout comme il convenait, elle ne tendait que vers Dieu comme fin dernière, et vers les choses comme ordonnées en vue de Dieu.

De même enfin pour la rectitude du pouvoir de l'homme et de ses facultés. La puissance que l'homme exerce sur les choses est droite lorsqu'elle se coordonne à la puissance divine et ne fait en quelque sorte que la prolonger. Or, la puissance divine est le type même de la rectitude dans l'ordre de l'action, parce que tout en elle vient de Dieu et se dirige vers Dieu. Pour que la puissance humaine se coordonne à la puissance divine et la prolonge il faut donc qu'elle opère toujours, elle aussi, en vertu et en vue de Dieu ; mais lorsqu'elle agit en ce sens elle devient comme une image de la toute-puissance créatrice, et l'homme qui l'exerce devient le recteur et le maître des choses. C'est pourquoi

---

sed deformis effecta per gratiam, sufficiebat liber creaturae, in quo seipsum exerceret homo ad contuendum lumen divinae sapientiae ; ut sic sapiens esset, cum universas res videret in se, videret in proprio genere, videret etiam in arte, secundum quod res tripliciter habent esse, scilicet in materia vel natura propria, in intelligentia creata et in arte aeterna », *Breviloquium*, II, 12, 4 ; éd. min., p. 94. On notera cependant que Dieu n'était pas vu face à face par Adam avant le péché, sans quoi le péché lui-même eût été impossible. Adam connaissait Dieu : « Per speculum, non autem in aenigmate », *II Sent.*, 23, 2, 3, Concl., t. II, p. 544-545.

1. *Soliloq. de Arrha animae*, Patr. lat., t. 176, col. 954 : « Ea vis amoris est, ut talem esse necesse sit quale illud est quod amas, et qui per affectum conjungeris, in ipsius similitudinem ipsa quodammodo dilectionis societate transformaris. » Pour ce qui suit, voir *II Sent.*, prooem., t. II, p. 4-5.

la puissance d'Adam s'exerçait sur les poissons de la mer et les oiseaux du ciel ; il était le véritable roi de la création.

Toute différente est la situation réelle de l'homme depuis le péché d'Adam ; entre l'état primitif de l'humanité et notre état présent il s'est certainement produit une chute, et l'on peut même dire que c'est là l'événement décisif qui régit l'histoire entière de l'humanité. On objectera sans doute que cette chute est une pure hypothèse de caractère mythique et qu'elle est si totalement étrangère aux perspectives normales de la raison que les philosophes anciens ne l'ont même pas soupçonnée. En réalité, c'est là prendre l'effet pour la cause, car il est de la nature d'une connaissance déchue, lorqu'elle raisonne en tant que déchue, d'ignorer jusqu'à sa propre déchéance. La philosophie que l'on nomme naturelle et que les anciens ont pratiquée fait profession de s'en tenir exclusivement aux seules lumières de la raison ; elle ne cherche donc jamais ses principes premiers au-dessus d'elle, mais seulement à son niveau ou même au-dessous. Aristote, type parfait de ces philosophes, déclare constamment que la seule méthode qui convienne pour acquérir la connaissance est de se tourner vers les sensations, d'accumuler ainsi l'expérience et d'en faire sortir, grâce aux lumières de l'intellect, une explication des choses qui ne contienne rien de plus que ce que l'expérience nous permet d'en connaître. Or, pour qui considère l'univers d'un tel point de vue, les choses et la connaissance que nous en avons doivent être, par hypothèse, exactement telles qu'elles sont. Empruntant aux êtres et à la lumière naturelle les principes par lesquels il les juge, le philosophe ne saurait concevoir qu'ils aient jamais pu se trouver autres ou meilleurs qu'il ne les voit. Bien mieux encore, et nous le constaterons plus loin, c'est le principe même de sa chute qu'il érige en théorie de la connaissance ; comment s'étonnerait-on par conséquent qu'il estime son attitude normale et juge satisfaisante la situation de fait dans laquelle il se trouve placé ?

Considérons au contraire l'attitude du croyant. Jamais l'illusion ne pourrait lui venir qu'il soit capable de découvrir par la raison la chute de l'homme, mais il dispose des lumières de la révélation et, dès que l'Écriture lui a révélé ce fait que les philosophes ne soupçonnaient pas, sa raison se trouve placée au-dessus de l'expérience et en possession d'un principe transcendant qui lui permet de la juger. Le croyant ne cherche pas en soi ou dans les choses la règle de ses connaissances, mais au-dessus de soi ; il n'est donc pas condamné comme le philosophe

27

à constater que le monde est tel qu'il est, mais il se trouve capable, de par la révélation qui l'instruit, de se demander si le monde est ce qu'il devrait être pour se trouver digne de Dieu. Or, dès que la question se trouve posée en ces termes, un flot de clarté l'inonde. Quoi de plus absurde en vérité qu'un Dieu parfait créant l'homme dans la misère où nous le voyons plongé? Cette satisfaction des philosophes qui nous apparaissait il n'y a qu'un instant comme naturelle et même nécessaire, elle nous apparaît désormais comme impossible et contradictoire. Ou bien notre univers est tel qu'il doit être, mais alors ne supposons pas qu'il requiert une cause parfaite et divine; ou bien nous avions raison de lui assigner un Dieu parfait comme première cause, mais alors ne supposons pas qu'il ait voulu notre pensée incertaine, notre science asservie à des méthodes si lentes et condamnée à l'inachèvement comme à l'incoordination, notre volonté et nos facultés d'agir sans bien fixe ni repos assuré, un univers enfin aussi dépourvu de fin et de sens que la science qui l'exprime. Une telle misère n'est explicable que comme un désordre accidentel, une punition et le châtiment d'une faute; elle deviendrait au contraire une injustice révoltante et inconciliable avec l'idée d'un Dieu créateur si nous supposions qu'elle dût correspondre à un ordre primitif et voulu par Dieu[1]. Une fois de plus, les croyants l'emportent sur les philosophes dans l'ordre même de la vérité philosophique et raisonnent mieux que leurs adversaires qui ne font appel qu'à la seule raison.

Comment la chute de l'homme peut-elle s'être produite? Ce serait perdre son temps que de chercher à découvrir l'essence positive d'un péché; le mal n'est rien de positif, mais se réduit toujours à la corruption d'un bien; le bien dont il s'agit ici n'est autre que le libre arbitre. Ce n'était pas un mal, puisqu'il était en son pouvoir de se tourner vers le bien; ce n'était pas cependant un bien absolu, puisqu'il était en son pouvoir de se tourner vers le mal[2]. Or, non seulement le libre arbitre

1. « Secundo modo ratiocinando processerunt Philosophi, qui non aspexerunt in hominis conditione suum principalem auctorem, sed aspexerunt principia componentia et operationes quas habet per virtutem naturae; et secundum hunc modum ratio potius discordat veritati catholicae quam concordet. Et haec est ratio, quare philosophi qui fuerunt tantae veritatis indagatores, non pervenerunt ad lapsus humani cognitionem, quia eis videbatur valde rationabile, hominem sic fuisse conditum; cum tamen catholicis doctoribus non solum fide, sed etiam rationum evidentia certitudinaliter ejus contrarium appareat esse verum », II Sent., 30, 1, 1, Concl., t. II, p. 716; Breviloquium, III, 5, 3; éd. min., p. 106-107.

2. II Sent., 25, 2, 3, Concl., t. II, p. 614; Breviloquium, III, 1, 1; éd. min., p. 96.

d'un être fini ne pouvait pas être fixé par nature sur un bien immuable, mais il se trouvait effectivement situé entre deux objets, l'un supérieur, l'autre inférieur, qui sollicitaient son adhésion. Cette situation intermédiaire de la volonté humaine découlait nécessairement de la nature intermédiaire de l'homme. Ayant exprimé sa perfection dans deux livres, le livre intérieur des idées divines et le livre extérieur du monde sensible, Dieu avait créé des êtres uniquement adaptés à la lecture du livre intérieur : les anges, et des êtres uniquement adaptés à la lecture du livre extérieur : les âmes animales. Entre ces deux livres et ces deux êtres, l'homme est venu s'insérer pour achever l'univers en reliant les deux ordres extrêmes des créatures, et c'est pourquoi nous le voyons doué simultanément de sens et de raison, capable par conséquent de lire l'un et l'autre livre placés par Dieu sous ses yeux[1].

Mais, par le fait même que Dieu permettait à l'homme de lire dans les deux livres, il lui permettait de choisir entre eux. Deux représentations de l'essence divine s'offraient à l'intelligence de l'homme comme deux imitations de la perfection divine s'offraient à sa volonté ; selon qu'il lui convenait, l'homme pouvait contempler Dieu dans le clair miroir de ses idées ou le voir transparaître sous les symboles indéfiniment variés des choses. Mais en raison même de ce libre choix l'homme se trouvait dans une position d'équilibre instable. Apte à voir dans les choses ce que ne peut y voir l'animal et ce que n'a pas besoin d'y voir l'ange, il pouvait se trouver sollicité par une curiosité qu'ignoraient nécessairement des êtres plus parfaits ou moins parfaits que lui. Ce n'est pas en vain que l'astuce du mauvais esprit, déjà déchu et par conséquent jaloux, s'attaqua d'abord à la femme et lui promit la science, c'est-à-dire cette connaissance inférieure des choses considérées en elles-mêmes qui s'acquiert par la raison seule et porte sur le sensible[2], celle, en un mot, dont

1. *Breviloquium*, II, 11, 2 ; éd. min., p. 91. Cf. Hugues de Saint-Victor, *De Sacramentis*, I, 6, 5, Patr. lat., t. 266, col. 176.

2. « Mulier, consentiens tentationi diabolicae appetiit scientiam... Quia, cum a primo principio... datus esset homini duplex sensus et appetitus respectu duplicis libri et respectu duplicis boni, ut secundum libertatem arbitrii homo posset ad utrumque converti, mulier, audita suggestione serpentis exteriori, non recurrit ad librum interiorem, qui legibilem se praebet recto judicio rationis, sed sensum suum circa exteriorem librum tenuit et circa exterius bonum negotiari coepit. Et quia sensus ejus non accessit ad verum infallibile, appetitus ejus converti coepit ad bonum commutabile », *Breviloquium*, III, 3, 2 ; éd. min., p. 101-102. Une allusion plus directe encore au thème du « diable patriarche des philosophes » se trouve dans l'*In Hexaëm.*, XXII, 35, t. V, p. 442, à propos du manque de discernement dans le choix des objets sensibles : « Eva enim misera et incauta introduxit eloquium serpentis et dubitavit ; et isto eloquio hodie multi corrumpuntur. » La philoso-

Aristote fera plus tard la théorie, dont il codifiera la méthode et définira le contenu. Dès lors qu'il prêtait une subsistance aux choses et ne se fiait plus qu'à ses sens pour les étudier en elles-mêmes, l'homme ne pouvait plus atteindre aucun objet stable ni aucune vérité immuable, il allait donc se trouver abandonné à lui-même au milieu de biens incomplets et incapables de satisfaire ni sa pensée ni ses désirs. Telle fut la chute : un acte de curiosité et d'orgueil par lequel l'homme se détournait de l'intelligible, se tournait vers le sensible comme tel et, s'engageant dans le domaine de l'accidentel et du non-être, s'embarrassait lui-même dans une infinité d'obscures questions[1].

Considérons, en effet, l'état dans lequel l'homme ainsi déchu se trouve plongé. Séparé du bien qu'il possédait dans l'état de grâce, il n'en a cependant pas perdu le souvenir et, aujourd'hui encore, nous l'en voyons travaillé par un cruel regret. Sa faculté de connaître, qu'il détourne à grand effort du sensible auquel elle s'est librement asservie, reste naturellement capable de tout connaître et de connaître celui par qui tout est connu ; sa faculté d'aimer, qu'il a fixée sur les objets matériels, reste également capable de tout aimer et d'aimer le bien de tous les biens. C'est pourquoi nous constatons que rien de fini ne peut satisfaire l'âme humaine[2] et que, tendant de toutes ses forces vers un bien infini qu'elle n'est plus capable de saisir, elle se traîne en proie à la plus cruelle misère. La science naturelle et la philosophie de la pure raison dont les hommes conçoivent tant d'orgueil portent, profondément empreinte, la marque évidente de cette misère. Nous disions, en définissant au début de cet ouvrage la métaphysique chrétienne, qu'elle seule était capable de systématiser complètement le savoir humain. Peut-être en apercevons-nous maintenant avec plus de clarté les raisons profondes ; la science naturelle est incapable de s'achever parce que son objet n'est capable de satisfaire ni notre curiosité ni notre désir. Ce que les philosophes considèrent comme une extension illimitée de la connaissance exprime

phie naturelle prolonge le péché originel parce qu'elle est comme lui une concupiscence, c'est-à-dire : « Aliqua conversio inordinata ad bonum commutabile », II Sent., 30, 2, 1, fund. 4ᵐ, t. II, p. 721. On remarquera, en effet, l'analogie entre la science sensible suggérée par le serpent et celle que recommande Aristote. L'aristotélisme est à base de péché originel. Ce n'est donc guère répondre aux intentions de saint Bonaventure que de définir sa pensée : « Un péripatétisme nuancé d'augustinisme », Smeets, art. Bonaventure (saint), Dictionnaire de théologie catholique, t. II, col. 979.

1. II Sent., prooem., t. II, p. 5. La faute de Lucifer avait été la même que celle d'Adam, In Hexaëm., I, 17, t. V, p. 332, et XIX, 4, t. V, p. 420.

2. I Sent., 1, 3, 2, Concl., t. I, p. 40-41.

en réalité l'insatiabilité d'un appétit infini qui ne trouve plus que des biens finis pour se rassasier. C'est pourquoi nous voyons une question susciter toujours une question nouvelle, engendrer des discussions qui s'ajoutent aux discussions antérieures et nous enfoncer dans une inextricable incertitude. Cette instabilité de la connaissance entraîne celle du désir; l'instabilité du désir entraîne celle de nos facultés et de notre action[1]; la continuité primitive et la rectitude naturelle qui reliaient autrefois l'homme à Dieu se trouvent détruites jusqu'à ce qu'un secours extraordinaire vienne les rétablir.

Mais le mal s'étend plus loin encore, car, par la faute de l'homme, c'est l'univers entier qui se trouve séparé de Dieu. Le monde, nous le savons, a été créé tout entier en vue de l'homme, mais il n'a pas été seulement créé en vue de son corps, il l'a été aussi et surtout en vue de son âme. Primitivement l'homme usait donc des choses pour conserver sa vie, mais plus encore pour acquérir la sagesse. Aussi longtemps qu'il est demeuré dans l'état de justice première il possédait la connaissance de toutes les créatures et, les considérant comme autant d'images ou de représentations de Dieu, il se trouvait conduit par elles à le louer, à le vénérer et à l'aimer. Or, ce faisant, l'homme n'atteignait pas seulement sa propre fin, il permettait à l'univers d'atteindre la sienne. Un monde qui n'est là que pour représenter Dieu devant la pensée humaine ne réalise sa destinée que si la pensée de l'homme voit en lui la représentation de Dieu : *et ad hoc sunt creaturae et sic reducuntur in Deum.* Mais, à partir du moment où l'homme se détourne de la sagesse pour chercher la science et prétend découvrir une signification du monde intrinsèque à ce monde même, il tente une entreprise absurde et cherche le sens d'un livre qui n'en a plus. Dès ce moment, les choses cessent de répondre à leur destination primitive et ne s'ordonnent plus vers la fin que Dieu leur avait assignée : *cadente autem homine, cùm amissus est cognitionem, non erat qui reduceret eas in Deum; unde iste liber, scilicet mundus, quasi emortuus et deletus erat*[2]. Nous savions pourquoi l'achèvement d'une science des choses comme telles était une entreprise impossible pour nous, nous savons maintenant pourquoi elle était une entreprise contradictoire en soi : la philosophie naturelle est la science de l'univers en tant qu'il est dépourvu de sa vraie signification.

Tel est le point le plus bas de la chute de l'homme. Mais l'endroit du

1. *II Sent.*, prooem., t. II, p. 5.
2. *In Hexaëm.*, XIII, 12, t. V, p. 389-390.

sol où l'on tombe est celui sur lequel on s'appuie pour se relever, et
c'est donc, si étrange que la chose puisse d'abord paraître, sur notre
misère même que nous devons faire fond pour nous en délivrer. Que
telle soit bien la première démarche requise de l'homme par saint
Bonaventure, c'est ce que semble indiquer le mystérieux *incipit* de
l'*Itinéraire de l'âme vers Dieu* : ici commence la spéculation du pauvre
dans le désert[1]. Nul thème qui lui soit plus familier que celui-là, et
c'est à maintes reprises qu'il y est revenu. L'homme s'est détourné par
un acte libre du Dieu suprême qui constituait son principe et sa fin ; un
nouvel acte libre en sens contraire ne serait plus suffisant pour le relier
à son principe et lui rendre son bien, mais cet acte est du moins nécessaire. Nous devons demander d'abord à Dieu qu'il nous restitue ce dont
nous sommes justement privés, mais dont la perte nous est si cruelle,
car le secours divin ne viendra qu'aux âmes qui l'implorent avec humilité et soupirent dans cette vallée de misère vers leur bien perdu. Bien
loin de nous détourner du spectacle de nos maux, nous devons nous
tourner continuellement vers eux, les méditer avec attention, les placer
en évidence sous le regard de notre pensée et exacerber la conscience
de notre détresse jusqu'à son paroxysme pour que la prière jaillisse
plus ardente de notre cœur vers Dieu : *oratio igitur est mater et origo
sursumactionis*[2]. Née de la méditation et du remords de notre chute,
la prière est aussi l'origine nécessaire de notre relèvement.

Mais il faut ajouter immédiatement que si nous disposons ainsi du
premier acte qui déterminera notre retour vers Dieu, nous ne disposons
de rien d'autre qui puisse efficacement y contribuer. Prier d'abord,
prier encore, toujours prier, c'est ce que l'homme doit, mais c'est aussi
tout ce qu'il peut faire ; le reste ne saurait venir que de Dieu : *supra
nos levari non possumus nisi per virtutem superiorem nos elevantem*[3] ;
c'est là le second point qu'il importe de considérer. Le premier secours
divin, et le plus général de tous ceux dont l'homme ait été gratifié, est
celui de la Révélation, dont le contenu se trouve déposé dans l'Écriture.
Puisque le monde sensible est devenu pour nous illisible et que nous

---

1. « Incipit speculatio pauperis in deserto », *Itinerarium*, I ; éd. min., p. 294. Pour ce
qui précède, *Ibid.*, IV, 2, p. 324.

2. *In Hexaëm.*, II, 6, t. V, p. 337 ; *Itinerarium*, I, 1 ; éd. min., p. 294, et VII, 6, p. 347.
Comme méthode de méditation sur la misère de l'homme, voir *De triplici via*, I, 1, 3-8 ;
éd. min., p. 3-7 ; *Soliloquium*, I, 3, 10-28 ; éd. min., p. 60-79. Sur la manière de prier,
voir : *De perfectione vitae ad sorores*, c. V ; éd. min., p. 303-312 ; *De sex alis Seraphim*,
c. VII ; éd. min., p. 403-415 ; cf. P. Ephrem Longpré, *op. cit.*, p. 59-61.

3. *Itinerarium*, I, 1 ; éd. min., p. 294.

restons devant son écriture comme un ignorant devant quelque livre
hébreu, il fallait que Dieu nous mît sous les yeux un livre écrit en plus
gros caractères et une sorte de dictionnaire qui nous permît de traduire
cette langue dont nous avions oublié la signification. Tel est précisément le rôle de l'Écriture. Elle nous dit ce que signifient les choses et
ce que nous y verrions de nous-mêmes si nous n'étions pas des créatures déchues ; de ce cryptogramme qu'est l'univers elle nous apprend,
par exemple, que Dieu est un être triple pour que nous nous tournions
vers les êtres où la Trinité se trouve inscrite ; elle nous enseigne les
significations symboliques, morales et mystiques de toutes les choses
créées ; elle nous rend, en un mot, une partie des connaissances qu'Adam
possédait et qu'il a perdues, ou plutôt elle nous met à même de reconquérir au prix d'un long effort quelque chose de notre clairvoyance
perdue. Dans l'économie générale de l'œuvre de réparation, l'Écriture
vient donc rendre à l'univers sa signification première ; elle permet à
l'homme de rétablir l'harmonie détruite par sa chute en faisant servir
les choses à leur véritable fin qui est de lui faire connaître, louer et
aimer Dieu [1].

Il ne suffit cependant pas que le livre des choses soit sous nos yeux
en même temps que la clef de ses métaphores pour que nous puissions
l'interpréter, il faut encore que nous prenions la peine d'en explorer le
contenu et que nous entreprenions de le traduire. Comment retrouver
le sens originel de l'univers et reconquérir l'intelligence des choses
dont jouissait l'homme primitif ? En suivant en sens inverse le chemin
qu'Adam lui-même a suivi. Le premier homme est descendu de l'intelligible vers les choses ; il nous faut remonter aujourd'hui de ces mêmes
choses vers l'intelligible et, pour ce faire, disposer des êtres qui composent l'univers comme d'autant de degrés constituant une même
échelle qui nous élèvera vers Dieu. De là cette importance capitale
accordée par saint Bonaventure aux montées augustiniennes et dont
l'*Itinéraire de l'âme vers Dieu* tout entier n'est qu'un modèle minutieusement développé selon les méthodes propres du Docteur Séraphique.
Dès le début de l'humanité l'univers s'est offert à la pensée de l'homme

---

1. « Unde iste liber, scilicet mundus, quasi emortuus et deletus erat ; necessarius autem
fuit alius liber, per quem iste illuminaretur, ut acciperet (*scil.*, homo) metaphoras rerum.
Hic autem liber est Scripturae, qui ponit similitudines, proprietates et metaphoras rerum
in libro mundi scripturam. Liber ergo Scripturae reparativus est totius mundi ad Deum
cognoscendum, laudandum, amandum », *In Hexaëm.*, XIII, 12, t. V, p. 390 ; *Breviloquium*,
II, 12, 4 ; éd. min., p. 94.

comme une ordonnance hiérarchique destinée à ramener sa pensée vers le Créateur; mais alors que l'intellect du premier homme avant sa chute parcourait sans peine les degrés de l'échelle des êtres depuis les corps insensibles jusqu'à Dieu, l'intellect de l'homme déchu doit les gravir péniblement et éprouve même les difficultés les plus sérieuses à les retrouver. En réalité, il faut dire que l'échelle première fut brisée par la faute d'Adam et que jamais nous ne pourrons l'utiliser de nouveau si Dieu lui-même ne la répare[1]; quand bien même nous saurions disposer dans notre cœur les montées que Dieu nous offre pour sortir de cette vallée de larmes, elles ne nous serviront de rien si la grâce divine ne nous aide à les gravir[2].

La raison fondamentale d'une telle doctrine se laisse aisément découvrir. Dieu a créé le monde et l'homme dans un état choisi librement par lui et qui supposait l'existence de rapports définis entre la créature et le Créateur. Fondés sur les perfections relatives des êtres, ces rapports étaient intérieurs aux choses mêmes et inséparables des essences qui les définissaient. En les subvertissant par le péché l'homme ne pouvait pas laisser intactes les choses entre lesquelles ces rapports s'établissaient; pécher contre l'ordre voulu par Dieu c'était rendre caduque, autant qu'il était au pouvoir de l'homme, l'œuvre de la création. Dès lors, le rétablissement de l'ordre primitif dérangé par le péché exigeait une véritable « recréation ». Cette expression du théologien Hugues de Saint-Victor est familière à saint Bonaventure[3], et il s'est employé à la justifier de manière telle que nous soyons autorisés à lui donner son sens plein chaque fois que nous la rencontrons.

Dieu, principe premier de toutes choses, doit être considéré comme

---

1. *Itinerarium*, IV, 2; éd. min., p. 324; cf. également I, 2; éd. min., p. 295; I, 7, p. 297. C'est parce qu'il faut refaire en sens inverse le chemin de la chute que saint Bonaventure exclut les philosophes naturels du nombre de ses auditeurs, *In Hexaëm.*, I, 9, t. V. p. 330. Ils font, en effet, profession de tourner le dos à la vérité.

2. « Quantumcumque enim gradus interiores disponantur, nihil fit nisi divinum auxilium comitetur. Divinum autem auxilium comitatur eos qui petunt ex corde humiliter et devote; et hoc est ad ipsum suspirare in hac *lacrymarum valle*, quod fit per ferventem orationem », *Itinerarium*, I, 1; éd. min., p. 294. La nécessité de la grâce comme fondement de toute la mystique bonaventurienne a été mise en évidence de façon définitive par le P. Ephrem Longpré, *op. cit.*, p. 41-58, pagination de l'*Archivum*. Dans une formule très expressive, il caractérise la pensée de saint Bonaventure sur ce point comme l'exigence d'une « surnaturalisation profonde, aux sources mêmes de l'être et de l'activité » (p. 46); c'est, en effet, l'assise profonde de toute la doctrine.

3. *Breviloquium*, V, 4, 4; éd. min., p. 176; *II Sent.*, 26, 1, 5, t. II. p. 643; cf. E. Longpré, *op. cit.*, p. 12.

cause première de tout ce qui existe dans l'univers, en raison de sa puissance même et de son caractère de premier. Si donc l'on excepte les péchés, qui sont des désordres et de pures contraventions à la loi divine, rien n'existe qui ne doive l'être à son action. Mais le péché lui-même est un mépris ouvert des préceptes divins; il nous détourne du bien immuable, offense Dieu, déforme le libre arbitre, annule le don gratuit qui nous avait été fait et nous condamne au supplice éternel. Or, à quoi revient tout ce désordre? L'homme était l'image de Dieu et le réceptacle de la grâce première; il ne l'est plus; c'est donc une véritable destruction qui s'est produite ou, comme le dit saint Bonaventure, une annihilation dans l'ordre de la morale et de la grâce. L'offense perpétrée contre un Dieu doit être pesée par rapport à l'infinité de Dieu lui-même, et le mal qu'une créature finie peut faire en s'en détournant, un être infini peut seul le réparer; nous ne sommes donc pas plus capables de nous restaurer dans l'état de grâce que nous n'étions capables de nous y instaurer, et c'est pourquoi Dieu seul peut rendre efficaces dans cet ordre les efforts de notre libre volonté[1].

S'il en est ainsi, nous sommes désormais en mesure de comprendre pourquoi toutes nos tentatives pour isoler une philosophie indépendante au milieu du système des connaissances humaines sont demeurées vaines. Dès ses démarches initiales notre pensée radicalement viciée par le péché originel requiert une lumière transcendante qui la guide et la recrée dans un état analogue à son état primitif. Parmi les nombreuses ramifications de la grâce, c'est le don d'intelligence qui vient s'appliquer à cette maladie de notre nature déchue pour lui apporter son remède spécifique et la guérir. Saint Bonaventure le déclare en propres termes : *intellectus est janua considerationum scientialium*[2]; et

---

1. Le texte le plus clair sur ce point est celui du *Breviloquium*, V, 3, 2, : « Primum principium... nihil habet sibi rebelle, injuriosum et offensivum nisi peccatum, quod contemnendo Dei praeceptum et avertendo nos a bono incommutabili, offendit Deum, deformat liberum arbitrium, perimit donum gratuitum et obligat ad supplicium aeternum. Cum igitur deformatio imaginis et peremptio gratiae sit quasi annihilatio in esse moris et vitae gratuitae; cum offensa Dei sit tantum ponderanda quantus est ipse; cum reatus poenae aeternae rationem teneat infiniti : impossibile est quod homo resurgat a culpa nisi recreetur in vita gratuita... Solus igitur qui fuit principium creativum est et principium recreativum », éd. min., p. 171-172.

2. *De donis S. S.*, VIII, 6, t. V, p. 495; cf. : « Gratia fundamentum est rectitudinis voluntatis et illustrationis perspicuae rationis », *Itinerarium*, I, 8; éd. min., p. 298. On remarquera que le texte du *De donis S. S.* que nous venons de citer précède immédiatement une réfutation des erreurs commises par les philosophes : unité de l'intellect, etc. On remarquera, en outre, que lorsque saint Bonaventure déclare la grâce nécessaire pour la

l'on ne peut pas douter qu'il ne s'agisse ici d'un don gratuit surajouté par Dieu à la connaissance que nous acquérons par voie d'expérience et d'interprétation naturelle, non seulement parce que cette déclaration se trouve empruntée à une conférence entièrement consacrée au don d'intelligence, mais encore parce que saint Bonaventure a lui-même exprimé sa pensée de la manière la plus claire : *et quantumcumque homo habeat naturale judicatorium bonum et cum hoc frequentiam experientiae, non sufficiunt nisi sit illustratio per divinam influentiam.* Cette assertion formelle s'accorde parfaitement avec la doctrine qu'enseigne saint Bonaventure sur les rapports de la philosophie et de la théologie, ainsi qu'avec sa théorie de la connaissance, elle ne fait même qu'en assigner le fondement ultime parce que surnaturel.

L'opération par laquelle Dieu restaure en nous l'échelle brisée par la faute d'Adam[1] se nomme la hiérarchisation de l'âme. Il est clair, en effet, que le rayon divin peut seul ramener l'âme vers Dieu[2], mais il ne peut déterminer ce retour qu'en la réorganisant complètement en vue des opérations supérieures qu'accomplissait sans effort l'homme primitif et qui nous sont devenues naturellement impossibles. Qu'il s'agisse de Dieu, des anges, de l'Église ou de l'homme, on nomme hiérarchie un pouvoir ordonné, de nature sacrée, appartenant à un être raisonnable et qui lui confère une domination légitime sur les êtres qui lui sont soumis[3]. En d'autres termes, tout ce qui rentre dans un ordre hiérarchique, sauf le premier terme qui donne tout et ne reçoit rien et le dernier terme qui reçoit tout et ne donne rien, se trouve pris entre l'influence sacrée qu'il subit et les degrés inférieurs sur lesquels il exerce la sienne. Nous avons vu les anges s'ordonner conformément à ce prin-

---

« contemplation », c'est précisément l'interprétation des choses sensibles qu'il désigne par ce terme : « Contemplans considerat rerum existentiam actualem, credens rerum decursum habitualem, ratiocinans rerum praecellentiam potentialem », *Itinerarium*, I, 10; éd. min., p. 299. La dernière expression signifie : raisonner sur la hiérarchie des choses d'après la perfection relative de leurs facultés.

1. L'insuffisance de la connaissance naturelle est, ici encore, fortement marquée : « Ideo, quantumcumque sit illuminatus quis lumine naturae et scientiae acquisitae, non potest intrare in se ut in se ipso delectetur in Domino, nisi mediante Christo », *Itinerarium*, IV, 2; éd. min., p. 324.

2. *In Hexaëm.*, III, 32, t. V, p. 348. Cette illumination est d'ailleurs continuelle, *Ibid.*, XIV, 30, t. V, p. 392.

3. *II Sent.*, dist. 9, praenotata, t. II, p. 238. C'est parce que la valeur de la notion de hiérarchie est universelle, d'une universalité analogique bien entendu, que saint Bonaventure a pu établir de subtiles correspondances entre l'âme hiérarchisée et les ordres angéliques, *In Hexaëm.*, XXII, 24-40, t. V, p. 441-443.

cipe[1], nous allons voir la grâce divine disposer à son tour l'âme régénérée selon le même plan.

Les trois opérations fondamentales qui hiérarchisent l'âme sont celles par lesquelles la grâce la purifie, l'illumine et la parfait. Ces trois moments ont été fixés par la mystique de l'Aréopagite et saint Bonaventure les a conservés comme bases de son architecture mystique[2]. Il estime, en effet, que la fin de la restauration des âmes humaines par la grâce est de faire réapparaître en elles l'image de Dieu effacée par le péché; c'est là ce que saint Bonaventure appelle rendre l'âme *deiformis*, et rien n'est plus compréhensible qu'un tel point de vue si l'on n'oublie pas le terme vers lequel tend cette mystique : retrouver les montées qui conduisent à Dieu. Avant de les gravir, il faut les rétablir; avant de nous élever par les degrés de notre âme jusqu'à Dieu, il faut que ces degrés y existent et s'y ordonnent. Or, l'homme découvre en soi une première représentation lointaine de la perfection divine en ce qu'il la reconnaît comme son principe; il se configure à Dieu lorsqu'il se considère comme une représentation du Créateur par son unité, sa vérité et sa bonté. Mais une ressemblance plus prochaine peut être atteinte par l'homme s'il fait de ses facultés spirituelles l'usage qui convient; lorsque, en effet, elles sont ordonnées vers leur objet, la mémoire, l'intelligence et la volonté intègrent une âme véritablement « déiforme[3] » et dans laquelle nous retrouvons sans peine l'image de Dieu. C'est alors, enfin, qu'un dernier degré de conformité divine, plus immédiat encore, nous apparaît comme possible, cette similitude dont nous avons déjà parlé, plus proche que le vestige et l'image, et qui ne s'acquiert que par l'infusion des vertus théologales : la foi, l'espérance et la charité.

1. Voir chap. viii, p. 255 et suiv. La hiérarchie ecclésiastique est exposée, *In Hexaëm.*, XXII, 2-23, t. V, p. 438-441. Les considérations relatives aux ordres religieux, que nous avons rapportées p. 85, sont empruntées à ce texte. Le séraphin saint François est donc au sommet de la hiérarchie dans l'ordre de la sainteté.

2. Dionys., *De coelesti hierarchia*, III, 2; VII, 3; IX, 2, et X. Cf. saint Bonaventure : « Quibus adeptis, efficitur spiritus noster hierarchicus ad conscendendum sursum secundum conformitatem ad illam Jerusalem supernam, in quam nemo intrat nisi prius per gratiam ipsa in cor descendat, sicut vidit Joannes in Apocalypsi sua (XXI, 2). Tunc autem in cor descendit, quando per reformationem imaginis, per virtutes theologicas et per oblectationes spiritualium sensuum et suspensiones excessuum efficitur spiritus noster hierarchicus, scilicet purgatus, illuminatus et perfectus », *Itinerarium*, IV, 4; éd. min., p. 326-327; *Breviloquium*, V, 1, 2; éd. min., p. 164.

3. « Deiformis est creatura rationalis, quae potest redire super originem suam per memoriam, intelligentiam et voluntatem », *De donis S. S.*, III, 5, t. V, p. 469; *Breviloquium*, II, 12, 3; éd. min., p. 94; *Itinerarium*, III, 1-2; éd. min., p. 314.

Pour achever de rendre l'âme déiforme, l'influence d'une illumination déiforme telle que la grâce est nécessaire. Née de Đieu, similitude de Dieu, dirigée vers Dieu, elle est capable d'introduire dans l'âme plus qu'une configuration extérieure ou qu'une analogie représentative, elle transmue son être même en y faisant pénétrer une qualité divine qui, seule, peut l'habiliter en vue de l'union avec Dieu ; don immédiat de Dieu à l'âme, elle la met en rapport immédiat avec lui et la rend aussi capable de son principe qu'un intellect fini peut l'être[1]. Voyons par quelles voies et selon quelles étapes va s'opérer cette assimilation.

Dès le moment de son infusion la grâce s'empare à la fois de la substance même de l'âme et de toutes les facultés qui s'y rattachent. Nous retrouvons ici, transposées dans le plan surnaturel, les préoccupations dominantes de saint Bonaventure, et ce sont elles, vraisemblablement, qui nous livrent ce que fut la raison dernière des autres : pénétrabilité de

1. Ce n'est pas là une fonction surérogatoire, mais l'essence même de la grâce sanctifiante dans la doctrine de saint Bonaventure : « Ipsa denique est donum, quod animam purgat, illuminat et perficit ; vivificat, reformat et stabilit ; elevat, assimilat et Deo jungit, ac per hoc acceptabilem facit, propter quod donum hujusmodi gratia gratum faciens recte dicitur et debuit appellari », *Breviloquium*, V, 1, 2 et 6 ; éd. min., p. 164 et 166. Sur la nécessité de ce don pour unir toute créature à Dieu et, à fortiori, toute créature déchue, *Ibid.*, 3, p. 164. La modalité de ce don consiste essentiellement en un don incréé, le Saint-Esprit ; don, puisque c'est lui qu'on reçoit, mais incréé, puisqu'il est Dieu ; et en un don créé, par lequel Dieu informe l'âme, puisqu'il ne peut en être lui-même la forme au sens propre du mot. Il faut donc que cette forme créée, ce don, ne soit pas Dieu, mais conserve assez de divin pour opérer dans l'homme et ses actions la surnaturalisation nécessaire. L'influence corporelle qui lui ressemble le plus est celle de la lumière : « Unde inter omnia corporalia maxime assimilatur gratiae Dei luminis influentia, quae assimilat corpora ipsum suscipientia ipsi fonti luminis quantum ad proprietatem ; sic gratia est spiritualis influentia, quae mentes rationales fonti lucis assimilat et conformat. Haec autem influentia recte dicitur gratia, tum quia datur ex mera liberalitate, nulla naturae cogente necessitate..., tum etiam quia gratum facit..., tum etiam quia facit hominem gratis facere ea quae facit », *II Sent.*, 26, un. 2, Concl., t. II, p. 636. Avoir le Saint-Esprit, c'est, par conséquent, avoir le don qui nous permet d'en jouir : « Sicut enim, cum quis tenet equum per frenum, dicitur tenere equum, nec sic excluditur tentio freni, quia tenendo frenum tenet equum ; sic, cum Spiritus sanctus dicitur substantia donorum, non excluditur donum creatum, imo includitur », *Ibid.*, ad 1ᵐ, p. 636. Mais il reste une différence essentielle entre la grâce divine et ce qui la reçoit. La grâce *est* de la similitude divine ; l'âme *reçoit* la ressemblance que lui confère la grâce : « Alio modo anima Deo assimilatur, et alio modo gratia. Anima enim Deo assimilatur sicut divinae similitudinis susceptiva, gratia vero sicut ipsa similitudo vel donum assimilativum ; unde non est comparatio proprie inter hunc modum assimilandi et illum », *II Sent.*, 26, un. 4, ad 2ᵐ, t. II, p. 639. Nous avons déjà touché ce dernier point chap. XII, p. 386. La notion essentielle qu'il faut comprendre pour suivre saint Bonaventure est précisément que la grâce, *étant* de la similitude divine, peut surnaturaliser l'être et les opérations de ce qui ne fait que la recevoir ; de là la transmutation qui assimile la substance de l'âme à Dieu par la hiérarchisation des facultés que nous allons décrire.

la substance même de l'âme humaine à l'action divine, parce que c'est
la substance qui s'est trouvée blessée par le péché et qu'il s'agit désormais de guérir ; refus de distinguer réellement la substance de l'âme de
ses facultés pour que toute influence divine qui tombe sur les facultés
remonte comme d'elle-même vers l'âme et que toute action de Dieu sur
l'âme se ramifie spontanément à travers toutes ses facultés : *gratia est
una, sicut et substantia, et est semper in actu continuo ; et primo dicitur
respicere substantiam, non quia sit in illa absque potentia, vel per prius
quam in potentia, sed quia habet esse in potentiis, ut continuantur ad
unam essentiam* [1]. Elle tombe donc sur le libre arbitre et les facultés
qui en dépendent. Dès qu'elle s'en est emparée, la grâce les ordonne en
situant chacune d'elles à la place qu'elle doit occuper et en réglant son
activité comme elle doit l'être pour que l'âme se trouve ramenée à Dieu.
Trois opérations principales définissent, en effet, la vie de l'âme considérée sous sa forme la plus haute : chercher Dieu hors de soi, le chercher en soi, le chercher enfin au-dessus de soi. La hiérarchisation de
notre vie intérieure commencera donc par la réorganisation du premier
mode selon lequel nous connaissons Dieu et réglera d'abord les démarches par lesquelles notre pensée explore le monde extérieur [2].

Il y a dans notre âme comme une sorte de main qui écrit, pour que
nous en conservions la trace, tout ce que nous lisons dans le livre des
créatures. Le sens perçoit les objets extérieurs et transmet ces impressions au sens commun ; l'imagination peut ensuite les réveiller pour les
reproduire et la raison peut les considérer à loisir pour les confier de
nouveau à la mémoire. Laissées à elles-mêmes, toutes ces opérations se
produisent au hasard ; notre esprit curieux laisse les objets les plus
divers imprimer leur image sur notre imagination et grossir le trésor
de notre mémoire ; nul discernement entre l'utile et l'inutile, ni même
entre l'indifférent et le nuisible ; de là cette science interminable et
inachevée que le serpent a promise jadis à Ève et dont la promesse égare
aujourd'hui encore tant d'esprits. Dans l'âme hiérarchisée par la grâce,
cette première orientation de la pensée, dont le sens décide une fois
pour toutes de celle des opérations ultérieures, se trouve immédiatement réglée et ordonnée vers Dieu. *Primo debet esse discreta perlustra-*

1. *II Sent.*, 26, un. 5, Concl., t. II, p. 643. Sur la doctrine thomiste, voir : M. J. Bliguet,
Le point d'insertion de la grâce. Rev. des sciences phil. et theol., 1923, p. 49-56.
2. En opposition avec Thomas Gallo, abbé de Verceil (Vercellensis), saint Bonaventure
nie l'existence d'un premier moment purement naturel de la hiérarchisation de l'âme ; voir
In Hexaëmeron, XXII, 24 et 35, t. V, p. 441 et 442.

tio ut discrete consideretur mundus ab anima [1]; à partir de ce moment rien d'impur ne pénètre plus dans l'âme, et non seulement rien d'impur, mais même rien d'inutile. Ce don de discernement règle d'abord les démarches que nous effectuons en parcourant le monde sensible; il oriente nos pas vers la direction que nous devons suivre pour découvrir les êtres capables de nous instruire et les aspects de ces êtres qui seront pour nous des signes. Attribuons à ce premier degré son analogue dans la hiérarchie angélique; il correspondra fort exactement à l'ordre des Anges qui gardent l'homme, inspirent sa conduite et le dirigent dans la voie du salut. Mais la grâce fait mieux encore : elle ne se contente pas de régler les démarches de notre pensée dans l'exploration du monde sensible, elle nous inspire concernant le choix des objets auxquels nous devons attacher notre attention pour déchiffrer le sens caché qu'ils recèlent : *praeelectio*, ou, comme dit encore saint Bonaventure, l'élection ordonnée de nos jugements, tel sera donc le deuxième moment de cette conversion qu'opère en nous l'influence divine. Et comme il est d'un ordre supérieur au premier, on peut admettre que ce degré de l'âme hiérarchisée correspond à celui des Archanges. Reste enfin le troisième degré qui doit correspondre à l'ordre des Principautés : le discernement des objets qu'il faut non seulement rencontrer et choisir, mais encore poursuivre en réglant sur eux notre action, c'est-à-dire le jugement, *judicium*, norme des actions ordonnées selon la nature des vrais biens que nos actions poursuivent.

Or, il apparaît aussitôt que, comme ces trois ordres angéliques hiérarchisés sont préposés à la bonne administration de l'univers sensible, de même ces trois ramifications hiérarchisées de la grâce vont transformer notre vision du monde sensible en la surnaturalisant. C'est le triple discernement de ce qu'il faut observer, juger et faire qui engendre les considérations et règle l'économie des deux premiers chapitres de l'*Itinéraire de l'âme vers Dieu*. Illuminé par la grâce, notre œil ne prétend plus parcourir la multitude indéfinie des êtres particuliers, et il prétend moins encore faire pénétrer son regard dans la nature des choses en poussant toujours plus loin son exploration vers une chimérique signification des êtres pris en eux-mêmes; tout au contraire de celle du philosophe, l'exploration du mystique va droit au symbolisme divin, sens vrai de l'univers qu'il est désormais capable de reconnaître. C'est alors qu'il discerne pour la première fois l'image de Dieu dans le poids, le

---

1. *In Hexaëm.*, XXII, 35, t. V, p. 442.

nombre et la mesure inséparables de toutes choses, ainsi que dans leur
substance, leurs facultés et leurs opérations. Il voit les êtres se hiérarchiser, selon les exigences d'un ordre qui rend raison de leur existence,
en êtres purement corporels, êtres corporels à la fois et spirituels, êtres
purement spirituels, conduisant ainsi à la pensée d'un être meilleur
encore parce que parfait de sa propre perfection. Il voit ces mêmes
êtres s'ordonner en changeants et corruptibles, puis changeants et
incorruptibles; d'où sa pensée, poursuivant l'élan qu'elle vient d'acquérir, va se fixer sur un être à la fois immuable et incorruptible qui serait
Dieu. Mais le mystique ne s'en tient pas là. Cette considération de Dieu
dans les choses va se dilater à son tour et se multiplier selon les sept
considérations qui manifestent une présence divine au sein des choses :
origine, grandeur, nombre, beauté, plénitude, opération et ordre. Or,
elle va s'approfondir encore si nous ajoutons à l'aspect immédiat des
choses ce que nous savons des conditions requises pour que nous les
percevions. Dès la perception sensible, en effet, nous trouvons intimement liée, et comme consubstantielle à la chose perçue, la qualité intelligible qui requiert une explication transcendante. L'objet n'agit pas
sur le sens corporel sans figurer par l'espèce qu'il rayonne la génération du Verbe par le Père, qui engendre à son tour la grâce, par laquelle
nous sommes ramenés au Père comme l'espèce nous assimile à l'objet.
La beauté et la douceur des objets que nous percevons, les formes
mêmes que nous leur attribuons ne s'expliqueraient pas d'autre part
sans les lois numériques internes qui définissent leurs essences et leurs
rapports avec une âme raisonnable capable de les percevoir et de les
juger. C'est à partir de ce moment aussi que s'efface l'univers du philosophe pour laisser transparaître l'univers analogique de la mystique
bonaventurienne; les natures se traduisent en symboles, les choses se
changent en signes et nous invitent à rentrer en nous-mêmes pour
rejoindre leur principe au lieu de nous inviter à nous perdre en elles
pour nous éloigner de lui[1].

Une fois ramenée par la grâce du dehors au dedans de soi notre âme
va réordonner à leur tour ses facultés internes et les hiérarchiser. Mais
la difficulté est plus considérable encore en ce qui concerne les causes
intérieures de notre aveuglement qu'en ce qui concerne les fausses
interprétations qu'elles engendrent sur le monde extérieur; nous nous
trouvons ici à la racine même du mal dont nous souffrons, et c'est le

---

1. *Itinerarium*, I et II; pour ce dernier trait, II, 11 et 13; éd. min., p. 312-313.

dur labeur d'une réforme complète de nous-mêmes que nous allons être
contraints d'entreprendre. La première tâche qu'il importe de mener à
bien est de déraciner les passions et de subjuguer les puissances qui
s'opposent au développement de notre vie nouvelle; or, le mal le plus
profond est celui-là même dont tous les autres sont sortis : la concupiscence, c'est-à-dire le vouloir pour soi, que nous avons substitué au vouloir pour Dieu. L'extirper complètement équivaudrait à annuler le péché
d'Adam, tâche impossible pour nous, même avec le secours de la grâce ;
mais nous pouvons du moins l'attaquer de toutes parts, émonder tous
les rejets qu'elle pousse aussitôt qu'ils commencent à poindre sous l'une
quelconque des trois formes principales qu'elle revêt : soif de commander, soif de jouir et soif de posséder. Le désir du commandement, avec
le goût de la faveur, de la gloire ou des honneurs qui l'accompagnent,
relève de cette vanité dont l'homme est plein et qui correspond au
dérèglement de nos facultés d'agir par la faute originelle. La soif de
jouir est ce goût de la volupté qui nous fait désirer ce qui est doux,
charnel et luxueux; elle témoigne du dérèglement de nos facultés d'aimer par le péché d'Adam. La soif de posséder ne fait qu'un avec la
curiosité, et nous sommes ici à l'extrême pointe de la racine du mal.
La curiosité consiste, en effet, dans le désir de savoir ce qui est caché
simplement parce qu'on l'ignore, de voir ce qui est beau pour sa beauté
même et de s'emparer, pour l'avoir à soi, de ce que l'on estime. Curiosité entraîne donc nécessairement avarice, et c'est ce qui perdit le premier homme : la passion de savoir pour savoir, de voir pour voir et de
s'emparer de ce qu'il convoitait[1]. C'est donc par là que la force mauvaise du démon tient l'âme de l'homme; celle-ci ne redevient maîtresse
d'elle-même qu'en s'en délivrant, et elle ne s'en délivre qu'en acquérant
les trois vertus qui s'y opposent : humilité, chasteté et pauvreté. Voilà
pourquoi toute la discipline monastique et même toute la discipline
franciscaine est requise pour l'ascension mystique; la formule tient en
peu de mots, mais une vie de sacrifices tout entière est requise pour la
réaliser[2]. Cette lutte contre les passions et pour les vertus correspond

1. *In Hexaëm.*, XXII, 36, t. V, p. 443, dont il faut commenter les indications sommaires
par l'opuscule *De triplici via*, 1, 5; éd. min., p. 5; *De perfectione vitae ad sorores*, I, 3 ;
éd. min., p. 275.

2. Ce programme, esquissé à maintes reprises dans les opuscules spirituels et mystiques
de saint Bonaventure, se trouve complètement fondé et développé dans les *Quaestiones disputatae de perfectione evangelica*, t. V, p. 117 et suiv. On notera spécialement que l'humilité y est posée comme fondement de la perfection chrétienne et condition de l'extase :
« Ostium sapientiae... non tantum per modum cognitionis speculativae et intellectualis,

analogiquement à l'ordre angélique des *Puissances;* ces deux points conjugués de la hiérarchie de l'âme et de la hiérarchie céleste prolongent le parallélisme que nous avons déjà constaté.

Dépouillée de ses vices et devenue capable de ne pas faire le mal l'âme n'est cependant pas encore capable de faire le bien. Pour gagner ce nouvel échelon de la hiérarchie il lui faut éliminer encore certaines infirmités qui la retardent de se mettre à l'œuvre et déterminent l'échec de ses efforts. La première de ces difficultés à faire le bien est la négligence, c'est-à-dire une sorte d'impuissance à se mettre en mouvement et d'incapacité à entreprendre la tâche, qui nous fait différer sans cesse le moment de commencer. Si l'on veut analyser de plus près encore cette négligence on la voit se ramifier en un manque d'attention à garder son cœur libre des influences extérieures, en une mauvaise utilisation de son temps et un oubli continuel de la fin que l'on doit se proposer[1]. Une autre difficulté non moins préjudiciable au progrès de l'âme est l'impatience qui nous porte à abandonner l'œuvre entreprise au moment même où nous venons de vaincre notre négligence pour la commencer. Une troisième enfin est la méfiance de soi qui arrête souvent ceux-là mêmes dont ni la négligence ni l'impatience ne retardent les progrès. Pour éloigner définitivement ces trois obstacles, l'acquisition de trois vertus antagonistes nous est nécessaire : la vigilance, l'endurance et la confiance de l'âme ; à ce degré de la hiérarchie intérieure correspondra donc analogiquement l'ordre des Vertus dans la hiérarchie angélique, puisque c'est à ces anges que la force appartient[2].

verum etiam saporativae et experimentalis », I, Concl., p. 120. De même pour la pauvreté : « Ille igitur potissime idoneus est ad contuitionem sublimium et ibi sublimiter fundatus, qui est perfectissimus contemptor istorum », II, 1, p. 129. En ce qui concerne l'obéissance, IV, 2, Concl., p. 186, ad *Perfecta nihilominus recompensatio*, et p. 188, ad 17ᵐ. Le point terminal ne se trouve donc jamais perdu de vue. Dans le *De triplici via*, I, 8 ; éd. min., p. 8, une vertu commune réunit les trois vertus antagonistes des trois vices, comme un vice commun, la concupiscence, réunit ces trois vices ; cette vertu est la *severitas*. Cette doctrine des trois vices fondamentaux se réfère à : *Joan. Epist.*, I, cap. 2, 15-16. On constatera que le retour mystique défait un à un les liens du péché originel en comparant : *Breviloquium*, III, 2, 5 ; éd. min., p. 100-101 : « Diabolus allexit mulierem per triplex appetibile, scilicet per scientiam, quae est appetibilis rationali ; per excellentiam ad modum Dei, quae est appetibilis irascibili ; per suavitatem ligni, quae est appetibilis concupiscibili. » Cf. *Sermo II de reb. theol.*, 7, t. V, p. 541.

1. *De triplici via*, I, 4 ; éd. min., p. 4. On trouvera une analyse plus détaillée encore de la négligence dans le *De perfectione vitae*, I, 2 ; éd. min., p. 274. Ces considérations occupent dans la mystique bonaventurienne la même place que la connaissance de soi-même dans celle de saint Bernard. Saint Bonaventure s'y réfère d'ailleurs constamment.

2. *In Hexaëm.*, XXII, 37, t. V, p. 443.

Pour achever la hiérarchisation des facultés internes de l'âme un dernier effort doit être encore accompli, le plus difficile peut-être de ceux qui sont exigés de nous à ce degré de la vie intérieure ; la pensée doit se concentrer en elle-même ou, comme le dit saint Bonaventure, se rassembler. Ici, comme pour chacune des étapes qui précèdent, nous devons procéder en extirpant des vices et en remplaçant chacun d'eux par une vertu ; mais les vices qu'il s'agit de déraciner appartiennent cette fois à l'ordre de la pensée et tous se rattachent à la même infirmité fondamentale, le manque de maîtrise de soi. Il semble qu'une sorte de dispersion et comme d'éparpillement de notre pensée fasse que nos désirs, nos imaginations et nos occupations intellectuelles nous échappent continuellement. Le résultat immédiat de ce relâchement est que notre pensée n'est pas maîtresse chez elle, mais se trouve perpétuellement expulsée de sa propre maison ; elle n'y rentrera définitivement qu'après y avoir fait régner l'ordre, et l'ordre à son tour ne s'y établira que lorsque notre pensée sera devenue capable de commander aux images qui l'assaillent, aux appétits qui la meuvent et aux préoccupations qui l'accaparent. Ce degré de hiérarchisation correspond à celui des Dominations dans la hiérarchie angélique et se trouve illustré par les chapitres III et IV de l'*Itinéraire de l'âme vers Dieu*.

Une fois parvenus à cette maîtrise de notre pensée nous sommes, en effet, rentrés en nous-mêmes, au sens propre de l'expression. Jusque-là nous restions à notre propre porte, et c'est pour la première fois que nous venons de la franchir ; c'est donc aussi pour la première fois que nous allons pouvoir y retrouver l'image de Dieu ternie par le péché[1]. Intermédiaire entre la vue corporelle et celle de la contemplation, le regard de la raison va jouer ici le rôle qui lui appartient en propre[2] ; il va découvrir l'image de Dieu dans les opérations de la mémoire, déceler sa présence en elle-même par l'infaillibilité et la nécessité des principes premiers dont elle use, des conclusions auxquelles sa réflexion la conduit et dont les caractères sont également transcendants aux choses qu'elle juge et à la pensée qui les juge[3]. Même évidence à ses yeux lorsque la raison contemplera l'économie de notre volonté, les rapports

---

1. Compléter l'*In Hexaëm.*, *loc. cit.*, par *Itinerarium*, III, 1 ; éd. min., p. 314.
2. *Breviloquium*, II, 12, 5 ; éd. min., p. 95.
3. La correspondance de ce degré avec la *convocatio* de l'*In Hexaëmeron* est attestée par l'*Itinerarium*, III, 3 ; éd. min., p. 319 : « Videre igitur per te potes veritatem, quae te docet, si te concupiscentiae et phantasmata non impediant et se tanquam nubes inter te et veritatis radium non interponant », et *op. cit.*, IV, 1 : « Mens humana, sollicitudinibus distracta... phantasmatibus obnubilata... concupiscentiis illecta », p. 324.

des facultés de l'âme entre elles et lorsqu'elle réduira progressivement à l'illumination divine toutes les sciences, tous les arts élaborés par la pensée de l'homme, faisant apparaître ainsi la fécondation de l'intellect humain par Dieu dans la structure même des œuvres qu'il construit[1].

Mais où l'évidence devient plus manifeste encore, c'est lorsque l'âme réformée par la grâce prend sa perfection surnaturelle pour objet. Passant de la considération de son propre intérieur qu'elle vient d'apercevoir comme du seuil à cet intérieur même et y pénétrant, la pensée découvre alors en soi cet aspect hiérarchique et ordonné que la grâce lui confère et qui la rend semblable à la Jérusalem céleste, accordée à la hiérarchie ascendante des ordres angéliques et pénétrée comme eux, jusque dans sa substance la plus intime, de l'influence de la grâce qui opère toutes ses opérations en elle comme elle les opère toutes en eux[2]. Les trois vertus théologales de Foi, d'Espérance et de Charité, inséparables entre elles et de la grâce dont elles sont la première ramification, n'ont pas encore achevé leur œuvre, mais elles l'ont déjà conduite suffisamment loin pour que la beauté nous en apparaisse tout entière. La Foi s'applique à la nature même de l'âme humaine pour la purifier et,

1. Ce dernier trait, esquissé dans l'*Itinerarium*, III, 6; éd. min., p. 322, est complètement développé dans le *De reductione artium ad theologiam*; éd. min., p. 365-385.

2. « Quibus (gradibus) habitis, anima intrando in seipsam, intrat in supernam Jerusalem, ubi ordines Angelorum considerans, videt in eis Deum qui habitans in eis omnes eorum operatur operationes », *Itinerarium*, IV, 4; éd. min., p. 327. Les neuf degrés assignés par l'*Itinerarium* sont ceux que l'*In Hexaëmeron* fait correspondre à la montée vers Dieu; ils sont exactement parallèles à ceux que ce dernier ouvrage fait correspondre au retour (regressus) vers Dieu. Nous donnons ci-dessous les tables de correspondance des deux séries entre elles et avec les hiérarchies ecclésiastique et céleste :

Hiérarchie ecclésiastique.	*Hiérarchie intérieure.*		*Hiérarchie céleste.*
	MONTÉE.	RETOUR.	
Peuple.	Nuntiatio.	Perlustratio.	Anges.
Conseillers.	Dictatio.	Praeelectio.	Archanges.
Princes.	Ductio.	Prosecutio.	Principautés.
Minorés.	Ordinatio.	Castigatio.	Puissances.
Prêtres.	Roboratio.	Confortatio.	Vertus.
Pontifes.	Imperatio.	Convocatio.	Dominations.
Cénobites.	Susceptio.	Admissio.	Thrônes.
Contemplatifs.	Revelatio.	Inspectio.	Chérubins.
(Dominicains et Franciscains.)		(Ou Circum-spectio.)	
Extatiques. (Saint François.)	Unitio.	Inductio.	Séraphins.

Saint Bonaventure indique, en outre, une troisième hiérarchie intérieure, correspondante

en la purifiant, elle lui rend des sens spirituels oblitérés par le péché. Entendons d'ailleurs par là non pas qu'elle se trouvera douée d'organes nouveaux et supplémentaires ni de dons qui s'ajouteraient aux ramifications de la grâce que nous connaissons ; les sens spirituels sont des « fruits », c'est-à-dire, comme ce nom même l'indique, l'achèvement, l'état de perfection des habitudes antérieures de la grâce que l'âme possède déjà. Constater que la grâce nous a rendu nos sens spirituels, c'est donc constater simplement la présence en nous des connaissances supérieures et des joies spirituelles transcendantes, en un mot de toutes les perfections qui découlent naturellement de l'infusion de la grâce dans une âme docile à son action[1].

Dès qu'en effet l'âme croit en Jésus-Christ par la Foi, elle recouvre l'ouïe pour entendre les enseignements du Sauveur et la vue pour contempler ses miracles, voyant désormais et entendant l'évidence des faits et des paroles qui lui demeurait jusqu'alors cachée. L'Espérance, à son tour, vient s'appliquer à l'âme dont la nature est déjà purifiée par la Foi pour parfaire son action ; le désir et l'amour qui l'accompagnent lui rendent comme une sorte d'odorat spirituel par lequel l'âme stimulée s'attache à la poursuite de Jésus-Christ. La Charité, enfin, parfait l'œuvre commencée. Celui même qui n'en avait pas encore l'expérience sent que le toucher divin lui vient d'être rendu avec le goût et qu'il est apte désormais à saisir son objet dans une étreinte spirituelle, à savourer la joie d'une âme qui s'unit enfin à ce qu'elle aime. Peut-être la Charité n'a-t-elle pas encore développé tous ses fruits et, au point où nous sommes parvenus, elle n'a pas encore conduit l'âme jusqu'à l'extase, mais elle est déjà présente, la soulevant et la travaillant du dedans

aux deux premières (ascensio, regressus), celle de la descente (descensus) de l'illumination. Elle se hiérarchise en sens inverse des précédentes, selon trois vertus de l'âme :

Virtus susceptiva	vivacitas desiderii. (Séraphins; etc.) perspicacitas scrutinii. tranquillitas judicii.
Virtus custoditiva	auctoritas imperii. virilitas propositi exercitati. (Ferme propos.) nobilitas triumphi.
Virtus distributiva	claritas exempli. veritas eloquii. humilitas obsequii. (Anges.)

1. *Itinerarium*, IV, 3 ; éd. min., p. 325. Cf. « Sensus spiritualis dicitur usus gratiae interior respectu ipsius Dei secundum proportionem ad quinque sensus », *III Sent.*, 23, dub. 1, t. III, p. 51. Voir, sur ce point, P. Ephrem Longpré, *op. cit.*, p. 51-53, dont la démonstration nous paraît absolument concluante. Voir *In Hexaëm.*, XXII, 28-33, t. V, p. 441-442.

pour provoquer à chaque consentement de la volonté un progrès nouveau. Tout se passe ici comme dans l'ordre des organismes corporels où l'introduction d'une forme nouvelle rend la matière mieux organisée et habilitée pour la réception d'une forme supérieure. La grâce investit l'âme dès le début des trois vertus théologales et, si la volonté humaine correspond, elle la conduit d'états en états de plus en plus parfaits à mesure que cette matière spirituelle se fait plus docile à son influence et plus digne de son action. Quel spectacle plus beau que celui de Dieu recréant en nous par une générosité et une libéralité inlassables l'œuvre de création détruite par une volonté concupiscente, retournant vers lui cette âme qui s'était tournée vers soi, se voulant en elle, se trouvant en elle, se mirant ainsi que dans un miroir dans cette nature purifiée de ses passions, affranchie de la faute déformante, maîtresse de ses pensées et orientée tout entière vers son objet divin?

Ajoutons toutefois que l'âme ne peut apercevoir en elle cette ordonnance parfaite sous sa forme achevée qu'après avoir franchi les dernières étapes qui la conduisent à l'union mystique, car c'est alors seulement qu'elle est complètement hiérarchisée. Saint Bonaventure a toujours affirmé sur ce point deux thèses qui ne sont contradictoires qu'en apparence; l'une est que peu d'âmes, très peu d'âmes même, parviennent aux degrés supérieurs de la perfection; l'autre est que toutes les âmes y sont appelées et que, pourvu qu'une âme fasse ce qu'elle peut, la grâce se charge du reste : *quando enim anima facit quod potest, tunc gratia facile levat animam*[1]. Mais c'est précisément que très peu d'âmes font ce qu'elles peuvent et que, par conséquent, la grâce n'a que peu d'efforts humains à couronner. Dès qu'au contraire la bonne volonté, la prière et le désir correspondent à la grâce, Dieu fait franchir à l'âme le premier des trois derniers degrés qui conduisent à l'extase en prononçant son « admission ». Sentiment de dignité nouvelle, d'être habilitées, autorisées à prétendre aux joies suprêmes de la vie intérieure, l'admission fait savoir aux âmes que le terme est proche et qu'elles en sont devenues dignes. Ce nouveau degré de la hiérarchie intérieure correspond à l'ordre des Thrônes.

---

1. *In Hexaëm.*, XXII, 39, t. V, p. 443. Cf. « Hunc modum cognoscendi arbitror cuilibet viro justo in via ista esse quaerendum (*scil.*, l'extase); quod si Deus aliquid ultra faciet (*scil.*, le raptus, comme saint Paul) hoc privilegium est speciale, non legis communis », *II Sent.*, 23, 2, 3, ad 6m, t. II, p. 546. Mais le Christ seul a parfaitement usé de la grâce, *III Sent.*, 36, un. 2, Concl., t. III, p. 795; et la bonne volonté manque trop souvent; *Breviloquium*, V, 3, 5-6; éd. min., p. 173-174. D'ailleurs, l'universalité de l'appel mystique

Mais une fois élevée jusqu'à ce point l'âme ne se trouve pas encore autorisée à vivre dans l'oisiveté; proche du repos et de la paix, elle n'y est pas encore introduite, et elle n'y pénétrera qu'après avoir cherché, exploré l'objet divin auquel la grâce va l'unir. Un horizon nouveau s'ouvre devant elle et il lui faut le sonder par une opération que l'on peut désigner littéralement comme une « inspection ». Pleine d'attente et de désir, tendue et comme vibrante sous l'action de la grâce, l'âme reste là, fixée sur l'objet qu'elle sent tout proche, mais qu'elle ne saisit pas encore; se hiérarchisant d'un nouveau degré, elle gagne l'ordre de perfection analogue à celui des Chérubins à mesure que son exploration du divin se fait plus intense et plus haute; le plus beau modèle de cette *inspectio* que nous ait laissé saint Bonaventure forme les chapitres v et vi de l'*Itinéraire de l'âme vers Dieu*[1].

Pour se situer et comme se poser à portée de son Dieu, l'âme doit nécessairement se concentrer dans les idées les plus riches de sa con-

est fortement motivée par l'infinité de la libéralité divine dans le *Soliloquium*, II, 19; éd. min., p. 117. Voir en outre sur ce point les pages du P. E. Longpré, *op. cit.*, p. 76-80.

1. *In Hexaëm.*, XXII, 39, t. V, p. 443. La conclusion mystique de la *Divina Commedia* suit l'itinéraire fixé par saint Bonaventure. 1° La prière :

« Orando grazia convien che s'impetri. » (*Par.*, XXXII, 147.)

2° Le sentiment d'*admissio* :

« ... ma io era
Già per me stesso tal qual ei volea. » (*Par.*, XXXIII, 50.)

3° L'*inspectio* ou *circumspectio*, où saint Bonaventure déclare que : « Tunc enim debet anima esse fixa et stans et exspectare » :

« Così la mente mia, tutta sospesa,
Mirava fissa, immobile ed attenta,
E sempre di mirar faciesi accesa. » (*Par.*, XXXIII, 97-99.)

On retrouve ici les *suspensiones* bonaventuriennes (sospesa), les trois épithètes qui définissent l'attitude de l'âme et l'accroissement de charité qu'elle gagne. Le terme même de *circumspectio* est employé plus loin :

« Quella circulazion che sì concetta
Pareva in te come lume reflesso
Dagli occhi miei alquanto circumspetta. » (*Par.*, XXXIII, 127-129.)

4° Le contenu de cette *circumspectio* est le même dans la *Divina Commedia* et dans l'*Itinerarium* :

a) L'être pur et universel (*Par.*, 85) et le bien qui en est un autre aspect (*Par.*, 103). Cf. *Itinerar.*, cap. v et vi.

b) La Trinité (*Par.*, 115 et suiv.) et enfin l'Homme-Dieu inclu dans la Trinité même :

« Dentro da sè del suo colore stesso
Mi parve pinta della nostra effige. » (*Par.*, XXXIII, 130.)

Cf. *Itinerar.*, VI, 6.

c) Le commencement d'aveuglement intellectuel dès le moment où la pensée se fixe sur l'être pur; *Itinerar.*, V, 4; *Par.*, 55 et suiv.

naissance la plus haute. Elle monte donc à l'extrême pointe de son intellect et se fixe sur la plus universelle de ses idées : l'idée d'Être. Dans notre expérience quotidienne nous ne rencontrons jamais l'Être, mais seulement des êtres en voie de devenir, qui sont dans une certaine mesure puisqu'ils deviennent, mais qui, dans une certaine mesure, ne sont pas puisqu'ils se transforment afin d'acquérir ce qui leur manque. De cette expérience quotidienne nous tirons encore par voie d'abstraction une sorte de forme abstraite et indéterminée, le concept d'être, résidu que notre pensée obtient lorsqu'elle élimine toutes les déterminations concrètes dont est faite la richesse du réel. Il nous faut maintenant éliminer les uns et les autres pour fixer notre pensée sur une région où ne se rencontrent ni vide d'être ni intermédiaires entre l'être et le non-être. Nulle participation ne saurait y trouver place ; c'est le rien, sans ombre d'être, qu'elle conçoit, ou l'être, sans ombre de néant, qu'elle pense. Et comme l'âme aperçoit que, n'ayant plus le choix qu'entre le néant et l'être, elle ne peut penser le néant que comme une absence d'être, donc, par rapport à l'être, elle se fixe sur cette idée comme sur la plus haute de toutes et celle qui la situe, par conséquent, le plus près possible de Dieu.

L'âme est presque arrivée ; elle vient d'atteindre le point ultime de sa pensée. Tendant ses forces, priant sans cesse et implorant la Grâce, elle pense l'Être pur et, comme elle le voit réalisant la totalité du possible, elle l'aperçoit nécessaire ; puisque nécessaire, elle le voit premier, immuable, éternel ; glissant subtilement de l'Être à ces divers attributs et à tous ceux qu'elle en découvre encore, la pensée passe de l'un à l'autre sans éprouver le sentiment de traverser aucune cloison intérieure à l'Être ni d'en jamais sortir, car il n'est tout cela qu'en tant qu'Être. Mais il se produit bientôt qu'en pensant la nécessité de l'être l'âme découvre sa perfection. En tant qu'être, il est le bien, et nous savons qu'en tant que bien l'être est fécond. Ici la contemplation mystique va recevoir une brusque dilatation ; cette nécessité de l'être, telle que son inexistence ne peut même plus être pensée, va s'épanouir en fécondité. Entre la tendance infinie du Bien à se diffuser hors de soi et sa finalité interne, l'étincelle divine va s'allumer ; les trois personnes

---

d) La substitution de l'amour à la connaissance au commencement de l'extase proprement dite : *Par.*, 139 ; *Itinerar.*, VII. Cf. également *Par.*, 82 :

« Oh abbondante grazia ond'io presunsi
Ficcar lo viso per la luce eterna
Tanto che la veduta vi consunsi ! »

distinctes s'engendrent, procèdent et nouent sous notre regard leurs liens éternels et indestructibles; le Verbe se profère à notre oreille et, dans le Verbe, les exemplaires de tout s'expriment éternellement. Désormais, deux grandes idées vont s'affronter au sommet de notre pensée; comme un Chérubin regarde l'autre Chérubin au-dessus du propitiatoire de l'arche[1], les deux contemplations de l'Être et du Bien se considèrent face à face et semblent remplir notre âme tout entière. Mais en même temps qu'elles s'affrontent et se regardent elles se reflètent, elles jouent l'une dans l'autre, entraînant notre pensée de la nécessité de l'être à la fécondité du bien et les lui montrant engagées l'une dans l'autre, indissolubles, identiques. Le terme est là et la pensée le touche, mais c'est alors aussi qu'elle craint d'en désespérer. Si tel est l'objet qu'elle veut, comment l'âme le saisirait-elle? Qui comblera la distance infinie qui sépare encore l'âme parvenue à sa plus haute cime du Dieu vers lequel elle tend?

C'est ici que la vision du maître de l'extase sur l'Alverne reçoit enfin sa pleine signification. Le Séraphin aux six ailes, apparaissant à saint François sous la forme du Crucifix, révèle à l'âme mystique en son plus haut sommet que l'œuvre dont elle désespère est déjà accomplie. Entre l'Être et notre quasi-néant se place un médiateur, et c'est le Christ. Fixée sur le Christ elle peut enfin s'unifier totalement; elle ne voit plus les deux faces des Chérubins qui se regardent au-dessus du propitiatoire, elle regarde elle-même le propitiatoire et elle admire ce qu'elle y voit. Un principe premier, qui se trouve être à la fois suprême et médiateur entre Dieu et les hommes; une image visible d'un Dieu invisible; le gage de l'extase et l'extase en soi sous la forme d'une nature divine unie à la nature humaine qu'elle transfigure; le milieu de tout, enfin, par lequel tout est sorti du principe et y revient. Pour qui se tourne complètement vers la croix et la regarde à plein visage, le passage est donc trouvé qui ouvre à l'âme l'accès de l'Être et lui livre l'objet de son plus haut désir. La joie commence de sourdre dans ses plus intimes profondeurs, la paix l'envahit et elle entend retentir à ses oreilles, autant que des oreilles humaines peuvent entendre une telle parole, la promesse suprême du Christ au larron qui s'attachait à lui : aujourd'hui tu seras avec moi en paradis.

1. On remarquera l'extraordinaire précision analogique avec laquelle saint Bonaventure compare les deux considérations suprêmes aux deux chérubins de l'arche dans l'*Itinerarium*, VI, 4; éd. min., p. 341, et fait correspondre la *circumspectio* ou *perceptio*, qui con-

L'âme arrive. Dans une seule perception mentale se compénètrent, sans cesser d'être discernables, le premier et l'ultime, le suprême et l'infime, la circonférence et le centre. Les deux livres dont la pensée poursuivait au prix de tant d'efforts le lent déchiffrement, le livre de la nature et le livre de l'âme, les voici tous deux sous nos yeux, tenant tout entiers dans le champ d'un seul de nos regards, rentrant avec tout leur contenu enfin transparent dans le mot qui les explique. L'âme est redevenue l'image de Dieu qu'elle avait jadis été dans le paradis terrestre, une sorte de chose parfaite qui vient d'atteindre son achèvement, comme la création posséda le sien au soir du sixième jour. Plus rien ne lui reste à atteindre, car elle a tout reçu. Rien, si ce n'est le repos du septième jour[1], l'*inductio*, qui l'élèvera jusqu'à l'ordre séraphique et où l'âme va pénétrer à son tour pour en jouir aussi longtemps qu'elle y pourra demeurer.

Comme tous ceux qui l'ont précédé, et beaucoup plus complètement encore, cet ultime passage est opéré en nous par la grâce. La nature n'y peut rien; la méthode n'y peut pas grand'chose, sauf pour nous séparer de ce qui n'est pas Dieu; mais l'union positive avec Dieu, c'est Dieu seul qui la détermine, et tout se passe comme si l'âme se détachait du corps sous une puissante secousse de l'Esprit-Saint[2]. Or, l'effet immédiat de cette secousse est de la porter au delà de l'extrême limite de ses opérations intellectuelles. Entraînée par son élan l'âme a successivement transcendé le monde extérieur et les puissances sensitives qui l'appréhendent, le monde intérieur et la raison qui l'explore, elle est parvenue jusqu'à la cime de sa pensée en se fixant sur les deux idées suprêmes qu'elle peut former; le choc de la grâce la détache de ces idées ultimes et, comme un vaisseau qui prend le large, l'âme dénoue les derniers liens qui l'y rattachent pour flotter librement sur un océan de substance. Mais comme elle ne peut dépasser ses idées les plus hautes qu'en renonçant par là même à toute connaissance, l'âme pénètre

---

siste justement dans ces considérations de l'être et du bien, à l'ordre des Chérubins dans l'*In Hexaëmeron*, XXII, 39, t. V, p. 443.

1. *Itinerarium*, VI, 7; éd. min., p. 343.

2. Cette notion de *transitus* est parfois détachée et considérée à part; les symboles principaux en sont la pâque (*Exode*, 12, 11) et le passage de la mer Rouge, *In Hexaëm.*, XIX, 1, t. V, p. 420; *Itinerarium*, VII, 2; éd. min., p. 345.

En ce qui concerne le dernier trait : « Iste ascensus fit per vigorem et commotionem fortissimam Spiritus sancti », *In Hexaëm.*, II, 32, t. V, p. 342. Autres références dans P. Ephrem Longpré, *op. cit.*, p. 103, note 2. Ce caractère purement gratuit de l'extase est ce qui fait d'elle un état purement passif, un *otium* au sens plein du mot.

du même coup dans la nuit. C'est là un point essentiel et qu'il importe de bien comprendre, car il est au cœur même de la mystique bonaventurienne.

Si nous tenons compte, en effet, des conséquences nécessaires qui en découlent, nous constaterons d'abord qu'une union comme l'union mystique est une expérience indescriptible et, littéralement, ineffable. Pour la connaître il faut l'éprouver, mais il n'y a aucun espoir que celui qui l'éprouve puisse la décrire et la transmettre aux autres. La pensée ne peut exprimer que ce qu'elle conçoit; or, elle ne conçoit que ce que l'intellect connaît, et ici, par hypothèse, nous avons franchi les extrêmes limites de l'intellect; il se tait; celui qui parvient à l'extase pourra donc raconter comment il y est parvenu ou circonscrire de l'extérieur les conditions d'une telle expérience, mais s'il prétend parler de son contenu même il ne pourra presque rien en dire ou en expliquer[1].

Il résulte, en outre, de là cette conséquence importante que jamais, et pas même dans l'extase, la vision directe de Dieu ne nous est accordée au cours de cette vie. Si l'on pèse les suites d'une telle assertion, il apparaît immédiatement qu'elle règle une fois pour toutes le problème si controversé de la portée de nos modes inférieurs de connaissance. On a dit parfois que saint Bonaventure penchait vers ce que l'on nomme l'ontologisme et, pour réfuter cette thèse, d'autres historiens ont accumulé les textes les plus divers. En réalité, l'assertion tombe d'elle-même si l'on réfléchit que la notion d'une vision humaine de Dieu est contradictoire dans un tel système. L'extase elle-même ne l'atteint pas. Ou bien il y a encore connaissance, et ce n'est pas encore l'extase ni, par conséquent, la perception de Dieu lui-même; ou bien il y a déjà expérience de Dieu, mais alors il n'y a plus connaissance et, par conséquent, le problème d'une vision soit directe soit indirecte ne se pose même plus. Ce n'est donc pas avec peine et malgré une forte inclination en sens contraire que saint Bonaventure ne s'est pas rallié à la thèse d'une perception directe et intuitive de Dieu; la thèse était inconciliable avec sa conception de l'union extatique et se trouvait condamnée d'avance par le fait qu'il y a contradiction formelle entre les conditions de la connaissance humaine et celles de notre expérience humaine de Dieu[2].

---

1. « Et ibi est operatio transcendens omnem intellectum, secretissima; quod nemo scit, nisi qui experitur », *In Hexaëm.*, II, 29, t. V, p. 341. « Unde cum exprimi non possit nisi quod concipitur, nec concipitur nisi quod intelligitur, et intellectus silet, sequitur quod quasi nihil possit loqui et explicare », *Ibid.*, 30.

2. *II Sent.*, 23, 2, 3, Concl., t. II, p. 544. L'exception faite en faveur de saint Paul n'in-

Ineffable parce qu'étrangère à l'ordre de la connaissance, l'extase doit nécessairement s'accompagner d'un sentiment d'ignorance et d'obscurité. Entre une pensée qui ne connaît pas encore et une pensée qui ne connaît plus, il y a quelque chose de commun, les ténèbres. Le sentiment de se trouver dans le noir et de ne plus voir ou, plus exactement peut-être, l'absence de tout sentiment de vision sont donc inséparables d'un état où l'âme ne pénètre qu'à la condition d'avoir préalablement transcendé ses plus hautes facultés de connaître. De là les expressions dont use fréquemment saint Bonaventure pour le qualifier, de *caligo*, *excaecatio*, *ignorantia;* elles doivent être prises à la lettre, car elles expriment avant tout le néant de connaissance et de vision, donc la cécité complète où l'âme se trouve alors plongée[1]; mais elles posent en même temps un problème, car si l'extase est aveugle on se demande ce qui peut subsister de positif dans une telle expérience et si même le terme d'expérience conserve assez de sens pour qu'on puisse l'appliquer à un pareil cas.

C'est qu'il reste encore une faculté de l'âme lorsque toutes les facultés de connaître sont franchies et que l'extrême pointe de l'âme se trouve au delà de l'extrême pointe de la pensée. Ce qui va le plus loin dans l'exploration de l'être, c'est l'amour, car alors que notre faculté de connaître ne peut poursuivre l'Être jusqu'à le voir, notre amour peut le poursuivre en tant que Bien jusqu'à le toucher et en jouir. L'expérience de Dieu telle que l'éprouve le mystique est exclusivement affective : *ibi non intrat intellectus sed affectus*[2], et une expérience de cet ordre est possible précisément parce que, selon la formule de Guillaume de Saint-Thierry, reprise par saint Bonaventure : *amor plus se extendit quam visio.* On ne peut voir et connaître qu'un objet pleinement saisi par l'âme, on peut aimer parfaitement et immédiatement un objet que l'on ne fait que toucher. Or, le mystique se trouve ici en présence d'une question de fait et le problème qu'il résout s'impose à sa pensée comme

firme en rien la solidité de la thèse. Saint Paul n'était pas en extase, il était en état de rapt; état absolument exceptionnel et qui ne se produit que chez ceux « qui specialitate privilegii statum viatorum supergrediuntur ». L'exception confirme la règle; celui que Dieu élève au rapt n'est plus un homme, c'est un bienheureux, et cela justement parce que la notion d'une vision humaine de Dieu est contradictoire. Sur la différence entre l'extase et le rapt, *In Hexaëm.*, III, 30, t. V, p. 348.

1. « Ibi intellectus caligat, quia non potest investigare, quia transcendit omnem potentiam investigativam », *In Hexaëm.*, XX, 11, t. V, p. 427. « Caliginem igitur, non claritatem », *Itinerarium*, VII, 6; éd. min., p. 347.

2. *In Hexaëm.*, II, 32, t. V, p. 342. Pour ce qui suit, *II Sent.*, 23, 2, 3, ad 4m, t. II, p. 545-546.

une véritable expérience dont il lui faut découvrir l'interprétation. Il existe, et le mystique le sait pour les avoir personnellement éprouvés[1], des états affectifs qui consistent en joies pures, absolument dépouillées de tout état représentatif, aussi bien idées qu'images, et qui, par conséquent, ne s'expliquent par aucune des causes que l'expérience normale permet d'assigner à nos sentiments. Ces joies intenses, mais aveugles, il faut nécessairement ou les traiter comme des faits et leur assigner une cause, ou se contenter de les constater sans les expliquer. Or, si l'on ne veut pas renoncer, en vertu d'une exception arbitraire, à faire usage du principe de causalité pour expliquer ces faits comme on explique tous les autres, il faut nécessairement admettre que l'objet lui-même est la cause immédiate des joies perçues par le mystique. Toute cause médiate se trouve, en effet, écartée dès lors que nul objet n'est plus perçu, imaginé ni pensé; or, bien que la connaissance se taise ou, mieux encore, parce que la connaissance se tait, cette joie immense est éprouvée; elle ne peut pas naître de rien puisque rien ne naît de rien; elle ne peut pas naître d'une représentation puisqu'il n'y a plus de représentation; elle naît donc nécessairement de l'objet lui-même sans que rien ne vienne s'interposer entre elle et lui. Ainsi l'extase est l'étreinte dans les ténèbres d'un bien dont la pensée n'atteint pas l'être, et c'est le sens profond de la formule : l'amour s'étend plus loin que le regard[2].

On comprend dès lors ce qu'il y a de positif sous les formules négatives par lesquelles saint Bonaventure définit l'union extatique et la portée des métaphores dont il use pour la désigner. Considérée par rapport

1. On a fait observer que, par un profond sentiment d'humilité, saint Bonaventure s'est déclaré ignorant de la vie extatique « inexpertum me recognosco », *Soliloquium*, II, 15; éd. min., p. 111. Mais le *Soliloquium* est un dialogue entre deux personnages, l'Homme et l'Ame. C'est l'Homme qui se reconnaît dépourvu de cette expérience; l'Ame reconnaît, au contraire, plus loin qu'elle a parcouru au début de sa « conversion » les deux premières étapes de l'extase, l'*admissio* et la *circumspectio*, et si elle se plaint de n'avoir pu franchir alors le dernier pas, elle ne dit nullement qu'elle n'y ait pas réussi dans la suite, *op. cit.*, II, 17; éd. min., p. 114-115.

2. « In hoc autem transitu, si sit perfectus, oportet quod relinquantur omnes intellectuales operationes, et apex affectus totus transferatur et transformetur in Deum », *Itinerarium*, VII, 4; éd. min., p. 346. « In anima enim sunt virtutes multae apprehensivae : sensitiva, imaginativa, aestimativa, intellectiva; et omnes oportet relinquere, et in vertice est unitio amoris, et haec omnia transcendit. Unde patet quod non est tota beatitudo in intellectiva », *In Hexaëm.*, II, 29, t. V, p. 341. « Iste amor transcendit omnem intellectum et scientiam... Unde cum mens in illa unione conjuncta est Deo, dormit quodammodo, et quodammodo vigilat... Sola affectiva vigilat et silentium omnibus aliis potentiis imponit; et tunc homo alienatus est a sensibus et in ecstasi positus et audit arcana verba quae non licet homini loqui, quia tantum sunt in affectu », *Ibid.*, 30.

à la connaissance intellectuelle, l'extase est une ignorance, et comparée à la lumière qui nous permet de percevoir les objets, elle n'est qu'obscurité; mais une réalité infinie se trouve cependant saisie au milieu de ces ténèbres et à cause de cette ignorance même. C'est donc une ignorance savante que le mystique conquiert et les ténèbres dans lesquelles il passe sont des ténèbres illuminées[1], non pas en ce sens que l'intelligence ou une représentation quelconque y jouent un rôle quel qu'il soit, mais parce que nous ne disposons que de comparaisons cognitives même pour signifier la saisie d'un objet qui ne nous est pas connu. De même encore ce n'est qu'en un sens tout spécial que saint Bonaventure définit l'extase une « connaissance » expérimentale de Dieu[2], car il ne s'agit pas ici d'une connaissance proprement dite; mais il reste cependant que l'extase est une expérience et que cette expérience privée de science est grosse de toutes les connaissances qui pourront ultérieurement s'en développer. De là les allusions bonaventuriennes à la science et à la lumière que l'extase recèle; de là aussi un nouvel aspect de l'union mystique dont on ne saurait méconnaître l'importance sans la défigurer.

Nous avons dit, en effet, que, passive, l'union extatique requiert le sommeil de la pensée, et rien n'est plus vrai. Mais il ne faudrait pas se représenter le passage dans l'extase comme si l'âme éteignait successivement les lumières de la connaissance pour laisser brûler la seule flamme de l'amour. A mesure qu'elle assoupit ses facultés de connaître, cette âme, que nous avons refusé de distinguer réellement de ses facultés, se porte tout entière dans les opérations de plus en plus hautes qui lui restent à accomplir, et lorsqu'elle parvient enfin à l'expérience divine, ce n'est pas une âme moins des facultés accidentelles de connaître qui s'y porte, c'est une âme avec toutes les énergies qu'elle déployait précédemment dans l'ordre de la connaissance, bien qu'en cet instant suprême elle ne connaisse plus. Les facultés de connaître se

1. « Est ergo ibi caligo inaccessibilis, quae tamen illuminat mentes quae perdiderunt investigationes curiosas », *In Hexaëm.*, XX, 11, t. V, p. 447. « Concedo tamen nihilominus quod oculi aspectus in Deum figi potest, ita quod ad nihil aliud aspiciat; attamen non perspiciet vel videbit ipsius lucis claritatem, immo potius elevabitur in caliginem et ad hanc cognitionem elevabitur per omnium ablationem, sicut Dionysius dicit in libro de *Mystica theologia* (I, 2, et 11 et suiv.) et vocat istam cognitionem doctam ignorantiam », *II Sent.*, 23, 2, 3, ad 6^m, t. II, p. 546. Cf. *Comment. in Joan.*, I, 43, t, VI, p. 256.

2. « Quarto modo dicitur sapientia proprie, et sic nominat cognitionem Dei experimentalem », *III Sent.*, 35, un. 1, Concl., t. III, p. 774. « Sapientia est cognitio causarum altissimarum et primarum, non tantum per modum cognitionis speculativae et intellectualis, verum etiam saporativae et experimentalis », *De perfect. evangel.*, I, t. V, p. 120.

taisent, mais elles se taisent parce que l'affectif leur impose silence : *soporat et quietat omnes potentias et silentium imponit*, et l'affectif, à son tour, ne peut leur imposer silence que parce qu'il a tiré l'âme tout entière vers lui et accaparé toutes ses énergies. Ainsi l'âme ne s'amoindrit pas dans l'extase, elle se concentre, et c'est en se concentrant qu'elle s'exhausse pour atteindre ce qu'il y a en elle de plus intime et de plus haut : *et tunc in tali unione virtus animae in unum colligitur et magis unita fit et intrat in suum intimum et per consequens in summum suum ascendit*[1]. Cette présence totale de l'âme au sommet d'elle-même va nous permettre de comprendre comment la science peut découler d'une expérience qui ne se représente pas son objet.

Remarquons d'abord, en effet, que si l'acte même par lequel l'âme s'unit à Dieu est purement affectif, il n'est une extase et une union divine que parce que la connaissance, aidée par la grâce, tend de tous ses efforts vers Dieu. Au moment où elle y parvient et, en y parvenant, cesse de connaître, elle achève un élan que la pensée n'a cessé d'orienter depuis son point de départ[2]. Il y a plus ; l'expérience mystique n'est pas seulement l'achèvement d'une montée conduite par la pensée, elle est aussi une sorte de connaissance dans la mesure où la connaissance est compatible avec l'absence de représentation. Peut-être n'est-ce pas là quelque chose de radicalement incompréhensible pour nous ; un sens comme celui du goût, par exemple, nous confère assurément une connaissance directe de son objet, et cependant ne s'accompagne d'aucune représentation. C'est même, ici encore, parce que le contact est immédiat entre le sens et l'objet que la représentation, impossible sans un certain recul et une certaine distance, se trouve écartée. Aussi voyons-nous saint Bonaventure employer constamment des métaphores gusta-

---

1. *In Hexaëm.*, II, 31, t. V, p. 341 ; XII, 16, t. V, p. 387. Cf. « Hic autem modus ascendendi tanto est vigorosior quanto vis ascendens est intimior », *De triplici via*, III, 13 ; éd. min., p. 42.

2. C'est pourquoi lorsque saint Bonaventure parle non de l'union extatique prise à part, mais du don de sagesse dont elle est le fruit suprême, il refuse de séparer les deux moments : « Actus doni sapientiae partim est cognitivus et partim est affectivus : ita quod in cognitione inchoatur et in affectione consummatur, secundum quod ipse gustus vel saporatio est experimentalis boni et dulcis cognitio », *III Sent.*, 35, un. 1, Concl., t. III, p. 774. Pour la formule suivante, *Ibid.*, ad 5ᵐ, p. 775. Voir ces métaphores gustatives dans *Soliloquium*, III, 13 ; éd. min., p. 132 : « Caelestem dulcedinem contemplando degustare. » De même : « Si tam nobilis est odor, quam dulcis est tuae dulcedinis sapor! Si tantae virtutis est modica degustatio, quantum jucunditatis habet felix inebriatio! » *Ibid.*, II, 18, p. 116. Les métaphores tactiles empruntées pour la plupart au *Cantique des cantiques* s'inspirent de la même préoccupation : « Amplexus, oscula, etc. » Le goût n'est une expérience immédiate que parce qu'il est un toucher.

tives pour suggérer à l'imagination de l'inexpérimenté ce que peut être l'expérience mystique : *in amore Dei ipsi gustui conjuncta est cognitio; optimus enim modus cognoscendi Deum est per experimentum dulcedinis.* La notion d'expérience à laquelle saint Bonaventure fait constamment appel nous invite donc à nous représenter l'extase comme conservant et concentrant en soi, au moment même où elle l'oublie, toute la connaissance qui l'a précédée, et comme aspirant ou absorbant en soi, au moment même où elle touche son objet sans se le représenter, toute la substance de ce qu'elle en connaîtra dans la suite. Il est donc vrai de dire, selon saint Bonaventure, que l'acte propre du don de Sagesse, à savoir l'extase, n'est nullement cognitif, mais purement affectif, car une expérience sans pensée n'est pas une connaissance[1], et il est également vrai d'affirmer que l'extase, dans laquelle nous ne connaissons rien puisque nous ne pensons plus, inclut cependant en soi une connaissance, puisqu'elle est une expérience. De là cette certitude à peu près infaillible avec laquelle elle se dirige et se fixe sur son objet; de là aussi l'élargissement de la connaissance spéculative que l'extase confère à l'intelligence[2] et dont nous avons déjà signalé qu'elle permet aux simples et aux ignorants de confondre la fausse science des philosophes. Toutes les prérogatives que nous avons reconnues à l'extatique viennent de là; puisqu'elle s'est trouvée recueillie et concentrée dans son extrême pointe, l'âme se retrouve transfigurée tout entière lorsqu'elle se détend et retombe dans la multiplicité de ses opérations cognitives. Les facultés de connaître n'ont pas participé à l'extase, mais c'est parce que l'âme qui les exerce s'y était concentrée tout entière qu'elle les avait réduites au silence; concevrait-on qu'elle puisse les exercer désormais comme si jamais elle n'était entrée en contact avec l'intelligible pur qui est Dieu?

1. « Videtur ergo quod actus doni sapientiae omnino se teneat ex parte affectionis et nullatenus ex parte cognitionis », *III Sent.*, 35, un. 1, fund. 5, et Concl., fin., t. III, p. 773. C'est pourquoi il peut y avoir excès de science, mais non excès de sagesse, « quia excessus in experimento divinae dulcedinis potius est laudabilis quam vituperabilis ».

2. « Ad illud quod objicitur, quod habitus spectans ad cognitionem praecedit habitum qui spectat ad affectionem; dicendum quod illud est verum de habitibus pure affectivis, qui indigent alio regulante, sicut patet in pietate et fortitudine; hoc autem non habet locum in habitu sapientiae, quoniam ipsa habet intra se *cognitionem experientiae*, quae adeo dirigit et allicit, quod circa usum illius doni vix aut nunquam habet error accidere. Et propter hoc dicit quaedam Glossa, quod donum sapientiae donum intellectus habet dirigere; quod ideo dictum est, quia cognitio experimentalis de divina suavitate amplificat cognitionem speculativam de divina veritate; secreta enim Dei amicis et familiaribus consueverunt revelari », *III Sent.*, 34, 1, 2, 2, ad 2^m, t. II, p. 748. Les raisons éternelles restent présentes, mais au lieu d'agir sur l'âme comme « objectum movens » agissent comme « objectum quietans », *De scientia Christi*, III, ad 2^m, t. V, p. 24.

Nous avons dit tout ce qu'il est possible de dire touchant le point le plus élevé que puisse atteindre ici-bas l'âme humaine. Que si Dieu fait plus encore et soulève par le rapt le contemplatif, comme il semble l'avoir fait pour saint Paul et peut-être même pour saint François, c'est que pour un instant cette âme n'est plus de ce monde; elle appartient au règne des bienheureux[1]. Et, en effet, l'extase nous conduit dès cette vie au seuil même de la béatitude; elle est donc aussi ce qui nous permet le plus aisément de nous la préfigurer[2]. Remarquons toutefois que l'extase est littéralement un avant-goût de la béatitude et que, précisément parce qu'elle est un goût, elle n'en est pas une image. C'est donc à l'extase qu'il faut recourir pour pressentir le bonheur éternel, mais c'est à l'intelligence illuminée par la foi et confortée par l'extase elle-même qu'il faut revenir si l'on veut se la représenter.

La béatitude marque, en effet, le point terminal de la route que doit parcourir ici-bas la pensée philosophique, et de même que nous avons défini l'émanation, l'exemplarisme et l'illumination en nous conformant aux exigences de la perfection divine, de même nous devons nous régler encore sur elle pour décrire l'achèvement de la consommation[3]. Or, la joie de l'extase, qui nous apparaît actuellement presque inaccessible, apparaît, au contraire, comme misérablement déficiente lorsqu'on la compare aux exigences absolues de notre nature. L'âme humaine, et nous l'avons déjà marqué, est d'une nature telle qu'un objet infini est seul capable de la satisfaire; les connaissances qu'elle peut accumuler durant cette vie, si nombreuses soient-elles, ne sauraient donc la remplir, et l'extase qui les couronne, si complète soit-elle, ne saurait les achever puisqu'elle n'est possible que si l'âme renonce à la connaissance. L'idéal de la connaissance humaine demeure donc au delà de l'union mystique elle-même; l'illuminé aspire encore à la découverte d'un objet qui contienne en soi tous les connaissables et par lequel tous les autres lui soient connus. De plus, l'extase la plus parfaite laisse après elle une inquiétude et une soif nouvelle. Comment être sûr que l'objet saisi par elle est bien le terme au delà duquel il n'y a plus rien si l'on ne voit pas cet objet? Et comment ne pas être torturé du désir de le voir lorsqu'on

---

1. Cf. plus haut, p. 442, note 2.

2. « ... de intelligentia vero ad sapientiam sive notitiam excessivam, quae hic in via incipit, sed consummatur in gloria sempiterna », *Breviloquium*, V, 6; éd. min., p. 186. Cf. *Soliloquium*, IV, 1, 4; éd. min., p. 138.

3. *Breviloquium*, VII, 7, 2; éd. min., p. 277-278; *I Sent.*, 1, 3, 2, Concl., t. I, p. 40-41; *I Sent.*, 1, 2, un., Concl., ad *Quia ergo frui.*, t. I, p. 36.

se souvient des joies indicibles que son union nous apporte? La conjonction totale de l'âme à Dieu ne peut donc s'effectuer ici-bas, mais elle doit s'effectuer ailleurs, si du moins l'œuvre divine n'est pas condamnée à demeurer inachevée, et elle s'accomplira en une jouissance de Dieu où la connaissance acquise par l'intelligence rendra possibles et complètes les joies de la volonté.

La description d'un tel état doit inclure toutes les conditions requises pour que les exigences de l'âme soient satisfaites et toutes les conditions requises pour que le corps s'adapte à la perfection de l'âme qui lui reste unie. Or, l'hypothèse, d'apparence extravagante, que nous avions précédemment envisagée vient de se réaliser : la montagne nous a donné la force de la porter, et comme elle est d'une masse infinie nous la portons avec une aisance parfaite. La pensée a trouvé l'objet qui lui est proportionné, la remplit et la satisfait en comblant sa capacité. Devons-nous en conclure que l'âme béatifiée ne voit plus que lui à partir du moment où elle a la joie de le percevoir? En aucune façon. Voyant Dieu face à face, l'âme le voit tel qu'il est, et de même qu'il pense toutes ses participations possibles ou actuelles en se pensant, elle voit en lui tous les êtres finis qui lui sont ordonnés; si l'âme ne voyait que Dieu précisément en tant que tel, elle ne le verrait pas tel qu'il est.

Imitons donc par l'imagination ce que peut être une telle connaissance. Elle doit être hiérarchique, puisque c'est la loi universelle des illuminations, et nous en suivrons fidèlement la structure en nous élevant vers son sommet à partir de son degré le plus infime. La contemplation du bienheureux inclut d'abord les objets qui lui sont inférieurs. Il voit au-dessous de soi les réprouvés qui souffrent des peines éternelles et, s'il ne se réjouit pas de ce que les autres souffrent, il se réjouit du moins de savoir que les ennemis de Dieu sont vaincus, d'avoir lui-même évité ces tourments lamentables et d'être purifié des crimes qui auraient pu l'y condamner. Comment le sentiment d'avoir échappé à la mort ne doublerait-il pas sa joie de vivre[1]? A côté de lui s'ordonnent tous les chœurs des bienheureux. Il perçoit leur joie et cette joie se répercute dans son âme. Ce n'est pas d'une impression confuse qu'il s'agit ici, car chacun des bienheureux dans le ciel connaît individuellement chacun des autres, et comme il connaît et partage la joie de chacun d'eux, sa propre joie se multiplie indéfiniment en proportion de

1. « Re vera tunc puto quod de morte transisse ad vitam vitae duplicat gaudium », *Soliloquium*, IV, 2, 6; éd. min., p. 139.

la multitude innombrable des élus[1]. Au-dessus de lui, enfin, se tient
Dieu lui-même, qu'il découvre dans un acte de contemplation dont la
méditation mystique de l'Être et du Bien peut nous suggérer quelque
ombre, mais que nous ne pouvons concevoir sous sa forme parfaite ni
par conséquent expliquer. Tout ce que nous pouvons en dire est que
cette vue de Dieu impliquera en soi la science totale ; alors la contemplation de Platon, la philosophie d'Aristote, l'astronomie de Ptolémée
et toutes les connaissances de ce genre nous sembleront vanité et folie,
car notre science tout entière n'est qu'une minime parcelle de ce que
nous ignorons[2].

Le corps, inséparable compagnon de l'âme, sera naturellement asso-
cié à sa gloire, mais transfiguré pour s'adapter à sa nouvelle situation.
Nous disons, en effet, qu'il existe en l'âme un désir naturel du corps
même lorsqu'elle en est momentanément séparée ; mais ce désir n'est
pas le désir de retomber vers lui, c'est celui de l'exalter jusqu'à elle.
Jamais l'âme ne pourrait désirer d'être réunie à son corps même glorieux, si ce corps devait la détourner de la contemplation divine[3]. Nous
devons donc supposer qu'il sera tel alors qu'il devra être pour respecter intégralement les exigences de cette contemplation. Uni désormais à un intellect éclairé par la vision de la lumière divine, il se trouvera lui-même transmué par la clarté de cette lumière ; pour s'adapter
à une âme rendue totalement spirituelle par l'amour de Dieu, il se spi-
ritualisera en se subtilisant ; parce que le bienheureux sera devenu
impassible dans la possession définitive de son bien, le corps ne subira
plus aucune action ni de l'extérieur ni même de l'intérieur, et comme,
enfin, la pensée béatifiée tendra vers Dieu d'un mouvement infiniment
prompt, le corps qui la sert sera doué d'une agilité parfaite. Ainsi le
corps de l'homme sera devenu conforme à son âme comme son âme
elle-même sera devenue conforme à Dieu[4].

Reste enfin à déterminer par quelle partie d'elle-même l'âme béatifiée s'attachera le plus intimement à Dieu. La connaissance face à face
que la gloire céleste ajoute à l'union extatique de la volonté humaine
a-t-elle pour effet de rendre cette union plus parfaite ou de s'y substi-

---

1. *Soliloquium*, IV, 3, 13 ; éd. min., p. 145-146, et IV, 5, 27, p. 166 : « Si societas et
amicitia, ibi est Beatorum societas et omnium una voluntas ». *Breviloquium*, VII, 7, 8 ;
éd. min., p. 284.

2. *Soliloquium*, IV, 5, 24 ; éd. min., p. 160.

3. *Soliloquium*, IV, 5, 21 ; éd. min., p. 156-157 ; *Breviloquium*, VII, 7, 4 ; éd. min.,
p. 279-280.

4. *Breviloquium*, VII, 7, 4 ; éd. min., p. 279-280.

tuer? En l'absence d'une expérience directe de cet état sublime, saint
Bonaventure le décrit selon les exigences de sa propre philosophie. Or,
cette philosophie tend tout entière vers l'union à Dieu ; cette union lui
apparaît sous la forme d'une jouissance puisqu'elle se nomme béatifique,
et toute jouissance relève essentiellement à ses yeux de la volonté ; il
lui faudra donc nécessairement admettre qu'au ciel comme sur terre
l'acte le plus parfait de l'âme humaine sera un acte de volonté. Sans
doute, et tout ce que nous venons d'exposer le prouve, le bonheur des
élus se trouvera préparé et fondé par leur connaissance immédiate de
l'essence divine ; sans doute même la complaisance de l'âme béatifiée
dans l'objet dont elle jouira plongera ses racines dans la vision qu'elle
en aura et dont elle sera inséparable[1] ; mais il n'en reste pas moins
certain que jouir c'est se délecter et adhérer à un objet dans un acte
d'amour ; or, aimer c'est vouloir ; c'est donc bien finalement par sa
volonté que l'âme béatifiée adhérera définitivement à Dieu. Et tout ce
que nous savons de la béatitude éternelle confirme cette conclusion. La
paix parfaite, dont celle de l'extase n'est qu'une participation momentanée, ne peut être acquise que par l'obtention de notre fin ; or, il n'y a
de paix et de fin que pour une volonté ; c'est donc elle qui nous mettra
en possession de notre ultime objet[2]. La charité parfaite est l'acte par
lequel nous tiendrons ce que notre imparfaite charité poursuit dès ici-
bas ; or, la charité relève de la volonté ; c'est donc bien la volonté qui
se saisira plus tard de Dieu[3]. Volonté toute pénétrée de lumière ; rendue certaine, fixe, impassible, par la certitude même de la vision qui
nous manque ; mais volonté dont l'acte est la fin dernière vers laquelle
s'ordonne l'univers créé, le corps qui sert l'âme, la connaissance que
l'âme conquiert, la grâce qui la soutient et qui la guide, l'extase qui,
dès ici-bas, la soulève et qui, seule, s'empare de l'objet par delà les
actes de la pensée qui le contemple. En situant dans la joie d'un amour
partagé la béatitude éternelle, la philosophie de saint Bonaventure
aboutit au point où son élan premier la portait tout entière ; il ne lui
suffit pas de voir, il faut qu'elle touche et qu'elle prenne ; au ciel comme
sur terre toute joie suppose et prouve la possession de son objet.

1. « Ad illud : visio est tota merces ; dicendum quod illud non dicitur proprie, sed per
concomitantiam, quia visio et complacentia in qua est perfecta ratio fruitionis inseparabiliter se habent », *I Sent.*, 1, 2, un., ad 3ᵐ, t. I, p. 37.

2. *I Sent.*, 1, 2, un., Concl., et fund. 1-3, t. I, p. 35-37. Cf. *IV Sent.*, 49, 1, 5, Concl.

3. *II Sent.*, 38, 1, 2, ad 4ᵐ, t. II, p. 885.

CHAPITRE XV.

L'esprit de saint Bonaventure.

Nous avons suivi jusqu'à son terme la voie sur laquelle saint Bonaventure engageait la pensée philosophique et il semble, en arrivant à
la fin promise, que nous ayons beaucoup moins cheminé en ligne droite
que tourné autour d'un centre mystérieux dont c'eût été notre tâche
essentielle de déterminer exactement le point qu'il occupe et de nous y
installer. De là ce qu'il y a de retours en arrière chaque fois que la
pensée de saint Bonaventure avance, et de coups de sonde dans l'avenir
chaque fois qu'elle marque le gain qu'elle vient de réaliser. Pour des
raisons d'analogie profonde, et d'abord à cause de l'augustinisme qui
les sous-tend l'une et l'autre, la méthode de saint Bonaventure est étroitement apparentée à celle de Pascal. Il peut expliquer plusieurs fois la
même chose en suivant un ordre différent, et chacun de ces ordres est
légitime, parce que la pensée se déplace autour du centre dont le lieu
sera d'autant plus certain que les recoupements qui le fixent auront été
plus nombreux et pris d'origines plus éloignées. « L'ordre, dira Pascal,
consiste principalement à la digression sur chaque point qu'on rapporte
à la fin pour la montrer toujours[1]. » Cet ordre du cœur, avec tout ce
qu'il comporte d'imprévisible, est aussi celui de saint Bonaventure. On
peut dégager par abstraction, pour les besoins de l'exposition doctrinale, une ligne régulière de questions, mais ce serait concevoir l'idée
la plus fausse de sa pensée que de considérer un point quelconque de
cette ligne comme isolable, en fait ou en droit, d'aucun des autres.
Chacune des idées que nous avons disposées entre un avant et un après
était en réalité lourde de souvenirs et grosse de prévisions, recueillant
en soi son passé et riche déjà de son avenir. Toutes les idées, sauf
une, celle du centre, par rapport à laquelle toutes les autres se situent
et se définissent. Dégager l'esprit de saint Bonaventure de la doctrine

1. B. Pascal, *Pensées*, éd. L. Brunschvicg; éd. min., p. 461.

qui l'exprime ne peut donc pas consister à la résumer en une formule, ni à définir la route idéale que parcourt sa pensée, car elle est en droit de parcourir des routes en nombre indéfini et ne saurait par conséquent tenir dans une formule ; ce ne peut être que montrer la fin vers laquelle tendaient toutes les digressions et qui seule peut leur conférer une véritable unité.

Mais montrer cette fin ne suffit pas encore. Ce serait trahir la pensée de saint Bonaventure que de croire ou de faire croire que la détermination abstraite et comme géométrique de ce point nous le fasse connaître tel qu'il exige d'être connu. La philosophie n'a pas pour fin de nous apprendre à déterminer le centre des choses comme on détermine le centre d'une circonférence, en dessinant les lignes qui doivent le traverser ; elle a bien plutôt pour fin de nous assurer la possession de ce centre en nous conférant l'habitude de le découvrir pour nous tourner vers lui quel que soit le point où nous nous trouvions, et l'aptitude à rejoindre n'importe quel point à partir de ce centre une fois que nous nous y serons établis. La Sagesse, en son acception la plus haute, est l'inébranlable occupation du centre des choses par l'âme purifiée, mais la philosophie, en son acception légitime, est la science des routes qui conduisent à la Sagesse et l'entraînement qui permet à l'âme de les parcourir. Plus que celui d'aucune philosophie, l'esprit de celle-là exige d'être non seulement décrit, mais encore accepté, voulu et obéi pour être véritablement connu. Celui qui sait le mieux comment on monte au sommet de l'Alverne n'est pas celui qui sait décrire par cœur tous les itinéraires qui nous y conduisent, mais celui qui choisit l'un d'eux et s'y engage avec la ferme résolution de le parcourir jusqu'au bout. Plus on se rapprochera des dispositions intérieures que saint Bonaventure requiert de son lecteur, mieux on comprendra le sens des formules dont il use et la raison d'être des voies qu'il choisit.

Mais on peut ajouter que pour qui réengendrerait en soi ces dispositions sous leur forme parfaite, l'univers et l'âme s'ordonneraient immédiatement en un système totalement unifié. Commençons par le centre, qui est le Christ[1] ; nous constaterons aussitôt qu'il devient possible de rejoindre toute chose à partir de lui et de revenir vers lui à partir de toute chose. L'être ne peut se concevoir que comme être par soi ou être

---

1. « Secundo docet (*scil.*, Spiritus sanctus) ubi decet incipere : quia a medio, quod est Christus ; quod medium, si negligatur, nihil habetur », *In Hexaëm.*, I, 1, t. V, p. 329. « Incipiendum est a medio, quod est Christus... Unde ab illo incipiendum necessario, si quis vult venire ad sapientiam christianam », *Ibid.*, 10, p. 330.

par autrui; l'être par autrui se réduit à l'être par soi, et l'être par soi,
puisqu'il contient par définition toutes les conditions requises pour être,
doit nécessairement être de soi, conforme à soi et en vue de soi; en
d'autres termes, l'être par soi ne peut se suffire à soi-même sans être
en même temps sa propre cause originelle, sa propre cause exemplaire
et sa propre cause finale. Or, il est clair qu'au sein d'une telle substance
l'origine tient lieu de principe, l'exemplaire tient lieu de moyen, la
cause finale, ainsi que son nom même l'indique, tient lieu de fin; et
comme il apparaît en même temps que le Père est le principe et le
Saint-Esprit la fin, il faut nécessairement que le Fils soit le moyen.
Ainsi le Père fonde l'origine, le Saint-Esprit achève et le Fils représente et c'est parce qu'il est la vérité éternelle, principe d'être en même
temps que de connaître, que nous trouvons à notre tour devant nous de
l'intelligible à connaître et une règle immuable pour le juger. Moyen
de Dieu, moyen des choses, moyen de la connaissance, le Verbe est
donc le point où doit se tenir le métaphysicien, et si nous avons situé
l'exemplarisme au centre de la métaphysique, c'est parce que l'Exemplaire occupe lui-même comme le centre de Dieu[1].

Plaçons-nous maintenant dans la position du physicien qui définit les
principes de la nature plutôt que les règles en vertu desquelles nous la
jugeons. Comme le cœur est le centre du microcosme, la source d'où
les esprits vitaux se répandent dans le corps par les artères et les
esprits animaux par les veines; comme le soleil est le centre du macrocosme, la source de la chaleur et de toutes les générations qui s'effec-
tuent dans le monde, de même le Verbe est devenu le centre de l'univers
en se faisant chair et en habitant parmi nous. Ce qu'il est dans l'Incarnation, il l'est encore dans sa Passion, car c'est lui qui restaure l'œuvre
de création détruite par la faute de l'homme. Nous savons qu'il est aussi
le milieu par où l'âme rejoint Dieu dans l'extase de cette vie, et le
théologien pourrait montrer sans peine qu'il est encore le moyen de la
béatification éternelle : *Agnus in medio aquarum est Filius Dei, Filius
dico, qui est media persona a qua omnis beatitudo*[2]. Or, d'avoir choisi
une fois pour toutes un tel centre de référence et de n'en jamais

---

1. *In Hexaëm.*, I, 12-14; spécialement, 14 : « Istud est medium personarum necessario,
quia si persona est, quae producit et non producitur, et persona quae producitur et non
producit, necessario est media quae producitur et producit. Haec est ergo veritas sola
mente perceptibilis, in qua addiscunt Angeli, Prophetae, philosophi vera quae dicunt »,
t. V, p. 331-332.

2. *In Hexaëm.*, I, 38, t. V, p. 335.

admettre d'autre, c'est ce qui ne peut manquer d'influencer profondément, non seulement l'économie générale d'une telle doctrine, mais encore ses moindres détails ; on cesse de la comprendre dès qu'on se laisse aller à l'oublier.

En définissant la place qu'il occupe par rapport à un centre qui lui permet de connaître l'origine dont il vient et la fin vers laquelle il va, l'homme constate en effet qu'il a une histoire. Sa vie est un passage entre un commencement et une conclusion, certitude capitale et dont le retentissement sur ses autres certitudes est tel qu'elle les transformera complètement. Non seulement la vie de l'homme a une histoire, mais l'univers entier a une histoire ; et cette fois encore, celui qui le sait comprend vite qu'il ne pourra plus jamais penser comme s'il ne le savait pas. On ne peut pas raisonner sur un univers dont les révolutions sidérales sont comptées, dont chacune correspond à des événements voulus par Dieu et choisis par la Providence, comme on raisonnerait sur un univers dont les essences seraient exactement ce qu'elles sont même s'il avait existé de toute éternité. Et voici que pour rendre l'oubli d'un tel fait plus impossible encore, cette histoire nous apparaît comme un drame dans lequel nous sommes engagés et dont, après des péripéties plus ou moins nombreuses, la conclusion doit être notre béatitude ou notre malheur pour l'éternité.

Dès que l'âme a pris conscience de cette vérité redoutable, non seulement elle ne peut plus l'oublier, mais elle ne peut plus rien penser que par rapport à elle ; ses connaissances, ses sentiments, ses volontés se trouvent éclairés d'une lumière tragique ; le chrétien voit un destin qui se décide où l'aristotélicien ne voyait qu'une curiosité qui se satisfait. Saint Bonaventure, pour sa part, est profondément pénétré de ce sentiment tragique et c'est ce qui confère à sa doctrine son caractère tendu, aux expressions dont il use le sentiment poignant qu'elles expriment. Il pense parce que c'est pour lui un problème de vie ou de mort éternelle que de savoir ce qu'il faut penser, il tremble d'imaginer seulement qu'il pourrait par distraction lui arriver de penser à autre chose ; il est rempli d'angoisse en voyant que presque personne n'y songe et que l'œuvre créée par un Dieu, réparée par le sang d'un Dieu, se défait chaque jour comme si tout ce qui peut choisir entre le néant et l'être choisissait par un aveuglement insensé le parti du néant. La pensée doit donc être un instrument de salut et rien autre ; qu'elle mette le Christ au centre de notre histoire comme il est au centre de l'histoire universelle, elle n'oubliera jamais qu'un chrétien ne peut rien penser comme il le penserait s'il n'était pas chrétien [1].

Considérons l'idée même de la philosophie. Elle ne commencerait pas sans le Christ, car c'est lui qui en est l'objet; et elle ne s'achèverait pas sans le Christ, car c'est lui qui en est la fin. Elle a donc le choix entre se condamner systématiquement à l'erreur ou tenir compte des faits dont elle est désormais informée. Le philosophe chrétien sait d'abord que ses facultés de connaître n'ont pas un coefficient de valeur propre et que, par conséquent, les évidences lui seront plus ou moins aisément accessibles selon le point de perfection où lui-même se trouvera. La pensée pense, en effet, plus ou moins bien, selon que l'âme qui l'exerce s'est d'abord plus ou moins complètement purifiée de ses souillures, et l'on ne saurait traiter un argument tel que la preuve anselmienne de l'existence de Dieu par l'idée de parfait comme si son acceptation ne dépendait que de la définition des termes qui le composent ou de leur compréhension par une intelligence quelconque. L'homme ne comprend que ce qu'il mérite de comprendre, et le même argument qui semble sophistique à une pensée matérialisée pourra sembler évident au contraire à cette même pensée dépouillée, purifiée et tournée vers Dieu.

Pour une raison du même ordre le philosophe chrétien ne considérera pas que l'expression des phénomènes de la nature, et surtout de leurs conditions métaphysiques, puisse demeurer à ses yeux ce qu'elle serait s'il ignorait Dieu. De deux conclusions possibles, dont l'une attribue plus à la nature ou au libre arbitre et moins à Dieu, et dont l'autre attribue plus à Dieu au contraire, en retirant quelque chose à la nature ou au libre arbitre, c'est toujours la deuxième qu'il choisira pourvu seulement qu'elle ne supprime ni le libre arbitre ni la nature [2]. Mieux vau-

---

1. Parce que, même lorsque le chrétien s'accorde sur le contenu matériel d'une vérité avec un infidèle, il voit dans cette vérité son fondement transcendant que l'infidèle ignore et qu'il attache plus de prix à la connaissance de ce fondement qu'à celle de cette vérité.

2. « Hoc enim piarum mentium est ut nihil sibi tribuant, sed totum gratiae Dei... Unde quantumcumque aliquis det gratiae Dei, a pietate non recedit, etiamsi multa tribuendo gratiae Dei aliquid subtrahat potestati naturae vel libero arbitrio. Cum vero aliquid gratiae subtrahitur et naturae tribuitur quod est gratiae, ibi potest periculum intervenire. Et propterea, cum ista positio quae ponit gratiam creatam et increatam plus gratiae Dei tribuat quam alia, et majorem ponat in natura nostra indigentiam, hinc est quod pietati et humilitati magis est consona et propterea magis secura. Esto enim quod esset falsa, quia tamen a pietate et humilitate non declinat, tenere ipsam non est nisi bonum et tutum », *II Sent.*, 26, un. 2, Concl., t. II, p. 635. — Même remarque à propos de la composition hylémorphique chez les anges : « Minus est periculosum dicere, quod angelus sit compositus,

drait encore pour lui se tromper par humilité que de risquer un péché d'orgueil, car s'il est sans inconvénient d'être injuste à l'égard de soi-même, c'est un crime au contraire que d'être injuste à l'égard de Dieu.

Or, on ne peut songer aux répercussions d'un tel principe dans une doctrine comme celle de saint Bonaventure sans les voir bientôt se multiplier au point de retentir presque partout. *Attribuere quod est Dei creaturae periculosum est.* Lorsqu'on y réfléchit, voilà pourquoi le monde ne pouvait pas être éternel, ni les substances angéliques dépourvues de matière, ni la forme tirée de la matière sans raisons séminales préexistantes, ni la connaissance humaine complètement fondée sans l'illumination dont elle tient nécessité et certitude, ni la philosophie menée à bien sans la lumière de la foi, ni la vertu conquise sans le secours de la grâce, ni la nature achevée enfin sans les concours immédiats et spéciaux que Dieu lui fournit. Le conservatisme doctrinal de saint Bonaventure et son inquiétude en présence du péril que font courir à la foi les novateurs en matière philosophique ou religieuse ne sont que la manifestation la plus générale de cette tendance fondamentale : on ne peut situer Dieu au centre de la pensée sans tenir compte de sa présence chaque fois que l'on pense, et l'âme chrétienne ne juge des choses qu'en fonction de Dieu.

Représentons-nous en effet ce que peut être une telle âme lorsqu'elle a réalisé complètement sa propre définition. Pleine du sentiment de la misère intellectuelle et morale qui la travaille, elle a compris la véritable cause de son état le jour où l'Écriture lui a révélé l'histoire de sa chute. Elle sait désormais qu'il n'y a plus rien en elle de sain, que la tâche de sa vie entière consistera donc nécessairement à se guérir d'une maladie, à se laver de la souillure qui l'infecte et qui, en l'infectant, contamine l'univers entier. De là cette discipline réparatrice de la vie chrétienne sous sa forme la plus parfaite, la pauvreté franciscaine nourricière de la pensée, avec l'éradication des passions, l'unification intérieure et son couronnement par l'extase qui l'achève. La faute n'est pas annulée, mais une discipline vigilante dont les heureux effets stabilisent progressivement l'âme humaine dans sa perfection reconquise maintient en elle et dans les choses l'ordre divin qui vient d'être restauré par le concours de la grâce et de la liberté.

Puisque l'homme voyageur se trouve séparé du Dieu qu'il doit avoir

---

etiamsi verum non sit, quam quod sit simplex : quia hoc ego attribuo angelo, nolens ei attribuere quod ad Deum solum aestimo pertinere, et hoc propter reverentiam Dei », *In Hexaëm.*, IV, 12, t. V, p. 351.

pour récompense, sa pensée, même parfaite, ne saurait atteindre la vision face à face qui la fixerait sur son objet. De là ce mouvement incessant qui l'entraîne d'un objet à l'autre sans que jamais elle réussisse ni ne tente même sérieusement de s'arrêter. Mais une pensée condamnée à se mouvoir peut du moins régler son mouvement et fixer une fois pour toutes les objets sur lesquels il lui convient de se poser. Telle nous est précisément apparue l'âme chrétienne en son état de perfection. Hiérarchisée, tendue et ordonnée vers Dieu, elle circule selon le rythme personnel qui la caractérise, entre le contact extatique de son amour avec Dieu et la contemplation intellectuelle de Dieu dans les miroirs extérieurs ou intérieurs qui le reflètent. Trop rarement, à son gré, et pour quelques instants trop courts, elle touche son bien; mais elle ne s'en détache que chargée de désirs nouveaux et d'énergies nouvelles qui l'incitent à le chercher encore et à le retrouver. Saint Bonaventure voit l'âme illuminée par la grâce tourner majestueusement, comme un soleil qui ne peut jamais fixer en un même point sa lumière et qui ne s'arrête jamais, mais qui, cependant, suit une course réglée comme si les douze demeures du ciel qu'il traverse étaient les seuls lieux qui fussent dignes de son passage. Une pensée mal disciplinée se laisse entraîner vers des directions incoordonnées par un mouvement qui ne la conduit nulle part; la pensée hiérarchisée tourne au contraire autour de Dieu; elle a fixé pour toujours les constellations spirituelles qui constituent son zodiaque, et, les ayant fixées, elle passe continuellement de l'une de ses demeures dans l'autre, sans jamais sortir de la ceinture lumineuse qu'elles définissent. Que sont ces signes célestes? Nous les connaissons déjà, car ce sont inévitablement les mêmes objets sur lesquels, avec saint Bonaventure, nous avons fait porter l'effort de notre réflexion philosophique, plus quelques autres encore sur lesquels la réflexion rationnelle n'a presque aucune prise, mais qu'une âme illuminée par la grâce trouve profit à contempler : la considération des êtres corporels, puis la considération des substances spirituelles; celle des sciences conçues par l'intelligence; celle des vertus morales, puis des lois instituées par Dieu; des grâces divines qui hiérarchisent l'âme; des jugements irrépréhensibles de Dieu; de ses miséricordes aussi qui sont, elles, incompréhensibles; des mérites qui seront récompensés; des récompenses qui les couronneront; de la suite des temps révélée par l'Écriture et de l'ordre que l'âme y découvre; des raisons éternelles, enfin, qui terminent en Dieu cette contemplation et la rejoignent au premier signe du zodiaque mental : les êtres dont ces exemplaires sont les modèles[1]. Ainsi, toujours mobile sur la voie qu'elle s'est assignée, l'âme contemplative se trouve toujours dans l'un quelconque de ces signes sans jamais s'arrêter dans aucun.

Or, il va de soi qu'une telle transformation de la pensée suppose une transformation corrélative de l'univers. La science naturelle prétend lui donner son véritable sens en multipliant à l'infini les faits qu'elle prend en considération et les théories qui les expliquent; la philosophie chrétienne lui donne au contraire son véritable sens en le faisant servir à sa véritable fin, qui est de manifester Dieu à l'homme et de conduire l'homme vers Dieu. Pour qui ne perd pas de vue la béatitude finale, ce monde ne peut pas avoir d'autre raison d'être que de nous en faire goûter les prémices. Saint Bonaventure n'a cessé d'insinuer cette pensée sous toutes les formes possibles; mais il en a trouvé l'expression la plus frappante dans sa familiarité franciscaine le jour où il a défini la tâche de l'homme comme l'organisation de notre exil terrestre en une sorte de faubourg du royaume des Cieux, pour y savourer chaque jour d'avance quelque chose de la béatitude éternelle : *Si haec caelestia gaudia jugiter in mente teneres, de hoc exilio quoddam suburbium caelestis regni construeres, in quo illam aeternam dulcedinem quotidie spiritualiter praelibando degustares*[2]. Que l'on accorde son sens plein à une telle formule, que l'on suppose une pensée infiniment souple et subtile employée tout entière à la réaliser, on en verra sortir naturellement l'univers analogique de saint Bonaventure avec ses correspondances et ses proportions fondées dans les essences mêmes des choses, pénétré de part en part et conforté par l'influence de la lumière, cet analogue le plus noble de l'esprit dans le monde des corps. Qu'il s'agisse de l'âme ou des choses, toutes les doctrines que nous avons successivement examinées nous apparaissent donc comme issues d'une seule et même préoccupation fondamentale : les créatures sont ce qu'elles doivent être en elles-mêmes dans la mesure exacte où elles sont ce qu'elles doivent être pour Dieu.

Peut-être, d'ailleurs, est-ce également la raison profonde pour laquelle la doctrine de saint Bonaventure est demeurée parfois inaperçue des

---

1. « Et quia in hac vita non possumus stare in uno, ideo anima habet duodecim materias sicut duodecim lumina, circa quae semper moveatur in quodam circulo, sicut sol percurrit duodecim constellationes, scilicet per duodecim signa, et nunquam exit... In his debet contemplativa anima versari semper in aliquo istorum luminum, sicut sol semper est in aliquo signo », *In Hexaëm.*, XXII, 40, t. V, p. 443. Cf. *Ibid.*, VI, 19, p. 363.

2. *Soliloquium*, IV, 1; éd. min., p. 138.

historiens les mieux informés. Un fait aussi fréquent ne peut pas être purement accidentel et il se pourrait même que la cause en fût profitable à méditer. Toutes les grandes doctrines philosophiques sont fortement systématisées, mais elles sont néanmoins le plus souvent formées d'une série de fragments articulés dont chacun conserve une signification propre lorsqu'on le considère à part. On peut avoir l'impression de comprendre Comte en ne connaissant que la *Philosophie positive*; Kant, en ne connaissant que la *Critique de la raison pure*; Descartes, en ne lisant que ses *Méditations métaphysiques*; saint Thomas d'Aquin, en étudiant sa philosophie indépendamment de sa théologie; et, sans doute, chacune de ces connaissances est incomplète par quelque endroit, mais le seul fait que l'illusion soit possible ou même qu'un historien se croie autorisé à choisir ce qui lui semble le plus intéressant dans le système qu'il étudie prouve que les fragments de l'œuvre mutilée conservent un intérêt et une signification.

Il en va tout autrement dans une doctrine telle que celle de saint Bonaventure : la systématisation y est telle que la notion même de fragment en arrive à ne plus avoir aucun sens. On ne peut qu'apercevoir dans son entier l'économie générale de la doctrine ou n'en rien voir, et il n'y a pas lieu d'espérer qu'un historien se trouve conduit par l'intelligence d'un de ses fragments à désirer l'intelligence du reste, car les fragments n'en sont pas intelligibles, poussant comme ils font leurs prolongements dans tout le reste du système et traversés qu'ils sont à leur tour par les ramifications que tout le système tend vers eux. C'est pourquoi la déconvenue guette inévitablement les historiens qui chercheront, par exemple, ce que saint Bonaventure a pensé des preuves de l'existence de Dieu; ou bien encore ce que saint Bonaventure a pensé des rapports de la raison et de la foi; car le sens vrai de l'argument de saint Anselme n'apparaît dans une telle doctrine qu'au seuil de l'extase et la critique de l'aristotélisme averroïste ne trouve son fondement véritable qu'au moment où se découvre à nous la commune racine de l'avarice et de la curiosité, cette avarice de la pensée, dans la concupiscence et le vouloir pour soi du péché originel. Si paradoxale que puisse sembler une telle assertion, nous estimons donc que c'est l'extrême unification de la doctrine qui la fait si aisément apparaître comme incomplète et mal coordonnée; il est plus économique de nier successivement la systématisation des détails que de penser chacun d'eux en fonction du système tout entier.

Ce qui est vrai de la doctrine prise en elle-même est également vrai de la place qu'elle occupe dans l'histoire de la pensée philosophique au xiiie siècle. N'apercevant pas la logique intérieure de la doctrine, on ne pouvait guère imaginer qu'elle y eût joué un rôle véritablement actif, ni, par conséquent, occupé une place que l'histoire fût tenue de prendre en considération. D'excellents historiens en arrivent donc naturellement à cette conséquence, à la fois logique et extraordinaire, de passer saint Bonaventure sous silence en retraçant le mouvement des idées au xiiie siècle, ou de ne voir que passivité, incapacité de construire et de tendre à l'unité par l'effort de ses principes dans l'augustinisme médiéval dont elle est la plus complète expression[1]. Impuissance et anarchie, tel serait le bilan surprenant de l'effort intellectuel auquel nous devons le *Breviloquium*, l'*Itinerarium* et l'*Hexaëmeron*, c'est-à-dire trois œuvres dont la densité et la forte structure retiennent d'autant plus la pensée qu'elle les approfondit davantage ; un malentendu de cette nature est trop grave pour que l'on ne s'efforce pas de le dissiper.

Il se pourrait, en effet, qu'une certaine conception de la philosophie en général et de la philosophie scolastique en particulier fût à l'origine des jugements portés sur l'augustinisme médiéval. Envisagée du point de vue rationaliste de la philosophie moderne, la doctrine de saint Bonaventure apparaît, en effet, comme la plus médiévale des philosophies du moyen âge, et elle l'est à bien des égards. Nul penseur du xiiie siècle ne s'est plus systématiquement efforcé de réduire les sciences à la théologie et de les mettre entièrement à son service ; et personne mieux que lui n'a pris au pied de la lettre le mot d'ordre confié par les papes à l'Université de Paris : *theologia imperat aliis ut domina et illae sibi ut famulae obsequuntur*[2]. Envisagée du point de vue de la philosophie

---

1. On trouvera l'expression de cet état d'esprit dans les articles du P. Mandonnet sur saint Thomas d'Aquin : « Thomas dut, pendant ce premier séjour parisien, pressentir surtout l'instabilité doctrinale dans laquelle se tenaient autour de lui les meilleurs esprits. La pensée de saint Augustin, qui constituait la mise de fonds scientifique de l'époque, poussée par le menu dans les directions les plus diverses, faisait de la science philosophique et théologique un chantier de construction désordonné... », *Saint Thomas d'Aquin. Le disciple d'Albert le Grand*, Revue des Jeunes, X, 2, 1920, p. 159-160. « Puissance de destruction d'un côté et, de l'autre, impuissance à construire... D'autre part, le néo-platonisme traditionnel montrait de plus en plus son inconsistance. Incapable de tenir tête à des doctrines aussi solidement constituées que celles d'Aristote, il se traînait dans la vague des formules et l'à-peu-près des théories. Impuissant à tendre à l'unité par l'effort de ses principes et celui de ses propres partisans, il tombait progressivement en lambeaux, désagrégé par l'action inéluctable du stagirite », *Paris et les grandes luttes doctrinales (1269-1272)*, Ibid., X, 5, 1920, p. 524-525. « ... une passivité stérile comme celle des néo-platonisants... », p. 526.

2. Voir E. Gilson, *Études de philosophie médiévale*, Strasbourg, 1921, p. 44-49.

thomiste elle-même, la doctrine de saint Bonaventure apparaît comme disqualifiée pour une raison analogue. Il est certain que le thomisme était moderne dès le jour de sa naissance ; il l'était en ce sens que, s'installant délibérément sur le terrain commun de la raison humaine, il faisait profession de dénouer les problèmes philosophiques par des méthodes communes à tous. En acceptant l'*Organon* d'Aristote comme critérium du vrai et du faux en matière philosophique, Albert le Grand et saint Thomas permettaient aux théologiens chrétiens de communiquer, en tant que philosophes, avec tous ceux qui n'étaient que philosophes. Entre un thomiste de l'Université de Paris, de Naples ou de Cologne, et un Arabe, un juif ou un averroïste, la conversation devenait possible ; ce qui était preuve pour l'un était preuve pour l'autre et, en fait, de nombreuses doctrines leur appartenaient en commun à titre de doctrines rationnellement démontrées[1]. Situons, au contraire, la doctrine de saint Bonaventure par rapport à ces philosophes, elle n'existe littéralement pas en tant que philosophie. Refusant d'accepter le terrain commun de la pure raison, elle s'exclut de la communion des intellects simplement humains. On n'y entre que par un acte de foi[2] ; elle a donc nécessairement contre elle et ceux qui refusent de le faire et ceux qui le font, mais qui le font pour sauver leur âme et non pour philosopher. Si philosophie égale raison pure, il n'y a pas de philosophie bonaventurienne et, de ce point de vue, il n'est que juste de la traiter exactement comme si elle n'existait pas.

Mais il faut du moins se rendre compte qu'il s'agit là d'un point de vue dogmatique et ne pas le choisir comme point de vue historique ; le jugement de valeur doit suivre la définition des faits, il ne doit pas la conditionner. Or, on remarquera d'abord que l'historien ne peut pas accepter l'interprétation purement négative des faits que le philosophe lui propose. Dire que saint Bonaventure a confondu la philosophie avec la théologie peut signifier deux choses bien différentes. En un premier sens, nettement péjoratif, cela signifie qu'il n'a pas su distinguer les deux disciplines. On se le représenterait dès lors comme ayant oublié de poser cette distinction fondamentale et comme nécessairement condamné, par là même, à ne plus jamais savoir exactement dans la

---

1. É. Gilson, *La signification historique du Thomisme*, p. 95 et suiv.

2. Faut-il rappeler qu'elle n'est pas pour autant un fidéisme ? Le fidéisme substitue la foi à la raison dont il nie l'efficacité (cf. Vacant, *Études sur les constitutions du Concile du Vatican*, p. 286 et Document VII, p. 609), alors que l'augustinisme demande le secours de la foi pour le bon usage de la raison comme raison.

suite où il en était[1]. Or, en fait, nous savons exactement quelle fut l'attitude de saint Bonaventure sur ce point ; ou bien on veut établir la distinction formelle qui sépare la philosophie de la théologie, et alors la
philosophie devient simplement une collection de vérités mélangées d'erreurs inventée par l'esprit humain ; ou bien on veut conserver un sens
positif au terme philosophie, et alors il faut renoncer pratiquement à la
distinguer de la théologie pour en faire l'étude de la nature selon les
principes que la révélation suggère à la raison. Mais, en même temps
que nous reconnaissons le fait, la formule même que nous en donnons
nous invite à réfléchir sur l'interprétation première que l'histoire nous
en offre. Si la confusion règne dans la pensée de saint Bonaventure, c'est
d'une confusion d'un genre très particulier qu'il s'agit. Car, en un certain sens, ainsi que nous l'avons montré, on a raison de dire qu'il existe
une distinction formelle entre la philosophie et la théologie dans cette
doctrine[2], mais après l'avoir posée comme réelle, saint Bonaventure la

1. Les expressions dont use le P. Mandonnet suggèrent cette interprétation négative :
« Absence d'une distinction formelle entre le domaine de la philosophie et de la théologie,
c'est-à-dire entre l'ordre des vérités rationnelles et celui des vérités révélées », *Siger de
Brabant* (Les philosophes belges, t. VI), Louvain, 1911, p. 55. Contre M. de Wulf, qui conteste qu'une doctrine telle que l'absence de distinction formelle entre les domaines de la
philosophie et de la théologie fut augustinienne ni même, d'une façon générale, scolastique, le P. Mandonnet répond : « L'absence de distinction dont j'ai parlé n'est pas une
doctrine, mais une absence de doctrine », Ibid., p. 55, note 1. L'attitude du P. Mandonnet
à l'égard des augustiniens se trouve clairement expliquée dans le texte même. Il nie, avec
pleine raison d'ailleurs, que l'on puisse reprocher aux thomistes de n'avoir pas su aborder
l'examen des problèmes scientifiques indépendamment du dogme et, par conséquent, que
l'on ait le droit d'exclure leur philosophie de l'histoire de cette science ; mais il accorde
que cette accusation « a un fondement réel chez les théologiens augustiniens » (p. 56). Nous
sommes d'accord avec M. de Wulf pour admettre que saint Bonaventure distingue formellement philosophie et théologie et avec le P. Mandonnet pour admettre qu'il ne reconnaît
pas la légitimité d'une philosophie autonome. Distinguons, comme saint Bonaventure lui-
même, l'*esse* du *bene esse*. Nous n'accorderions pas à M. de Wulf, au contraire, que sa
définition des rapports de la théologie et de la philosophie dans la scolastique pût s'appliquer à saint Bonaventure. « La distinction des deux sciences, hautement proclamée, entraîne
leur indépendance et l'autonomie de leurs éléments spécificateurs », *Histoire de la philosophie médiévale*, 4ᵉ éd., 1912, p. 324. Car l'autonomie de leurs éléments spécificateurs ne
légitime pas leur indépendance. Mais nous différons également du P. Mandonnet en ce que,
pour les raisons que nous avons indiquées, nous n'acceptons pas le sens négatif qu'il donne
au terme « confusion ». Quant à la « demi-justification » de l'exclusion des doctrines de ce
genre par les historiens de la philosophie dont il nous parle, nous avons l'impression que,
pour les fortes raisons que lui-même développe (p. 55, note 2), il ne faudrait pas le presser
beaucoup pour lui en faire abandonner la dernière moitié. Rappelons, d'ailleurs, qu'on doit
au P. Mandonnet la première description de l'augustinisme médiéval et presque la première
constatation de son existence.

2. E. Gilson, *Études de philosophie médiévale. La signification historique du Thomisme*,
p. 95-124. Cf. *La philosophie au moyen âge*, Paris, Payot, 1922, t. II, p. 8-12 et 33-34.

nie comme illégitime. Ce n'est donc pas d'une confusion négative, ni d'une simple absence de distinction, c'est de la condamnation positive de cette distinction qu'il s'agit. Saint Bonaventure ne l'a pas ignorée; il l'a vue et il n'en a pas voulu; nous devons donc modifier les termes dans lesquels on pose habituellement la question.

Si l'on adopte en effet la première des deux hypothèses que nous envisageons, l'historien n'a pas l'embarras du choix; il se trouve en présence de théologiens qui n'ont même pas su ce que peut être la philosophie et tous les philosophes qu'il consulte sont d'accord pour la négliger; les rationalistes ne sont pas d'accord avec les thomistes, en ce qu'ils veulent réduire tout le contenu de la connaissance humaine à celui de la raison, mais ils sont d'accord avec les thomistes pour réduire en principe tout le contenu de la philosophie à celui de la raison [1]; n'étant pas une philosophie, la doctrine de saint Bonaventure n'a pas à prendre place dans l'histoire de la philosophie. Mais, si l'on adopte la deuxième interprétation que nous proposions, le problème se complique, parce que deux conceptions différentes de la philosophie se font jour et que deux espèces de doctrines bien différentes peuvent y revendiquer leur place. Saint Bonaventure ne peut plus être considéré comme oubliant par mégarde l'existence de la philosophie. Il sait qu'elle existe. Mais il constate que ce qui la vicie, en tant précisément que philosophie, c'est sa prétention d'exister à part. La niant comme discipline autonome, il l'affirme comme discipline hétéronome, la recueille, l'intègre à un organisme de notions et d'influences surnaturelles qui la transfigurent et, par là même, la conduisent jusqu'à son heureux achèvement. Dès lors, ce n'est plus d'une suppression, mais d'une transmutation des valeurs philosophiques qu'il s'agit ici, et la seule raison qui pourrait autoriser l'historien à considérer la tentative de saint Bonaventure comme nulle et non avenue serait la constatation de son échec. Si, en fait, la négation de la philosophie séparée, au sens où l'entendait Albert le Grand, avait stérilisé la pensée philosophique, l'histoire n'aurait qu'à en prendre

---

1. Certains thomistes s'expriment d'ailleurs parfois d'une manière plus absolue que saint Thomas lui-même, qui fait beaucoup plus large confiance à la raison que ne fait saint Bonaventure, mais non pas une confiance absolue. Voir *Cont. Gentes*, I, 5; sans la foi : « Remaneret igitur humanum genus, si sola rationis via ad Deum cognoscendum pateret, in maximis ignorantiae tenebris, quum Dei cognitio, quae homines maxime perfectos et bonos facit nonnisi quibusdam paucis, et his paucis etiam post temporis longitudinem proveniret. » Saint Bonaventure déclare seulement : sans la foi, aucune raison n'y arriverait jamais; la nuance suffit à changer totalement l'aspect des deux philosophies bien que ni l'une ni l'autre ne consente à se passer ni de la raison ni de la foi.

acte; elle noterait que l'intégration consciente et expressément voulue de la philosophie à la théologie a déterminé l'impuissance à construire ces systèmes cohérents où la multiplicité des faits donnés dans l'expérience se trouve réduite à l'unité. En est-il véritablement ainsi en ce qui concerne saint Bonaventure, c'est la question qu'il nous reste à poser.

Pour s'en rendre compte par une méthode strictement historique, ce n'est pas en fonction d'une conception de la philosophie différente de la sienne qu'il convient de la juger, mais en fonction du courant idéologique dont sa doctrine représente le parfait épanouissement. Afin de rendre plus clair le sens de notre raisonnement, nous opposerions volontiers deux interprétations différentes de l'évolution philosophique au XIIIᵉ siècle. L'une, que l'on peut considérer comme classique, adopte la perspective thomiste sur les événements : un XIIIᵉ siècle commençant avec la tradition augustinienne, menacé par l'invasion de l'averroïsme et réagissant avec Albert le Grand contre cette invasion en assimilant toute la vérité du système d'Aristote. La thèse de l'anarchie augustinienne en résulte nécessairement puisque, par hypothèse, si l'augustinisme avait suffi le thomisme n'aurait pas eu de raison d'exister. L'autre, que nous aimerions substituer à la première, supposerait que la scolastique du XIIIᵉ siècle eut deux sommets et que le puissant mouvement qui souleva la pensée chrétienne dressa deux pics, sans préjudice des soulèvements secondaires qui forment autour d'eux une double chaîne : l'un, né d'une poussée dont les origines sont lointaines, correspond à la doctrine de saint Bonaventure; l'autre, d'inspiration en apparence au moins toute nouvelle, atteint son sommet avec le système de saint Thomas d'Aquin. Nous avons dit ailleurs quelle nous semble avoir été la signification historique du deuxième; nous aimerions, à la lumière des recherches qui précèdent, insister aujourd'hui sur la signification historique du premier.

L'argument dont on use communément pour reléguer saint Bonaventure hors des frontières de l'histoire de la philosophie consiste à le qualifier de mystique; c'est précisément l'argument auquel nous nous proposons de recourir pour l'y réintégrer. Oui, saint Bonaventure est essentiellement un mystique; mais c'est en même temps un philosophe parce qu'il a conçu le projet de systématiser le savoir et les choses en fonction de la mystique; et c'est même un grand philosophe parce que, comme tous les grands philosophes, il a conduit jusqu'au bout l'expé-

rience qu'il tentait sur une idée. Si le sentiment mystique doit être
considéré comme une partie intégrante de la nature humaine, le contenu
des philosophies du mysticisme pourra bien évoluer parce que notre
représentation de l'univers évolue, mais jamais aucune doctrine ne
mettra en plus complète évidence les expériences de l'âme qui sont les
sources éternelles de la mystique, ni ne se fera plus compréhensive ou
plus systématiquement organisée que celle de saint Bonaventure en vue
de leur rendre justice. Et si, chose plus évidente encore, le mysticisme
forme une partie intégrante de la vie chrétienne, on ne pourra jamais
citer de synthèse doctrinale où les aspirations de la mystique chrétienne
reçoivent une plus abondante satisfaction. On peut trouver qu'il y a
trop de mystique chez saint Bonaventure, on ne jugera jamais qu'il n'y
en ait pas assez, car le sentiment mystique y envahit tout ; mais, en
envahissant tout, il systématise tout, et c'est ce qui confère à cette doctrine une telle richesse dans une telle unité.

Comparons en effet la doctrine de saint Bonaventure à celle du plus
grand mystique médiéval qui l'ait précédé, saint Bernard. Dante, qui
ne se trompait guère sur les personnages qu'il choisissait, n'a pas hésité
à incarner en lui la forme de vie chrétienne la plus haute qu'il lui fût
possible de concevoir.

Nul choix ne pouvait, en effet, se mieux justifier que celui de saint
Bernard comme guide vers les sommets de la vie spirituelle, car il n'est
pas seulement un mystique, il est le mystique à l'état pur, sans trace
de philosophie. Sa volonté d'extase ne se satisfait qu'en niant tout le
reste et qu'en supprimant successivement tous les aspects de la nature
ou toutes les manifestations de la vie. De là son prodigieux ascétisme
qui le conduit à ces deux principes : en ce qui concerne le sommeil, ne
pas passer la nuit entière sans dormir ; en ce qui concerne la nourriture, se forcer à manger malgré le dégoût qu'il éprouvait pour les ali-
ments. De là encore l'ascétisme de la pensée qu'il conduisait parallèle-
ment à celui du corps. Refréner la curiosité, c'était pour lui amortir
les sens de manière que les excitations extérieures ne provoquent plus
de sensations ou que les sensations, si elles venaient à se produire, ne
laissent aucune trace dans la mémoire et finissent par ne plus être
perçues[1]. Et, de fait, il ne savait pas même comment était faite la chapelle où il se rendait tous les jours. La curiosité de l'intelligence n'était
pas moins sévèrement disciplinée que celle des sens. Et il ne faut pas

1. *S. Bernardi vita Alano scripta*, **IV**, 16.

entendre par là simplement que l'étude des sciences pour elles-mêmes lui semble inutile, mais que certain usage du *fides quaerens intellectum* n'était pas toujours sans lui causer quelque inquiétude. Son hostilité acharnée contre Abélard n'a pas d'autre raison que les efforts d'Abélard pour interpréter le dogme; il l'accuse de vouloir supprimer la foi simplement parce qu'Abélard cherche à la comprendre dans la mesure où elle est compréhensible; c'est lui qui a fait d'Abélard un rationaliste, au sens moderne du mot, et on l'a cru[1]. C'est pourquoi la mystique de saint Bernard se développe tout entière sur une seule ligne. Dépouillée, nue, purement intérieure et psychologique, elle a quelque chose de classique au sens français du mot. L'analyse psychologique de notre misère intérieure, la connaissance de nous-mêmes; l'ascèse morale qui nous fait gravir les degrés de l'humilité et descendre les degrés correspondants de l'orgueil; la voie des méditations qui nous conduisent de l'amour de nous-mêmes à l'amour de Dieu pour nous, puis à l'amour de Dieu pour lui et pour nous, et enfin à l'amour de Dieu pour lui-même; l'ascension du désir vers l'extase par la considération de la Providence, la terreur du jugement et la certitude de la miséricorde divine; quelques pages prenantes enfin sur les joies de cette expérience indescriptible qui seule donne son vrai sens à notre vie, tel est, à peu de chose près, l'essentiel de cette mystique toute en intensité et en profondeur. Saint Bernard va droit à son but et ne s'embarrasse jamais d'aucune considération accessoire. Il n'appelle pas la nature à son aide, il l'exclut au contraire de son champ d'exploration et ferme systématiquement les yeux sur la beauté du monde sensible; sa mystique a des murs aussi nus qu'une chapelle des Bénédictins de Cîteaux. Il ne s'inquiète pas de savoir si la connaissance humaine se fait par voie d'abstraction comme l'enseigne Abélard avec Aristote, ou par voie d'illumination comme l'enseigne saint Augustin. Aucun système, aucune élaboration doctrinale, rien qu'une vie intérieure et sa formule, voilà ce qu'apportait saint Bernard, et comme la mystique

1. « Petrus Abaelardus Christianae fidei meritum evacuare nititur, dum totum quod Deus est, humana ratione arbitratur se posse comprehendere... », *Epistola*, 190, 10, éd. Mabillon, t. I, p. 82. « Nihil videt per speculum et in aenigmate, sed facie ad faciem omnia intuetur », *Epistola*, 192, 12, t. I, p. 82. Ce que saint Bernard pense de la science par rapport à la mystique est clairement exposé dans les *Sermones in Cantica Canticorum*, serm. 36 et 37, éd. citée, t. III, p. 64-67. Il recommande le bon usage des sciences : serm. XXXVI, 2, et XXXVII, 2, mais le désir de substituer l'intelligence à la foi, la non-acceptation du mystère comme tel équivaut au refus de l'état dans lequel Dieu nous a placés.

consiste beaucoup moins à parler qu'à faire, on conçoit que Dante l'ait choisi comme guide vers le suprême sommet[1].

Entre saint Bernard et saint Bonaventure un immense travail de développement a transformé la pensée médiévale. Non seulement les disciples de saint Bernard, comme Guillaume de Saint-Thierry ou Isaac Stella, ont poursuivi la description et approfondi l'analyse de la vie mystique, mais encore des penseurs comme Hugues et Richard de Saint-Victor ont construit des œuvres qui dépassent en ampleur et en solidité tout ce que le moyen âge occidental avait jusqu'alors produit. Ce sont déjà de véritables Sommes d'inspiration mystique, et ce sont aussi des sources immédiates de la synthèse bonaventurienne que le *De sacramentis* ou le *De Trinitate*. Entre elles et saint Bonaventure viennent encore s'interposer la Somme et l'enseignement d'Alexandre de Halès, dont le texte enfin restitué va permettre d'étudier en détail l'influence exercée par la pensée du maître sur celle du disciple. De telles œuvres témoignent amplement, et elles témoigneront de plus en plus irréfutablement à mesure qu'elles auront été mieux étudiées, de l'intense vitalité que manifeste la pensée chrétienne vers la fin du XIIe siècle et le début du XIIIe. Bien loin de nous apparaître comme un chantier désordonné occupé par des équipes d'ouvriers anarchiques et impuissants à construire, elle nous apparaît comme résolument engagée dès l'époque des victorins, dans la voie qui conduit à saint Bonaventure. D'inspiration essentiellement théologique, elle utilise, sans fausse honte, la terminologie ou même la doctrine d'Aristote, mais sous la condition expresse que jamais aucun de ses principes constitutifs ne viendra se substituer à ceux de l'augustinisme dans l'édifice légué par la tradition. Mieux la doctrine d'Aristote sera connue, plus ces emprunts se feront nombreux; ceux de saint Bonaventure sont continuels et la distinction de l'acte et de la puissance ou la théorie des quatre genres de causes, pour ne prendre que deux exemples entre cent, lui fournissent le cadre de très nombreux développements; il les utilisera même dans l'interprétation des paroles de saint François. Mais il n'en reste pas moins vrai que, jusqu'à la réforme thomiste, un même mouvement régulier de la pensée chrétienne engendre des œuvres de plus en plus vastes, animées d'un esprit augustinien, et dont cependant la structure systématique est d'une nouveauté remarquable lorsqu'on les compare aux essais pro-

1. Ajoutons que, dans la *Divine Comédie*, c'est la Vierge qui joue le rôle de médiateur suprême entre la connaissance et l'extase et que saint Bernard était un intercesseur tout désigné auprès d'elle.

fonds, mais fragmentaires, de saint Augustin lui-même. Ne pas voir la continuité de ce progrès au cours des années qui précèdent le triomphe de la synthèse thomiste, c'est raisonner comme s'il n'y avait rien eu entre la *Theologia christiana* d'Abélard et l'œuvre d'Albert le Grand ou de saint Thomas d'Aquin.

Or, il est permis de considérer que la synthèse bonaventurienne marque un moment capital de ce progrès. La synthèse thomiste clot par une brusque péripétie la crise aristotélicienne, et le succès qu'elle a remporté nous laisse à distance l'impression d'avoir supprimé l'augustinisme médiéval; mais, à mesure que les publications de textes se poursuivent, on aperçoit de mieux en mieux derrière saint Bonaventure toute une série de penseurs dont l'œuvre fut surtout de maintenir, d'approfondir ou de développer les principes métaphysiques sur lesquels s'était fondée sa doctrine. Mathieu d'Aquasparta, Jean Peckham, Eustache d'Arras, Guillaume de la Mare, Gauthier de Bruges, Pierre-Jean Olivi subissent à des degrés divers son influence et préparent les nouvelles synthèses doctrinales du xive siècle, Scot en particulier, dont on peut bien dire que l'interprétation est demeurée jusqu'à présent lamentablement inexacte. L'œuvre entière de Raymond Lulle est complètement inintelligible si l'on fait abstraction du symbolisme de saint Bonaventure et de sa doctrine des illuminations intellectuelles et morales. Par Jean Gerson cette influence doctrinale s'étend au domaine de la spiritualité et de la piété; elle envahira désormais et occupera pendant des siècles la conscience chrétienne et il ne serait pas absurde de chercher si ce que l'on nomme aujourd'hui l'école française en matière de spiritualité ne dériverait pas en partie de l'école franciscaine d'esprit bonaventurien. L'histoire de l'influence exercée par la doctrine de saint Bonaventure est actuellement impossible, mais le peu que l'on en sait permet d'affirmer sans crainte d'erreur qu'elle fut d'une remarquable fécondité.

L'illusion de perspective, qui nous rend aujourd'hui si difficile de discerner son influence, nous cache également ce que cette doctrine apportait avec soi de véritablement définitif. A certains égards les principes sur lesquels elle se fondait pouvaient développer au cours des temps toute une série de conséquences nouvelles, mais, si nous considérons l'édifice même élevé par saint Bonaventure, il nous apparaît comme quelque chose d'unique et d'achevé, l'aboutissement ultime d'une tendance qui ne pourra jamais aller plus loin. Et, en ce sens, on peut dire que, si le succès du thomisme paraît à distance avoir clos le développement de l'augustinisme médiéval, c'est peut-être simplement qu'après saint Bonaventure la synthèse mystique de l'augustinisme médiéval n'était plus à construire, de même qu'après saint Thomas d'Aquin lui-même, l'œuvre de l'aristotélisme chrétien n'avait plus à être achevée. Ainsi que toutes les grandes doctrines l'une et l'autre apparaissent comme des fins en soi lorsqu'on les prend en elles-mêmes et comme des sources fécondes par rapport aux éléments nouveaux du réel qu'elles demeurent capables d'assimiler. Or, la philosophie de saint Bonaventure est une fin en soi parce que la tendance profonde et caractéristique de l'augustinisme médiéval était de faire passer au premier plan, en lui subordonnant tout le reste, l'élément mystique de la doctrine et que, pour la première fois avec saint Bonaventure, elle venait de recevoir pleine satisfaction. Se soutenant et s'enrichissant réciproquement, le désir de l'extase et la science des choses viennent enfin de se développer en une vaste architecture où prend place la totalité de l'expérience humaine dont le philosophe avait lui-même hérité : une doctrine de la connaissance, une théorie des principes métaphysiques de la nature, une règle de l'action enfin, le tout pénétré, soutenu, lié par une inspiration si parfaitement une, que la pensée s'y élève des opérations les plus humbles des objets matériels aux effusions les plus hautes de la grâce sans rencontrer jamais aucune solution de continuité.

Et c'est sans doute là son tort le plus grave aux yeux de beaucoup de nos contemporains. Une philosophie doit porter sur la nature, une mystique ne peut porter que sur la grâce, elle n'intéresse donc, par définition, que le théologien. Mais peut-être faudrait-il s'entendre d'abord sur le sens du mot nature. On peut sans doute désigner par ce terme l'ensemble des faits qui nous sont donnés, en supposant à priori qu'ils contiennent en eux-mêmes la raison suffisante de leur être et de leur interprétation. En pareil cas, la notion de transcendant ou de surnaturel perd évidemment toute signification ; mais on peut se demander si elle n'entraîne pas dans son sort la notion de philosophie. Tout ce qui est, est dans la nature et par conséquent naturel ; oui, à condition que l'idée, le désir et le besoin du surnaturel ne fassent pas eux-mêmes partie intégrante de la nature ; à condition que l'exigence même de ce que l'on exclut ne soit pas inscrite dans la substance de ce dont on l'exclut ; à condition encore d'oublier, et de s'entraîner par une discipline spéciale à les oublier, ces problèmes qui renaissent toujours au fond du cœur humain et que l'on s'interdit de poser au nom même du donné dans lequel ils se posent. Tout se passe alors comme si l'homme et les choses contenaient virtuellement en eux la raison suffisante de ce qu'ils sont; un être peut toujours s'expliquer par un autre être et la totalité de l'être s'expliquerait d'elle-même si elle pouvait nous être donnée; le silence éternel des espaces infinis ne nous effraie plus; nous sommes devenus sourds aux appels qui jaillissent parfois encore, à l'improviste, du fond de l'âme humaine; il n'y a plus que du physique et, par conséquent, tout ce qui est relève de la science seule; l'élimination radicale du transcendant, c'est l'élimination de toute métaphysique et par là même de toute connaissance qui appartiendrait en propre à la philosophie.

Mais on pourrait cependant partir d'une autre hypothèse; la nature serait alors définie comme l'ensemble du donné, sans en exclure à priori les conditions qu'il requiert pour devenir intelligible. Ici commence proprement la métaphysique et, avec elle, le seul ordre de spéculations qui permette d'assigner un contenu spécifique à la philosophie : elle est la science des conditions du donné qui ne nous sont pas elles-mêmes données. Mais c'est alors aussi que réapparaît inévitablement le transcendant suivi de près par le surnaturel. Ce transcendant, qu'excluait par définition la formule du naturalisme pur, cesse d'être une chose dont toute l'essence consiste à ne pouvoir faire partie d'aucune expérience et son opposition à la nature n'est plus celle de deux termes contradictoires; le surnaturel devient alors de l'expérience différée et de la nature temporairement offusquée comme la nature est du surnaturel qui s'ignore. Ce qui n'est pas donné le sera. On peut même dire en un certain sens que, s'il n'est pas encore donné, sa place du moins est marquée sous nos yeux en signes si clairs qu'un expérimentalisme intégral n'aurait pas le droit de n'en pas tenir compte. Mais, à partir de ce moment aussi, le surnaturel peut s'offrir sous un double aspect à la réflexion philosophique. Ou bien on supposera que sa présence latente ne fait que conserver et mouvoir les êtres dans leur propre nature, de telle sorte qu'il reste possible de décrire à part leur nature telle que la science la constate, et l'économie des influences divines qui la soutiennent et lui permettent de subsister; c'est l'interprétation qu'en apporte saint Thomas d'Aquin. Ou bien on supposera que le surnaturel parfait les êtres dans leur propre nature, en ce sens qu'il les achève perpétuellement, les rend, les révèle à eux-mêmes, et qu'il ne soit plus possible de les décrire en eux-mêmes sans recourir à lui; c'est l'interprétation qu'en apporte saint Bonaventure. Et voilà pourquoi, demeurant une philosophie, sa doctrine présente l'aspect que nous lui connaissons et diffère des autres métaphysiques par ce qu'il y a en elle de plus profond.

Si c'est en effet le transcendant et le surnaturel qui constitue le cœur même du réel, et si le réel ne cesse de le clamer à nos oreilles par ses multiples insuffisances, la tâche la plus haute de la métaphysique ne saurait plus consister qu'à réintégrer dans l'économie de la nature tout ce qu'elle requiert de surnaturel pour nous devenir intelligible. Comme toutes les vraies philosophies, celle de saint Bonaventure part de l'expérience; elle pousse ses racines jusqu'au plus intime de notre misère et de la misère des choses, mais elle n'en prend pleinement conscience que pour la nier; le remède est comme présupposé par le mal, si du moins nous n'acceptons pas que l'univers soit incohérent et le mal sans remède. Ainsi, la philosophie n'a le choix qu'entre désespérer des choses et d'elle-même, ou chercher l'explication du monde où elle est; mais elle ne peut opter pour ce dernier parti qu'en assignant à son effort comme objet essentiel la découverte et la libération du divin qu'implique la nature, et telle est précisément l'œuvre que saint Bonaventure s'est proposé d'accomplir. Avec une logique minutieuse et dont les exigences ne seront jamais dépassées, elle développe sous nos yeux la philosophie complète de ce surnaturel hors duquel la nature et l'homme demeureraient des énigmes indéchiffrables, et c'est le titre de gloire qui ne lui sera point enlevé. Dans cette philosophie si puissante et si complexe, la science se nourrit de la charité qu'elle éclaire; Paris ne détruit pas Assise et Assise ne renie point Paris. Mais si la sombre plainte de Jacopone de Todi devient ici sans objet, c'est que, descendu de sa chaire magistrale, le docteur est allé méditer sur l'Alverne. Sur ce sommet, non sur les pentes de la montagne Sainte-Geneviève, il a désiré de suivre dans son vol le Séraphin aux six ailes, et si c'est bien à l'Université de Paris qu'il doit sa science, c'est à l'âme de saint François qu'il a demandé son inspiration.

La doctrine de saint Bonaventure marque donc à nos yeux le point culminant de la mystique chrétienne et constitue la synthèse la plus complète qu'elle ait jamais réalisée. Dès lors, on comprendra sans peine qu'elle ne soit jamais rigoureusement comparable en aucun de ses points à la doctrine de saint Thomas d'Aquin. Sans doute, nier leur accord fondamental serait absurde; ce sont deux philosophies chrétiennes et chaque menace contre la foi les trouve unies pour faire front contre elle. S'agit-il du panthéisme? L'une et l'autre enseignent la création ex nihilo et maintiennent une distance infinie entre l'être par soi et l'être participé. S'agit-il de l'ontologisme? L'une et l'autre nient formellement que Dieu puisse être vu par la pensée humaine dès cette vie, à plus forte raison nous en refusent-elles cette connaissance habituelle que l'ontologisme nous accordait. S'agit-il du fidéisme? L'une et l'autre lui opposent l'effort le plus complet de l'intelligence pour prouver Dieu et pour interpréter les données de la foi. S'agit-il du rationalisme? L'une et l'autre coordonnent l'effort de l'intelligence à l'acte de foi et maintiennent l'influence bienfaisante de l'habitus de la foi sur les opérations de l'intelligence. Accord profond, indestructible, proclamé par la tradition qui l'a soumis à l'épreuve des siècles et que personne d'ailleurs, même au temps des pires luttes doctrinales, n'a jamais contesté. Mais si ces deux philosophies sont également chrétiennes, en ce qu'elles satisfont également aux exigences des données de la foi, elles n'en restent pas moins deux philosophies. Et c'est sans doute pourquoi dès 1588 Sixte V proclamait, et en 1879 Léon XIII rappelait, qu'ils furent deux à construire la synthèse de la pensée scolastique au moyen âge et qu'aujourd'hui encore ils restent deux à la représenter ; deux nourritures et deux lumières : *duae olivae et duo candelabra in domo Dei lucentia*. Les tentatives auxquelles se livrent parfois leurs interprètes pour transformer en une identité de contenu l'accord fondamental que nous avons marqué entre les deux systèmes peuvent donc être considérées d'avance comme inutiles et vaines dès leur principe ; car il est clair que si ces deux doctrines sont organisées selon deux préoccupations initiales différentes, elles n'envisageront jamais sous le même aspect les mêmes problèmes et que par conséquent l'une ne répondra jamais à la question précise que l'autre se sera posée. La philosophie de saint Thomas et celle de saint Bonaventure se complètent comme les deux interprétations les plus universelles du christianisme, et c'est parce qu'elles se complètent qu'elles ne peuvent ni s'exclure ni coïncider.

BIBLIOGRAPHIE

I. — Œuvres de saint Bonaventure.

S. Bonaventurae, *Opera omnia*... edita studio et cura P. P. Collegii S. Bonaventurae... anecdotis aucta, prolegomenis, scholiis notisque illustrata, ad Claras Aquas (Quaracchi) ex typographia Collegii S. Bonaventurae, 10 vol. gr. in-4°, 1882-1902.

> Tomes I-IV. *In IV sent. Comment.*
> V. *Opuscula theologica.*
> VI. *Comment. in sacram Scripturam.*
> VII. *Comment. in evang. S. Lucae.*
> VIII. *Opuscula varia ad theolog. mystic. et res ordinis F. M. spectantia.*
> IX. *Sermones.*
> X. *Complementum.*

Pour la liste des œuvres, voir p. 41. — Pour les deux éditions mineures des opuscules, voir p. 42. — Pour les éditions antérieures des œuvres de saint Bonaventure, voir : *Catalogue général des livres imprimés de la Bibliothèque nationale*, t. XV, art. *Bonaventure* (saint), 48 colonnes 557-598, Paris, Imprimerie nationale, 1903. — Sur chacune des œuvres principales de saint Bonaventure, voir d'excellentes notices dans l'article de E. Smeets, *Saint Bonaventure*, Dict. de théol. catholique, II, col. 966-975. — En langue française : C. Alix, *Théologie séraphique extraite et traduite des œuvres de saint Bonaventure*, Paris, D. Lecoffre, 1853-1855, 2 vol. in-16. Et surtout : *Œuvres spirituelles de saint Bonaventure*, traduites par M. l'abbé Berthaumier, Paris, L. Vivès, 1854-1855, 6 vol. in-8°. Cf. *Catalogue général... de la Bibl. nat.*, cité plus haut, et G. Palhoriès, *op. cit.*, p. 366-368.

II. — Biographie.

Source perdue : J. Gilles de Zamorra, O. P., *De viris illustribus*, ou *Historia canonica et civilis*. Cf. Opera omnia, t. X, p. 39.

Dissertatio critica, Opera omnia, éd. cit., t. X, et E. Smeets, art. cité, col. 983-984.

Boule (J.-C.). — *Histoire abrégée de la vie, des vertus et du culte de saint Bonaventure, patron de la ville de Lyon*, Lyon, 1747.

Cavalesio. — *De S. Bonaventurae vita, doctrina et scriptis*, Bassani, 1767.

A. M. da Vicenza. — *Vita di S. Bonaventura cardinale e dottore della chiesa, libri III*, Roma, 1874, in-8°, 2ᵉ éd., Monza, 2 vol. in-16. Trad. allemande de Ign. Jeiler, Paderborn, 1874, in-8°.

Berthaumier. — *Histoire de saint Bonaventure*, Paris, 1858, in-8°.

Ortoleva Giambattista da Mostretta. — *S. Bonaventura e il secondo concilio di Lione*, Roma, 1874, in-8°.

Skey (L. C.). — *Life of S. Bonaventure*, London, 1889, in-8°.

Venuti (T.). — *S. Bonaventura a Parigi, studente e dottore*, Rassegna nazionale, août 1897.

L. de Chérancé. — *Saint Bonaventure* (Bibliothèque franciscaine), Paris, 1899, in-18.

L. Lemmens. — *Der hl. Bonaventura*, Kempten und München, 1909. Trad. italienne dans la collect. Profili di santi, 1921.

Thaddeus (A. P.). — *Saint Bonaventure, 1221-1274*, London, 1908.

Callebaut (P. André). — *Le chapitre général de 1272 célébré à Lyon*, Arch. franciscan. histor., t. XIII, 1920, p. 305 et suiv.

— *La date du cardinalat de saint Bonaventure*, ibid., t. XIV, 1921, p. 401 et suiv.

— *L'entrée de saint Bonaventure dans l'ordre des Frères Mineurs en 1243*, France franciscaine, janvier-juin 1921.

Clop (P. Eusèbe). — *Saint Bonaventure* (Les saints), Paris, 1922.

Jules d'Albi. — *Saint Bonaventure et les luttes doctrinales de 1267-1277*, Paris, 1923, in-12.

III. — Saint Bonaventure et son milieu.

H. Bœhmer. — *Analekten zur Geschichte des Franciscus von Assisi*, Tübingen, J. C. B. Mohr, 1904.

— *Opuscula sancti Patris Francisci Assisiensis*, éd. Quaracchi, 1904.

Paul Sabatier. — *Speculum perfectionis seu S. Francisci Assisiensis legenda antiquissima*, Paris, Fischbacher, 1898.

— *Actus beati Francisci et sociorum ejus*, Paris, Fischbacher, 1902.

P. Ed. d'Alençon. — *S. Francisci Assisiensis, vita et miracula, additis opusculis liturgicis auctore Fr. Thomas de Celano*, Romae, Desclée, 1906.

Fr. Salimbene. — *Chronica*, éd. Holder-Egger, Monum. Germ. hist., Bd. 32.

— *Catalogus XXIV generalium ministrorum ord. Fr. Min.*, ibid. et Analecta franciscana, t. III, Quaracchi, 1897.

Jourdain de Giano. — *Chronica*, Anal. francisc., t. I, Quaracchi, 1885.

Thomas de Eccleston. — *Liber de adventu Fratrum Minorum*, Anal. francisc., t. I, Quaracchi, 1885.

Hubertin de Casale. — *Arbor vitae crucifixae*, Venetiis, 1485.

Wadding. — *Annales ordinis Fratrum Minorum*, Romae, 1625 et suiv., t. II.

J. Peckham. — *Registrum Epistolarum fratris Johannis Peckham*, éd. C. T. Martin, London, 1884.

F. Ehrle. — *John Peckham über den Kampf des Augustinismus und Aristotelismus in der zweite Hälfte des 13 Jahrhunderts*, Zeitschrift. für katholische Theologie, 1889, t. XIII, p. 172-193.

— *Die Spiritualen, ihr Verhältnis zum Franziskanerorden und zu den Fraticellen*, Archiv für Literatur -und Kirchengeschichte, t. II, p. 106-164, 249-336. Contient le texte de : Angelo Clareno, *Historia septem tribulationum ordinis minorum*.

— *Zur Vorgeschichte des Concils von Vienne*, Archiv für Literatur -und Kirchengeschichte, t. III, 1887, p. 48-137, 160-195. Textes d'Hubertin de Casale.

Paul Sabatier. — *Vie de saint François d'Assise*, Paris, 1894 (ch. XVI).

J. Jœrgensen. — *Saint François d'Assise*. Trad. franç. par T. de Wyzewa, Paris, 20ᵉ éd., 1911.

K. Müller. — *Die Anfänge des Minoritenordens und der Bussbruderschaften*, Freib. i. Br., 1885.

P. Mandonnet. — *Les origines de l'Ordo de poenitentia*. Compte-rendu du 4ᵉ Congrès scientifique international des catholiques, 5ᵉ section, Fribourg, 1898.

— *Siger de Brabant*, Les philosophes belges, t. VI, Louvain, 1911.

— *Saint Thomas d'Aquin. Le disciple d'Albert le Grand*, Rev. des Jeunes, 25 janvier 1920.

— *Paris et les grandes luttes doctrinales (1269-1272)*. Rev. des Jeunes, 10 mars 1920.

Hilarin Felder. — *Geschichte der wissenschaftlichen Studien im Franziskanerorden bis um die Mitte des 13 Jahrhunderts*, Freib. i. Br., 1904. Trad. française, Paris, 1908.

Ubald d'Alençon. — *Les idées de saint François sur la pauvreté*, Paris, 1909.

— *Les idées de saint François sur la science*, Paris, 1910.

— *L'âme franciscaine*, 2ᵉ éd., Paris, 1913.

IV. — ÉTUDES D'ENSEMBLE.

Brulifer. — *Reportata in IV lib. Sent. S. Bonaventurae*, Bâle, 1501-1507 ; Venise, 1504; Paris, 1521, 1570.

Franc. Longus a Coriolano. — *S. Bonaventurae... Summa Theologica*, Romae, 1622, in-fol.

P. Trigosus. — *S. Bonaventurae... Summa Theologica*, Romae, 1593, Lyon, 1616, in-fol.

M. A. Galitius de Carpenedulo. — *Summa totius philosophiae ad mentem S. Bonaventurae*, Romae, 1634-1636.

Barth. de Barberiis. — *Cursus theologicus, ad mentem Seraphici Doct. S. Bonaventurae*, Lugduni, 1687.

— *Flores et fructus philosophici... seu cursus philosophicus ad mentem S. Bonaventurae*, Lugduni, 1677.

H. Olpensis. — *Cursus philosophicus ad mentem Ser. Doctoris*, Barcelone, 1691.

Gaspare de Monte Santo, O. M. — *Gesta e dottrina del serafico dottore S. Bonaventura*, Macerata, 1793.

A. M. de Vicence et J. de Rovigno. — *Lexicon bonaventurianum theologico-philosophicum*, Venetiis, 1880. (Se trouve à la librairie de Quaracchi.)

Margerie (de). — *Essai sur la philosophie de saint Bonaventure*, Paris, 1855.

W. A. Hollenberg. — *Studien zu Bonaventura*, Berlin, 1862.

Contestin. — *Saint Bonaventure et ses faux admirateurs* (extrait de la « Revue des sciences ecclésiastiques », 1867-1869), Arras, 1870.

Marcellino da Civezza. — *Della vera filosofia e delle dottrine filosofiche di S. Bonaventura*, Genova, 1874.

B. de Nerone. — *Breviloquium philosophiae christianae... ex operibus d. Bonaventurae desumptum*, Gênes, 1881.

Borgognoni. — *Le dottrine filosofiche di S. Bonaventura ed il suo metodo secondo la mente di Aristotile*, Roma, 1874; Bologna, 1882.

Martigné (Prosper de). — *La scolastique et les traditions franciscaines : saint Bonaventure*, Amiens, 1886; Paris, 1888.

Évangéliste de Saint-Béat. — *S. Bonaventura scholae franciscanae magister praecellens*, Tournai. 1888.

— *Le Séraphin de l'École* (extrait des « Études franciscaines »), Paris, 1900.

— *Ce qu'est saint Bonaventure* (extrait des « Études franciscaines »), Paris, 1903, 23 p.

Sorrento. — *S. Bonaventura e la sua dottrina*, Napoli, 1890.

G. Casanuova. — *Cursus philosophicus ad mentem D. Bonaventurae et Scoti*, Madrid, 1894.

Fred. Giannini. — *Studi sulla scuola francescana*, Sienne, 1895.

Facina Bieno. — *S. Bonaventura doct. seraph., discipulorum S. Augustini alter princeps*, Venetiis, 1904.

Robinson (P. Pascal). — *Saint Bonaventure* (art.), Cathol. Encyclop., t. II, New-York, 1907.

J. Joseph. — *Philosophische Studien zu Bonaventura*, Berlin, 1909, in-8°.

E. Smeets. — *Saint Bonaventure* (art.), Dict. de théol. cathol., t. II, p. 1910, col. 962-986. (Bonne bibliographie.)

L. Costelloe. — *S. Bonaventure, the seraphic doctor*, London, 1911.

G. Palhoriès. — *Saint Bonaventure*, Paris, 1913 (La pensée chrétienne). Suivi d'une traduction de l'*Itinerarium*. Bibliographie.

Sestili (G.). — *La filosofia di S. Bonaventura*, Rivista di filos. neoscol., 1921, p. 186-219.

Ehrle (S. J.). — *Der heil. Bonaventura, seine Eigenart und seine drei Lebensaufgaben*, Franzisk. Studien, 1921, p. 109-124.

Krebs (Engelb.). — *Zur spekulativ-theologischen Eigenart des heiligen Bonaventura*, Franzisk. Studien, 1921, p. 136-144.

L. de Carvalho e Castro. — *Saint Bonaventure. Le Docteur Franciscain,* Paris, 1923, in-8°.

V. — RAISON ET FOI.

K. Ziesché. — *Des hl. Bonaventura Lehre von der logisch-psychologischen Analyse der Glaubensakte,* Breslau, 1908, in-8°.

— *Verstand und Wille beim Glaubensakt. Eine spekul. hist. Studie aus der Scholastik im Anschluss an Bonaventura,* Paderborn, 1909 (Jahrb. f. Philos. und spek. Theol., Ergänzhf. 10).

Th. Heitz. — *Essai historique sur les rapports entre la philosophie et la foi,* Paris, 1909, p. 107-115.

V. Bernardi. — *Una questione interessantissima per la apologetica e per la teologia, ossia l'atto di fede e la dottrina di S. Tomaso, del B. Alberto M. e di S. Bonaventura,* Torino, 1912.

VI. — THÉORIE DE LA CONNAISSANCE.

Juvenalis Annaniensis. — *Solis intelligentiae lumen indeficiens seu immediatum Dei ut entis summi internum magisterium,* Augustae Vind., 1686; Paris, Thorin, 1878.

Ubaghs. — *De mente S. Bonaventurae circa modum quo Deus ab homine cognoscitur,* Louvain, 1860.

J. Krause. — *Bonaventurae de origine et via cognitionis intellectualis doctrina ab ontologismi nota defensa,* Monasterii, 1868.

C. Deleau. — *Doctrine de saint Bonaventure sur la connaissance de Dieu et sur l'ontologisme,* Rev. des Sciences ecclésiastiques, 1870; c. II, p. 251-295.

Signoriello (N.). — *Dell' ideologia di S. Bonaventura,* La scienza e la fede, 1874, XXVIII, 473-486.

Zigliara. — *Della luce intellettuale e dell' Ontologismo secondo la dottrina di S. Bonaventura e Tomaso d'Aquino,* Roma, 1874.

— Trad. française : *Œuvres philosophiques,* Lyon, 1880, t. II et III.

K. Werner. — *Die Psychologie und Erkenntnislehre des Joh. Bonaventura,* Wien, 1876.

Borgognoni. — *S. Bonaventura e il suo metodo,* Scienza ital., 1882.

De humanae cognitionis ratione Anecdota quaedam seraphici doctoris S. Bonaventurae et nonnullorum ipsius discipulorum ; cf. Dissertatio praevia, Ad Claras Aquas, 1883.

Zorzoli. — *La questione di S. Bonaventura « De cognitionis humanae suprema ratione » commentata e difesa contro le rosminiane interpretazioni di S. Casara,* Torino, 1890.

J. Jeiler. — *Der Ursprung und die Entwickelung der Gotteserkenntnis im Menschen. Eine dogmatische Studie über die betreffende Lehre d. heil. Bonaventura und anderer Meister d. dreizehnten Jahrhund,* Der Katholik, 1877, p. 113-147; 225-269; 337-353.

M. Couaillac. — *Doctrinam de idaeis divi Thomae divique Bonaventurae conciliatricem a Juvenali annaniensi* sc. *XVII philosopho propositam...* Parisiis, V. Lecoffre, 1897, in-8°.

B. Desbuts. — *De saint Bonaventure à Duns Scot*, Ann. de philos. chrét., décembre 1910, p. 130-150 et 225-248.

E. Lutz. — *Die Psychologie Bonaventuras.* Anhang : Bonaventuras Stellung zum Ontologismus, Münster, 1909 (Beiträge, VI, 4-5).

G. Menesson. — *La connaissance de Dieu chez saint Bonaventure*, Rev. de philos., juillet-août 1910, p. 5-19 et 113-125.

J. Eberle. — *Die Ideenlehre Bonaventuras*, Freiburg. i. B., 1911, in-16.

Hessen (J.). — *Bonaventuras Verhältnis zum Ontologismus*, Philos. Jahrbuch, 1921, p. 370-378.

B. Landry. — *La notion d'analogie chez saint Bonaventure et saint Thomas d'Aquin*, Louvain, 1922, in-8°.

Luyckx (P. Bon. Anton). — *Die Erkenntnislehre Bonaventuras*, Münster, i. W., 1923 (Beiträge, XXIII, 3-4).

VII. — DOCTRINE DE LA NATURE.

B. R. P. — *De mente S. Bonaventurae et Alex. Halensis circa distinctionem essentiae ab existentia*, Divus Thomas, 1885, II, 552-555.

J. Krause. — *Die Lehre des hl. Bonaventura über die Natur der Körperlichen und geistigen Wesen und ihr Verhältnis zum Thomismus*, Paderborn, 1888, in-8°.

— *Quomodo Bonaventura mundum non esse aeternum, sed tempore ortum demonstraverit*, Braunsberg, 1891.

— *S. Bonaventuram in doctrina de rerum naturalium origine S. Augustinum secutum esse*, ibid., 1894.

Év. de Saint-Béat. — *De necessaria temporaneitate creaturae ad mentem Ser. S. Bonaventurae*, Tournai, 1888.

K. Ziesché. — *Die Lehre von Materie und Form bei Bonaventura*, Philos. Jahrb., 1900, p. 1-21.

— *Die Naturlehre Bonaventuras*, ibid., 1908, p. 56-89 et 156-189,

Cl. Baeumker. — *Witelo*, Münster, 1908 (Beiträge, III, 2), p. 394-407 : la métaphysique de la lumière.

S. Belmond. — *L'idée de création d'après saint Bonaventure et Duns Scot.*, Études franciscaines, 1913.

VIII. — LA LIBERTÉ.

J. Jeiler. — *S. Bonaventurae principia de concursu Dei generali ad actiones causarum secundarum collecta et S. Thomae doctrina confirmata.* Ad Claras Aquas, 1897, in-8°.

Dörholt. — *Der hl. Bonaventura und die thomist.-molinistische Controverse*, Jahrb. f. Philos. u. spek. Theol., 1897-1898.

J. Verweyen. — *Das Problem der Willensfreiheit in der Scholastik*, Heidelberg, 1909, p. 99-111.

Božitkovic (G.). — *S. Bonaventurae doctrina de gratia et libero arbitrio*, Marienbad, 1919. (Thèse de Fribourg, Suisse.)

IX. — MORALE.

Wagner (Fr.). — *Der Begriff des Guten und Bösen nach Thomas von Aquin und Bonaventura*, Paderborn, 1913.

Baur (L.). — *Die Lehre vom Naturrecht bei Bonaventura*, Festgabe f. Clem. Baeumker, Münster, 1913, p. 217-239.

X. — LA THÉOLOGIE BONAVENTURIENNE.

Ferchius. — *De angelis ad mentem S. Bonaventurae*, Padoue, 1658.

Fasolis (Ug.). — *S. Bonaventura e la ss. Vergine*, Torino, 1874.

Ludovicus a Castroplanio. — *Seraphicus Doctor Bonaventura in oecumenicis catholicae Ecclesiae Conciliis cum patribus dogmata definiens*, Romae, 1874, in-8°. (Se trouve à la librairie de Quaracchi.)

M. Limbourg. — *Die Praedestinationslehre des heil. Bonaventura mit besonderer Berücksichtigung der Scholien in der neuen Gesamtausgabe der Werke Bonaventuras*, Zeitschr. f. kath. Theologie, 1892, XVI, p. 581-652.

Piat. — *De sententia S. Bonaventurae circa essentiam sacramenti paenitentiae*, Tournai, 1874.

J. Gottschick. — *Uber die Versöhnungslehre Bonaventuras*, Zeitschr. f. Kirchengeschichte, 1902.

X. Kattum. — *Die Eucharistielehre des hl. Bonaventura*, München, 1920.

R. Guardini. — *Die Lehre des hl. Bonaventura von der Erlösung*, Düsseldorf, 1921.

A. Stohrs. — *Die Trinitätslehre des hl. Bonaventura; eine systematische Darstellung und historische Würdigung.* (Inédit; résumé par Krebs : Franziskan. Studien, 1921, p. 136-138.)

Paulus (Nik.). — *Die Ablasslehre des hl. Bonaventura*, Franzisk. Studien, 1921, p. 145-155.

Jérôme (P.). — *Saint Bonaventure et la science humaine du Christ*, Études franciscaines, 1921, p. 210-234; 317-343.

Tominec (A.). — *Znanje kristusa-človeka po nauku kard. Mateja ab Aquasparta*, Bogoslovni Vestnik, 1922, p. 130-136.

Golubovich (Hieron.). — *Statuta liturgica auctore S. Bonaventura an. 1263 edita.* Tirage à part de l'Arch. Franc. Hist., Quaracchi.

Bittremieux (Ch.). — *La doctrine de saint Bonaventure et le Concile de Trente*, Études franciscaines, 1923, p. 225-240.

— *L'institution des sacrements d'après saint Bonaventure*, Études franciscaines, 1923, p. 129-152; 337-355.

Bittremieux (Ch.). — *La science infuse du Christ d'après saint Bonaventure*, Études franciscaines, 1922, p. 308-326.

XI. — LA MYSTIQUE BONAVENTURIENNE.

C. L. Tempesti. — *Mistica teologia secondo lo spirito e le sentenze di S. Bonaventura*, Venezia, 1748.

J. Richard. — *Étude sur le mysticisme spéculatif de saint Bonaventure, docteur du XIIIe siècle*, Paris, 1869, in-8°.

Baroni. — *Amore e scienza, ossia la mente serafica del glorioso dottore S. Bonaventura : meditazioni*, Firenze, 1874.

Douais. — *De l'auteur du « Stimulus amoris », publié parmi les opuscules de saint Bonaventure*, Ann. de philos. chrét., 1885, XI, 361-373, 457-470.

C. Bram. — *Der hl. Bonaventura als Mystiker*, Der Katholik, 1807, t. II, p. 83-92, 183-197, 301-318.

F. Pothron. — *Praxis disciplinae et perfectionis ex opusculis S. Bonaventurae*, éd. et trad. par Victor-Bernardin de Rouen, Tournai, 1901.

Ballea (L. C.). — *Il misticismo di S. Bonaventura nelle sue antecedenze e le sue esplicazioni*, Torino, 1901.

Peralta (Vincente de). — *El pensamiento de S. Buenaventura sobra la contemplacion mistica*, Estudios franciscanos, 1912, t. VIII, p. 426-442.

Anonyme. — *Zur Mystik des hl. Bonaventura*, Franzisk. Studien, 1916, p. 189-191.

Imle (Fanny). — *Franziskaner Ordensgeist und franziskanische Ordenstheologie*, Franziskan. Studien, 1919, hf. 2, p. 99 et suiv.

Longpré (P. Ephrem). — *La théologie mystique de saint Bonaventure*, dans Arch. francisc. historic., t. XIV, 1921, p. 36-108. Tirage à part, Quaracchi, 1921. (Travail très important.)

Andres (F.). — *Die Stufen der Contemplatio in Bonaventuras Itinerarium mentis in Deum und in Benjamen major des Richard von St. Victor*, Franzisk. Studien, 1921, p. 189-200.

Trimolé, O. F. M. — *Deutung und Bedeutung der Schrift De reductione artium ad theologiam des hl. Bonaventura*, Franzisk. Studien, 1921, p. 172-180.

Grabmann (M.). — *Die Erklärung des Bernhard von Waging zum Schlusskapitel von Bonaventuras Itinerarium mentis in Deum*, Franzisk. Studien, 1921, p. 125 et suiv.

Symphorien (P.). — *L'influence spirituelle de saint Bonaventure et l'Imitation de Jésus-Christ*, Études franciscaines, 1921, p. 36-77; 235-255; 1922, avril-juin; 1923, p. 279-300; 356-381.

XII. — EXÉGÈSE.

J. Mahusius. — *S. Bonaventurae in Lucam enarratio*, Anvers, 1539.

31

Barth. de Barberiis. — *Glossa seu summa ex omnibus S. Bonaventurae expositionibus exacte collecta*, Lugduni, 1681-1685.

Cresc. v. den Borne. — *De fontibus Commentarii S. Bonaventurae in Ecclesiasten*, Arch. franc. hist., t. X, p. 257-270. (Tirage à part, Quaracchi.)

XIII. — L'ORDRE FRANCISCAIN. L'ÉGLISE.

Fidelis a Fanna, O. M. — *Seraphici Doctoris divi Bonaventurae doctrina de Romani Pontificis primatu et infallibilitate*, Turin, 1870.

Villanova (Thomas). — *S. Bonaventura und das Papstum. Dogmatische Studie*, Bregenz, 1902.

Balthasar (K.). — *Geschichte des Armutstreites im Franziskanerorden*, Münsterberg, 1911.

Stöckerl (J.). — *Die Lehre des hl. Bonaventura über das Wesen der evangelischen Vollkommenheit*, Franzisk. Studien, 1921, p. 211 et suiv.

XIV. — ESTHÉTIQUE.

Fr. Mar. de Salerne. — *Della poesia nel serafico Dottore S. Bonaventura*, Gênes, 1874.

Barbier de Montaut. — *L'influence de saint Bonaventure sur l'art italien*, Rev. de l'art chrétien, 1889, VII, 84-85.

N. Rosati. — *L'eloquenza cristiana in S. Bonaventura*, Firenze, 1903, in-8°. (Se trouve à la librairie de Quaracchi.)

Künzle. — *St. Bonaventura und die moderne Æsthetik*, Schweizerische Rundschau, 1906-1907, 3 hf.

E. Lutz. — *Die Æsthetik Bonaventuras*, Festgabe f. Clem. Baeumker, Münster, 1913, p. 195-215.

R. Boving. — *St. Bonaventura und der Grundgedanke der Disputa Raffaels*, Franzisk. Studien, 1914, 1 hf.

— *Die Æsthetik Bonaventuras und das Problem der ästhetischen Einfühlung*, Franzisk. Studien, 1921, p. 201 et suiv.

XV. — SAINT BONAVENTURE ET DANTE.

E. di Bisogno. — *S. Bonaventura e Dante; studii*, L. F. Cogliati, Milano, 1899, in-8°.

Ét. Gilson. — *La conclusion de la « Divine Comédie » et la mystique franciscaine*, Revue d'histoire franciscaine (1924), I, p. 55-63.

XVI. — SAINT BONAVENTURE ET LA PENSÉE MODERNE.

P. Grégoire. — *Hegel et saint Bonaventure*, Études franciscaines, août 1904.

TABLE DES MATIÈRES

IMPRIMERIE DAUPELEY-GOUVERNEUR A NOGENT-LE-ROTROU.

cant

canr

LIBRAIRIE J. VRIN, 6, PLACE DE LA SORBONNE, PARIS.

ÉTUDES DE PHILOSOPHIE MÉDIÉVALE

Directeur : ÉTIENNE GILSON

CHARGÉ DE COURS A LA SORBONNE
DIRECTEUR D'ÉTUDES A L'ÉCOLE PRATIQUE DES HAUTES ÉTUDES RELIGIEUSES

VOLUMES PARUS :

I. — Étienne GILSON. *Le Thomisme.* Introduction au système de saint Thomas d'Aquin. 1 vol. in-8°. . . . . 12 fr.

VI. — Henri GOUHIER. *La pensée religieuse de Descartes.* 1 vol. in-8° . . . . 12 fr.

IV. — Étienne GILSON. *La philosophie de saint Bonaventure.* 1 fort vol. in-8° . . . . 25 fr.

SOUS PRESSE :

II. — Raoul CARTON. *L'expérience mystique chez Roger Bacon.*

III. — Raoul CARTON. *L'expérience physique chez Roger Bacon.*

VI. — Raoul CARTON. *La synthèse doctrinale de Roger Bacon.*

VII. — BERTRAND-BARRAUD. *Les idées philosophiques de Bernardin Ochin, de Sienne.*

EXTRAIT DU CATALOGUE GÉNÉRAL :

Victor BROCHARD. *Les Sceptiques grecs,* ouvrage couronné par l'Académie des Sciences morales et politiques (prix Victor Cousin). 2ᵉ édition, 1923, 1 fort vol. in-8°. . . . . 32 fr.

DESCARTES (*Œuvres de*), publiées par Ch. ADAM et Paul TANNERY, sous les auspices du Ministère de l'Instruction publique.

> Cette édition est publiée sous le patronage d'une Commission internationale en l'honneur du troisième centenaire de Descartes. Le format est le grand in-4° carré d'environ 700 pages par volume. Le programme de l'édition comprenant pour un certain nombre d'ouvrages la reproduction en fac-similé de gravures dessinées par Descartes lui-même, le texte a dû être combiné pour les encadrer d'une manière satisfaisante. On a employé une série de caractères gravés et fondus par M. Beaudoire. Les figures qui n'étaient pas originairement de Descartes ont été rétablies dans le style de l'auteur par M. P.-E. Mangeant.

La collection complète de 13 volumes . . . . . . 600 fr.

A.-P. LAFONTAINE, docteur ès lettres (collection *la Culture française*). *La philosophie de Boutroux.* In-12. . . . 3 fr. 50

A.-P. LAFONTAINE. *La philosophie de Bergson.* In-12 . 3 fr. 50

MALEBRANCHE. *Traité de morale,* réimpression de l'édition de 1707, avec les variantes des éditions de 1684 et 1697, avec une introduction et des notes par Henri JOLY. 1 vol. in-12 . . . 7 fr.

Félix RAVAISSON. *Essai sur la métaphysique d'Aristote.* 2 forts vol. in-8° . . . . 50 fr.

IMPRIMERIE DAUPELEY-GOUVERNEUR A NOGENT-LE-ROTROU.